MARGUERITE

Les chroniques de Chambly

Louise Chevrier

Marguerite
Les chroniques de Chambly

Roman historique

Hurtubise

Catalogage avant publication de Bibliothèque et Archives nationales du Québec et Bibliothèque et Archives Canada

Chevrier, Louise

    Marguerite : les chroniques de Chambly

    ISBN 978-2-89647-174-4

    1. Chambly (Québec) - Histoire - Romans, nouvelles, etc. I. Titre. II. Titre : Les chroniques de Chambly.

PS8605.H493M37 2009   C843'.6   C2008-942541-3
PS9605.H493M37 2009

Les Éditions Hurtubise bénéficient du soutien financier des institutions suivantes pour leurs activités d'édition :

- Conseil des Arts du Canada
- Gouvernement du Canada par l'entremise du Programme d'aide au développement de l'industrie de l'édition (PADIÉ)
- Société de développement des entreprises culturelles du Québec (SODEC)
- Programme de crédit d'impôt pour l'édition de livres du gouvernement du Québec

Illustration de la couverture : Sybiline
Maquette de la couverture : Geai bleu graphique
Graphisme de la couverture : René St-Amand
Mise en page : Folio infographie

Copyright © 2009, Éditions Hurtubise inc.

ISBN : 978-2-89647-174-4

Dépôt légal : 2ᵉ trimestre 2009
Bibliothèque et Archives nationales du Québec
Bibliothèque et Archives du Canada

Diffusion-distribution au Canada :
Distribution HMH
1815, avenue De Lorimier
Montréal (Québec) H2K 3W6
www.distributionhmh.com

Diffusion-distribution en France :
Librairie du Québec / DNM
30, rue Gay-Lussac
75005 Paris
www.librairieduquebec.fr

Imprimé au Canada
www.editionshurtubise.com

À Raymond, mon mari,
inestimable compagnon de vie

Cet amour était venu à elle, et ce qui nous arrive n'est pas toujours de notre fait.

ALEXANDER McCALL SMITH

Avant-propos

Au tournant du xixe siècle, la seigneurie de Chambly comprend deux paroisses : Saint-Joseph-de-Chambly et Pointe-Olivier (qu'on appellera plus tard Saint-Mathias), situées de part et d'autre du bassin de Chambly. C'est ici que bat le cœur de la rivière Richelieu, que les habitants du Bas-Canada désignent comme « la rivière Chambly », un arrêt obligé sur la route du sud qui mène vers les États-Unis.

Le voyageur qui passe par là s'émerveille du paysage qui s'y déploie. Entre les deux paroisses, la rivière s'élargit subitement pour former une étendue d'eau grande comme un lac qu'on appelle « bassin de Chambly ». Un rapide tumultueux s'y jette au pied d'un vieux fort, gardien impassible de l'antique seigneurie. Chambly s'enorgueillit à juste titre de ce fort de pierre construit par les Français, en 1711, pour remplacer le fortin de bois érigé par la compagnie du capitaine Jacques de Chambly, du régiment de Carignan-Salières, en 1665. Une garnison d'une trentaine de soldats habite toujours le fort et cette présence militaire crée parfois des remous avec les habitants.

Les premiers colons sont venus s'installer dans cette région après la signature de la Grande Paix de Montréal avec les nations indiennes, en 1701. Avant cette date, la population avait fui les lieux, terrorisée par les Iroquois.

À l'époque où commencent les *Chroniques de Chambly*, deux cents familles, des cultivateurs pour la plupart, habitent la paroisse Saint-Joseph-de-Chambly, plus populeuse que sa voisine. Les deux paroisses entretiennent une amicale guerre de clocher, se disputant le commerce et l'importante navigation sur la rivière. Chambly a toujours été avantagé. La proximité de Montréal par voie terrestre et le fort, qu'il faut sans cesse approvisionner, contribuent à sa prospérité.

Le voyageur sait, lorsqu'il traverse la seigneurie de Chambly, qu'il rencontrera des gens de la bonne société dans laquelle se déroule l'histoire racontée dans les *Chroniques de Chambly*. Ce village s'honore de la présence de grandes familles canadiennes, les Rouville et les Niverville, qui y ont construit leurs manoirs de pierre. Mais cette noblesse se fait éclipser par l'opulence des Boileau, une famille de négociants qui compte pourtant des ancêtres amérindiens. Leur rivalité entraînera un crime odieux qui est au cœur de ce roman.

Les personnages[*]

Les Bédard :
Jean-Baptiste Bédard : 32 ans. Curé de la paroisse Saint-Joseph-de-Chambly.
Marie-Josèphe Bédard : 19 ans. Sa sœur.

Les Boileau :
Monsieur Boileau : 49 ans. Bourgeois de Chambly.
Antoinette de Gannes de Falaise (madame Boileau) : 48 ans. Épouse de Monsieur Boileau.

Leurs enfants :
René Boileau : 23 ans. Notaire à Chambly.
Emmélie Boileau : 18 ans. Amie intime de Marguerite Lareau.
Sophie Boileau : 16 ans.
Zoé Boileau : 4 ans.

Les Bresse :
Joseph Bresse : 33 ans. Marchand et bourgeois de Chambly.
Françoise Sabatté (madame Bresse) : 26 ans. Épouse de Joseph Bresse.

---

* L'âge indiqué est celui du personnage au moment de son apparition dans le roman.

Clémence Sabatté : 10 ans. Sœur de Françoise.
Agathe Sabatté : 9 ans. Sœur de Françoise.

Les Lareau :
François Lareau : 40 ans. Habitant.
Victoire Sachet : 39 ans. Épouse de François Lareau.
Mémé Lareau : 70 ans. Mère de François Lareau.

Leurs enfants :
Marguerite, 17 ans ; Noël, 16 ans ; Godefroi, 14 ans ; Joseph,
    12 ans ; Louis, 9 ans ; Marie, 10 ans ; Esther, 4 ans.

Les Talham :
Alexandre Talham : 42 ans. Médecin, veuf d'Appoline
    Poudret.
Charlotte Troie : 28 ans. Servante du docteur Talham.

Les Rouville :
Melchior de Rouville : 55 ans. Militaire, seigneur de Rouville,
    propriétaire de fiefs dans la seigneurie de Chambly.
Marie-Anne Hervieux (madame de Rouville) : 50 ans.
    Épouse de Melchior de Rouville.

Leurs enfants :
Ovide de Rouville : 19 ans.
Julie de Rouville : 17 ans.

Plan de la seigneurie
de Chambly vers 1800

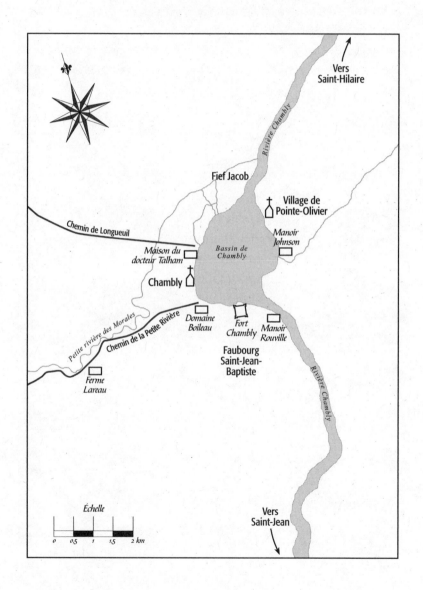

Vers
Saint-Hilaire

Rivière Chambly

Fief Jacob

Village de
Pointe-Olivier

Chemin de Longueuil

Manoir
Johnson

Maison du
docteur Talham

Bassin de
Chambly

Chambly

Petite rivière des Morales

Chemin de la Petite Rivière

Domaine
Boileau

Fort
Chambly

Manoir
Rouville

Faubourg
Saint-Jean-
Baptiste

Rivière Chambly

Ferme
Lareau

Échelle

0   0,5   1   1,5   2 km

Vers
Saint-Jean

Prologue

Sous le soleil brûlant de juillet, Marguerite s'en retournait chez elle par le chemin de la Petite Rivière, portant un large panier rempli de framboises parfumées qu'elle venait de cueillir dans un petit bois tout près de là. Il faisait si chaud qu'elle avait retiré son bonnet de coton qui cachait ses cheveux, ne gardant que son large chapeau de paille. Tout en marchant, elle entendit le bruit d'un cheval au trot. Instinctivement, elle se rangea sur le côté de la route pour laisser passer le cavalier. Elle reconnut alors son cousin René Boileau. Ce dernier retint sa monture et mit pied à terre près de la jeune fille. Marguerite tressaillit de joie. C'était la première fois qu'elle se retrouvait seule avec lui, sans la présence de la famille. Le jeune homme la salua en lui souriant franchement, délaissant ainsi sa réserve coutumière.

— Bonjour, Marguerite. La cueillette a été bonne, à ce que je vois, dit-il simplement.

La coquetterie de la jeune fille flattait l'ingénuité de ses dix-sept ans. Des yeux bleu-vert délicieusement pailletés d'or illuminaient un charmant minois parsemé de taches de rousseur et doté d'un nez légèrement retroussé qui lui donnait un petit air mutin. Elle repoussa d'un geste vif une boucle de cheveux humides qui s'échappait de sa large tresse, au désespoir de se faire surprendre dans une tenue aussi négligée, le tablier couvert de taches de framboises, les manches retroussées sur ses bras égratignés par les ronces. René ne verrait que ces insupportables taches de son qui s'en donnaient à cœur joie sur son visage bruni par le soleil et ses mains, vilainement rougies par la cueillette des petits fruits et les travaux ménagers. Troublée par la présence de son cousin, elle posa son lourd panier sur le sol poussiéreux afin de resserrer son fichu sur ses épaules. Son cœur battait à tout rompre. Sa poitrine allait éclater, elle en était certaine.

— Avec cette chaleur, il faut ramasser les framboises, sinon elles se perdent, finit par articuler péniblement Marguerite.

Dire qu'elle ne trouvait rien à répondre de plus spirituel ! Une réponse de sotte, une réponse d'habitante timide ! Elle se sentit rougir.

— Oui, il doit bien faire quatre-vingt-dix à l'ombre, approuva René de sa belle voix grave. Ce sera chaud pour faire cuire les confitures.

Il avait retiré sa veste et allait tête nue, sa chevelure brune simplement nouée d'un ruban sur sa nuque. Machinalement, Marguerite replaça à nouveau les mèches rebelles, de ce geste si familier chez elle lorsqu'elle était nerveuse ou fatiguée, ignorant à quel point René aimait cette manie qu'il trouvait charmante.

Il y eut un moment de silence gêné.

Puis, tout à coup, dans la lumière de l'été, René avança la main pour dégager le ruban du chapeau de la jeune fille qui avait glissé et couvert son visage. Lentement, sa main caressa les cheveux désordonnés. Marguerite, bouleversée par cette proximité, rassembla tout son courage pour oser relever la tête. Le jeune homme redevint subitement sérieux tandis que son regard de velours cherchait les yeux de la paysanne.

— Marguerite, prononça-t-il son nom avec une tendresse inattendue. Je pars demain pour les vieux pays. Mais je reviendrai dans un an.

— C'est bien long, un an, répondit-elle sans réfléchir, trop remuée pour dire autre chose.

— Le temps, c'est toujours long pour qui espère. Et il me semble que j'attends depuis trop longtemps, dit-il d'un ton mystérieux, comme s'il ne parlait qu'à lui-même. Mais je dois faire ce voyage, Marguerite. Mon père l'ordonne.

Il y eut une pause, une longue pause, se souviendrait plus tard Marguerite. Avait-il fait un pas vers elle ? La scène lui semblait irréelle. René se détourna un instant, ses yeux interrogeant bêtement le sol comme s'il allait y trouver les bons mots, puis il se redressa vivement, la regardant avec intensité.

— À mon retour, dit-il d'une voix étranglée, j'aurai une demande à te faire.

Il détourna la tête avant de plonger à nouveau son regard dans le sien.

— Tu comprends ?

Oh oui ! Elle comprenait. Mais l'émotion qui l'étreignait la rendait incapable de prononcer un son. Marguerite hocha la tête en signe d'acquiescement.

Il lui demanda alors :

— Tu m'attendras ?

Cette fois, la réponse jaillit spontanément, sans hésitation :

— Oui !

Il prit alors sa main dans la sienne et la serra. Chavirée, Marguerite crut un moment qu'il allait l'embrasser. Mais après un ultime regard, sans rien ajouter, René remonta à cheval pour continuer sa route. Figée sur place, elle le suivit des yeux jusqu'à ce qu'il disparaisse dans un tournant. Il ne se retourna qu'une seule fois, pour lui envoyer la main, avant de repartir au galop, soulevant la poussière du chemin sec.

❧

Il lui avait fallu toute la force du monde pour se retenir de l'embrasser. Mais René avait choisi de ne pas connaître tout de suite le goût de ces lèvres adorées. Ce baiser l'aurait obsédé, lui aurait enlevé le courage de partir alors qu'il le fallait. La promesse de Marguerite lui suffisait. Et puis, une année sera vite passée, se disait le jeune homme en chevauchant.

René ralentit son cheval, peu pressé de rentrer chez lui, profitant de ces dernières heures de solitude pour s'imprégner du paysage de Chambly et, surtout, pour songer à Marguerite.

Elle n'était encore qu'une fillette que déjà, elle l'émouvait avec ses jolies boucles sortant de son béguin et ses yeux pailletés d'or rivés sur lui, béats. Lorsqu'il revenait du collège pendant les vacances, il l'observait d'un œil attendri, attendant avec patience qu'elle grandisse. Entre-temps, Marguerite était devenue la compagne de jeu et l'amie intime de ses adorables sœurs Emmélie et Sophie. L'heureux caractère de la jeune fille illuminait l'univers de ce jeune homme taciturne et René avait l'ultime conviction qu'ils étaient destinés l'un à l'autre. Son aimée partageait avec lui ce sentiment troublant, il en était persuadé. Depuis qu'elle était sortie de l'enfance, l'échange des regards et des sourires était suffisamment éloquent, même s'ils ne s'étaient encore jamais avoués leurs sentiments. La certitude de leur attirance mutuelle lui avait cependant toujours suffi.

L'année suivante, Marguerite allait avoir dix-huit ans. René, qui en avait vingt-trois, venait de terminer son apprentissage de notaire. Il avait cru, naïvement, que le temps était venu de confier à ses parents son désir le plus cher : épouser sa petite-cousine Marguerite Lareau.

Il avait découvert, horrifié, que ses parents s'opposaient violemment à son projet de mariage.

— Il est hors de question que tu épouses une paysanne ! s'était exclamée sa mère avec indignation lorsqu'il leur avait avoué ses espoirs.

Son père, d'ordinaire si affable, avait affiché un air mauvais en serrant les poings, masquant difficilement sa déception.

— Pense à ton avenir ! Il te faut une épouse d'un rang égal au tien. Ta cousine appartient à une classe inférieure, malgré l'éducation dont elle a pu profiter chez nous. Jamais je ne donnerai mon consentement à une telle union. J'ai dit !

Effondré, le jeune homme avait tourné les talons. Ce refus lui avait fait l'effet d'un coup de poignard. Épouser Marguerite était pour lui la chose la plus naturelle du monde. Il allait passer outre l'interdiction de ses parents, ouvrir son étude de notaire dans un autre village que Chambly et attendre que Marguerite atteigne ses vingt et un ans pour se marier, voilà tout.

Mais le lendemain de cette conversation, Monsieur Boileau avait convoqué son fils dans son cabinet et lui avait tendu une lettre cachetée.

— Prépare tes malles et fais tes adieux. Tu pars pour Québec. Avec ceci, avait-il ajouté en désignant la lettre, tu pourras réserver un passage sur le prochain bateau en partance pour l'Angleterre. Va, mon fils, fais ce voyage que je n'ai jamais pu faire et reviens dans un an pour nous parler des vieux pays. Le temps fera son œuvre et tu seras le premier à constater que Marguerite n'était qu'une amourette de jeunesse, une simple flamme qui se sera éteinte d'elle-même.

René savait qu'il n'avait guère le choix que d'obéir. Aller contre la volonté de ses parents aurait des répercussions sociales complexes. De toute façon, comment résister à cette chance exceptionnelle que lui offrait son père ? Peu de fils de la noblesse pouvaient se targuer d'avoir fait un tel voyage, alors que lui, fils de bourgeois, partait pour une année entière ! Quoi qu'il en soit, il n'avait pas dit son dernier mot.

— Je me plie à votre volonté, père, et j'accepte de partir. Mais avec tout le respect que je vous dois, je crois que c'est vous qui aurez changé d'avis à mon retour. Sachez-le : je n'épouserai personne d'autre que Marguerite.

René était sorti de la pièce en vitesse, faisant claquer la lourde porte de bois.

PREMIÈRE PARTIE

La jeune épousée
1802-1803

Chapitre 1

La saignée du cochon

— Ah ! Sacrédié ! Le gaillard, il m'échappe ! hurla François Lareau en haletant.

— Attention, Tétrault, vers la grange ! cria Joseph, au voisin venu les aider.

Armés de bâtons et de fourches, trois hommes tentaient de cerner un porc qui courait dans tous les sens dans la cour de la ferme des Lareau, une famille d'habitants du chemin de la Petite Rivière.

— Je le tiens ! Sacrédié, tu croyais t'en sauver, hein ? lança le maître des lieux d'un ton de défi à la bête, vaincue, qui grognait misérablement. Apporte vite la corde, cria-t-il à Noël, son fils aîné, un jeune homme d'environ seize ans déjà bien bâti, tandis que les deux autres hommes accouraient pour aider à maîtriser le cochon.

— Le malin ! Regardez-moi ça se débattre comme un diable dans l'eau bénite ! ricana Joseph Lareau, le frère de François.

— Ça ne veut pas rendre l'âme sans combattre, souffla bruyamment François en maintenant l'animal de tout son poids pendant que les autres liaient les pattes. Le gros cochon pesait bien quatre cents livres.

La bête, exceptionnelle, suscitait admiration et respect.

— Tout un animal que vous avez là, fit avec envie la femme Tétrault.

C'était jour de boucherie chez les Lareau, et parents et voisins étaient venus prêter main-forte à la saignée du cochon. Les premiers jours de décembre ramenaient toujours ce même rituel. L'arrivée des jours froids permettait de faire geler la viande, et les habitants du chemin de la Petite Rivière pouvaient préparer leurs provisions pour l'année. Un animal qui nourrissait la famille était aussi un animal qu'on n'avait pas à entretenir durant les longs mois d'hiver.

Une fois immobilisé, le condamné fut couché sur la paille de la grange. François fit signe à sa femme.

— C'est le temps, dit-il simplement.

Victoire Lareau s'avança, tenant solidement un immense poêlon qu'elle glissa sous la gorge de l'animal, tandis que son mari s'approchait avec un long couteau soigneusement aiguisé. D'un coup net, il trancha la gorge du cochon. Le sang gicla. Des hourras saluèrent l'exploit et les hommes, s'offrant une rasade de rhum bien méritée, relatèrent avec force détails la mise à mort, se rappelant en riant d'anciennes anecdotes.

Lorsque l'ustensile de Victoire fut rempli, elle versa le sang frais dans une cuve. La voisine, qui se tenait prête, prit la relève avec une deuxième poêle.

— Marie, viens par ici, ordonna Victoire.

À l'appel de la mère, une fillette de huit ans accourut. Cette dernière promettait déjà d'être la compagne idéale d'un bon cultivateur. Marie n'aimait rien de plus que d'aller aux champs, accompagnant son père et ses frères pendant les moissons. Assurément, une fois mariée, cette jeune costaude donnerait de nombreux enfants.

La mère tendit à l'enfant une grosse spatule de bois. La fillette savait quoi faire. Elle remua avec précaution le précieux liquide pour ne pas qu'il fige. C'était là le secret d'un bon boudin. Tantôt, Marguerite, la fille aînée, ajouterait ce qu'il fallait d'herbes et d'épices avant d'enserrer la préparation dans les boyaux bien nettoyés du cochon. Le soir même, tous se régaleraient.

Pendant le sacrifice, les plus jeunes enfants, effrayés par les hurlements stridents de la bête agonisante, avaient couru vers la maison pour se réfugier dans les bras de leur grande sœur qui se tenait loin. Tout comme eux, Marguerite, malgré ses dix-sept ans, ne s'habituait toujours pas à ces scènes de boucherie. Mais il fallait bien manger. Un cochon bien gras remplissait les barils du saloir de bon lard, donnait des jambons qu'on suspendait à fumer dans l'âtre et de bons morceaux qu'on conservait gelés dans la glacière, une petite construction en pierres située près de la maison.

Des femmes venaient d'époiler la carcasse au feu de paille. Une insupportable odeur de roussi se répandit dans la cour.

— Ho ! Hisse ! crièrent en chœur les hommes en soulevant la bête pour l'installer sur l'échelle de la grange. Ils l'attachèrent solidement, puis retournèrent vers le baril de rhum pour une dernière rasade.

Ces derniers jours, Marguerite Lareau avait donné un coup de main aux voisines qui, à tour de rôle, préparaient charcuteries et tourtes à la viande pour la période de réjouissances de fin d'année. La jeune fille avait acquis la réputation d'être la meilleure cuisinière du chemin de la Petite Rivière. Elle n'avait pas son pareil pour doser les assaisonnements et apprêter les viandes. Mais ce jour-là, elle n'en pouvait plus d'entendre les gémissements du cochon égorgé, et l'odeur âcre du sang, mêlée à celle de la paille et aux relents de poils brûlés, lui donnait la nausée. Prise d'un violent haut-le-cœur, Marguerite courut à la rivière qui coulait à proximité de la ferme. Pâle et défaite, elle tremblait, transie de froid et de peur.

Depuis quelque temps, elle ne se reconnaissait plus. Elle aurait bien voulu expliquer à sa mère son affolement, le cœur toujours au bord des lèvres et ce mal inconnu qui lui barbouillait le ventre. Seigneur Dieu! Avait-elle attrapé un flux au ventre comme Julie Sabatté, qui en était morte à vingt ans? Terrorisée, Marguerite se taisait, espérant que ses malaises partent aussi subitement qu'ils étaient venus.

Et sa mère, absorbée par les derniers jours de corvées et les soins de la maisonnée, ne voyait rien du trouble de sa fille.

Le calme revenait dans la cour de la ferme. Les voisins s'en retournaient chez eux vaquer aux tâches urgentes qu'exigeaient les préparatifs d'avant la saison froide. Les Lareau les saluaient et les remerciaient, assurant que les enfants leur apporteraient plus tard dans la journée un morceau de boudin frais, la récompense attendue. Ainsi le voulait la coutume.

À l'approche de l'hiver, la famille Lareau avait été la dernière du voisinage chez qui on faisait boucherie de cochon. L'été avait été généreux et les moissons engrangées promettaient un hiver sans histoire. Deux étables et une écurie bien entretenues abritaient les animaux de la ferme. Dans la grange s'entassaient de nombreuses bottes de foin et au grenier, il restait «en masse» de grain à battre. Au poulailler, Victoire avait gardé trois douzaines de poulets qu'on tuerait au cours de l'hiver et quelques bonnes pondeuses pour avoir des œufs frais jusqu'à la période de couvaison, au printemps prochain. Le grand potager familial, cultivé par Marguerite avec l'aide des plus jeunes, avait fourni profusion de légumes conservés au caveau, et des herbages séchaient, suspendus près du poêle en fonte de la grande chambre, la pièce principale de la maison.

Demain, François Lareau débiterait la carcasse du cochon pour en tailler des rôts et des jambons. Pour le reste, dans les jours qui suivaient, Victoire et ses filles, avec l'aide de quelques voisines, confectionneraient tourtes, pâtés, cretons, tête fromagée et le bon ragoût de pattes dont tous raffolaient.

Même si Marguerite aimait profondément sa famille, la vie à la ferme lui déplaisait et elle rêvait secrètement d'aller vivre au village. Au grand désarroi de ses parents, elle n'avait aucune disposition pour devenir une bonne femme d'habitant, surtout que depuis son enfance, la jeune fille avait eu la chance de fréquenter ses cousines, les demoiselles Boileau, qui vivaient au village. Elle avait goûté au plaisir des bonnes manières, des robes élégantes, des jolis chapeaux à rubans, des beaux attelages et de tous les agréments dont jouissaient les hôtes aisés de la belle maison lambrissée de bois, toute peinte en rouge, qui trônait au cœur de Chambly comme une reine triomphante entourée de sa cour. En comparaison, la maison familiale, si semblable à celles du voisinage de la Petite Rivière, toute en pierres telle qu'on les construisait autrefois avec l'âtre de la cheminée qui se dressait au milieu de la grande chambre, lui apparaissait terne et banale. Pourtant, un plancher de bois avait remplacé depuis longtemps la terre battue et, quelques années auparavant, son père avait modifié la demeure ancestrale en ajoutant une rallonge en bois qui servait de cuisine l'été et de débarras l'hiver. L'habitant l'avait même recouverte de peinture, démontrant ainsi son aisance matérielle. Ces aménagements avaient permis de désencombrer le rez-de-chaussée et d'y installer un poêle en fonte à deux ponts avec ses tuyaux qui couraient au plafond, répandant partout une bonne chaleur.

Toutefois, Marguerite et sa famille s'entassaient dans une maison où il n'y avait ni tapis de Bruxelles, ni porcelaine bleue, ni ustensiles d'argent. À l'étage, une pièce simplement meublée d'un vieux coffre et de deux lits faisait office de dortoir pour les garçons. Les deux filles s'accommodaient d'un réduit séparé par une mince cloison. La petite dernière couchait encore au rez-de-chaussée, à côté du lit des parents. C'était le plus beau meuble de la maisonnée, tout en bois de chêne. François Lareau l'avait fabriqué de ses mains du temps de ses fiançailles avec Victoire. Quatre hautes colonnes tournées, appelées «quenouilles», soutenaient un ciel de lit assorti aux rideaux verts en serge de Caen qu'on tirait la nuit pour se protéger des rigueurs du climat. Les époux Lareau jouissaient d'un autre grand luxe: un matelas bourré de plumes, alors que les enfants devaient se contenter d'une bourrure de paille, de quenouilles ou de cotonnier pour leur paillasse.

Mémé Lareau, la grand-mère paternelle de Marguerite, contribuait à sa façon au ronron familial. Lorsqu'elle arrivait à s'extirper de son lit et à sortir de sa chambre, elle s'installait alors dans la bergère de la grande salle, près de l'âtre, tirant sur une vieille pipe d'argile ébréchée, geignant et ronchonnant toute la journée. Presque au bord du tombeau, l'ancêtre se plaignait sans cesse des maux de son grand âge, ce qui ne l'empêchait pas de tyranniser son entourage, hurlant les ordres les plus fantaisistes, ce qui avait le tour d'effrayer les enfants. On l'entendait s'époumoner du fond d'un cabinet situé au rez-de-chaussée de la maison où elle vivait la plupart du temps, allongée sur sa paillasse, lorsqu'elle avait besoin qu'on l'aide à sortir de son lit. À moins qu'il ne faille impérativement vider son pot de chambre.

Aux yeux de Marguerite, la demeure de ses cousines Boileau avait des allures de château, comme ceux des contes de fées qui avaient enchanté leur enfance. Elle comprenait un nombre impressionnant de pièces : plusieurs chambres à l'étage et une chambre de compagnie qui permettait de recevoir la visite et de manger dans une pièce différente de la cuisine.

L'impressionnante allée d'ormes qui menait à la maison rouge lui conférait un prestige inégalé au village. Derrière, on apercevait une vaste écurie au toit vermillon abritant plusieurs stalles, une grange imposante et, finalement, les autres bâtiments : un hangar et une remise de planches grises. Une petite laiterie en pierres, qui disparaissait sous le lierre l'été, voisinait une glacière, en pierres également. Il y avait aussi un très grand jardin garni de bosquets, de plates-bandes fleuries et d'arbres fruitiers : pruniers, poiriers, pommiers, avec un grand potager entouré d'une petite clôture blanche.

Le domaine des Boileau donnait sur le bassin de Chambly, au carrefour des grands chemins. La route principale, qu'on appelait «le chemin du Roi», venait du nord, de Longueuil plus exactement, un village situé sur la rive sud du grand fleuve Saint-Laurent. Le chemin du Roi menait jusqu'au petit bourg de Saint-Jean, en allant au sud, vers le lac Champlain, et croisait devant chez Boileau le chemin de la Petite Rivière qui se rendait jusqu'à La Prairie, un autre village en bordure du fleuve, mais plus à l'ouest. De La Prairie ou de Longueuil, on pouvait traverser à Montréal.

Monsieur Boileau – c'est ainsi qu'on désignait l'opulent bourgeois dans la région de la rivière Chambly, omettant son prénom en signe de déférence – avait été le premier député du comté de Kent au parlement de 1792. Son épouse était la dernière descendante d'une très ancienne famille française, les de Gannes de Falaise, dont le nom remontait au quatorzième siècle. Elle appartenait aussi à la noblesse canadienne puisque sa mère, la vieille Angélique qui avait longtemps vécu avec eux, était une Coulon de Villier. Madame Boileau, que son cher époux appelait tendrement «ma chère Falaise», avait apporté en mariage le vernis qu'il fallait à ce fils d'un négociant de Chambly déjà bien nanti de terres et d'argent. La maisonnée comprenait également René, l'aîné et unique garçon, ainsi que trois filles : Emmélie, Sophie et la petite Zoé.

Le bourgeois était aussi le cousin germain de Victoire, une Boileau par sa mère. Au nom d'une ancienne amitié qui avait autrefois lié les deux cousins, Monsieur Boileau avait pris l'habitude d'inviter Marguerite à partager les jeux de ses filles Emmélie et Sophie. Les fous rires du charmant trio au cours d'une partie de trictrac ou les joyeux bavardages qui accompagnaient les travaux d'aiguille des demoiselles égayaient la demeure. Et madame Boileau, femme d'une grande distinction, veillait à ce qu'on considère la jeune paysanne avec égards, un peu comme une demoiselle de compagnie et non pas comme une parente mal dégrossie de la campagne.

C'est ainsi que la petite Lareau fréquentait ses cousines en amies. Particulièrement Emmélie, qui avait maintenant dix-huit ans. Les deux jeunes filles éprouvaient une vive affection l'une envers l'autre depuis leur enfance. Pourtant différentes, tant par leur milieu que par leur caractère, elles avaient des personnalités complémentaires. La blondeur ronde de Marguerite et son doux caractère s'harmonisaient à la beauté brune et tranquille d'Emmélie. La vive intelligence de cette dernière, dont le cœur généreux ne s'encombrait guère de futilités, et son goût prononcé pour la lecture et l'écriture – elle tenait même un journal intime – suscitaient l'admiration de Marguerite. De son côté, Emmélie s'émerveillait du talent inné de sa cousine pour couper une robe et l'orner de dentelles, broder des mouchoirs ou confectionner les plus jolis chapeaux de paille qui soient. Fort habiles, les mains agiles de la jeune fille transformaient une aulne* d'indienne ou un simple bonnet en une chose gracieuse.

Entre elles, il y avait Sophie, la cadette de la famille, qui, du haut de ses seize ans, agissait déjà en grande dame. Marguerite se prêtait facilement aux caprices de cette jeune coquette qui avait toujours un chapeau à enrubanner, une vieille robe à rafraîchir ou une tournure de jupe à modifier. Ratoureuse et rieuse, Sophie présentait ses demandes avec une telle candeur qu'on ne pouvait lui résister : «Ma belle Marguerite, une catastrophe est arrivée à ma plus jolie câline*, disait-elle en tendant un petit chapeau à la cordelette pendante. Tu peux la réparer ? Et que penses-tu de ceci ?» ajoutait-elle en sortant de sa boîte à ouvrage un ruban soyeux d'une couleur à la dernière mode que Marguerite s'empressait de retourner dans tous les sens, le pliant gracieusement, formant une cocarde ou un nœud ravissant qu'elle cousait de quelques points sur la toilette de sa cousine. Elle adorait imaginer de nouvelles fantaisies pour la ravissante Sophie.

Bien sûr, les visites de Marguerite au village pesaient lourd sur les épaules de Victoire. À la ferme, sa fille accomplissait normalement nombre de tâches, ce qui allégeait le fardeau quotidien des corvées dévolues à la mère. Marguerite s'occupait des plus jeunes enfants et consentait parfois à mettre les pieds au poulailler pour nourrir les volailles. En

---

* L'astérisque renvoie au glossaire. Voir p. 623.

33

plus de seconder sa mère à la cuisine, elle était l'habilleuse de la famille.

Mais si Victoire tolérait les absences de sa fille, c'est qu'elle savait que les séjours chez les Boileau valaient en quelque sorte le couvent. Marguerite y avait appris à lire, à écrire et à broder. Et comme il n'avait jamais été question, au grand jamais, qu'une fille Lareau fréquente le couvent, son mari y consentait, mais du bout des lèvres ; il aurait préféré que Marguerite reste à sa place, à la maison. Dès qu'il la voyait se préparer à partir au village, François rouspétait, répétant toujours la même ritournelle. Diable ! S'occuper des poules et des cochons, mettre des enfants au monde, nourrir et habiller son monde, voilà tout ce que devait savoir la future épouse d'un habitant !

Habituée aux protestations de son mari, Victoire se taisait, mais songeait que l'instruction pouvait toujours rendre service dans un ménage où le mari marquait d'une croix son contrat de mariage. Chez les Lareau, seules Victoire et Marguerite savaient écrire.

∽

Le matin qui suivit l'abattage du cochon gras, Victoire demanda à ses fils de chauffer le four à pain situé à l'extérieur, adossé à un mur de la maison. Une longue journée de cuisine s'amorçait.

— Aujourd'hui, on fait boulange, annonça joyeusement la mère de famille à sa marmaille. Après la fournée de pains, Marguerite fera des tourtes à la viande, d'autres aux pommes et des croquecignoles* !

— Des croquecignoles ! Hourra pour les croquecignoles ! s'exclamèrent les enfants, se réjouissant à l'avance des délicieux beignets au sucre de leur sœur.

Obéissant à leur mère, ils sortirent en se bousculant dans le froid piquant de décembre. Noël et Godefroi, les plus âgés, fendaient du bois en bûchettes que les plus jeunes, Joseph et Louis, jetaient dans le four pour alimenter un feu ardent jusqu'à ce que ce soit suffisamment chaud. Une fois tout le bois consumé, ils retirèrent avec précaution les cendres de l'âtre pour permettre à leur sœur d'enfourner.

— Dépêche-toi, Marguerite, lança Godefroi, le plus gourmand, le four est prêt!

Depuis le matin, debout devant le farinier, une sorte de huche servant à conserver la farine et le pain, la jeune fille pétrissait la pâte. Elle fit un geste du poignet pour tenter de replacer les mèches de cheveux qui sortaient de son bonnet enfariné, se frottant le bout du nez avant d'essuyer ses mains sur son tablier, tout aussi blanc de farine. Quelque chose n'allait pas. Les premiers pains de la fournée, façonnés et posés sur une tablette de bois, refusaient de lever comme à l'accoutumée.

— Voyons donc! s'exclama Victoire de la cuisine. Qu'est-ce que t'as, Marguerite? T'es dans la lune? Grouille-toi avant que ça refroidisse.

Marguerite tourna la tête vers sa mère pour lui répondre. Les traits tirés, elle était livide et une lueur étrange, comme une sorte de fièvre, brillait dans ses yeux.

Il apparut soudainement à Victoire que Marguerite avait changé. Son aînée, qui habituellement prenait plaisir à taquiner ses frères et sœurs pour les amuser, ne riait plus. Celle qui chantonnait à cœur de jour demeurait étrangement silencieuse.

La mère de famille se rappela enfin que depuis des semaines, sa fille n'avait pas eu besoin de guenilles pour ses menstrues. C'est précisément à cet instant que Marguerite,

prise d'une violente nausée, s'élança au dehors de la grande
salle familiale pour aller vomir.

— Sainte bénite ! s'exclama Victoire, bouleversée.

Elle se demanda alors à quelle occasion la surveillance
du clan familial s'était relâchée au point que Marguerite eût
été seule. Depuis quand, au juste, le regard franc de sa fille
se dérobait-il ? Et qui, pardieu ! – comme aurait dit son vieux
père s'il avait été encore en vie – avait approché sa fille si
douce ? On ne lui connaissait aucun galant, aucun cavalier
sérieux. Car Victoire n'avait plus de doute sur l'origine des
malaises de Marguerite : elle attendait un enfant !

Profondément troublée, Victoire reprit le pétrissage de
la pâte laissé en plan. Un enfant ! Un petit bâtard qu'on
montrerait toujours du doigt et qui n'aurait aucun droit à
l'héritage. Dieu du ciel ! Une véritable calamité, surtout si
on ne trouvait pas rapidement à marier Marguerite.

Elle avait toujours souhaité un bon mari pour sa fille,
un boulanger par exemple, ou un marchand. Maintenant,
malgré sa beauté et sa belle éducation, Marguerite avait
perdu sa virginité et sa réputation. Même si on retrouvait
le père de l'enfant pour l'obliger à épouser la jeune fille,
l'honneur de la famille serait entaché et toute la paroisse se
gausserait des Lareau.

Les doigts enduits de la pâte encore collante, elle pétrissait la grosse boule enfarinée avec l'ardeur farouche d'un
guerrier qui refusait de s'avouer vaincu, chaque mouvement
lui donnant la force de ne pas s'effondrer. Il lui fallait
réfléchir. Comment cela avait-il pu arriver ? Dans le chemin
de la Petite Rivière, la plupart des maisons n'étaient pas
bien grandes et une famille nombreuse comme celle des
Lareau rendait impossible toute forme d'intimité. Autour
de la ferme, il y avait toujours quelque activité, été comme
hiver. Et dès qu'un visiteur se présentait, tous se pressaient

pour accueillir l'arrivant, délaissant momentanément leur tâche ; à la campagne, c'était toujours un événement. Quand sa fille avait-elle pu être seule avec un homme ?

En se rappelant le moment des dernières fleurs de sa fille, elle estima la grossesse à un mois, tout au plus deux. Pourtant, Marguerite ne s'était pas absentée de la ferme depuis la fin de l'été. En dehors des membres de la famille, il n'y avait que le garçon qu'on engageait avant les grosses chaleurs, aux alentours de la Saint-Jean, et qu'on remerciait à la fin des récoltes, généralement à la Saint-Michel, le 29 septembre. Ce n'était tout de même pas le pauvre Jacquet des Étangs, qu'on faisait travailler par charité, qui pouvait être le séducteur de Marguerite ! Un pauvre garçon, et pas bien malin de surcroît. D'ailleurs, elle le savait, les rêvasseries de sa fille n'avaient qu'un seul sujet : son cousin René Boileau. Plus d'une fois, Victoire avait surpris des regards énamourés lorsque le jeune homme s'était arrêté à la ferme. Mais René était parti pour longtemps. Marguerite s'était-elle résignée au point de se laisser séduire par un autre ?

Elle se résolut d'interroger sa fille le soir même, lorsque les autres enfants dormiraient. Sans compter qu'il lui faudra révéler la nouvelle à son mari. L'honnête habitant serait mortifié d'apprendre que leur fille, qui jusqu'alors ne leur avait donné que du contentement, n'était rien d'autre qu'une menteuse et une dévergondée.

Puis, soudain, Victoire se rappela. Marguerite s'était rendue au village le mois dernier avec son père et avait séjourné quelques jours chez les Boileau. Ça ne pouvait être que ça ! Mais que s'était-il donc passé à la dernière Saint-Martin ?

Chapitre 2

Le jour de la Saint-Martin

Depuis quelques jours, un redoux inattendu retardait l'arrivée du temps froid et maussade de l'automne, et l'aube naissante de ce 11 novembre 1802, jour de la Saint-Martin – traditionnellement décrété jour des comptes –, annonçait encore une journée splendide.

Fébrile, Marguerite Lareau ne tenait plus en place. Elle avait dû s'y prendre à deux fois pour discipliner les boucles de sa lourde chevelure châtain clair, presque blonde, qu'elle tentait vaille que vaille de contenir dans une large natte dont la pointe lui balayait le bas des reins.

D'aussi belle humeur que le temps, elle fredonnait une vieille chanson de voyageur en ajustant sur ses cheveux le plus joli de ses deux bonnets de coton, celui avec de la dentelle.

— *C'est la belle Françoise, lon gai… qui veut s'y marier maluron lurette, maluron, luré…*

Elle porterait pour la première fois son manteau de laine gris pâle qu'elle avait taillé à partir d'une vieille pelisse donnée par sa tante Boileau et garni d'une belle passementerie brodée, autre cadeau de la bonne dame. Marguerite attacha les rubans d'une petite coiffe de calèche plus légère que ces larges capuchons rigides d'hiver qui abritent du vent, mais cachent le visage.

En enfilant des gants qui avaient appartenu à sa cousine Sophie, elle se dit qu'elle ne porterait pas son manchon. Trop encombrant! Elle voulait profiter jusqu'au bout de cet été des Indiens exceptionnellement tardif.

— Quelle chance qu'il fasse si beau! se dit-elle joyeusement, y voyant le présage d'une journée remplie de promesses.

Pour la première fois, Marguerite et son frère avaient obtenu la permission d'accompagner leur père au village pendant sa traditionnelle tournée de la Saint-Martin, à l'instar de tous les habitants censitaires de la seigneurie de Chambly qui, ce jour-là, se rendaient chez leur seigneur afin de remettre les cens et rentes annuels rattachés à leur terre. Victoire, qui devait rester à la maison avec ses jeunes enfants, avait cédé aux demandes répétées de sa fille, jugeant que cette dernière était assez vieille pour cette première sortie en société. Avec leur père, Marguerite et Noël représenteraient avantageusement la famille Lareau au village. Et comme le seigneur Melchior de Rouville se plaisait à célébrer la Saint-Martin en suivant l'ancienne coutume française, cette journée d'obligations prenait un air de fête qui réjouissait Marguerite. «Avec ce temps doux, les domestiques de monsieur de Rouville auront certainement dressé les tables de victuailles dehors, supposa la jeune fille. Il y aura du rhum ou du vin pour les hommes et de la bière d'épinette ou du thé pour les dames.» Toute la journée, la belle société de la région défilerait chez les Rouville.

Les habitants seraient également de la partie, malgré quelques différences de classe, puisque d'étroits liens de parenté unissaient les prospères cultivateurs de la campagne environnante, comme les Lareau, aux familles bourgeoises du village. Autrefois, les pionniers n'avaient pas hésité à envoyer leurs garçons les plus doués fréquenter le Séminaire de Québec ou le collège Saint-Raphaël de Montréal pour en faire des notaires, des avocats ou des marchands. Monsieur Boileau était l'un de ceux-là. Fils unique d'un voyageur devenu négociant, il s'était élevé très haut dans l'échelle sociale. La famille Boileau était aujourd'hui l'une des plus riches de la région et sa parenté s'étendait chez les Lareau, les Ménard, les Lagus, les Robert, aussi bien dire dans toutes les vieilles familles de la seigneurie de Chambly.

Et aujourd'hui, dans la grande cour du manoir des Rouville, ces bonnes gens se retrouveraient pour discuter du prix du blé, de la politique, du bel été qui avait donné de bonnes récoltes tout en s'échangeant les dernières nouvelles : les naissances à profusion, le décès d'un aïeul ou la mort d'un petit dernier emporté par une diphtérie. Marguerite les imaginait déjà, riant de bon cœur ou chantant à l'unisson, poursuivant ces retrouvailles familiales dans un joyeux brouhaha jusqu'à la nuit tombée.

Satisfaite, la jeune fille fit un tour sur elle-même pour s'admirer dans un petit miroir placé en coin sur la commode déglinguée héritée de sa grand-mère, que les vieux du village appelaient encore « l'Indienne », lorsqu'ils évoquaient Madeleine Sachet, la mère de Victoire. Marguerite se remémora un instant sa grand-mère défunte qui parfois lui faisait peur, enfant, lorsqu'elle invectivait sa fille en algonquin. Les deux femmes se disputaient souvent. Cependant, c'était grand-mère Sachet qui avait appris à la fillette à tresser la paille ou encore à orner de piquants de porc-épic des vêtements, des ceintures ou des coffrets lorsqu'elle était dans ses bons jours. Souvent, la vieille marmonnait des mots incompréhensibles, mais Marguerite avait aimé ces moments privilégiés, et malgré son caractère irascible, l'aïeule lui manquait. Depuis sa mort, la jeune paysanne n'entendait plus parler l'algonquin ou l'abénaquis, ces langues qu'on disait sauvages.

Absorbée par ses préparatifs, Marguerite ignorait l'habituelle agitation de la cour qui montait à l'étage de la vieille maison jusqu'à la petite pièce cloisonnée où se trouvait la paillasse d'un lit qu'elle partageait avec sa jeune sœur Marie.

Justement, Mémé Lareau houspillait sa cadette.

— Aide-moi à attacher mon tablier, fainéante! maugréait-elle, croyant comme toujours que les enfants étaient à son service.

Dehors fusaient les cris et les rires des chamailleries des enfants. Poules et chapons caquetaient furieusement tandis que Joseph et Louis tentaient de les enfermer dans de grossières cages de bois qu'ils plaçaient ensuite dans une charrette dans laquelle s'entassaient plusieurs sacs de grains. Blé et volailles constituaient le principal des cens et rentes qui se payaient en nature. Le fils aîné des Lareau, Noël, qui avait revêtu son habit du dimanche, attelait la jument. Godefroi courait après un volatile qui venait de lui échapper pendant que Victoire, la petite Esther bien coincée sur sa hanche droite, appelait de la cuisine.

— Sainte bénite! Dépêche-toi, Marguerite, il est temps! Le soleil est déjà haut et si tu ne descends pas tout de suite, le père partira sans toi.

— C'est vrai qu'il y a plus d'une lieue* d'ici au village, fit François Lareau qui venait d'entrer pour dire adieu à sa femme. Comme la charrette est chargée, ça prendra une bonne heure avant d'arriver chez monsieur Potts.

— J'arrive, s'écria au même moment la jeune fille en dévalant l'escalier.

Victoire inspecta la tenue de sa fille d'une moue désap-probatrice.

— T'étais pas obligée de t'endimancher tant que ça, lui reprocha-t-elle en remarquant la jupe de laine légère et les souliers français*, autre cadeau d'une cousine Boileau.

Marguerite fit la sourde oreille aux remontrances mater-nelles et grimpa vivement dans la charrette en faisant voler ses jupons.

— Je vous promets de faire bien attention à mes belles hardes*, mère, la rassura la jeune fille. Même si on est en novembre, ce sera bien sec au village. Il fait si beau!

Enfin, le père s'empara des rênes du cheval et la charrette, lourde de son chargement, s'ébranla sur le chemin cahoteux de la Petite Rivière. Assise près de son père, Marguerite contenait difficilement son excitation. L'air frisquet du début de la matinée pinçait ses joues roses. Le soleil timide du petit matin jouait de sa lumière mordorée dans les rares feuilles rouges et ocre encore accrochées aux grands ormes, aux frênes et aux érables qui bordaient le chemin. Son frère avait pris place sur les sacs de grains, près des volailles qui protes-taient toujours. On devinait chez Noël la carrure de l'homme en devenir : aussi blond que les blés qu'on venait de faucher, le jeune garçon promettait d'être solide comme ses ancêtres Lareau! Pour l'instant, il tirait nonchalamment sur une pipe de bois de sa fabrication.

— Père, dans combien de temps arriverons-nous chez les Rouville? demanda Marguerite, fébrile.

La jeune fille imaginait déjà la fête : les dames de la paroisse parées de leurs élégantes toilettes et les messieurs, se pavanant dans leurs plus beaux habits. Elle observa son père. Il portait sa ceinture fléchée et, pour l'occasion, avait troqué son habituel bonnet de laine pour un chapeau de feutre noir orné d'un ruban. Ses longs cheveux pâles, dans lesquels se dissimulaient quelques poils gris, avaient reçu les soins de sa femme qui les avait tressés et solidement attachés.

— Pas avant une bonne heure d'ici, ma belle Marguerite, répondit affectueusement Lareau.

La mauvaise humeur qui le gagnait chaque fois que ses obligations l'amenaient à se rendre au village avait fondu devant la joie de sa fille. « Il faut d'abord s'arrêter chez Potts. »

Fidèle à ses origines terriennes, l'habitant Lareau n'était à l'aise qu'à la ferme : au milieu de ses champs, il se sentait comme un roi dans son royaume. C'était un homme de tempérament modeste qui n'aimait rien d'autre que la tranquillité inaltérable du chemin de la Petite Rivière. Le beau monde l'embarrassait, il n'aurait su dire pourquoi. Parfois, il en voulait à sa femme d'avoir le même naturel avec les bourgeoises du village qu'avec les voisines. C'est vrai que Victoire avait été élevée au village. Aujourd'hui, il se promettait de reprendre le chemin du retour aussitôt les comptes réglés, sans même s'arrêter au cabaret pour boire un verre de rhum, comme le feraient certainement Tétrault et les autres voisins. Le plaisir de sa fille lui redonnait sa bonne humeur. Il était fier de se montrer au village avec ses deux aînés, deux jeunes gens qui promettaient, l'une par sa beauté et sa douceur et l'autre, son héritier, par les qualités de bon cultivateur qu'il démontrait déjà : prompt à l'ouvrage et habile de ses mains.

Pendant que la charrette bringuebalante cheminait, François Lareau reprenait mentalement le compte des rentes dues. D'abord, dix minots de grains de blé, deux minots d'orge et six chapons gras en plume à laisser en guise de paiement chez Samuel Potts, commis principal du seigneur de Chambly, Napier Burton Christie. Ensuite, cinq minots de blé et trois autres chapons qu'il devait à monsieur de Rouville pour une terre à bois du côté de Pointe-Olivier, dans la partie de Chambly-Est.

Marguerite aussi se laissait bercer par le roulis de la charrette, tout en se remémorant ce que son oncle, Monsieur Boileau, racontait toujours sur la famille Rouville et les autres familles nobles qui avaient vécu au village autrefois. La jeune fille adorait ces moments où le père d'Emmélie et de Sophie était en verve.

Monsieur Boileau connaissait mieux que quiconque l'histoire de la seigneurie de Chambly : il passait de longues heures à la consigner dans des cahiers. Il tenait aussi des éphémérides des événements contemporains. En écrivant ainsi pour la postérité, il croyait répondre aux exigences d'un devoir impérieux qui lui revenait, à lui, un authentique fils du pays.

— C'est bien vrai, père, que le gouverneur Frontenac disait de Chambly que c'était la « plus jolie habitation de tout le pays » ? demandait chaque fois Emmélie pour réclamer une histoire au cours des longues soirées d'hiver.

— Aussi vrai que je suis devant toi, affirmait le bourgeois qui s'empressait de se lancer dans une de ses anecdotes favorites avec force gestes et d'un ton emphatique, sachant que les jeunes filles raffolaient des histoires de seigneurs, de prestigieuses épousailles ou d'exploits guerriers.

— En vérité, mes enfants – mais inutile de le répéter à tout vent –, je tiens de mon père que l'héritage de la seigneurie, légué à une demoiselle qu'on prétendait fiancée au premier seigneur, le valeureux Jacques de Chambly, capitaine dans le régiment de Carignan-Salières, était une chose fort douteuse : le document l'attestant étant resté en France, personne ne l'a jamais vu. Le sieur François Hertel de Lafrenière a eu beau jeu de faire hériter sa femme, Marguerite

Thavenet, la sœur de ladite fiancée, prénommée Françoise et morte fort à propos. Enfin, il y a de cela bien longtemps, soupirait-il en admettant qu'on ne pouvait pas défaire ce qui était maintenant chose entendue.

— Ils ont eu de nombreux enfants, comme dans les contes? demandait naïvement Marguerite.

Tout en lui adressant un regard bienveillant, Monsieur Boileau opinait:

— Le sieur Hertel et sa dame ont eu une bonne douzaine d'enfants, dont de nombreux fils. Tous furent des guerriers habiles à comprendre les langues indiennes et à faire la guerre à la mode des premiers habitants de ce pays.

À ce stade du récit, Monsieur Boileau faisait une pause et Sophie en profitait pour demander:

— Parlez-nous de la famille Rouville qui possède de nombreux fiefs dans la partie de Chambly-Est. Est-ce vrai que monsieur de Rouville descend directement d'un des fils Hertel?

Monsieur Boileau hochait gravement la tête pour acquiescer et reprenait, narrant alors un épisode sanglant de l'histoire de la Nouvelle-France.

— Un jour, Jean-Baptiste Hertel de Rouville, à la tête d'une petite troupe de Français et d'Indiens, a laissé perpétrer le terrible massacre des colons anglais du village de Deerfield, en Nouvelle-Angleterre. C'était en 1704, au moment où les Français et les Anglais se faisaient férocement la guerre. Ce Rouville-là était le grand-père du nôtre.

— Les Anglais devaient avoir drôlement peur, répliquait Marguerite en frissonnant.

— Je vous jure, mes enfants, que ces fameux raids Hertel étaient terrifiants! Ils ont hanté les Anglais pendant près d'un siècle!

— Heureusement que notre monsieur de Rouville n'est pas comme son ancêtre, ajoutait Emmélie.

— C'est vrai, reprenait Monsieur Boileau, admiratif. Melchior de Rouville est un héros, le plus beau fleuron de cette noble famille canadienne. Il a passé sa jeunesse à cheval, guerroyant vaillamment sur deux continents. Né en Nouvelle-France, il a été incorporé très jeune dans le régiment du Languedoc, en France, et a combattu le rebelle corse Paoli pour le roi français, récoltant les honneurs. De retour au pays, il s'est dévoué pour la couronne britannique avec la même ardeur en luttant contre les révolutionnaires américains en 1775.

— Ce sont de belles histoires, mon oncle, disait Marguerite, fascinée.

— Et véridiques ! s'exclamait le conteur. Mais de ces vieilles histoires, aujourd'hui oubliées, les descendants des Hertel n'en ont retenu que l'essentiel : une noblesse acquise par des faits d'armes largement récompensés par l'octroi de terres. Quant à la seigneurie de Chambly, morcelée en plusieurs fiefs entre les fils Hertel, elle forme dorénavant un réseau compliqué d'apanages échangés, vendus ou reçus par le jeu des mariages et des héritages. Inutile de vouloir en démêler l'écheveau, les héritiers eux-mêmes s'y perdent encore ! Tout cela se passait à la belle époque de la Nouvelle-France, rappelait avec nostalgie le conteur, heureux de trouver chez les jeunes filles un public captivé. Mais rassurez-vous, mes chères petites, de nos jours, nous vivons tous en paix et de manière fort civilisée.

❧

Le soleil grimpait lentement à l'horizon lorsque la charrette des Lareau arriva au village de Chambly. Au tournant du chemin de la Petite Rivière, avant de prendre le chemin du Roi, apparut la maison rouge des Boileau. Marguerite songea qu'elle verrait bientôt ses cousines chez monsieur de Rouville, mais que René, leur frère, n'y serait pas. Il y avait déjà plusieurs semaines qu'il était parti pour Québec afin d'embarquer sur un navire en partance pour l'Angleterre, un de ces grands voiliers comme elle n'en avait jamais vus. Depuis, Marguerite n'avait plus entendu parler de son cousin et n'osait pas demander de ses nouvelles, de peur de trahir leur secret.

Le plaisir d'arriver au village dissipa rapidement le chagrin que lui causait cette absence et, maintenant, elle n'avait de cesse d'admirer le paysage magnifique qui se déployait autour du bassin de Chambly, décor somptueux qui changeait suivant le rythme des saisons. L'été, lorsque le soleil se levait au-dessus du fort, l'étendue d'eau arborait des reflets argentés et alors, on ne pouvait que croire aux vieilles légendes qui racontaient qu'une Dame Blanche, ou quelque fée des eaux, avait ordonné à la rivière de s'élargir à Chambly, comme pour faire une révérence aux montagnes de Boucherville et de Rouville qui se dessinaient dans le lointain, avant de reprendre son cours impétueux et de s'engouffrer bruyamment dans le rapide long d'une lieue. Et à son coucher, l'astre brillant couvrait d'or les murs de pierre du vieux fort français qui se dressait fièrement à l'entrée des rapides, ancêtre centenaire qui veillait aux destinées de Chambly depuis les jours glorieux de la Nouvelle-France.

François Lareau arrêta sa charrette devant une modeste maison de bois grisonnant dont l'un des volets vermillon pendait lamentablement. Le propriétaire ne semblait pas se soucier de chauler les murs, ce qui leur aurait donné meilleure allure.

— Nous voilà chez Potts, annonça le père à ses enfants.

— Bouh! fit son fils en grimaçant.

— Faut-il vraiment s'arrêter ici? demanda Marguerite avec une petite moue dédaigneuse. Je n'aime pas ce monsieur Potts. Il nous regarde comme si nous étions des miséreux, alors que lui…

La jeune fille suspendit sa phrase, consciente de manquer à la charité chrétienne.

— On ne peut pas y échapper, répondit son père. C'est lui le fondé de pouvoir du seigneur Christie. Nous devons lui rendre compte et laisser notre paiement. Presque tout le contenu de notre charrette lui est destiné.

Simple commis de Napier Burton Christie, Samuel Potts croyait toutefois qu'il était dans ses attributions de personnifier le seigneur en prenant de grands airs, ce qui n'impressionnait guère les habitants qui se moquaient volontiers du petit homme prétentieux. Les curés de Chambly avaient toujours eu peine à contenir l'exubérance de leurs paroissiens et même les anciens seigneurs français n'avaient jamais tenté de faire plier l'échine aux habitants. Comment ce pauvre petit Potts pouvait-il prétendre en imposer à un censitaire qui l'enverrait vertement au diable? Les habitants se savaient les vrais maîtres du pays! Leurs ancêtres avaient défriché ces terres avec leurs bras, soutenus par la seule force de leur courage, pour les rendre riches et cultivables. Ils avaient bâti les maisons en pierre et les granges qu'on apercevait près des vieux chemins. C'étaient encore eux qui avaient érigé les belles églises de Saint-Joseph et de Pointe-Olivier, et construit tous les moulins de la seigneurie qui se dressaient toujours le long de la rivière des Hurons et de la Petite Rivière, qui se jetaient dans le bassin de Chambly.

Potts louait une maison au village, voisine de l'auberge du tavernier Bunker chez qui il passait la plus grande partie de son temps. L'homme était ratoureux, fourbe parfois, et cherchait son profit aux dépens de celui des autres, ne manquant jamais une occasion d'abuser de l'ignorance de ces *damned* habitants. Pour lui, ils n'étaient que des paresseux, toujours à prétexter une mauvaise récolte ou évoquer les honoraires du médecin pour ne pas acquitter leur dû le jour dit. *Really, my God!* Il devait sans cesse mander le vieux notaire Leguay pour dresser des actes de prêts et d'obligations. Samuel Potts haïssait ces *peasants*. Et les fiers habitants, peu impressionnés par l'outrecuidant personnage, se moquaient de lui en riant et en se tapant sur les cuisses. Lorsqu'il les voyait faire, le bonhomme devenait rouge, frustré de n'y comprendre goutte, les injuriant à son tour dans sa langue.

En arrêtant sa charrette devant la maison du commis, François reconnut celle de son voisin, Benjamin Tétrault. Au-delà des fenêtres closes, il l'entendait tempêter et ne put retenir un sourire, imaginant facilement la scène qui se déroulait dans l'officine du commis. Les Tétrault aimaient la chicane, c'était connu dans toute la seigneurie.

— Ceux-là, ils aiment à rouspéter, ça leur fait du bien, disait souvent Victoire, railleuse.

Ce matin, Potts faisait les frais de ce mauvais caractère et ripostait de son mieux.

— *Tétrault, you're three bushels and one fat capon short[1]!* vociférait le commis de sa voix aigrelette.

La porte s'ouvrit brusquement sur Tétrault qui fulminait.

— Nom de Dieu! L'imbécile! Je ne sais pas écrire, mais je sais compter!

L'habitant aperçut alors son voisin.

---

1. Tétrault, il vous manque trois minots et un chapon gras!

— Méfie-toi, Lareau ! l'apostropha-t-il.

— Qu'est-ce qui se passe ? demanda ce dernier en attachant sa jument.

— Cet âne courtaud voulait ajouter un minot d'orge et deux minots de blé à mes rentes, en plus d'un autre chapon gras. Maudit hypocrite ! Je te parie mon chapeau qu'il garde tout le surplus qu'il prend à gauche et à droite par-devers lui pour son bénéfice personnel. Le voleur !

— Calme-toi, lui conseilla sagement François Lareau. C'est pas nouveau, il s'essaye toujours. Si tu continues à ce train-là, il fera appeler le capitaine de milice Ferrière.

— À part ça, ce maudit Anglais-là comprend pas un mot de français, poursuivit Tétrault de plus belle en faisant fi des recommandations de son voisin. C'est sa femme qui lui répète tout, et à sa manière. Tu parles d'une v'limeuse ! Une belle menteuse, oui !

Prêtant une oreille distraite aux récriminations de l'autre, François Lareau bourrait sa pipe tout en songeant qu'il valait mieux régler ses affaires rapidement avant que le sieur Potts ne devienne vert de rage.

— Attendez-moi ici, les enfants. J'en ai pas pour longtemps.

Il entra dans la maison et pénétra dans une pièce minuscule où il faisait aussi sombre que dans le fond d'un poêle. Ce réduit servait de bureau au commis. Le chandelier, placé sur la table, éclairait faiblement un livre de comptes bien ouvert sur l'écritoire qui faisait face à Potts.

— Ah, monsieur Lareau, susurra madame Potts. Comment allez-vous ?

Une femme entre deux âges arborant un teint jaune et un terne bonnet de mousseline fatiguée se tenait droite comme un « i », debout, derrière la chaise où était assis son mari. Pour se donner de l'importance, ce dernier portait une perruque poudrée à l'ancienne mode, même si de plus en plus, les bourgeois délaissaient cette coiffure d'un autre siècle pour la couette de cheveux attachée et contenue dans une bourse de peau d'anguille.

François Lareau se méfiait et observait attentivement chaque lettre tracée, chaque mot écrit, même s'il n'y comprenait goutte, tentant de reconnaître des caractères familiers, se tenant sur ses gardes devant le commis véreux.

Potts nota scrupuleusement dans le registre les cens et rentes de la concession Lareau en calculant la superficie de la terre suivant le terrier de la seigneurie. Pour ce faire, il retira d'une grosse pile de documents notariés un parchemin que Lareau reconnut comme étant le contrat de la concession autrefois faite à son père, par l'ancien seigneur de Niverville, un document qu'il était bien incapable de lire, mais dont il connaissait par cœur tous les termes. Potts le lisait en marmonnant, reprenait les chiffres à nouveau pour recompter la nature des rentes dues. Cette procédure tatillonne vexait l'habitant. Des générations de Lareau avaient toujours payé leurs rentes rubis sur l'ongle ! Indifférent, le commis poursuivait ses écritures, la plume serrée entre ses doigts noircis d'encre qui laissait sur le registre de gros pâtés malpropres. Avec une application forcée, il nota :

— *Franceway Laro, ten bushels of flour, two bushels of barley, eight capons. November eleventh the year one thousand eigth hundred and two*[1].

— *Not eight capons, Mister Potts*[2], répliqua vivement Lareau avec un accent français prononcé, ce qui ne l'empê-

---

1. François Lareau, dix minots de farine, deux minots d'orge, huit chapons. Onze novembre de l'année dix-huit cent deux.
2. Pas huit chapons, monsieur Potts. Six chapons.

chait pas d'entendre fort bien l'anglais. *Six capons*, insista-t-il en réprimant son irritation.

Ce diable de commis cherchait à le tromper! Il comprenait la fureur de son voisin Tétrault. Même s'il s'y attendait, c'était enrageant de se faire prendre pour un imbécile.

— Les rentes ne changent pas d'une année à l'autre, rappela-t-il en s'adressant à la femme de Potts, sachant qu'elle parlait français; c'était une Canadienne!

Celle-ci regarda son mari d'un air entendu, murmura «*Boileau's cousin*», puis se retourna vers l'habitant en s'excusant d'un ton onctueux:

— Une petite erreur que monsieur Potts rectifie à l'instant, fit-elle dans un mauvais sourire.

— Sacrédié, madame! Il ne faudrait pas que cette petite erreur se reproduise encore l'année prochaine.

— *What's going on*[1]?

Madame Potts ignora son mari et demanda:

— Que voulez-vous dire?

— C'est à croire que votre mari désapprend à compter d'une Saint-Martin à l'autre, riposta sèchement Lareau. Je ne suis pas tout seul à le penser; ça fait que dites-lui bien que les habitants commencent à se plaindre tout haut. On a du monde qui nous représente au gouvernement et ils sont là pour nous défendre. Rappelez-lui ça, madame.

Puis, il se mura dans un silence glacial, fier de sa réponse, en attendant que le commis termine ses écritures.

Dehors, les jeunes Lareau s'impatientaient, surtout Marguerite, qui trouvait que toutes ces formalités duraient bien trop longtemps.

— Penses-tu que Madeline est venue avec son père? demanda subitement Noël à sa sœur.

1. Que se passe-t-il?

Celle-ci éclata de rire.

— Madeline Tétrault ? Mais elle a un œil croche ! Tu la trouves à ton goût ? Veux-tu que je rappelle son père pour savoir si sa fille peut être ta blonde ? Tu pourrais entrer chez Bunker et lui demander sa main de suite, ajouta-t-elle d'un ton taquin. Et puis, t'es bien trop jeune pour penser à ces affaires-là, affirma-t-elle sentencieusement, forte de son statut d'aînée.

Le jeune homme préféra ne pas répondre aux agaceries de sa sœur. Pour se donner de la contenance, il adopta la mine blasée d'un observateur aguerri.

Le soleil automnal poursuivait sa montée, répandant sur le bassin ses reflets dorés tandis que le village grouillait d'activité. Des charrettes arrivaient par le chemin du Roi, débordant de victuailles à remettre au seigneur ou à vendre au marché qui se trouvait en face de la forge de James Wait, près de l'église. Il régnait la même effervescence sur l'eau : des canots arrivaient de Pointe-Olivier tandis que d'autres partaient d'un des nombreux quais de Chambly pour se rendre sur la rive opposée. Des goélettes amarrées pas très loin de chez Bunker attendaient leur cargaison de marchandises à transporter vers Sorel et Québec. On profitait du redoux pour charger une dernière expédition avant l'hiver, sachant pertinemment que cette douceur était un leurre, que le froid arriverait bientôt et, avec lui, la glace qui empêcherait tout trafic maritime pendant des mois.

Marguerite soupirait d'aise. La vie était ici, au village, où le temps s'écoulait au rythme du bruit des charrettes qui défilaient sur le chemin du Roi, des cris des chalands autour du marché et des engagés qui chargeaient ou déchargeaient les bateaux. Des étrangers prenaient une chambre à l'auberge, tandis que les officiers de la garnison du fort paradaient à cheval devant les dames en pâmoison qui admiraient les beaux uniformes rouges ou noirs. Et puis, René ouvrirait bientôt son étude de notaire au village. Un éclat de voix la sortit de sa rêverie.

— Nom de Dieu ! Moi aussi, je prendrais bien un coup de rhum !

Surpris, les enfants Lareau se tinrent cois, attendant la suite. C'était si rare d'entendre ainsi pester et jurer leur père.

— Envoye, grouille, fit sèchement l'habitant à son fils en s'emparant d'une poche de toile remplie de blé. Sacrédié, je t'ai pas amené jusqu'ici pour rien ! Sors les cages et suis-moi ! Nom de Dieu de nom de Dieu !

Les deux enfants n'avaient jamais vu leur père dans une telle colère. Ahuri, le garçon s'empressa d'obéir et transporta les cages dans la cour intérieure où des dizaines d'autres chapons enfermés caquetaient bruyamment. Noël et son père revinrent à la charrette et empoignèrent les poches de grains.

Soudain, le visage de la jeune fille s'assombrit. Un jeune homme à la tenue débraillée sortait de chez Bunker. Son manteau largement ouvert montrait une veste déboutonnée et une cravate sale, lâchement nouée. Ses longs cheveux bruns et désordonnés s'échappaient d'un chapeau de feutre luxueux importé d'Angleterre. Marguerite reconnut Ovide de Rouville. En dépit de l'heure matinale, il semblait déjà ivre. L'apercevant à son tour, le jeune noble chercha à capter son attention, la fixant de son regard trouble. En jeune fille bien élevée, Marguerite baissa vite les yeux, replaça machinalement une mèche de cheveux sous sa coiffe et lissa sa jupe d'un vigoureux geste de la main, comme s'il était urgent d'éliminer un faux pli. À quelques reprises, elle avait croisé le jeune Rouville lorsqu'elle était en visite chez les Boileau. Le gamin détestable qui s'amusait à tirer ses nattes avait fait place à un jeune homme hautain qui la toisait d'un regard malsain. L'individu lui déplaisait.

Mais Ovide de Rouville s'avança vers la charrette et la jeune paysanne réprima un tremblement nerveux. Il la détailla d'un air narquois et s'approcha suffisamment pour lui attraper un bras qu'il serra fortement. De larges cernes sous ses yeux noirs, enfoncés dans leur orbite, indiquaient une vie dissipée et leur donnaient un air de fouine.

— Tiens, siffla-t-il, si ce n'est pas la Cendrillon des filles Boileau juchée sur son carrosse ! Allons, donne un baiser à ton prince !

Son haleine empestait le rhum. Sans répondre, la jeune fille fit toutefois un mouvement brusque pour se dégager, provoquant ainsi un éclat de rire sardonique. Il la détailla grossièrement de la tête aux pieds.

— Farouche, la fille, pour une habitante ! Pour qui tu t'es faite belle, sinon pour moi ?

— Monsieur de Rouville, laissez-moi tranquille, se défendit Marguerite. Mon père va revenir et il sera fâché s'il vous trouve après moi.

— Tu te trompes, la belle. Tous les habitants me donneraient leur fille, si seulement ils le pouvaient, fit-il en fanfaronnant, le père Lareau comme les autres. On se reverra plus tard, Cendrillon, gouailla Rouville avec un regard lubrique.

Avant que Marguerite ne puisse trouver une bonne réplique, une calèche qui passait par là vint se ranger près de la charrette.

— Tout va bien, mademoiselle ? demanda le conducteur à Marguerite pendant que le jeune homme lui tournait brusquement le dos.

Ovide de Rouville récupéra son cheval attaché devant chez Bunker et repartit en direction du faubourg sans demander son reste.

— Oui, oui, merci, répondit vivement la jeune fille, gênée que quelqu'un ait assisté à la scène disgracieuse.

— Qu'est-ce qui se passe? demanda François Lareau qui venait de réapparaître avec son fils.

— Ah! Bonjour, docteur Talham, fit l'habitant en reconnaissant le médecin du village.

— Bonjour, monsieur Lareau. J'ai cru un moment que votre fille avait besoin d'aide.

— Qu'est-ce qui se passe, Marguerite? demanda Lareau, intrigué.

— Rien, père, répondit-elle faiblement. Tout va bien, ajouta-t-elle, son bel enthousiasme du matin totalement disparu.

L'odieux personnage se rendait assurément chez les Rouville, ses parents. Marguerite tenta de se rassurer en se disant qu'il y aurait foule chez le seigneur, que ses cousines seraient avec elle et que le détestable jeune homme ne lui prêterait plus d'intérêt. «Ce n'est pas lui qui va me gâcher cette journée», décida-t-elle.

Elle oublia vite l'incident. Le bruit d'un autre attelage attira son attention. Facilement reconnaissable grâce aux fines rayures rouges et dorées qui l'ornaient, la calèche fermée des Boileau passait à vive allure devant chez Bunker. De l'une des portières, deux mains agitaient des mouchoirs. Immédiatement, la jeune fille reconnut Emmélie et Sophie

— Hou hou! Marguerite!

— À tantôt! s'écria celle-ci tandis que le bel équipage, mené de main de maître par Augustin, le domestique de Monsieur Boileau qui faisait aussi office de cocher, disparaissait en direction du faubourg Saint-Jean-Baptiste.

La jeune fille ne pensa plus alors qu'au plaisir à venir. François Lareau reprit les rênes de son cheval et, allégée, la charrette s'engagea à son tour sur le chemin du Roi.

Chapitre 3

Les écuries seigneuriales

La charrette des Lareau s'arrêta devant le manoir seigneurial de Melchior de Rouville où déjà nombre d'habitants se pressaient dans la cour. Une bruyante clameur couvrait le grondement des rapides de la rivière Chambly qu'on entendait habituellement dans le faubourg Saint-Jean-Baptiste, à l'est du vieux fort français.

Surplombant les rapides, près d'un moulin, l'imposante demeure en pierres dominait tout le faubourg. Deux ans auparavant, monsieur de Rouville, un militaire à la retraite que tous désignaient comme le «colonel de Rouville», avait choisi de construire son manoir seigneurial au village de Chambly, sur une petite terre qu'il tenait de ses aïeux. La grande maison était située en contrebas du chemin qui traversait cette partie de Chambly.

Pendant les nombreuses semaines qu'avait duré l'édification de la prestigieuse résidence, chaque étape avait retenu l'attention des villageois. Au quai, près du fort, étaient d'abord arrivés d'impressionnants «cageux». Tout le bois destiné à la charpente avait été lié en radeaux faciles

à faire flotter sur la rivière Chambly, que les ouvriers engagés par monsieur de Rouville avaient démantelés avant de
transporter les immenses madriers de chêne sur le chantier
du futur manoir. Par la suite, tous avaient admiré la belle
maçonnerie faite de pierres provenant d'une carrière voisine. Ils s'étaient aussi extasiés devant les belles corniches
et les larges fenêtres. Une fois la maison achevée, les notables de la paroisse, dont monsieur et madame Boileau,
avaient été invités par les Rouville à prendre le thé l'après-
midi – une nouvelle habitude que la bonne société avait
adoptée des Anglais, malgré les moqueurs nombreux qui la
réprouvaient – afin d'admirer les superbes boiseries et
l'agréable dimension des pièces.

Noël sauta hors du véhicule tandis que Marguerite prenait
mille précautions afin de ne pas abîmer ses beaux vêtements.
La calèche du docteur Talham se rangea derrière eux.

— Permettez, mademoiselle.

Il tendit la main à la jeune fille pour l'aider à descendre.
C'était un homme d'une élégance discrète. Plus grand que
la moyenne, il était vêtu d'une simple jaquette noire ajustée
sur une taille aussi mince que celle d'un jeune homme, une
cravate de soie blanche bien nouée sur sa fine chemise de
batiste. Aux reflets argentés de ses cheveux blonds, qu'il
portait courts, suivant la nouvelle mode anglaise, on voyait
tout de suite qu'il était entre deux âges.

François Lareau s'empressa de saluer le médecin d'un
coup de chapeau.

— Monsieur Lareau, comment allez-vous ? répondit
chaleureusement le médecin à l'habitant. Et comment se
portent madame Lareau et toute votre belle famille ?
demanda-t-il en esquissant un sourire bienveillant.

— Bien, bien. Merci docteur, c'est trop d'honneur de
vous informer, ajouta avec déférence François Lareau, qui

estimait le médecin du village pour son dévouement, comme la plupart des habitants de la seigneurie. Vous connaissez Marguerite, ma plus vieille ? Et voici mon fils aîné, fit-il en poussant le garçon devant lui.

Noël souleva sa tuque pour saluer. Rougissante, Marguerite s'inclina en une courte révérence, encore intimidée par l'attention dont elle venait d'être l'objet. C'était bien la première fois qu'on la traitait en dame en l'aidant à s'extirper d'une charrette.

— Félicitations, monsieur Lareau. C'est une véritable demoiselle, déclara le docteur.

Ce faisant, il salua cérémonieusement la jeune fille, à l'ancienne mode, portant délicatement sa jolie main gantée à son front.

Flattée, Marguerite baissa les yeux pour cacher son trouble.

— Vous êtes charmante, poursuivit le docteur avec amabilité. Une vraie Lareau, blonde comme les filles de mon pays, la Normandie.

Ce fut au tour de François Lareau d'être embarrassé, dissimulant mal sa fierté. Le docteur qui faisait un compliment sur la beauté de sa fille en la qualifiant de « demoiselle » !

— Je dois rendre mes devoirs à monsieur de Rouville, fit-il en touchant son chapeau du doigt pour prendre congé. Salutations, docteur Talham.

— Faites, monsieur Lareau, faites. Vous transmettrez mes amitiés à votre épouse, une femme dépareillée, que j'estime.

— Merci docteur, sans faute que je lui dirai, s'exclama l'habitant.

Il se retourna pour s'adresser à sa fille.

— Marguerite, va rejoindre ton oncle et ta tante Boileau. Tu les trouveras certainement par là, fit-il en désignant la cour du manoir. J'irai les saluer après avoir vu le notaire de monsieur de Rouville.

— Permettez que j'accompagne mademoiselle Marguerite? offrit obligeamment Talham. J'irai régler mes propres comptes plus tard.

Lareau accepta l'honneur avec empressement, assuré que sa fille ne se perdrait pas dans la foule qui envahissait la cour. Il se dirigea vers la lourde porte du manoir, son fils sur les talons. À l'intérieur, le notaire Leguay, qui tenait les comptes de la seigneurie de Rouville, attendait les censitaires.

— Allons donc retrouver vos parents Boileau, fit le docteur Talham à la jeune fille en lui offrant galamment le bras.

N'ayant guère le choix de refuser sans paraître impolie, Marguerite suivit le médecin, ne sachant trop quelle attitude adopter. Devait-elle glisser son bras sous celui du docteur ou poser sa main sur son avant-bras? Tout le monde allait la remarquer, d'autant que le docteur était veuf et que chacun savait qu'il pleurait encore son épouse, morte depuis des années. La situation embarrassait la jeune fille pressée de retrouver ses cousines, mais ne voulant pas que celles-ci la découvrent au bras du « vieux docteur », surtout Sophie, qui ne manquerait pas de se moquer d'elle.

Pourtant, dans la paroisse, on appréciait beaucoup le docteur Talham. Ce dernier ne se préoccupait guère de savoir si la cassette de son patient était bien remplie avant de le soigner, et on louait son grand cœur jusque dans le fond des campagnes. C'était un homme affable qui gardait la même courtoisie envers l'habitant ou le noble, le bourgeois ou le pauvre. Même les demoiselles de Niverville, deux vieilles filles hypocondriaques, acceptaient ses soins. Car, à leurs yeux, le docteur avait un grand défaut: c'était un Français!

Alexandre Talham était arrivé dans la *Province of Quebec*, comme s'appelait alors le Bas-Canada, il y avait de cela une bonne vingtaine d'années. L'arrivée d'un Français dans la colonie avait été en soit un fait exceptionnel, comme le rappelait à qui voulait l'entendre Monsieur Boileau, véritable gazette du village. À cette époque, la guerre d'Indépendance américaine venait à peine de se terminer et les Britanniques, humiliés par la perte de leurs colonies anglaises d'Amérique, tenaient les Français comme suspects, puisque la France avait soutenu les rebelles. Quelques-uns d'entre eux, arrivés au pays juste avant la guerre – comme le fameux Fleury Mesplet, qui avait fondé la *Gazette de Montréal* – avaient même tenté de gagner les Canadiens à la cause révolution-naire et s'étaient retrouvés dans les prisons du gouverneur. Depuis, les Britanniques se méfiaient encore plus des res-sortissants français. Difficile de voir un espion chez un homme aussi dévoué, croyait Monsieur Boileau. Le docteur devait être un de ces nombreux sans-le-sou, un de ces fils de famille obligés de quitter parents et pays pour survivre.

Il était arrivé à Chambly en 1786 avec sa jeune épouse Appoline, une Poudret de L'Assomption. Aucun de ses collègues chirurgiens n'avait accepté de demeurer en per-manence dans la seigneurie de Chambly, une contrée qui apparaissait encore sauvage. «Trop loin! Trop de forêt!» disaient-ils.

Privés des soins d'un homme de l'«Art», les habitants devaient se contenter de quelques remèdes de bonne femme comme ceux dont on pouvait lire la recette dans les vieux *Almanachs de Québec*: *Contre les engelures ulcérées, il faut brûler un rat, jusqu'à qu'il soit réduit en cendres, et répandre de cette cendre sur les ulcères; ce qu'on répétera deux fois le jour jusqu'à la guérison, qui sera prompte.* Le docteur Talham avait donc été accueilli à bras ouverts et avait adopté Chambly.

Madame Talham avait aussi rapidement conquis le cœur de tous. Elle-même était petite-fille d'un célèbre chirurgien du temps de la Nouvelle-France, Ferdinand Spagniolini. Elle avait sans doute hérité des dons de son aïeul et secondait parfaitement son époux, recevant les malades qui se présentaient à l'apothicairerie lorsque le docteur était absent, ce qui arrivait souvent étant donné l'étendue de la paroisse. Dans le village, on faisait confiance à la jeune «madame docteur», une belle femme brune et avenante, et même les demoiselles de Niverville venaient quérir auprès d'elle conseils et remèdes pour soulager leurs rhumatismes ou une toux persistante.

Malheureusement, tout le savoir médical n'avait rien pu faire contre la maladie de poitrine qui avait emporté la femme du docteur, à peine âgée de vingt-huit ans. Alexandre Talham, impuissant devant ce mal inéluctable, avait assisté à l'agonie de sa chère épouse. Quelque chose en lui s'était alors brisé. Dans son regard bleu s'était irrémédiablement glissée l'ombre de la tristesse.

❧

— Tantôt, j'ai cru un moment que ce jeune homme vous importunait, dit le docteur à Marguerite. Je me trompe?

Marguerite ne sut quoi répondre. Le docteur Talham était un ami du père d'Ovide de Rouville. Elle ne pouvait tout de même pas lui avouer que ce dernier la tourmentait. Mais le médecin sembla comprendre l'embarras de la jeune fille.

— Ne vous inquiétez pas, mademoiselle Lareau, la rassura-t-il d'un ton compréhensif. Les jeunes hommes s'assagissent. Ses parents finiront par en faire un gentleman, croyez-moi, ajouta le docteur qui n'en était pas du tout convaincu.

Monsieur de Rouville lui avait récemment confié les soucis que lui causaient les incartades de son fils.

Marguerite ne fit que quelques pas au bras du docteur. Monsieur et madame Boileau venaient vers eux, la libérant de son compagnon improvisé. Son oncle arborait sa jactance accoutumée, brillant de tous ses feux. Il portait une redingote de soie prune doublée d'un fin lainage à laquelle était épinglée une belle chaîne qui retenait une montre en or, gravée de son chiffre, qu'il consultait fréquemment, comme s'il eût été impérieux de connaître l'heure à tout moment. Coiffé d'une splendide perruque poudrée – au contraire du docteur qui avait délaissé l'encombrant attribut des notables – et une canne à pommeau d'or sculpté à la main, le nobliau avait le panache d'un grand seigneur.

Madame Boileau – ou madame de Gannes de Falaise, comme la désignaient toujours les membres de la belle société en lui conservant son nom de jeune fille, sans doute pour atténuer la déchéance de son mariage avec un roturier – était une personne rondelette, portant invariablement une toilette sombre, affichant le deuil immuable de treize de ses enfants, ses chers petits que le Seigneur lui avait réclamés sitôt nés, exception faite de la petite Lucille, emportée par la rougeole à l'âge de sept ans. En effet, des dix-sept enfants qui avaient béni ce mariage heureux, seuls René, Emmélie, Sophie et Zoé avaient vécu. Mais les jours de fête, elle choisissait une robe de couleur violet, agrémentée de blanches dentelles foisonnantes d'où émergeait un cou grassouillet. Sur son visage légèrement couperosé, des traits harmonieux rappelaient que l'ancienne demoiselle de Gannes de Falaise avait été jolie. Lorsqu'elle parlait, sa coiffe de mousseline enrubannée s'agitait sur des boudins qui devenaient de plus en plus gris.

— Bonjour, mon oncle, bonjour, ma tante, fit joyeusement la jeune fille dans une petite révérence, en apercevant les visages familiers.

— Mes chers amis, salua Talham en s'inclinant sur la main de madame Boileau pour lui présenter ses hommages. Avez-vous reçu récemment des nouvelles d'Europe?

La noble dame offrit au docteur un sourire radieux en se lançant sur son sujet préféré : son fils. Elle sortit vivement d'une de ses poches une lettre qu'elle déplia avec précaution, répondant par le fait même aux vœux que Marguerite n'aurait jamais osé formuler elle-même : des nouvelles de son cousin, son amour secret.

— Pas plus tard qu'hier, la malle de Montréal nous a apporté une lettre. Londres, écrit notre cher René, est la plus grande ville du monde. Il raconte des choses étonnantes. Mais voyez, cher docteur Talham. Lisez, je vous prie.

— *Mes très chers parents*, commença le docteur à voix haute. *Londres est une ville remarquable. Je n'aurais jamais cru qu'il puisse y avoir autant de rues dans une ville et autant de monde dans ses rues. La rue londonienne est grouillante de charrettes, de paysans venus de la campagne, d'animaux, de gentlemen à cheval, de dames en belles toilettes qui refusent de mettre pied à terre en descendant de leur voiture tant règne la saleté dans des rues qui, pourtant, sont pour la plupart pavées. Le spectacle est fascinant. Même la nuit, on entend un bourdonnement incessant. On a l'impression qu'ici, on ne se couche jamais.* »

« *J'ai visité l'abbaye de Westminster. Dites à mes sœurs qu'en traversant le pont de Londres, j'ai vu le roi et la reine passer dans leur carrosse. Imaginez! La tour de Londres date du xiᵉ siècle. C'est incroyable! Mon père, vous aimeriez visiter le jardin de plantes exotiques situé au sud-ouest de la capitale et le British Museum où on peut voir de vieux manuscrits, des médailles, des sceaux anciens et des livres en quantité inimaginable. Que de splendeurs!* »

« *Je prends le temps qu'il faut et profite de ma chance pour visiter et me remplir les yeux de merveilles. Mais notre village de Chambly me semble loin! Et il me tarde de m'y installer comme notaire, même si ce voyage dans les vieux pays est captivant et rempli d'intérêt. Vous me manquez tous beaucoup.* »

« *Je traverserai bientôt en France. Je suis d'avance ému à l'idée de fouler le sol qui a vu naître nos ancêtres. Je vous embrasse, mes chers parents. Mère, prenez soin de votre santé. Quant à vous, père, je suppose que vous êtes toujours en mouvement, comme le balancier d'une horloge. Embrassez tendrement mes chères sœurs et faites mes compliments à tous nos amis de Chambly, et particulièrement au docteur Talham, à qui ces évocations rappelleront de bons souvenirs.* »

« *Votre fils affectueux. René.* »

« Certes, certes, dit Talham en repliant la lettre, c'est bien aimable à votre fils de se rappeler mes récits de voyage. J'ai fait mes études à Rouen – vous savez que c'est la deuxième plus grande ville de France? – et j'ai eu la chance de visiter Paris. Mais j'ai aussi vécu plusieurs mois à Londres avant d'arriver au Canada. C'est vrai qu'avec ses docks, ses centaines de navires amarrés et sa foule bigarrée, Londres est le centre du monde. On y croise bien sûr des Irlandais et des Écossais, mais aussi des Hindous en turban, des Chinois aux yeux bridés et de nombreux marins et marchands portugais ou hollandais. Ah, ces chers vieux pays! Ils sont si loin, de l'autre côté du vaste océan. »

— N'avez-vous jamais songé à retourner en France? demanda Monsieur Boileau.

— J'ai quitté sans regret une France sans avenir, comme vous le savez. Et aujourd'hui, après avoir été ensanglanté par la Révolution, mon pays, et celui de vos ancêtres, mes chers amis, vit encore d'autres bouleversements avec le général Bonaparte. Le petit général est devenu Premier Consul par la seule force de son intelligence. J'admire le personnage pour le soin qu'il prend du peuple français. Il souhaite, paraît-il, faire instruire tous les enfants sans distinction. Il prévoit aussi une refonte des lois civiles. Mais la France de ma jeunesse n'existe plus et la France d'aujourd'hui m'est inconnue. Ma vie est désormais ici, mes chers amis, parmi vous tous.

Monsieur Boileau opina gravement tout en s'approchant de Talham et lui dit, en aparté, sur le ton de la discrétion :

— Je partage votre admiration, mon ami, mais il vaut mieux ne pas trop vanter Bonaparte publiquement. Notre hôte en serait vexé. Vous savez combien il déteste tout ce qui peut évoquer une révolution quelconque depuis qu'il a été emprisonné par les Américains. Et comme tous ceux qui ont servi dans l'armée britannique, il se plaît à voir dans le Premier Consul un ogre affamé et sans scrupules. Changement d'à-propos, fit-il en reprenant sa voix normale, je suis heureux de voir que vos patients vous laissent quelque répit pour profiter des joies de la société. Comment va madame Perreault, l'épouse de mon fermier ? On m'a dit que vous l'aviez saignée pas plus tard qu'hier soir.

— On vous a mal renseigné. J'ai bien vu cette pauvre dame et la saignée n'était pas du tout indiquée. Elle l'aurait trop affaiblie. Je lui ai plutôt prescrit un remède dans lequel j'ai ajouté trois bonnes cuillérées de votre bon miel pour calmer cette vilaine toux qui l'épuise.

Délaissant le sort de la fermière, les messieurs poursuivirent leur conversation en parlant politique. Le docteur Talham déplorait que le *bill* visant à interdire les inhumations à l'intérieur des églises ait été abandonné. Par contre, Monsieur Boileau en avait été soulagé. Il tenait à se faire enterrer sous son banc paroissial, tout comme ses propres parents, un privilège coûteux que s'offraient les personnes de qualité. Les deux hommes débattirent un moment de cette pratique ancienne et de plus en plus contestée.

— C'est bien connu, plaida madame Boileau, qui tenait elle aussi à être enterrée dans l'église. Le jour du Jugement dernier, nous serons plus près de notre Seigneur.

— Vous avez certainement raison, approuva galamment le docteur même s'il croyait le contraire. Pour ma part, le jour où notre Créateur me rappellera à Lui, le cimetière me conviendra parfaitement.

Les morts n'intéressaient guère Marguerite qui n'écoutait plus la conversation. La lecture de la lettre l'avait menée directement au pays des chimères. Elle n'en avait pas manqué un seul mot. René. Comme elle l'aimait ! Elle lui avait donné son cœur avec l'ardeur attendrissante de la jeunesse. À ses yeux, il était le noble Rodrigue, l'amoureux de Chimène, comme dans cette histoire du *Cid* qu'elle avait lue un jour avec Emmélie. Marguerite se languissait de le revoir.

Toute l'affection de René allait à sa famille et particulièrement à ses sœurs, qui le lui rendaient bien. Le jeune homme avait fait des études sérieuses au collège de Montréal avant d'entreprendre son apprentissage chez le notaire Leguay. Les villageois ne lui connaissaient qu'une unique passion : l'élevage des chevaux. Il se rendait régulièrement du côté de la Petite Rivière, chez Joseph Lareau, un oncle de Marguerite avec qui il était associé dans cette entreprise. Souvent, le jeune homme poussait jusqu'à la ferme voisine pour saluer Victoire et François. De simples visites de politesse, croyait Marguerite, comme il s'en faisait tant entre parents et amis dans une paroisse.

Et puis, il y avait eu cette fois, l'été dernier… Depuis, pas un jour ne se passait sans qu'elle ne rêve à son regard sombre, à ses belles mains aux longs doigts qu'il croisait et décroisait, adorable manie qu'il avait lorsqu'il était pensif. Avec quelle ferveur elle espérait son retour. Lorsqu'il reviendrait, avait-il dit, il lui ferait une importante demande. Toute à ses pensées, elle soupira et sourit, surprise par le docteur qui ne put s'empêcher de lui demander :

— Vous souriez aux anges, mademoiselle Lareau ?

Elle sentit le feu lui monter aux joues. Heureusement, Monsieur Boileau venait d'apercevoir son père qui sortait du manoir et le hélait à grands cris joyeux.

— Mon cousin, fit cordialement le bourgeois à François Lareau, qu'il assaillit d'un flot de questions. Approchez et dites-moi comment se porte ma chère cousine Victoire. Votre fille semble muette aujourd'hui, ajouta-t-il en clignant de l'œil en direction de la jeune fille. Tu dois être impatiente de retrouver tes cousines, Marguerite ? Allez, va. Tu auras tout le temps de nous donner des nouvelles pendant les trois jours qui viennent. Car vous nous confiez toujours votre fille, n'est-ce pas, Lareau ?

— Oui, bien sûr. Marguerite ira chez vous. Comme convenu, balbutia Lareau en soulevant son chapeau, dérouté comme toujours par la présence de madame Boileau. Le fait qu'il était le cousin par alliance d'une aussi noble dame le dépassait. Et ma femme va bien, ajouta-t-il, je lui transmettrai vos salutations. Notre petite Esther la tient fort occupée.

— Quel âge a-t-elle déjà ? demanda poliment madame Boileau.

— Quatre ans, madame. Elle est un peu plus jeune que votre demoiselle Zoé, je crois bien.

— Puisse Dieu nous les laisser toutes les deux !

— Pour ça, oui, madame, qu'Il leur laisse la santé ! C'est une grande chance que d'avoir de nombreux enfants.

— Vivants et en santé, ajouta madame Boileau d'un ton cassant.

Lareau fixa le sol. Il venait de commettre un impair impardonnable. Inévitablement, évoquer le bonheur d'avoir une famille nombreuse indisposait madame Boileau dont presque tous les enfants étaient devenus de petits anges. Il allait encore s'empêtrer en bégayant une réponse lorsque l'arrivée inopinée d'un couple et de deux fillettes soigneusement vêtues le tira d'embarras.

— Ma chère madame Bresse, s'exclama la noble dame avec exagération en entraînant son mari vers les nouveaux venus, négligeant de saluer l'habitant.

— Ne vous en faites pas, monsieur Lareau, fit le docteur en lui prenant le bras. La douleur égare parfois cette bonne madame Boileau. C'est tout à votre honneur, à vous et à votre femme, d'avoir des enfants en santé, ajouta-t-il.

— Je le sais bien, répondit François Lareau avec reconnaissance au docteur, qui atténuait les propos amers de la dame. Mais ce n'est pas une raison pour en vouloir au monde entier, grommela l'habitant. Ma femme et moi, on peine dur. En plus, on peut tout de même pas faire mourir nos enfants pour faire plaisir à la dame.

— C'est triste, ajouta Marguerite. Mais c'est Dieu qui décide, n'est-ce pas, docteur Talham ?

— Oui, sans doute, mademoiselle, répondit le docteur qui était loin d'avoir cette certitude.

Ce petit incident pressa encore plus François Lareau qui avait hâte de quitter les lieux. Il fit une dernière recommandation à Marguerite, l'incitant à retrouver ses cousines, et partit rejoindre son fils. Ce dernier s'était posté à côté de la charrette, préférant observer de loin les beaux messieurs et les belles dames déambulant dans la cour.

— Viens, allons plutôt faire un tour chez l'oncle Nicolas Lagus.

Noël approuva en détachant la jument. Soulagés du devoir accompli, les Lareau franchirent le porche pour gagner le cœur du faubourg où habitait le beau-frère de Victoire, veuf de sa sœur Élisabeth.

Malgré elle, Marguerite se retrouva encore seule avec le docteur. Cherchant des yeux Emmélie et Sophie, elle ne les voyait nulle part et afficha une petite moue dépitée.

— Vous devrez encore subir ma compagnie, lui dit le docteur, amusé. Nous finirons bien par retrouver vos amies. En attendant, allons rejoindre vos parents.

— Alors, monsieur Bresse, s'exclama le docteur, vous êtes revenu de Montréal plus tôt que prévu, à ce que je vois?

— Figurez-vous que j'avais rendez-vous avec l'avocat Joseph Bédard, le frère de notre curé, comme vous le savez sans doute, mais que je l'ai rencontré inopinément dans une auberge de Longueuil. J'ai pu conclure mon affaire sans avoir à traverser à Montréal et être de retour à temps pour accompagner ma chère femme aujourd'hui.

— Vous avez pu faire l'aller-retour dans la même journée? Ça c'est une chance! Mais puisque nous sommes tous les trois, nous pourrions nous entendre sur l'entretien de notre fossé commun. Votre fermier se plaint-il encore d'un mauvais égouttement de la terre, Boileau?

— Puisque vous insistez pour en parler, je suis votre homme, répondit Monsieur Boileau en faisant la courbette pour saluer l'épouse de son voisin, Joseph Bresse, la gratifiant d'un regard admiratif.

Malgré la propension de cette dame à répandre les dernières rumeurs, chacune des apparitions de Françoise Bresse le ravissait. C'était une belle femme brune qui conservait une silhouette svelte et anguleuse aux abords de la trentaine.

Quoique trop mince au goût de Monsieur Boileau – une femme bien en chair n'était-elle pas le témoignage vivant de la réussite sociale de son mari ?–, Françoise était l'adoration de son époux. Ce dernier portait d'ailleurs les rondeurs qu'il aurait bien voulu voir à sa dame, car même après dix ans de mariage, les Bresse n'avaient jamais eu d'enfant. Toutefois, ils avaient hérité de la noble tâche d'élever les demoiselles Sabatté, Clémence et Agathe, les jeunes sœurs de Françoise âgées respectivement de dix et neuf ans. Malgré son ventre sec, madame Bresse ne semblait pas s'offusquer des enfants des autres femmes. Mais qui pouvait savoir ce que ressentait réellement Françoise Bresse ? Elle n'abordait jamais ce sujet qui la touchait directement, préservant une distance suffisante avec chaque villageoise qu'elle rencontrait. Ne pas avoir d'enfant était une situation suffisamment pénible. Était-ce pour éviter qu'on parle d'elle que Françoise s'employait à parler des autres ? On la tenait pour la « langue » la plus alerte de la paroisse. L'année précédente, elle avait été affectée par un deuil douloureux. Celle de ses sœurs avec qui elle s'entendait parfaitement était morte, foudroyée par une péritonite, verdict lourd de chagrin prononcé par le docteur Talham. Françoise avait accusé le choc et pleurait en silence la mort de sa sœur bien-aimée.

Portant le demi-deuil, elle apparaissait en société pour la première fois depuis de longs mois. Seul son voile de crêpe, aussi noir que son regard, témoignait encore de sa peine profonde. En la voyant si amaigrie, madame Boileau espéra que sa voisine Françoise ne fût pas malade, connaissant tous les ravages que font les humeurs mélancoliques sur les nerfs.

— Quel plaisir que vous puissiez enfin sortir de chez vous, lui lança-t-elle sans détour. Je suis heureuse de vous retrouver. Nous allons enfin mener à bien notre beau projet.

— C'est une excellente idée, répondit simplement madame Bresse. Nous verrons certainement notre curé aujourd'hui et nous lui ferons part de nos suggestions.

Ces dames entamèrent une discussion sur les améliorations à apporter à la décoration de l'autel. Le précédent curé n'avait rien voulu entendre à ce sujet, mais messire* Bédard, le nouveau curé de la paroisse, semblait apprécier le dévouement de ses paroissiennes dévotes pour l'ornement et la beauté de l'église.

Le sort de dentelles quelconques constituait un sujet extrêmement ennuyant pour les fillettes. La placide Clémence ne bronchait pas, mais la jeune Agathe Sabatté cherchait à libérer sa main de celle de Françoise, qui se méfiait du tempérament rebelle de la petite fille, marquée sans doute par son état d'orpheline. Pour se venger, cette dernière se retourna vers Marguerite qui l'observait avec amusement et lui tira la langue. «En voilà une qui ne sera pas facile à manier», pensa la jeune fille, forte de son expérience d'aînée de famille et habituée aux moqueries d'enfants. Elle détourna simplement la tête et aperçut enfin ses cousines.

«Les voilà», se dit-elle joyeusement en se dirigeant vers un groupe de jeunes filles.

Emmélie et Sophie Boileau causaient avec Julie de Rouville près de l'endroit où on servait les rafraîchissements. De grandes tables recouvertes de nappes blanches étaient dressées sur des tréteaux, près d'un mur du manoir, et les servantes y disposaient divers mets : de l'anguille séchée, du boudin frais grillé, des rôts de bœufs et des jambons. Un engagé servait du rhum ou de la bière d'épinette à qui en voulait. De petits groupes s'étaient formés autour et les conversations allaient bon train.

Les jeunes filles bavardaient à bâtons rompus et riaient ensemble, comme si elles étaient seules au monde. Emmélie aperçut Marguerite et lui adressa un petit signe de la main, l'invitant à se joindre à elles. Sophie avait entrepris une conversation passionnante avec la demoiselle de Rouville sur les couleurs à la dernière mode des rubans annoncés dans les gazettes. Intéressée, Marguerite s'approcha et Emmélie lui saisit la main.

— Mademoiselle de Rouville, présenta-t-elle, voici notre chère cousine Marguerite Lareau, notre amie d'enfance.

Julie examina la jeune fille d'un regard rapide, jugea sa tenue typique des femmes du commun et détourna la tête vers Sophie. Marguerite commençait à regretter d'être venue. Elle souhaita soudainement se retrouver chez elle, bien au chaud, dans l'univers familier et rassurant de la ferme. Elle fit une courte révérence, puis un pas en arrière pour ne pas s'imposer et fit mine de s'intéresser aux derniers vestiges du jardin dégarni pour dissimuler le petit pincement au cœur qu'elle ressentait. Habituée à être traitée sur un pied d'égalité avec ses cousines, la demoiselle de Rouville lui faisait comprendre tout d'un coup qu'elle n'était pas à sa place.

Mais Emmélie insista en ajoutant, d'un ton enjoué :

— Rappelez-vous la ravissante câline de Sophie que vous aviez tant admirée, l'été dernier, au pique-nique des Boucher de la Brocquerie. C'était l'œuvre des doigts de fée de Marguerite. Elle fabrique aussi les plus jolis chapeaux de paille qui soient. Les dames de Montréal les réclament en grand nombre, si on peut croire les dires de ce marchand juif qui fait le tour de nos campagnes, au printemps, pour acheter les chapeaux tressés par les filles de nos cultivateurs. Et Marguerite est la plus habile de toutes, puisqu'il lui en redemande chaque année.

— Ah, oui ? fit Julie en manifestant un certain intérêt, comme si Marguerite venait d'apparaître, subitement. Pourriez-vous me réserver votre plus beau chapeau pour le printemps prochain? Quand pensez-vous qu'il pourra être prêt? Je le ferai chercher chez vous.

— Certes, mademoiselle, répondit Marguerite en dissimulant son dépit derrière un sourire timide.

La demoiselle la considérait comme une simple ouvrière ou une marchande de grand chemin. Mais elle ravala le camouflet et se composa un visage avenant en se disant que mademoiselle de Rouville s'intéressait à ses talents de couturière, tout comme Sophie. C'était déjà un premier pas.

— Mais pas avant d'avoir confectionné celui que tu m'as déjà promis, n'est-ce pas ma chère Marguerite? interrompit l'impertinente Sophie, qui n'hésitait pas à se voir comme l'égale de la demoiselle de Rouville.

— Ne t'inquiète pas, les deux chapeaux seront prêts pour l'arrivée du printemps, la rassura Marguerite.

Vêtue d'une légère robe de soie verte sur laquelle s'ajustait un joli spencer noir boutonné, Sophie était beaucoup trop élégante pour la circonstance. La jeune fille désinvolte s'habillait à sa guise, et sa mère avait renoncé depuis longtemps à lui faire entendre raison sur ce point. Emmélie, par contre, prenait son rôle d'aînée au sérieux et ne lui épargnait pas ses commentaires.

— Vraiment, Sophie! Nous n'allons pas au bal, mais à une fête champêtre, lui avait-elle fait remarquer ce matin-là, au moment où les deux sœurs s'apprêtaient à partir.

Sophie avait répliqué par un grand éclat de rire en nouant le ruban de son chapeau sur le côté de sa joue rose en un gracieux nœud qui attirait le regard sur son teint clair et soyeux. Sa capeline, recouverte du même tissu que sa robe, mettait en valeur ses grands yeux bleu foncé qu'elle tenait de sa mère.

Emmélie, plus mince et plus grande, préférait s'habiller sobrement et affectionnait les robes à tissus unis et foncés l'hiver, et les imprimés légers pendant la saison chaude. Sa robe brune, coupée simplement, était ornée d'un ruban de velours noir, comme celui qui retenait sa capote assortie. Elle portait par-dessus un élégant mantelet, plutôt coquet et d'un fort joli bleu. Chez la fille aînée des Boileau, pas de colifichet ou de rubans colorés, mais des yeux charbonneux où un regard ardent brillait d'intelligence.

Julie de Rouville examinait Marguerite en se demandant ce que les demoiselles Boileau trouvaient d'intéressant dans la compagnie d'une paysanne. « Elles ont sans doute pitié de cette parente de la campagne », songea-t-elle.

— Préparez-vous votre mariage, mademoiselle Lareau ? demanda Julie pour se rendre aimable, car, c'était bien connu, les filles de la campagne se mariaient jeunes.

— Je n'ai aucun cavalier, rétorqua vivement Marguerite, et je ne veux pas me marier non plus, mademoiselle. J'ai bien assez de m'occuper de mes frères et sœurs, ajouta-t-elle, surprise par son audace à répondre à une noble demoiselle.

La présence de ses cousines expliquait sans doute sa témérité.

— Alors explique-nous de suite ce que tu faisais tantôt au bras du docteur Talham, l'asticota Sophie.

Cette fois, Marguerite fut si embarrassée qu'elle rougit violemment.

— Je ne faisais rien du tout, rétorqua-t-elle, ne sachant pas trop quoi répondre.

Emmélie vint à son secours.

— Le docteur est un gentilhomme qui a offert le bras à Marguerite. Pourquoi aurait-elle refusé ?

— Ma chère sœur, toujours empressée de défendre le docteur, la taquina Sophie.

Ce fut au tour d'Emmélie de rougir, sans toutefois se laisser démonter par les sarcasmes de sa sœur. Sophie se moquait souvent des manières désuètes du docteur, qui était pourtant son parrain, et Marguerite riait avec elle, mais Emmélie, qui admirait l'homme pour son dévouement envers les pauvres gens, les faisait taire.

— Que tu es frivole ! Et sotte. Tu tiens tant que ça à jouer à la marieuse avec les uns et les autres ? Serais-tu si pressée de te marier ?

— C'est toi qui es sotte, l'interrompit Sophie en lissant soigneusement le tissu de son manteau de son adorable petite main gantée. Moi, j'ai hâte de me marier et de mener ma maisonnée comme il me plaira. Mais avant cela, j'aurai de très longues fiançailles avec un riche prétendant qui m'apportera chaque jour des bouquets et des cadeaux.

Le duel verbal des deux sœurs commençait à amuser Julie, trop souvent seule et sans amies. Elle se lança malicieusement dans la mêlée.

— Et combien de temps, selon vous, ces fiançailles doivent-elles durer, mademoiselle Boileau ? demanda la demoiselle de Rouville d'un ton faussement sérieux.

Sophie réfléchit un instant.

— Diriez-vous que deux ans soit un délai raisonnable ?

— Tout dépend. Si vous êtes très amoureuse de votre fiancé, vous souhaiterez vous marier plus rapidement, badina Julie. Et vous, mademoiselle Boileau, demanda-t-elle à Emmélie, que pensez-vous du mariage ?

— Ma chère demoiselle, je ne songe guère au mariage, je n'ai même pas vingt ans ! Avant tout, je désire m'instruire, lire, apprendre tout ce que je peux. Je souhaite surtout prendre le temps de trouver un mari pour qui j'aurai de l'affection et de l'inclination. Croyez-vous à l'amour dans le mariage ?

— J'espère sincèrement que cela existe, soupira Julie en pensant à ses parents qui n'avaient aucun plaisir à vivre ensemble.

Au mieux, monsieur et madame de Rouville se supportaient, mais de toute évidence, il n'y avait pas la moindre trace d'affection entre eux.

— Mais bien sûr que cela existe, la rassura Emmélie. Nos chers parents en sont la preuve.

— Alors mesdemoiselles, quels sont les messieurs qui occupent vos cœurs ? coupa la rieuse Sophie, pour qui la discussion devenait trop sérieuse.

— Aucun, je viens de le dire, répondit Marguerite, la première.

— Tu nous gênes, vilaine curieuse ! rétorqua sa sœur en riant aussi. Et toi, mademoiselle la coquette, à quel malheureux as-tu offert ta dernière œillade ?

∾

Marie-Anne-Julie Hertel de Rouville – elle signait toujours son nom entièrement, sans omettre un seul prénom, d'une écriture étonnamment minuscule – se plaisait beaucoup en compagnie des demoiselles Boileau, les rares jeunes filles de Chambly fréquentables de par leur âge et leur rang. Si elle estimait Emmélie – on ne pouvait que s'attacher à cette jeune fille vive mais discrète –, Sophie, cette gracieuse fée qui affichait ses privilèges avec un tel plaisir, l'enchantait. Elle ravissait le regard avec ses robes, ses chapeaux extravagants et son joyeux tourbillon de couleurs pastel et de rubans soyeux. Les villageois eux-mêmes n'avaient de cesse d'admirer la demoiselle Boileau, si coquette et tellement souriante, lorsqu'elle faisait une promenade en calèche ou à pied. Les hommes étaient charmés par sa belle tournure et les femmes s'extasiaient devant ses toilettes froufroutantes qui seraient déplacées pour n'importe laquelle d'entre elles, à la campagne, sauf chez l'éblouissante Sophie, blonde et charnelle. Son frère René avait reçu d'elle l'impérieuse mission de rapporter, sans en omettre aucun, tous les détails de la mode de Londres et de Paris à son retour.

La demoiselle de Rouville avait beau avoir un nom à rallonge et à particule, elle ne semblait être, en comparaison, qu'un petit oiseau décharné, jeté hors du nid et abandonné au pied de l'arbre. Malgré son haut rang, on aurait dit qu'elle cherchait à se faire oublier derrière des toilettes ennuyantes et sans raffinement. Sa robe était grise, sans aucun autre ornement qu'un col de dentelle et un chapeau dont les rubans pendouillaient tristement. Son manteau assorti était de la même teinte affligeante que la robe, donnant à la jeune fille, plus maigre que mince, l'allure d'une pauvresse habillée par charité. De grands yeux tristes mangeaient son visage osseux, orné de l'ineffaçable marque familiale, l'horrible nez des Rouville dont elle avait hérité, un appendice long, bossu et pointu. Fort heureusement, une jolie bouche, aux lèvres bien dessinées, faisait entendre une belle voix aux sonorités profondes.

Pendant que les jeunes filles devisaient joyeusement entre elles, une voix railleuse se fit entendre :

— Ma chère sœur, puis-je me joindre à votre conversation, demanda Ovide de Rouville avec une politesse faussement affectée.

Le jeune homme avait remis de l'ordre dans sa toilette débraillée du matin, mais il empestait toujours le rhum et passa insolemment son bras autour de la taille d'Emmélie.

— Belle Emmélie, très chère Emmélie, montrez-moi vos jolis yeux doux.

— Je vous en prie, monsieur de Rouville, gronda la jeune fille en se dégageant brusquement de l'audacieux, vous me gênez. Et si mon père vous voyait, il pourrait se fâcher.

— Au contraire, ma chère enfant, votre père sera ravi de me voir vous courtiser. Pensez donc, un Rouville !

Emmélie tança le jeune fat d'un regard affligé qui en disait long. « Ma chère enfant », avait-il dit. C'était tellement ridicule ! Ovide de Rouville n'avait que dix-neuf ans, à peine un an de plus qu'elle. D'ailleurs, elle n'aimait pas du tout ce garçon qu'elle jugeait retors et paresseux. À peine entré au collège de Montréal, fréquenté par tous les jeunes gens de la rivière Chambly, il avait déclaré à ses parents qu'il laissait les études – du moins, c'était ce qu'on racontait. Et puis, Emmélie avait appris qu'il était plus connu pour ses dettes de jeu et ses notes de tailleur que pour son assiduité à l'entraînement. Le jeune Rouville décevait ses parents, et même sa sœur, si elle en jugeait par l'air désabusé de Julie. Mais Ovide poursuivait son badinage prétentieux.

— Ma chère sœur, il faut m'aider à convaincre l'une de ces jeunes filles de m'accompagner à la soirée que donnera le sieur de Niverville, ce cher vieux débris. J'ai l'intention de passer la semaine à Chambly et de m'amuser.

— Ne comptez pas sur nous, répondit vivement Sophie, nous avons déjà décliné l'invitation. Nous nous rendons à Longueuil, chez la baronne Grant, avec nos parents.

— Vous refusez donc de vous afficher en société avec moi, mademoiselle Boileau ?

— Monsieur de Rouville, il faudra nous excuser, répliqua vivement Emmélie. Notre père ne permet pas que nous sortions sans être accompagnées et depuis le départ de notre frère, nous ne sortons qu'avec nos parents.

— Votre frère, appuya Ovide d'un ton narquois.

— Il est en Europe, rappela Sophie. Notre père croit que c'est la meilleure manière de parfaire l'éducation d'un jeune homme.

Rouville eut un rire sarcastique.

— Le sieur Boileau se prend pour un gentleman, lança-t-il du haut de sa morgue. La belle affaire, puisqu'il devra gagner sa vie comme tabellion, insista-t-il avec arrogance. Un simple notaire de village! Il n'a pas la naissance pour convoiter des postes dans le gouvernement. Avec mon seul nom, j'obtiendrai facilement la fonction de juge de paix, tout comme mon père et mon grand-père. Un Boileau peut être élu député à la chambre législative, ajouta-t-il, méprisant, mais il ne sera jamais membre du conseil exécutif.

— Puissiez-vous avoir autant de charges que d'insolence, cher monsieur de Rouville, riposta vivement Sophie. Et ce que vous dites est faux, puisque notre père vient d'être nommé juge de paix à Chambly. De toute manière, je préfère cent fois un mari qui saura faire fructifier son bien grâce à son intelligence et sa science plutôt qu'un noble personnage criblé de dettes.

— Sophie, ne sois pas si choquante, reprocha gentiment Emmélie en baissant le ton.

« S'il pouvait s'en aller, celui-là », songea Julie, que la présence de son frère horripilait. Depuis qu'il habitait Montréal, Ovide prenait de grands airs et tenait d'insupportables discours sur la noblesse de leurs origines, à croire que les Rouville avaient été du nombre des courtisans du roi Louis XIV. Il lui arrivait de plus en plus souvent d'être blessant envers son unique sœur. Mais aujourd'hui, il était pire qu'à son habitude. « Sans doute parce qu'il a eu cette terrible dispute avec notre père », se dit encore Julie pour l'excuser. Elle enviait ses amies d'être choyées par un frère qui semblait les aimer tendrement. Les rares fois qu'elle avait pu rencontrer René Boileau, il lui avait semblé courtois et élégant. Le frère de ses amies ne la laissait pas indifférente. Elle soupira en songeant au futur notaire.

— Va-t'en, tu nous embêtes avec tes prétentions, lança-t-elle à son frère. Laisse-nous tranquilles.

— Je t'abandonne donc, puisque tu préfères la compagnie de tes chères amies roturières et de leur Cendrillon, riposta Ovide, frustré d'être ainsi congédié.

Il en profita pour lancer à Marguerite un regard méchant.

— Mais pas avant de vous être excusé auprès de notre cousine mademoiselle Lareau, monsieur, exigea alors Emmélie.

— Des excuses à la petite-fille de « l'Indienne » ! Mademoiselle Boileau défend la sauvagesse bec et ongles ! Votre cousine, n'est-ce pas ? Voilà qui explique ce teint trop hâlé pour être noble, railla-t-il en glissant un doigt sale sur la joue d'Emmélie sous le regard effaré de sa sœur.

— Vous n'êtes qu'un goujat, dit la jeune fille qui se retenait de gifler l'insolent.

Sophie vint à la rescousse de sa sœur.

— Monsieur l'effronté, puisque vous prétendez à vos quartiers de noblesse, sachez que notre mère est une de Gannes de Falaise.

— Aussi noble que pauvre ! En épousant un roturier, votre mère a abandonné sa noblesse, répondit durement Rouville.

— Qu'importe le rang si on ne sait quoi en faire, riposta à son tour Emmélie. Lorsqu'on a la chance d'être bien né, n'avons-nous pas le devoir de nous instruire et de nous appliquer à devenir meilleur ? D'augmenter notre science par la lecture et d'acquérir les connaissances qui se trouvent dans les livres afin de s'améliorer et d'être utile!

— Être utile! Fi donc, mademoiselle Boileau, que de grandeur!

Excédée, Julie coupa court au flot d'invectives à l'endroit de ses amies.

— Tu es odieux! Excuse-toi auprès de mes amies, l'intima-t-elle.

— Sotte, siffla-t-il à sa sœur qui retenait des larmes de rage.

Visiblement outragé, il s'en retourna vers le manoir. «Bon débarras», marmonna Julie en se tamponnant les yeux.

Désolée, Emmélie se sentait honteuse de ne pas avoir su se dominer.

— Mademoiselle de Rouville, nous nous sommes emportées et, sans le vouloir, nous avons vexé votre frère.

— Ne vous tourmentez pas. Vous avez été encore trop bonnes. Il vous a insultées et méritait de se faire réprimander. Mais croyez-moi, il a bien d'autres préoccupations en tête et, dans un instant, il aura déjà oublié cette conversation. Chère Emmélie, chère Sophie, que diriez-vous si nous nous appelions par nos prénoms? suggéra Julie, qui voulait chasser la mauvaise impression laissée par son frère.

Les sœurs Boileau approuvèrent, flattées qu'une demoiselle de la noblesse leur offre son amitié. Une telle intimité était précieuse.

Les jeunes filles reprirent leur babillage, mais leur belle insouciance s'était envolée. Emmélie remarqua alors que Marguerite avait disparu. «Les propos d'Ovide l'ont certainement choquée, se dit-elle. Elle a préféré s'éclipser dicrètement plutôt que d'entendre encore des paroles dures qui écorchaient son orgueil de paysanne.»

Attristée par la scène disgracieuse, Julie aussi était dépitée. Dès que son frère était dans les parages, il s'employait à lui gâcher son plaisir. C'était si rare qu'elle ait droit à la compagnie de jeunes filles de son âge. Sa mère l'obligeait constamment à la suivre dans ses nombreux voyages à Montréal, elle qui aimait tant la vie paisible de la campagne, contrairement à madame de Rouville qui s'y ennuyait ferme. Vivant continuellement dans des malles, Julie pouvait difficilement se lier à qui que ce soit. À vrai dire, elle se sentait très seule et enviait la complicité des sœurs Boileau, malgré leurs disputes. Elle admirait leur générosité qui les amenait à s'entendre avec leur cousine, une fille d'habitant. Julie se promit que lorsqu'elle reverrait Marguerite, elle s'efforcerait d'être plus aimable.

L'apparition malheureuse d'Ovide rappela à Julie l'altercation qu'elle avait surprise, le matin, en se rendant aux appartements de sa mère dans le but de lui emprunter un de ses beaux cols en dentelle. Des éclats de voix provenant de la pièce avaient coupé net son élan. Malgré la lourde porte en bois, elle avait entendu son père, monsieur de Rouville, qui parlait fort, avec un ton cassant d'officier militaire, signe de grande colère.

Julie savait que son père n'entendait que des commentaires désagréables de la part des supérieurs de son frère, même si on prenait grand soin de ne pas le choquer outre mesure. Comment expliquer à un homme d'envergure que son unique fils était plus insignifiant que valeureux, plus frivole que sérieux ?

— Nous n'avons droit à tes visites que lorsqu'il te faut quémander de l'argent à ta mère ! hurlait monsieur de Rouville. Je vous interdis formellement, madame, de prêter le moindre denier à ce bon à rien ! La paresse et la lâcheté ne méritent aucune récompense! avait conclu le colonel d'un ton sans réplique.

Madame de Rouville n'avait pas répondu. «Elle ne dit jamais rien lorsque père est dans cet état-là, avait constaté Julie, mais dès qu'il aura le dos tourné, Ovide reviendra et obtiendra ce qu'il veut de mère. C'est toujours comme ça. On dirait qu'il n'est bon qu'à créer du désordre, partout où il passe. Et pourtant, mère ne sait rien lui refuser.»

Penaud, le jeune homme était sorti de la pièce sans apercevoir sa sœur, dissimulée dans une des encoignures du couloir. Navrée d'avoir assisté à cette scène, cette dernière était retournée discrètement dans sa chambre en oubliant ce qui l'avait amenée à rendre visite à sa mère. Elle s'était consacrée uniquement à sa toilette avant que les villageois et les habitants ne commencent à affluer au manoir.

Julie détestait ces disputes. Leur mère, née Marie-Anne Hervieux, était la fille d'un riche commerçant de Montréal qui avait fait fortune dans la traite des pelleteries. Plus riche que tous les Rouville et autres familles nobles réunies, elle ne déliait pas facilement les cordons de sa bourse. Julie en savait quelque chose, elle qui devait user de stratagèmes pour que sa mère consente parfois à lui offrir une nouvelle toilette. Mais le plus triste était que chez les Rouville, une ancienne et noble famille seigneuriale s'il en était une, il n'y avait que discorde et haine, ou pire, indifférence. Seul son père lui témoignait à l'occasion un brin de tendresse, comme s'il se rappelait soudainement qu'il avait une fille. Sinon, Julie ne trouvait aucun réconfort dans l'atmosphère froide des belles pièces lambrissées du manoir tout neuf.

De fait, après avoir été repoussé par sa sœur et ses amies, Ovide de Rouville était revenu à la charge. Croyant son père occupé avec son notaire et ses censitaires, le jeune homme avait fait une nouvelle tentative auprès de sa mère pour obtenir la somme dont il avait tant besoin pour faire taire ses créanciers les plus acharnés. En montant chez elle, par la plus grande des malchances, il avait croisé son père dans l'escalier.

— Je t'interdis de retourner harceler ta pauvre mère ! lui avait ordonné son père d'un ton sec. Si tu as des dettes, il te suffit d'accepter la charge militaire qu'on vient de te proposer. Je viens d'apprendre que tu l'as refusée, mais que tu t'es empressé de séduire une des servantes chez monsieur Baby. La malheureuse a été jetée à la rue avec des grands cris !

— Ce n'est qu'une servante. Elle ne fera pas de procès.

— C'est ce que tu crois, jeune sot ! Il y a eu des précédents et tu auras une nouvelle somme à ajouter à la longue liste de tes dettes. Dès aujourd'hui, je t'ordonne d'écrire pour accepter cette charge.

— Mais père, quel besoin ai-je d'appartenir à l'armée britannique ?

— Parce qu'il est de ton devoir de servir ton pays ! Quand je pense que des hommes valeureux mais désargentés attendent des années pour obtenir une commission qu'ils méritent largement et toi, qui a les moyens de tout, tu n'en uses d'aucuns ! Je ne peux croire que mon sang coule dans tes veines, moi qui ai servi deux rois. J'ai honte !

— Honte ?

— Honte de tes dettes de jeu, des frais insensés de ton entretien, de ta fainéantise et de ta lâcheté ! Honte que tu sois mon fils !

Humilié, le jeune homme allait répliquer vertement lorsqu'une voix s'était fait entendre :

— Voulez-vous crier moins fort, monsieur ? Tout Chambly sera bientôt au courant de vos différends. Que se passe-t-il, encore ?

Madame de Rouville s'apprêtait à sortir rejoindre ses invités, mais les cris de son mari lui avaient fait rebrousser chemin.

— Il se passe que votre fils déshonore le nom qu'il porte ! Que la rumeur atteigne Chambly n'aura rien d'étonnant. À Montréal, déjà, personne n'ignore ses frasques.

— Mon cher, avait soupiré la dame, excédée, ne faut-il pas que jeunesse se passe ? J'en ai assez de vos disputes incessantes, avait-elle ajouté d'un ton sec, sachant d'avance que son mari allait ressasser son sempiternel couplet sur ses exploits militaires.

Pour ce que ça pouvait rapporter ! En bonne fille de commerçant, madame de Rouville évaluait toujours le prix des choses en bon argent. Les anciens militaires comme son mari suppliaient les gouverneurs qu'ils leur accordent des charges honorifiques pour obtenir une rente. Tous ces grands noms ronflants avaient eu leur heure de gloire et gagné leur particule, mais ils étaient toujours sans le sou et faisaient les pires gestionnaires, incapables de faire fructifier leurs terres.

— À vingt ans, un Hertel de Rouville a déjà servi ! avait en effet répété monsieur de Rouville en rappelant à son fils qu'il était un descendant du grand François Hertel de Lafresnière.

— Ce ne sont que des fredaines, et bientôt, on n'en parlera plus, avait expliqué simplement la dame de Rouville en cherchant à atténuer la colère de son irascible époux qui portait la fierté de son nom au bout de son épée.

— Mère, laissez-moi me défendre seul, avait sèchement répliqué Ovide. Sinon, mon père croira encore que je ne suis qu'un pleutre qui se réfugie dans les jupes des femmes.

— N'est-ce pas là ton ordinaire? avait rétorqué le père. Des fredaines? Engrosser la servante d'une grande maison! Baby me réclame une pension pour la malheureuse. Disparais! avait-il ordonné en pointant du doigt le coupable. Quitte cette maison et ne t'avise pas d'y remettre les pieds avant d'avoir retrouvé ton honneur.

— Mais, enfin! Mère!

— Ton père a raison. Accepte la charge qu'on te propose. Il est temps. Cette fois, je ne peux rien pour toi et tu auras une pension à payer, avait conclu amèrement la mère, à la fois furieuse et déçue.

Elle devait se rendre à l'évidence et admettre que son mari avait raison. Son fils chéri devait faire ses preuves.

Ovide avait tourné les talons et dévalé l'escalier. Il ne resterait pas un instant de plus sous le toit paternel.

« Plutôt le toit maternel, avait-il marmonné, hargneux. C'est avec l'argent des Hervieux qu'on a construit ce manoir de seigneur. L'honneur? Laissez-moi rire! »

Bouillant d'une sainte rage, il avait bousculé la fille de cuisine qui apportait de nouvelles victuailles pour les invités et était sorti en trombe de la maison, les poings serrés, rempli de haine.

« Fainéant! Lâche! » Dans sa poitrine, son cœur se débattait comme un cheval en furie. On allait bien voir s'il était lâche, lui qui portait le glorieux nom d'Hertel de Rouville. N'y avait-il donc que l'armée pour l'honorer? Tôt ou tard, il hériterait de la seigneurie de son père ainsi que des terres et fiefs qu'il possédait à Chambly. Il veillerait, lui, à ce que les habitants payent chaque année leurs cens et rentes, sans faute. Il ne serait pas faible comme son père, qui écoutait trop facilement les jérémiades de ses censitaires. Il suffisait qu'un pauvre bougre se présente au manoir en se lamentant, et les retards s'accumulaient pendant des années ! Tout cela changerait le jour où lui, Ovide de Rouville, digne descendant de la longue lignée des Hertel, serait le maître. Son père était usé. Il finirait bien par mourir, tôt ou tard.

« Plus tôt que plus tard, nom de Dieu ! » avait-il souhaité méchamment.

Près de l'écurie, le palefrenier avait déserté son poste pour se joindre à la fête. « Encore une autre preuve de la faiblesse paternelle, avait-il maugréé. Même ses engagés se moquent de lui ! » Il devrait lui-même seller son cheval. Frustré, Rouville donna un coup de pied à un chat dont le seul crime était de sortir de l'écurie à ce moment précis.

Cette scène pénible avait retardé l'arrivée de l'hôte parmi ses invités. Monsieur et madame de Rouville faisaient enfin leur apparition dans la cour, accompagnés du notaire Leguay, qui tenait le registre des terres du seigneur, et de son épouse. Derrière le notaire se tenait modestement un jeune homme efflanqué, Médard Pétrimoulx, son clerc notaire.

— Tiens donc, remarqua le docteur Talham, c'est le fils de l'ancien capitaine Pétrimoulx qui est avec Leguay ?

— J'ai entendu dire qu'il a commencé son apprentissage, affirma Boileau.

— Vous ne craignez pas qu'il prenne la place de votre fils ?

— Cela n'arrivera pas. Mon fils doit s'établir dès son retour d'Europe, l'été prochain, et fera sa demande de commission pour Chambly. Le jeune Pétrimoulx n'en sera pas encore là et lorsqu'il y arrivera, il obtiendra facilement une commission pour Pointe-Olivier. Vous savez que Leguay est malade et prendra bientôt sa retraite ?

— Mes chers amis ! s'exclama alors le colonel de Rouville de sa voix de stentor tout en soulevant son bicorne d'apparat qu'il avait coiffé pour la circonstance.

— Alors, Boileau, comment vont vos récoltes ? s'informa l'auguste personnage en gratifiant le bourgeois d'une vigoureuse tape sur l'épaule.

Le plaisir qu'il éprouvait à retrouver la société de Chambly se lisait sur son visage réjoui. Un heureux dérivatif aux disputes précédentes.

— Je suis prêt à parier une forte somme que le petit Potts jubilait en inscrivant vos rentes dues à Christie dans son grand registre. Vos granges débordent !

— Ah ! Largement, largement, mon cher Rouville. Mes fermiers sont habiles et travailleurs, et cette année a été bénie des dieux ! J'avoue que mes affaires sont excellentes, et mes commis sont attendus dans les marchés de Longueuil et de La Prairie. Les blés de Chambly sont parmi les meilleurs du Bas-Canada et les pommes de nos vergers sont appréciées jusqu'à Montréal. Espérons que cela durera. Je vous ai fait porter un minot de mes meilleures Calville blanches, ainsi que des poires bon-chrétien pour madame de Rouville qui aime à s'en régaler.

— Cher ami ! Merci, nous acceptons avec joie vos présents puisque ce sont ceux de l'amitié, déclara-t-il avec cette courtoisie qui faisait oublier la rudesse du militaire.

À cinquante-cinq ans, le colonel de Rouville présentait les signes d'une vieillesse prématurée, provoquée sans doute par une vie qui l'avait mené sur les champs de bataille. Son nez busqué, héritage de son père, était raboteux comme un vieux chemin. Il avait le cheveu rare, le teint tanné et l'air fatigué de celui qui avait beaucoup vécu. Malgré tout, sa mère, Louise André de Leigne – qui avait été l'une des plus belles femmes de la Nouvelle-France –, lui avait légué ses beaux traits et un regard doux.

À ses côtés, madame de Rouville esquissa un mince sourire à Monsieur Boileau en guise de remerciement. Elle portait l'un de ces bonnets de mousseline qu'elle affection-nait, démesurément hauts et empesés, ce qui lui donnait l'air austère d'une religieuse cloîtrée. Le bec pincé, elle était aimable comme une porte de cachot. Madame la notairesse, debout à ses côtés, était tout le contraire. Geneviève Cherrier affichait la sérénité de ceux qui jouissent paisible-ment de la vie. Son mari, le notaire Leguay, tenait à la main une petite valise de cuir usé qui contenait son écritoire de voyage.

— Maître Leguay, resterez-vous quelques jours à Chambly ? demanda le docteur Talham, qui souhaitait entreprendre des réparations à sa maison. J'ai besoin de vos services pour les contrats avec le menuisier et le maçon.

— J'y suis au moins jusqu'à demain, répondit le notaire d'un ton aussi grave que l'habit noir corbeau qu'il portait, comme le voulait sa sérieuse profession. Je m'arrêterai chez vous dans l'après-midi, en retournant à Belœil.

— Je tâcherai d'y être, en espérant qu'aucun de mes patients ne m'ait encore réclamé pour demain.

Pendant que ces gens sérieux réglaient leurs affaires, Sophie et la demoiselle de Rouville commentaient en détail les dernières nouveautés de la mode, comme ces robes étroites et si légères à porter. Emmélie, qui venait de remarquer la disparition de Marguerite, se décida à partir à sa recherche. Or, une jeune fille s'approcha.

— Mesdemoiselles, permettez que je me joigne à vous ? demanda une petite voix qui appartenait à Marie-Josèphe Bédard.

Cette dernière venait d'arriver avec son frère, le curé Jean-Baptiste Bédard. Elle vivait au presbytère et tenait le ménage du prêtre. C'était une belle blonde aux yeux bleu clair qui était encore plus timide que Marguerite. Élevée au milieu d'une bande de sept garçons tous plus brillants les uns que les autres, elle s'effaçait naturellement, même devant son frère Jean-Baptiste, un homme pourtant tranquille qui préférait la méditation et la prière aux devoirs exigeants d'une cure, surtout comme celle de la paroisse Saint-Joseph-de-Chambly.

La demoiselle Bédard venait à peine d'entrer dans la ronde des jeunes filles que les dames Bresse et Boileau s'approchèrent et l'accaparèrent. La pauvre Marie-Josèphe n'avait guère le choix d'écouter les suggestions de ces dames, comme si, à titre de sœur du curé, l'ornementation de l'église était son seul sujet d'intérêt.

— Mademoiselle Bédard, que pensez-vous de mon idée ? demanda impérativement madame Bresse. Comme il faut une nouvelle nappe pour l'autel, nous pourrions faire une collecte et la commander chez les Sœurs de la congrégation Notre-Dame, à Montréal.

— J'ai pour mon dire que quelques dames de la paroisse ou des jeunes filles habiles pourraient tout aussi bien faire que les religieuses, et cela coûterait moins cher à la paroisse, affirma pour sa part madame Boileau. Je suis persuadée que monsieur le curé sera d'accord.

— Nous n'aurons pas un aussi beau travail que celui de ces saintes femmes, répliqua Françoise Bresse.

— Ma nièce, Marguerite Lareau, est la meilleure brodeuse de la paroisse, et je dirais même de toute la rivière Chambly, ajouta madame de Gannes de Falaise sur un ton sans réplique, tout en cherchant Marguerite des yeux. Mais où est-elle passée ? Elle était ici il y a à peine une minute. Emmélie, où est ta cousine ? Ses parents nous l'ont confiée et elle devrait être avec vous deux.

— Ne vous inquiétez pas, chère mère, elle ne doit pas être loin, répondit Emmélie en jetant un regard circulaire autour d'elle. Je cours la chercher.

Elle se faufila parmi les gens qui l'abordaient pour la saluer, cherchant à savoir si quelqu'un avait remarqué sa cousine Lareau. Personne n'avait vu la jeune fille. Emmélie commença à s'inquiéter. Mais où donc s'était cachée Marguerite ? Elle finit par s'écarter de la foule pour s'approcher d'un bâtiment en pierres éloigné du manoir d'une centaine de pieds. Un cavalier en sortit à toute allure. L'homme portait un de ces chapeaux extravagants semblables à ceux qu'affectionnaient des jeunes gens comme Ovide de Rouville. Elle recula vivement pour faire place, s'empêtra dans sa robe et trébucha. «Encore un qui a abusé du rhum», conclut-elle simplement en se relevant. Elle épousseta sa robe et pénétra dans le sombre bâtiment.

Éblouie par la lumière de l'automne, Emmélie cligna des yeux.

Ovide de Rouville entra dans l'écurie d'un pas vif. La défection de sa mère, les mots de son père qui résonnaient durement : «fainéant, pleutre, lâche», tous le repoussaient et la colère sourdait, implacable.

Les stalles de l'écurie étaient toutes occupées. Il lui fallut un certain temps avant que ses yeux ne s'habituent à la pénombre des lieux. Un murmure lui indiqua que quelqu'un était là. Stupéfait, il distingua la silhouette de Marguerite Lareau qui, tristement, caressait le museau d'une splendide jument noire. Comment ? Cette paysanne osait toucher à son cheval !

Ce simple geste déchaîna sa colère.

— Que fais-tu là, souillonne ? pesta-t-il.

Stupéfaite, Marguerite se retourna pour se retrouver devant celui qui l'avait déjà insultée deux fois aujourd'hui. Elle ramassa ses jupes, bien décidée à fuir au plus vite les lieux où elle avait cru trouver refuge. Mais Ovide se planta devant elle, lui bloquant la sortie.

— Tu oses toucher à une noble bête, l'habitante ?

Il saisit son poignet, mais elle se dégagea aussi vite. Il cracha devant elle.

— Damnée famille qui croit faire la loi avec ses terres et son sale argent. Comme cette maudite Emmélie Boileau qui me narguait tantôt comme un malappris ! Des vulgaires marchands qui s'imaginent plus nobles que les nobles.

— Pardon, monsieur de Rouville, fit Marguerite le plus doucement possible. J'ignorais que cette jument était la vôtre. Elle est bien belle, ajouta-t-elle pour l'amadouer tout en souhaitant qu'il la laisse partir.

Mais la douceur de sa voix ne fit qu'exacerber le courroux de l'homme.

— Tous des manants ! Mes ancêtres Hertel auraient dû vous exterminer ! affirma-t-il avec une rancœur âpre qui alerta Marguerite.

Soudain, elle eut terriblement peur. Le cheval, percevant sans doute l'odeur de la haine, se cabra dans sa stalle en hennissant. Ovide s'avança d'un pas. La jeune fille fit un mouvement pour s'enfuir, mais il l'attrapa par le bras, l'enserrant si fort qu'elle gémit.

— Je vous en prie, monsieur de Rouville, laissez-moi passer, supplia-t-elle.

— Mais je te dois des excuses, ricana-t-il. Ta cousine l'exige !

Il empoigna sa longue natte, l'attira contre lui et plaqua sa bouche sur la sienne.

Saisie d'épouvante, Marguerite figea sur place. Il la repoussa, le visage déformé par la rage. Il tenta de l'embrasser à nouveau mais elle se détourna vivement et voulut crier. Le jeune homme sentait son sexe se dresser douloureusement. Il la gifla. Elle chancela.

Sa colère fit place à une aversion viscérale, à une force incontrôlable. Le sang bouillant des Hertel, telle une rivière furieuse grondant dans les rapides du temps, réclamait son tribut guerrier. La fille était belle et la terreur qu'il lisait sur son visage l'excita.

— Tu vas voir, gueuse, je vais t'apprendre ! Agenouille-toi devant ton seigneur et demande pardon, face contre terre !

Il l'agrippa fortement pour l'immobiliser. Marguerite chercha à se dégager, mais il resserra son emprise. Elle réussit à émettre un faible cri, puis tenta de le repousser à nouveau, ce qui leur fit perdre l'équilibre. Alors, il la maintint sur le sol, écarta son manteau, fouilla son corsage et pressa durement un sein.

— Allez, Cendrillon, montre-moi tes tétons ! grogna-t-il le souffle court, tout en cherchant à relever sa jupe.

Terrorisée, elle tenta de se dégager, s'empêtrant dans ses vêtements.

— Je vous en prie, laissez-moi partir, implora-t-elle dans une nouvelle tentative de calmer son assaillant.

Mais cette dernière supplique ne fit que décupler la rage de Rouville qui l'empoigna par le cou.

— Tu oses me repousser comme cette maudite Boileau tout à l'heure ?

Marguerite voulut encore crier, mais aucun son ne sortit. Des mains serraient sa gorge dans un étau qui l'étouffait. Elle crut un instant qu'elle allait mourir. Terrorisée, elle cessa de bouger. Miraculeusement, son agresseur relâcha la prise.

Il la rejeta brutalement sur un tas de foin et déchira son jupon. La jeune fille n'avait plus la force de résister. Il la culbuta et la prit à pleines mains, la pétrissant durement, comme s'il voulait s'approprier de toute cette chair soyeuse.

— Tu vas payer pour les autres, souillonne. Toi et les tiens, tous des sauvages ! Tu restes tranquille, ordonna-t-il en dégageant sa braguette.

Il força l'étroit passage, le déchira, l'enfonça. « Sauvage ! Gueuse ! » haleta-t-il, crachant son souffle grossier.

Marguerite ne résista pas. Une haine féroce meurtrissait son corps, lui retirant l'ultime force de la moindre plainte. Il la maîtrisait. Elle ferma les yeux, récitant mentalement une prière, certaine de sa fin imminente. Finalement, l'homme fit entendre un grognement affreux puis se retira. Il reprit son souffle et se reculotta rapidement en contemplant sa victime.

— Pas un mot à quiconque ! Ce sera notre petit secret, grimaça-t-il en se penchant sur elle. Rappelle-toi bien ça, siffla-t-il, méchamment. Tu ne parles à personne, sinon, je jure que je te tue. Tu m'as bien compris, gueuse ?

Marguerite hocha la tête en signe d'assentiment. Il la repoussa violemment une dernière fois. La jeune fille s'effondra et perdit connaissance.

❧

— Marguerite ? Marguerite ?

Des profondeurs de son cauchemar, Marguerite entendait une voix inquiète qui l'appelait. Il faisait noir. Elle avait froid. Mais où était-elle ?

— Marguerite, mais que s'est-il passé ? demandait Emmélie.

Horrifiée, la jeune fille contempla le jupon taché de sang et les jambes nues de sa cousine qu'elle venait de découvrir, dans le fond d'une stalle de l'écurie, recroquevillée sur elle-même. Emmélie s'agenouilla près de Marguerite et replaça délicatement la jupe relevée, repliant avec précaution le corsage déchiré avant de caresser les cheveux de son amie. Son bonnet blanc était enfoncé dans le foin.

Marguerite ouvrit les yeux et se releva faiblement.

— Que s'est-il passé ? Mais que s'est-il passé, doux Jésus ? murmura Emmélie.

Alors, quelques larmes coulèrent doucement sur les joues de Marguerite. Suivirent une série de petits sanglots sourds. Elle se redressa finalement pour se réfugier dans les bras de sa cousine qui la serra contre elle. Un violent tremblement secoua le corps meurtri, une secousse terrifiante qui glaça les sangs d'Emmélie. Le cri silencieux d'une âme brisée.

— Ne bouge pas, dit Emmélie en emmitouflant Marguerite dans son manteau sali par la boue. Ne bouge surtout pas d'ici, je reviens tout de suite. Je cours chercher notre homme pour te ramener à la maison. Ne crains rien, je suis là !

Emmélie sortit de l'écurie en courant, à la recherche de secours.

Dehors, dans le lointain, les cloches de l'église du village sonnaient l'angélus de midi.

Chapitre 4

Monsieur Boileau

Augustin Proteau maniait le rasoir avec art. L'instrument coupant sillonnait les joues poupines et le menton de Monsieur Boileau, enduits d'une mousse bien savonneuse. Le bourgeois s'abandonnait sans crainte aux gestes habiles de son valet, savourant ce premier moment de la journée où il avait l'esprit clair et pouvait réfléchir sans se faire déranger par des soucis domestiques. Ce matin, Monsieur Boileau songeait qu'il lui fallait trouver de toute urgence un nouveau fermier pour s'occuper de son verger. Même s'il y avait encore deux bons mois avant que n'arrive le temps de la taille des arbres, dénicher un homme habile se révélerait une tâche délicate. Il ne s'agissait pas seulement d'engager un bon fermier, il fallait trouver un jardinier expérimenté, un homme au fait des derniers développements de l'art agricole qui pourrait entretenir la belle plantation de plusieurs centaines de pommiers et de poiriers qui faisait la fierté du bourgeois de Chambly. À tout le moins, un homme capable d'appliquer les règles et conseils que lui-même prodiguait scrupuleusement. «Les bons jardiniers sont si rares de nos jours », déplorait-il souvent.

L'art difficile de tailler comme il se devait un arbre fruitier ne s'improvisait pas, et Monsieur Boileau en avait longuement appris les principes. Dans sa bibliothèque se trouvaient plusieurs traités parmi les plus fameux de France et d'Angleterre. Il avait bien étudié cette science nouvelle, la pomologie, dans le célèbre volume de Jean Herman Knoop : *Pomologie ou description des meilleures sortes de pommes et de poires*, et suivait de près, chaque printemps, la taille des arbres et l'installation des ruches au verger. Les abeilles stimulaient la pollinisation, lui avait appris monsieur Knoop. Le grand pomologue avait bien raison puisque, bon an mal an, les centaines de minots de Calvilles rouges et blanches, de pommes grises de Montréal, de Bourassa ou de ces belles poires bon-chrétien, réputées sur les étals des marchés lui rapportaient un bon bénéfice.

— Monsieur est soucieux ce matin, observa le domestique, habitué aux états d'âme de son maître.

— En effet, mon bon Augustin. L'embauche d'un nouveau jardinier me cause bien des tourments. Je ne veux plus d'un simple fermier et m'interroge à savoir si je ne partirai pas quelques jours à Montréal afin de quérir les services d'un jardinier expérimenté. Quelqu'un de mieux que ce vaurien de Truchon, qui ne pousse pas des cris d'orfraie à la vue de mes petites abeilles ! En négligeant de réparer les clôtures, il a permis aux bêtes du voisin d'entrer et de saccager mon verger, ce qui a gâché une partie de la récolte. Ah ! Je l'ai vertement remercié l'automne dernier, mais c'était passé la Saint-Michel. Impossible d'engager qui que ce soit après cette date. Nous voici en janvier et je n'ai toujours pas de jardinier. Désormais, j'exigerai les meilleures recommandations.

Augustin opina gravement. Il avait l'habitude d'être le témoin attentif des soliloques de son maître. Il considérait même ces confidences comme un privilège extraordinaire.

À ses débuts, il n'avait que six ans. On l'avait fait travailler à la cuisine pour accomplir les basses tâches : c'était lui qui puisait l'eau, récurait les chaudrons et se levait le premier pour alimenter en petit bois l'âtre des cheminées et les poêles de la maison. Sous les ordres de la cuisinière, il devait aussi entretenir le jardin potager de madame, passant de longues heures à désherber, transportant les lourds arrosoirs pleins d'eau au potager. Mais heureux de manger tous les jours à sa faim et d'être au chaud, le jeune orphelin, reconnaissant, vouait au maître de maison une vénération qui n'avait d'égale que la dévotion de madame pour la bonne Vierge Marie, la sainte mère du petit Jésus.

Augustin possédait maintenant de beaux vêtements taillés dans les vieux habits de Monsieur Boileau et avait même eu la chance d'apprendre à lire et à écrire avec les demoiselles Emmélie et Sophie. « L'instruction devrait être le lot de tous », proclamait souvent Monsieur, qui tenait à ce que ses domestiques sachent lire ; ce que réprouvait naturellement madame, qui ne voyait pas pourquoi ses gens avaient besoin de lecture et d'écriture, en plus du gîte et du couvert.

Monsieur Boileau poursuivit ses réflexions à voix haute.

— Devrais-je consulter mon ancien collègue au Parlement, le notaire Joseph Papineau, qui est si bon ami des Sulpiciens, ou alors le marchand Pierre Guy ? Tous les deux sont propriétaires de grands vergers sur l'île de Montréal et pourraient me conseiller sur le choix d'un homme rompu à la conduite des vergers. Qu'en dis-tu, mon bon Augustin ?

— Que c'est une idée admirable, monsieur.

— Tu as raison, je leur écrirai aujourd'hui même.

Ni le seigneur de Rouville ni même les Niverville, noble famille des vieux seigneurs de Chambly qui habitaient toujours au village un vieux manoir décrépit, n'accordaient autant d'importance à la culture de la terre que son maître Monsieur Boileau, songea Augustin. Six fermiers travaillaient à faire fructifier ses terres, les plus vastes de la région. Pour lui, l'agriculture était une science dont il voulait apprendre tous les détails.

S'il trouvait plutôt étrange la propension de son maître à se passionner d'un rien, Augustin s'émerveillait de sa soif inextinguible de connaissances à tout propos. L'ancien député lisait toutes les gazettes du pays qui arrivaient par la malle de Québec et Montréal. « La politique et l'argent mènent le monde », confiait-il souvent à son domestique qui l'écoutait religieusement.

Pas plus tard qu'hier soir, au souper de la fête des Rois, Monsieur rapportait justement à ses invités ce qu'il venait de lire dans la *Gazette de Montréal* : un monstre avait été vu dans les mers du Sud. L'autre jour, il entretenait le curé d'un étrange fluide appelé électricité et des expériences d'un Italien nommé Volta. « Il y a certainement de la diablerie là-dedans, s'était dit Augustin en desservant la table. » Pourtant, le curé, qui était présent et savait tout sur les affaires de la religion, n'y trouvait rien à redire.

Augustin regrettait toutefois le silence de son maître sur l'origine de sa fortune, ce qui permettait aux mauvaises langues de la paroisse d'affirmer qu'elle sentait le soufre. Certains prétendaient que Pierre Boileau, le défunt père de Monsieur, avait su profiter largement des manigances de l'infâme intendant Bigot, du temps de la Nouvelle-France. Bigot avait moisi dans les prisons du roi de France tandis que le père de Monsieur Boileau avait poursuivi son négoce à Chambly. Aujourd'hui, la famille Boileau vivait sur un grand pied, et ce raffinement irritait la petite noblesse de Chambly.

— De la pure jalousie ! plaidait Augustin à Charlotte Troie, la jolie servante du docteur Talham qui lui rapportait la dernière rumeur de la bonne des Niverville entendue au marché.

La bonne société de Chambly murmurait que son maître n'était qu'un parvenu. C'était pourtant chez Monsieur Boileau, rappela-t-il un jour à Charlotte, que le prince William Henry avait soupé et couché avec sa suite, quinze ans auparavant. Augustin ne pouvait oublier l'événement ; il venait d'être engagé dans la maison. Le jeune enfant qu'il était alors avait été ébloui : un prince d'Angleterre à Chambly et chez son maître ! Les Niverville n'avaient jamais pardonné cet affront à Monsieur Boileau.

— C'est bien la preuve, mademoiselle Charlotte, avait-il affirmé, que la noblesse n'est pas une affaire de particule au Bas-Canada !

Impressionnée, Charlotte avait approuvé, d'autant que cette opinion la confortait sur les nobles origines de son propre maître, le docteur.

❧

Maître et domestique étaient si profondément plongés dans leurs réflexions qu'Augustin eut un geste maladroit, entaillant légèrement la joue tendre.

— Oh ! Que monsieur me pardonne !

— Ça ira, fit le bourgeois, visiblement mécontent d'arborer un visage égratigné toute la journée.

Il y eut un long moment de silence durant lequel le domestique s'appliqua consciencieusement à terminer sa tâche sans heurts.

— L'hiver s'annonce difficile, prédit Monsieur Boileau.

— Surtout après ces grands vents d'hier soir, répondit vivement Augustin. On aurait dit que le diable lui-même se déchaînait en pas-gêné.

— Ne crains rien, mon bon Augustin, le rassura son maître d'un ton amusé. Le diable n'y est pour rien. Existe-t-il seulement?

— C'est bien certain que le diable existe, protesta le valet. Monsieur le curé en parle souvent. Il ne serait pas content de vous entendre, Monsieur.

— Mais il m'a déjà entendu et en a été si fortement ébranlé qu'il a laissé choir son bréviaire, se rappela son maître en riant.

Avant que le jeune homme, choqué par ses propos scandaleux, ne lui coupe encore le visage, le bourgeois changea de propos :

— Augustin, ma toilette achevée, tu iras à la cave préparer quelques livres de mon meilleur miel que tu porteras au presbytère à la charmante demoiselle Bédard, avec mes compliments. Notre curé pourra s'en régaler entre deux confessions. Tu te rendras ensuite chez le docteur Talham pour lui porter quatre livres de miel, mais de moins bonne qualité, puisqu'il servira à fabriquer ses remèdes.

— Bien Monsieur, répondit Augustin avec son habituelle déférence.

— En te réchauffant au feu de la cuisine du docteur, tu pourras toujours en profiter pour conter fleurette à la belle Charlotte.

Augustin rougit. Il ne rechignait jamais à faire quelques commissions chez le docteur. Avec ses beaux décolletés et la petite mèche blonde qui dépassait toujours de son bonnet de coton, Charlotte lui plaisait. Parfois, la coquette lui faisait des yeux doux. Et Augustin, qui avait toujours été satisfait de sa condition, s'était mis à rêver d'un petit lopin de terre au village avec une petite maison pour Charlotte et lui, près de l'église. Il pourrait ainsi continuer de servir Monsieur Boileau et Charlotte, son cher docteur.

Le visage de son maître rasé de près, Augustin essuya consciencieusement la lame du rasoir et la rangea dans le semainier. Il l'affûterait plus tard, lorsque les six autres lames de la boîte auraient été utilisées.

— Monsieur portera-t-il sa perruque blanche ?

— Pas aujourd'hui, Augustin, fit Monsieur Boileau en savourant du revers de la main la fraîcheur de son visage propre. Je n'attends pas de visite. Je passerai plutôt la journée dans mon cabinet de travail, j'ai du retard dans mes notes et mes écrits. Avec ce froid, qui peut souhaiter quitter une maison bien chauffée ?

Augustin entreprit de peigner la longue chevelure dans laquelle, depuis quelque temps, s'ajoutait régulièrement du gris. Il la noua solidement dans une petite bourse à cheveux et termina la coiffure avec un nuage de poudre.

À peine la toilette du maître de maison achevée, la petite Zoé entra en trombe dans le cabinet de toilette de son père, ses bouclettes blondes débordant du béguin. La fillette arborait un air très sérieux, du haut de ses cinq ans, ce qui fit sourire son père.

— Père, père ! Ma tante Victoire Lareau est ici et elle est toute gelée.

— Ah oui ? Viens donc me faire un baiser, ma jolie coquine.

— Je ne suis pas une coquine, je suis une gentille petite fille ! C'est maman qui le dit, regimba la petite en grimpant sur les genoux de son père. Avez-vous des bâtons de sucre ?

Le bourgeois sortit de la poche de sa robe de chambre un bâton de sucre d'orge qu'il tendit à la fillette, ravie.

— Te voici «bâtonnée», dit-il, ce qui fit rire Zoé. Cours vite prévenir tes sœurs de venir saluer leur tante et annonce à ta maman que j'arrive dans cinq minutes.

— Cinq minutes, répéta la petite.

Elle disparut aussi vite qu'elle était apparue et Monsieur Boileau donna congé à son domestique. «Juste ciel! Que vient faire ici ma cousine Victoire, de si bon matin le lendemain des Rois, et par ce temps glacial, par-dessus le marché? Sans doute un besoin pressant d'argent. Dans cette famille, on me prend pour le roi Crésus», ronchonna-t-il en sortant de son cabinet.

Il faisait encore noir, ce matin-là, lorsque Victoire avait ranimé le feu de l'âtre, espérant de tout cœur que les chemins soient praticables. La veille au soir, des vents d'une rare violence s'étaient levés et toute la nuit, d'effroyables bourrasques s'étaient acharnées sur les fermes du rang de la Petite Rivière. Elle voulait absolument se rendre au village au plus tôt, certaine que son cousin Boileau serait chez lui aujourd'hui. Son mari était parti avec Noël et Godefroi constater l'ampleur des dégâts causés par un noroît qui avait arraché des toits dans le voisinage, de même que ceux de la grange et du hangar de leur ferme. Près de la route, la grosse branche du vieil orme sous lequel Marguerite aimait tant rêvasser, les beaux soirs d'été, s'était fracassée durant la nuit dans un terrible craquement, écrasant la clôture de piquets et bloquant le chemin. Depuis l'aube, des voisins frappaient à la porte. Les hommes faisaient la tournée du voisinage, chaudement emmitouflés, évaluant les dommages provoqués par ce déchaînement de la nature, à savoir lequel de ces bâtiments nécessiterait d'être réparé le premier. Comme les habitants du chemin de la Petite Rivière avaient l'habitude de l'entraide, on arriverait sans doute à tout rebâtir avant le printemps. Mais le redoux était loin.

Victoire se refusait à penser au nombre de livres* qu'il faudrait débourser pour répondre à cette nouvelle urgence. Il lui fallait garder tous ses esprits pour accomplir la démarche qu'elle allait entreprendre ce matin. Elle démêla sa longue chevelure brune au peigne fin avant de la diviser en deux bandeaux lisses qu'elle ramena en chignon sur sa nuque. Sa silhouette gardait une certaine sveltesse, et malgré ses grossesses et la quarantaine qui approchait, elle était encore belle. Elle tenait de sa mère un visage anguleux et un teint bistré. L'urgence de la situation ne l'empêchait pas de soigner sa toilette. Au contraire, elle avait revêtu ses plus beaux vêtements d'hiver, une jupe de laine fine et un mantelet assorti. Coiffée de son unique bonnet de mousseline, elle attacha par-dessus un grand chapeau de calèche fourré, puis posa sur ses épaules son lourd manteau d'hiver dont elle remonterait le capuchon si elle avait trop froid. Le cœur serré, Victoire s'apprêtait à prendre la route pour tenter de sauver sa famille du désastre.

Elle évoqua encore le soir où elle avait interrogé sa fille sur l'origine de sa grossesse, elle se rappela à quel point les réponses de Marguerite l'avaient bouleversée.

— Mais je n'ai pas de mari ! affirmait Marguerite. Je ne peux pas être grosse. C'est un péché, avant le mariage, dit toujours monsieur le curé.

Victoire avait regardé sa fille, déconcertée par tant d'ignorance. Il est vrai qu'à l'apparition de ses premières fleurs, la mère avait simplement, mais fermement, recommandé de se conduire comme une fille bien élevée en se tenant loin des garçons. Tant qu'il n'y avait pas de mariage en vue, inutile d'instruire les jeunes filles sur ce qui se passait entre époux. On ne parlait pas de ces choses-là avant le temps.

—Voyons donc, Marguerite! Un garçon t'a touchée et tu t'es laissée faire, ma pauvre fille.

— C'est sûr qu'un homme l'a touchée. On connaît pas d'autre méthode, avait ricané la voix chevrotante de Mémé Lareau.

La vieillarde édentée s'était avancée, chambranlante sur sa canne, s'éclairant à la flamme vacillante d'un vieux martinet qu'elle tenait de sa main libre, heureuse de fustiger sa belle-fille.

— T'aurais dû me le demander! Ça se voit dans les yeux, ces affaires-là, s'était vantée la grand-mère en brandissant le bout de sa canne vers Marguerite. Ça te rabat le caquet, hein, ma bru! La fille de la fière *Sachette*, grosse d'un inconnu! Et trop innocente pour s'en rendre compte à part de ça.

— Vous saviez, puis vous n'avez rien dit?

— Ça t'apprendra! dit sa belle-mère en affichant un air triomphant. Vous autres, du clan Boileau, vous vous croyez les plus malins, mais vous êtes pareils que les autres, ni plus ni moins.

La vieille s'était tue un instant, puis avait lancé à Victoire:

— Tu vois pas qu'elle a peur? Quelqu'un l'a forcée. Fais-la travailler, ta petite princesse, peut-être que le petit est mal accroché...

Sur ce conseil sordide, la vieille s'en était retournée à sa chambre en trottinant péniblement, sans un mot de réconfort pour Victoire ou sa petite-fille.

— Marguerite, avait demandé Victoire, c'est vrai, ça? Quelqu'un t'a forcée? Faut me le dire, avait-elle doucement insisté.

Mais une expression de terreur avait envahi le visage de Marguerite en se rappelant ce qui s'était passé dans l'écurie. Elle avait pourtant essayé de s'enfuir. Comme elle aurait voulu se justifier auprès de sa mère, mais les menaces d'Ovide de Rouville la muselaient et des larmes muettes avaient glissé à nouveau sur ses joues.

Par la suite, Victoire avait eu beau harceler sa fille de questions, lui servir de sévères remontrances sur les filles faciles ou la menacer d'enfermement dans un couvent, rien n'y avait fait. Marguerite était restée muette sur son malheur, affirmant ne pas se rappeler. Elle avait tellement maigri ces dernières semaines, malgré l'enfant qu'elle portait, que sa mère s'inquiétait pour sa santé.

— J'ai honte, mère, tellement honte, avait murmuré la jeune fille avant de se confiner dans un silence douloureux.

Consternée, c'était le seul aveu que Victoire avait pu obtenir.

❧

Pendant qu'elle se préparait, son mari et ses fils étaient finalement rentrés, affamés. Marguerite avait préparé une tourte à la viande qu'elle déposa, chaude, sur la table.

— Y a pas mal de dégâts, annonça François à Victoire, entre deux bouchées. Deux toits à refaire entièrement. On prendra les animaux des Tétrault chez nous, leur étable s'est effondrée. En échange, Tétrault et son gars nous aideront à refaire le toit de notre grange. Dès qu'il fera beau, on pourra reconstruire son bâtiment pour qu'il soit prêt avant les semailles. On dirait bien qu'un malheur en attire un autre, marmonna-t-il avec un regard en direction de Marguerite, toute penaude dans son coin, tout en finissant son assiette.

— Tais-toi donc! répliqua vivement Victoire. Puis va m'atteler la jument que je parte prestement.

Il lui jeta un regard furieux et sortit. La mise soignée de sa femme qui s'était endimanchée pour se rendre au village, la situation de Marguerite et le secours qu'il fallait quémander au cousin Boileau, tout cela chamboulait l'habitant. Au grand jamais, François Lareau n'aurait pu imaginer qu'un pareil scandale puisse survenir au sein de sa famille. Dire que le curé les citait en exemple du haut de sa chaire, avec leurs beaux enfants en santé. Il en avait éprouvé trop d'orgueil et le malheur de sa fille était sa pénitence.

Lareau ne pouvait oublier la scène qui avait suivi la révélation de Victoire, le soir de ce jour où elle avait découvert l'abominable forfait.

Il avait violemment giflé sa fille, brûlant la joue de Marguerite sur laquelle coulaient d'interminables larmes. Sa mère l'accablait de questions et la jeune fille ne semblait pas comprendre ce qui lui arrivait.

— Fille de rien! Comment as-tu pu nous faire ça?

— Moins fort, l'avait exhorté sa femme en baissant la voix. Les enfants et la vieille n'ont pas besoin d'entendre ça.

Comme bien des hommes de nature affable, François se contenait difficilement lorsqu'il était en colère. Ses garçons débordants d'énergie, railleurs ou querelleurs et toujours prêts à faire un tour pendable, réussissaient parfois à le faire sortir de ses gonds et recevaient alors une bonne fessée, rien de plus normal. Mais le doux François n'avait jamais levé la main sur une de ses filles. D'avoir giflé Marguerite le bouleversait, à tel point qu'il en avait des picotements aux yeux.

— Je n'ai rien fait, je jure que je n'ai rien fait de mal, affirmait sans cesse la jeune fille.

— Peut-être qu'elle dit la vérité, avait avancé Victoire.

— C'est ça ! Elle est grosse par l'opération du Saint-Esprit !

Mais la dérision n'atténuait pas le désespoir du père de famille, qui aurait voulu hurler sa rage. Si une brute l'avait assaillie, pourquoi refusait-elle de livrer son nom ? Il en voulait à sa fille de les avoir plongés dans l'infamie.

— Arrête, l'avait exhorté Victoire. Si tu continues sur ce ton-là, même les voisins vont t'entendre !

La maison la plus proche était située à au moins trois arpents* de la ferme des Lareau, mais la pensée qu'ils puissent être au courant d'un tel scandale avait fait taire François tout net.

Victoire avait vainement tenté d'atténuer la faute de Marguerite. Elle avait eu beau lui rappeler d'autres cas survenus dans la paroisse où il avait fallu se marier rapidement, rien n'apaisait la honte qu'il ressentait.

— Rappelle-toi la jeune demoiselle de Niverville qui a épousé le marchand Lukin. Sept mois plus tard, elle mettait au monde une petite fille plutôt dodue !

Mais ces gens-là n'appartenaient pas aux familles d'honnêtes habitants qui, elles, surveillaient leurs filles de près, avait rétorqué François. Il s'était levé brusquement pour attraper son vieux capot suspendu près de la porte. Avant de sortir, il avait défié Victoire d'un ton accusateur :

— Arrange donc ça, ma femme, si t'en es capable.

Puis, il avait claqué la porte, fulminant de rage. Une Lareau, engrossée comme la dernière des pauvresses, pointée du doigt par toute la paroisse. Sa propre fille !

Plus tard, lorsque François fut calmé, Victoire avait suggéré :

— On va laisser passer les fêtes. Peut-être que dans les réunions de famille, on trouvera un cousin qui va s'intéresser à Marguerite ? Sinon, après les Rois, j'irai consulter mon cousin Boileau. Il connaît tout le monde, même au-delà de la paroisse. Si quelqu'un peut nous aider, c'est bien lui.

Abattu, et surtout humilié par sa propre impuissance à trouver une solution, François avait difficilement acquiescé d'un hochement de tête. Leur seul espoir reposait sur l'homme influent.

Raide comme les glaçons qui pendaient des toitures des maisons, Victoire se tenait maintenant assise sur le bout d'une chaise et n'arrivait pas à se réchauffer malgré la chaleur du poêle à deux ponts qui se répandait dans la grande chambre de la maison rouge. Engoncée dans son manteau, le visage rougi par le voyage en carriole, elle avait toutefois retiré son immense chapeau de calèche doublé de fourrure à l'invitation de madame Boileau. Celle-ci trônait au bout d'une grande table couverte d'une nappe de belle toile blanche, sur laquelle était disposée de la vaisselle de porcelaine bleue disparate. Une cafetière de cuivre fumante répandait dans la pièce une bonne odeur de café. Intriguée par la présence de Victoire à cette heure si matinale, la maîtresse de maison faisait des efforts pour se montrer aimable envers la visiteuse qui s'excusait de déranger ainsi.

Les deux femmes ne s'entendaient guère, sans que ni l'une ni l'autre puisse expliquer les motifs de cette antipathie naturelle.

Madame Boileau ignorait tout du lien indicible unissant Victoire et Monsieur Boileau depuis leur enfance. Ce dernier avait beau être fier comme Artaban et pavaner sa superbe, Victoire ne se laissait pas impressionner par lui. Elle se rappelait le temps où son grand cousin, qui avait sept ans de plus qu'elle, était pensionnaire au Séminaire de Québec.

Elle-même n'était alors qu'une petite fille vivant seule avec des parents déjà âgés : son père, Jacques Sachet, un ancien voyageur, et sa mère, Madeleine Boileau. Sa sœur Élisabeth, aujourd'hui morte depuis plusieurs années, était, à cette époque, déjà mariée à Nicolas Lagus. Victoire se réjouissait toujours lorsqu'on annonçait le retour du cousin adoré pour les vacances. Il était enfant unique et la traitait en petite sœur, lui apprenant patiemment à lire dans ses livres de collège ou à manier la plume pour former des lettres sur de vieux parchemins. Puis, un jour, il était revenu de Trois-Rivières avec une belle dame à son bras, une riche et noble demoiselle, désormais son épouse. Longtemps, Victoire s'était rappelé la peine ressentie et ses espoirs envolés.

Trois ans plus tard, Victoire épousait à son tour François Lareau, fils d'un prospère cultivateur de la paroisse. Elle avait cessé de fréquenter son cousin. Il restait pourtant le seul lien qui la rattachait à sa vie d'autrefois, partageant avec elle des souvenirs uniques. Les exploits des oncles Boileau et Ménard dans le pays d'En-Haut, les récits de voyage en canot vers les postes de traite de Chagouamigon et Michillimakinac, les vieilles tantes racontant des légendes indiennes à voix basse, murmurant en ricanant quelques phrases en abénaquis, toutes ces histoires fabuleuses du temps de la Nouvelle-France, racontées au coin du feu, avaient captivé les enfants qu'ils étaient. Ce monde révolu fut leurs monts et merveilles.

Oui, les temps avaient changé. Monsieur Boileau était à ses affaires, tandis que les maternités successives et le travail de la ferme avaient happé Victoire. Désormais, on se saluait à la messe et aux funérailles de parents et d'amis.

Cependant, Victoire aurait été étonnée d'apprendre que sa seule vue provoquait chez la charitable madame Boileau des monceaux de rancœur inavouable. C'était plus fort qu'elle, mais la noble dame lui reprochait la bonne santé de ses nombreux enfants comme une offense personnelle. C'était si injuste ! Pourquoi Dieu récompensait-il une habitante qui n'était pas vraiment un exemple de dévotion et de piété ?

En confession, lorsqu'elle faisait part de sa révolte au curé, ce dernier lui répétait invariablement :

— Les voix du Seigneur sont impénétrables.

« Oui, impénétrables », répliquait en son for intérieur madame Boileau. Toutes ses prières à la Vierge Marie, la Mère d'entre les mères, étaient restées sans écho et elle avait porté en terre un petit chaque année. Inexplicable mystère !

Ses mauvaises dispositions à l'égard de sa cousine par alliance n'empêchèrent pas madame Boileau d'offrir du café à sa visiteuse impromptue tout en s'informant des dernières nouvelles de sa nombreuse famille. Victoire remercia poliment, savourant le délicieux breuvage sucré et réconfortant.

— La tempête de cette nuit s'est calmée, constata la maîtresse de maison.

— Les vents violents ont fait beaucoup de dommages dans le chemin de la Petite Rivière, mais je n'ai pas vu de dégâts au village, répondit Victoire.

— Vos garçons doivent être assez grands pour aider leur père ? Noël et les autres, comment s'appellent-ils déjà ? hésita madame Boileau en faisant mine de fouiller sa mémoire. Ils doivent déjà être grands et forts ?

— Il y a aussi Louis, Godefroi et Joseph, madame, dit Victoire plus sèchement qu'elle ne l'aurait voulu. Le toit de notre grange a été arraché. À ma connaissance, il y a bien des avaries chez nos voisins les Tétrault et à l'écurie de mon beau-frère, Joseph Lareau.

— Oh ! Mais c'est terrible, s'exclama madame Boileau.

Heureusement, son cousin faisait son entrée et Victoire n'eut pas à bafouiller une raison invraisemblable sur les motifs de sa présence chez ses cousins le lendemain de la fête des Rois. Vêtu simplement d'un pantalon de nankin*, d'une chemise et d'une cravate négligemment nouée, Monsieur Boileau portait par-dessus une lourde robe de chambre de brocart.

— Bonjour, ma chère Falaise, fit-il en saluant tendrement son épouse d'un baiser sur la joue. Comment allez-vous ce matin ? Le vacarme de cette nuit ne vous a pas empêchée de dormir ? ajouta-t-il plein de sollicitude.

Et sans lui laisser le temps de répondre, il se tourna vers Victoire.

— Ma cousine, est-ce un bon vent ou ce noroît d'hier soir qui vous amène par ce froid et de si bon matin ? demanda-t-il sur un ton faussement aimable.

Monsieur Boileau aimait ce moment précis où la journée était à peine entamée. Généralement, il savourait lentement son café, réfléchissant à ce qu'il allait faire des heures qui suivraient tout en regardant avec bienveillance ses filles et sa chère Falaise terminer leur déjeuner. Même s'il avait faim, il prenait son temps avant d'avaler la première bouchée d'un *breakfast* à l'anglaise, habitude qu'il avait adoptée du temps qu'il était député, à Québec, délaissant le traditionnel oignon coupé sur une tranche de pain avec du beurre dont se contentaient généralement les Canadiens. Au lever, il aimait prendre un repas consistant.

— Reste-t-il encore de cette oie savoureuse que vous nous avez fait servir hier soir, au souper ? demanda-t-il à son épouse.

Marié depuis vingt-cinq ans, Monsieur Boileau ne s'était jamais résolu à tutoyer son épouse, comme c'était l'habitude entre la plupart des époux. Ce signe de déférence rappelait à ceux qui auraient pu l'oublier la noblesse de sa femme.

— Je vous en fais servir tout de suite, mon ami, s'empressa de répondre son épouse.

Monsieur Boileau se laissa tranquillement dorloter, semblant ignorer la présence de Victoire qui serrait ses doigts sur sa tasse pour les réchauffer, et sourit à ses filles qui venaient les rejoindre.

— Tante Victoire ? s'exclama gentiment Emmélie en s'installant à la table. Quelle belle surprise ! Marguerite n'est pas avec vous ? Il y a bien longtemps qu'on l'a vue, ajouta-t-elle, la mine dépitée.

— Elle a beaucoup de travail en retard, répondit vivement Victoire. Des vieilles chemises de son père à retailler pour ses frères, des jupes à coudre pour ses sœurs. Et il y a le dîner à préparer, les enfants à surveiller.

— Dites-lui bien qu'elle nous manque et que nous avons hâte de la revoir, répondit la jeune fille, impressionnée par l'ampleur des tâches qui attendaient Marguerite.

— Comme c'est ennuyeux, se plaignit à son tour Sophie qui arrivait en bâillant. Marguerite a-t-elle commencé à tresser ses chapeaux ?

— Il est encore trop tôt. Mais on ne devrait plus tarder à battre le grain. Je suis certaine qu'à ce moment-là, elle mettra de côté la plus belle paille pour ses cousines.

— Alors, Victoire, demanda Monsieur Boileau qui avait vidé son assiette, allez-vous nous dire quelle urgence vous amène ?

— En effet, ce n'est guère dans vos habitudes d'arriver chez nous sans vous annoncer, réprouva madame Boileau en songeant pour elle-même que personne dans la bonne société ne se serait permis d'arriver à l'aube chez les gens.

— C'est vrai, se confondit Victoire. Mais j'ai besoin de vous parler, mon cousin. Dans le particulier, ajouta-t-elle en le fixant étrangement.

— Venez, mesdemoiselles, intima madame Boileau à ses filles, outrée d'être ainsi mise de côté. Votre tante et votre père ont à traiter de choses sérieuses.

«Elle suppose que je suis venue quémander de l'argent pour mon mari», se dit Victoire, vexée à son tour. Mais elle n'avait pas l'intention de la détromper, même si François Lareau était beaucoup trop orgueilleux pour emprunter le moindre denier à quiconque. Dans les circonstances, elle aurait cent fois préféré être venue pour emprunter cinq cents livres. Fallait-il qu'elle soit désespérée pour être ainsi assise, les genoux serrés, dans cette pièce richement meublée, à solliciter une entrevue privée à son cousin!

— Alors, Victoire, allez-vous me dire enfin ce qui vous arrive? demanda sèchement Monsieur Boileau dès qu'ils furent seuls.

Ces simples paroles eurent pour effet de faire tomber d'un coup les barrières d'orgueil de Victoire qui, depuis des semaines, contenait son désespoir. Elle s'effondra en larmes. Stupéfié par cet afflux de sanglots, le bourgeois se radoucit et la serra en lui tapotant affectueusement le dos. «Là, là. Raconte-moi tout.» Victoire laissa libre cours à son chagrin et s'abandonna dans les bras bienveillants qui s'offraient à la protéger comme autrefois.

— Allons, allons… Que se passe-t-il donc? demanda Monsieur Boileau qui commençait à s'inquiéter sérieusement.

— Il s'agit de Marguerite, dit-elle en cherchant son unique mouchoir de soie dans une poche dissimulée sous sa jupe.

— Marguerite? Raconte sans détour, je suis tout ouïe, fit son cousin en reprenant le tutoiement fraternel de jadis.

Ressaisie, Victoire se confia. Elle raconta tout. Le retour de Marguerite après la Saint-Martin, les nausées d'avant Noël, ses doutes et l'absolue certitude que sa fille était bel et bien enceinte. À l'air épouvanté de Marguerite et à ses propos confus, elle avait finalement compris que sa fille avait été forcée et craignait son agresseur. Ces explications n'avaient pas diminué pour autant la colère de son mari et sa famille était dans une situation sans issue.

Atterré par les révélations de sa cousine, Boileau l'écoutait sans un mot, hésitant entre la colère et la consternation. Marguerite! Qu'il considérait autant que si elle avait été sa propre fille. Comment un tel malheur avait-il pu arriver? Assurément, il éclabousserait toute la famille. Ses ennemis en feraient des gorges chaudes.

— Près de deux mois, dis-tu? Pourquoi as-tu attendu si longtemps pour m'en parler?

— J'ai honte de dire ça, mais j'ai espéré un moment qu'elle perde l'enfant. À tel point que je devrais m'en confesser, avoua-t-elle. Puis, les fêtes de fin d'année sont arrivées. Nous sommes tellement occupés avant l'hiver!

— Pourtant, nous nous sommes vus, aux alentours de Noël.

— C'est bien vrai, mais François espérait encore qu'on lui trouve un mari autrement, expliqua Victoire, dévoilant ainsi l'échec du père de famille à régler ce problème délicat. Il était persuadé qu'elle avait un cavalier secret dont elle taisait le nom. Il refuse d'admettre qu'on ait pu porter la main sur sa fille sans son consentement. Pour ma part, je suis certaine que Marguerite n'a jamais eu de galant.

— Nom de Dieu de nom de Dieu! Sais-tu qui a pu lui faire cela? N'aurait-elle pas tout inventé pour cacher quelque sottise? Elle aurait pu céder à un beau parleur.

— Tu connais suffisamment Marguerite. Elle est coquette parce qu'elle est fière. Mais elle avait aussi des ambitions, je veux dire, elle espérait… un mariage selon son inclination.

Victoire se tut.

Le visage de son cousin s'était rembruni. Ainsi, songea-t-il, Victoire savait, elle aussi, ou se doutait qu'il y avait une attirance entre Marguerite et René, son fils, qu'il se félicitait une fois de plus d'avoir expédié en Europe.

— Des rêves de jeunesse, ajouta vivement Victoire afin que son cousin comprenne qu'elle ne croyait pas non plus à un mariage entre Marguerite et René. Rien que des rêves. Jamais Marguerite ne nous a donné des raisons de ne pas être contents d'elle, affirma-t-elle avec force. Chez nous, il y a toujours tant à faire qu'elle est sans cesse occupée. Et quand elle n'était pas chez nous, elle était dans la meilleure maison qui soit, sous ta protection.

— Très fâcheux, en effet, lança Monsieur Boileau, mécontent. Et il y aura toujours une âme charitable qui se rappellera que ta fille a été élevée chez nous lorsque son forfait sera public, ironisa le bourgeois en songeant que le malheur de Marguerite éclabousserait aussi le nom de sa famille. Les langues du village iront bon train et s'empresseront de répandre des rumeurs malveillantes. Mais tu as certainement des soupçons, un doute quelconque sur ce qui a pu se produire ?

— Non, pas du tout. Je ne sais pas comment c'est arrivé, reprit Victoire en se tamponnant les yeux de son mouchoir. Depuis l'automne, elle s'est absentée les trois jours qu'elle a passés chez vous, mais c'est tout.

— Tu ne crois quand même pas… Tu insinuerais que c'est sous mon toit que ta fille aurait péché ?

Boileau se leva et arpenta la pièce, l'air courroucé, furieux que Victoire puisse soupçonner qu'une chose pareille ait pu arriver chez lui.

— Non, se rattrapa Victoire, je ne veux rien insinuer. Mais si on y réfléchit bien, il n'y a qu'à la Saint-Martin où Marguerite a pu se faire… Enfin, tu vois ce que je veux dire. Mais peu importe où et quand. Pour l'instant, ma fille est condamnée. Et mon pauvre François a tellement honte qu'il est incapable d'envisager une solution.

À cet aveu, Boileau se calma. C'était bien là le pire. Marguerite, condamnée à l'opprobre, la famille déshonorée et le père de famille, humilié. Victoire avait raison, il fallait absolument sauver cette petite du déshonneur et lui seul y arriverait. Après tout, c'était lui le patriarche du clan Boileau. Sauf qu'il ne voyait pas comment régler l'affaire. Il lui fallait réfléchir.

— Diantre, qu'allons-nous faire ?

— C'est pour cela que je suis venue te voir. Tu connais certainement quelqu'un qui accepterait Marguerite comme épouse. Qui ferait un honnête mari à ma fille. Toi seul peux nous sortir de l'ornière dans laquelle ma fille nous a enfoncés. N'importe qui pour éviter le scandale, supplia-t-elle.

Victoire se tut. N'étant pas femme aux longs discours, elle avait déjà beaucoup parlé. D'ailleurs, il n'y avait rien d'autre à ajouter, songea-t-elle en tordant nerveusement son mouchoir.

Boileau se remit à arpenter la pièce à grands pas, comme si cette activité lui procurerait la solution.

— C'est incompréhensible. Que diable ! Nous veillons sur nos filles d'assez près pour que personne ne les approche à notre insu.

Monsieur Boileau réfléchissait. Qui cela pouvait-il être ? Un domestique ? Marguerite n'aurait pas eu peur d'un simple serviteur. Il s'agissait peut-être d'un homme honorable qu'il saluait tous les jours. Bresse? Le docteur? De Rouville? Juste ciel! Voilà qu'il se mettait à soupçonner tous ceux qui comptaient dans la seigneurie puisqu'ils étaient tous rassemblés au manoir, ce fameux jour de la Saint-Martin. Assurément, c'était l'un deux. Voilà pourquoi Marguerite se taisait.

Le mariage. Dans les circonstances, il n'y avait pas d'autres solutions pour étouffer le scandale d'une fille proprement engrossée. Comme on ignorait le nom du coupable, on ne pouvait lui faire endosser sa paternité en l'obligeant à épouser la mère de l'enfant. Il aurait bien voulu ne pas être mêlé à cette encombrante affaire, surtout que tout laissait entendre qu'il connaissait le vil individu.

Marguerite était encore jeune, mais à presque dix-huit ans, elle avait un âge suffisamment raisonnable pour se marier. Avec ses bonnes manières et ses charmants talents féminins, Marguerite était aussi jolie que bien apparentée. Elle aurait été facile à marier, dans n'importe quelle autre circonstance.

— Comment veux-tu que je lui déniche un mari à brûle-pourpoint? Ce n'est pas une simple affaire! J'ai beau faire mentalement le tour de la famille, et même de la plus éloignée – dans les circonstances, un cousin du troisième degré serait facilement accepté par le curé et l'évêque –, et même parmi mes connaissances et mes relations, je ne vois pas de candidat à marier à l'horizon!

Il s'arrêta un moment devant la fenêtre qui donnait sur le bassin et vit sortir son valet, engoncé dans un capot de laine gris fermé par une ceinture fléchée, capuchon sur la tête, bottes de sauvage aux pieds et pipe au bec, portant deux paquets.

Une idée lui vint.

Somme toute, la solution était peut-être là. Un plan se dessinait peu à peu dans son esprit calculateur qui, une fois mis en marche, allait aussi vivement que les chevaux de ces jeunes freluquets qui coursaient, au sortir de la messe, en dévalant le chemin du Roi, semant la terreur chez les douairières de la paroisse.

Il se retourna vers sa cousine, présentant un visage rasséréné et éclairé d'un large sourire qui la stupéfia.

— Tu penses à quelqu'un, fit-elle, pleine d'espoir. Ah ! Je savais que toi seul pourrais nous tirer de ce mauvais pas.

— Ma belle cousine, sèche tes larmes. Oui, j'ai une petite idée. Un espoir ténu, il est vrai. Il faut voir. Qui sait si la réponse n'est pas à notre portée ? Mais il me faudra entreprendre quelques démarches. Je dois immédiatement sortir pour faire des visites.

Victoire le regarda, interloquée.

— En premier lieu, il me faut voir de suite messire Bédard, notre curé. Il faut le prévenir, tu t'en doutes bien.

Elle afficha une moue désapprobatrice.

— Oui, comment faire autrement ? Je pensais me rendre au presbytère pour lui expliquer notre situation.

— Je me charge de cette pénible démarche. Notre curé est un homme bon. Il saura nous aider. Allons, courage Victoire, l'encouragea le notable.

« Oui, se dit-il, il y a une petite chance, si je parviens à mettre en branle le petit plan qui me vient. J'ai un as dans ma manche, il me suffira de le sortir au bon moment. »

Victoire l'interrogea du regard avec angoisse, puis serra les mains de son cousin dans les siennes.

— Je te sais gré d'aller trouver le curé. Raconter une autre fois l'histoire de notre malheur m'arracherait le cœur. Je savais qu'en venant te trouver, tu saurais ce qu'il fallait faire.

— Ma très chère Victoire, tu le sais bien, jamais je ne te laisserai tomber, affirma avec fougue Monsieur Boileau en la serrant à nouveau dans ses bras. Je préfère pour l'instant ne pas te dévoiler mon idée ; inutile de provoquer de faux espoirs. Mais je te promets de tout faire pour sauver ma petite-cousine du déshonneur et faire en sorte que ton mari, François Lareau, puisse marcher la tête haute. Aie confiance.

« S'il réussit à trouver un mari à Marguerite, pensa Victoire, il n'y aura pas de scandale, mais mon pauvre François lui sera éternellement redevable. Je ne suis pas certaine que cette situation ne lui plaise d'autant. »

— C'est tout ce qu'il me reste, mon bon cousin. L'espérance… et la prière ! dit-elle d'un ton désabusé en se levant pour sortir.

— Prie, belle cousine, si le cœur t'en dit, ce ne sera pas de surplus. Mais surtout, fais-moi confiance et laisse le sort de Marguerite entre mes mains, l'enjoignit audacieusement Boileau qui, en réalité, ignorait encore comment il allait mettre en œuvre son fameux plan.

Victoire ajusta sa coiffe d'hiver. De son côté, Monsieur Boileau s'enveloppa dans une pelisse de castor, enfonça son chapeau de fourrure jusqu'aux yeux et fit avertir sa femme qu'il s'absentait probablement jusqu'à l'heure du dîner. Il attrapa sa vieille canne au passage et sortit, suivi de Victoire qui préféra rendre visite à son beau-frère Lagus qui habitait le faubourg Saint-Jean-Baptiste, promettant de repasser plus tard pour entendre les résultats des démarches mystérieuses de son cousin.

— Ne t'en fais pas. Je me rendrai demain à la ferme pour te donner des nouvelles.

Les deux cousins s'embrassèrent pour se dire au revoir. Victoire repartit l'inquiétude au corps, mais le cœur un peu moins lourd.

Il faisait toujours aussi froid. Le soleil de janvier brillait de tous ses feux et dehors, des enfants bien emmitouflés dans leurs habits de laine, avec de petites tuques rouges ou bleues couvrant bien les oreilles et des cache-nez multicolores, s'amusaient à glisser sur les hauteurs des rives du bassin avec leurs traîneaux. Leurs rires résonnaient sur la vaste étendue blanche, inondée de cette unique lumière blonde qui illuminait les journées d'hiver du Bas-Canada en intensifiant le bleu le ciel. Plus loin, des carrioles attelées et des habitants tirant une traîne sauvage chargée de bois ou de denrées s'apprêtaient à traverser la surface gelée du bassin pour se rendre au village de Pointe-Olivier. L'hiver, le bassin de Chambly était encore plus impressionnant. Cette immensité blanche, essaimée de maisons sur son pourtour, devenait le site d'une activité prodigieuse. On avait peine à croire que sous l'épaisseur de glace, les eaux bouillonnaient, attendant la fonte du printemps. Des pêcheurs creusaient de profonds trous pour en sortir des centaines de poissons. Certains construisaient des cabanes de fortune sur la glace. Plus loin, une traverse balisée de piquets et d'arbres coupés permettait le passage des chevaux et des traîneaux ; on y voyait aussi des braves chaussés de raquettes à l'indienne. C'était aussi le temps des retrouvailles pour les familles de la seigneurie de Chambly, qui empruntaient le pont glacé pour se rendre de l'autre côté, dans la paroisse de la Pointe-Olivier. La saison froide multipliait les occasions de festoyer tandis que les champs dormaient sous la neige.

Puis, lorsqu'arrivait le temps du carême, il ne restait plus à monsieur le curé qu'à ramener ses ouailles sur le droit chemin de la confession, de la pénitence et de la prière, avant Pâques et le retour des travaux du printemps. Et comme le sang chaud de leurs fougueux ancêtres coulait dans les veines des habitants de la région et que les paroisses de Chambly et de Pointe-Olivier ne manquaient pas de cabarets, l'homme de Dieu avait fort à faire. Quelques tavernes narguaient franchement l'autorité du prêtre, osant même voisiner l'église, accueillant les hommes à la sortie de la messe pendant que les dames discutaient sur le parvis. C'était pourtant dans ces endroits infâmes qu'on apprenait les dernières nouvelles : une bonne âme faisait la lecture des gazettes à haute voix pendant que le cabaretier remplissait à ras bord les verres d'un mauvais rhum que les habitants avalaient d'un trait.

La neige crissait sous les pieds de Monsieur Boileau qui marchait d'un pas vif sur le chemin du Roi. L'air du matin le stimulait. Il respira profondément. Il aimait parfois à sortir seul, arpentant les chemins à grands pas comme pour marquer son appartenance au pays. Il se frottait les mains, gardées bien au chaud dans des mitaines doublées, tout en se dirigeant vivement vers le presbytère qui se trouvait à moins de cinq minutes de sa demeure.

Il trouverait bien le moyen d'arriver à ses fins pour dénicher un bon mari à Marguerite, songeait-il. Mais avant tout, il lui fallait voir le curé. Messire Bédard n'aurait d'autre choix que d'adhérer à son plan. Car, pour lui aussi, la conduite de Marguerite pourrait avoir des conséquences fâcheuses.

Déjà, en son for intérieur, il se félicitait et remerciait Dieu, en toute modestie, de l'avoir fait si clairvoyant.

Chapitre 5

Double concerto au presbytère

Près de l'église, une belle et vaste maison en pierres flanquée de ses deux cheminées servait de presbytère. De ses fenêtres, on entendait les accents étouffés d'un violon se mêler au son aigrelet d'une petite épinette*, héritage d'un prédécesseur du curé Jean-Baptiste Bédard. Lorsqu'il avait découvert l'instrument dans sa nouvelle maison presbytérale, une onde de joie avait déferlé dans l'âme du nouveau curé de Chambly.

L'arrivée du curé Bédard avait aussi mis du baume dans la vie du docteur Talham. «Il a franchement meilleure mine», avait remarqué le chorus des bonnes âmes à la langue bien pendue. Certains jours, on le voyait sourire en guidant sa vieille charrette déglinguée. «Une veuve?» avait suggéré madame Bresse à madame Boileau. «La musique», aurait répondu la noble dame à la bourgeoise, stupéfaite.

Jean-Baptiste Bédard était musicien, tout comme son frère Jean-Charles, le sulpicien qui vivait au Séminaire de Montréal. Ce trait de famille se retrouvait aussi chez leur jeune sœur, Marie-Josèphe, qui chantait divinement. La musique! Messire Bédard, pasteur aimé de ses paroissiens pour sa mansuétude, avait en réalité deux grandes passions: Dieu et la musique. À Dieu, il aurait volontiers consacré une vie faite d'études théologiques, ponctuées de longues méditations, de prières et de cantiques. Mais les voies du Seigneur étant tracées d'avance, ses supérieurs avaient flairé le bon pasteur chez ce prêtre. Il s'était vu attribuer des cures difficiles, celles qui requéraient un homme diplomate dont la sagesse et le doigté ramèneraient les âmes perdues au sein du grand troupeau de Dieu. Monseigneur Denault, l'évêque de Québec – qui par ailleurs résidait dans sa paroisse de Longueuil – avait mandaté Jean-Baptiste Bédard pour remettre de l'ordre dans la turbulente paroisse de Saint-Joseph-de-Chambly. On y comptait encore de ces pères de famille qui négligeaient même de faire leurs Pâques! Doté d'une forte carrure et d'un regard bienveillant, mais terriblement incisif, le curé ramenait vite le paroissien égaré à de meilleures dispositions sans même avoir à élever la voix. Malgré ces indéniables atouts, la tâche s'avérait lourde; Chambly abritait un impressionnant lot d'habitants entêtés et de notables imbus de leurs prérogatives.

Pour se distraire de l'ampleur de sa tâche, le curé se ménageait des intermèdes musicaux. Le docteur Talham l'accompagnait. Il avait repris son violon, délaissé à la mort de l'épouse adorée et tristement remisé dans un coin du grenier de sa demeure. Tout l'été, les paroissiens se promenant sur le chemin du Roi entendaient des sons mélodieux provenant du presbytère. Et lorsque Marie-Josèphe prêtait sa voix au duo, certains croyaient que des anges célestes donnaient un concert. «Ma foi du bon Dieu!» s'était exclamé un jour Monsieur Boileau, au cours d'une modeste réception donnée par le curé pour manifester sa joie d'entendre de si belles choses.

Ce matin-là, Boileau crut reconnaître une gavotte de Lully. «Dieu m'entend», se dit le bourgeois. Malheureusement, même s'il appréciait les délices de la musique, il n'avait pas d'autre choix que de l'interrompre. Il toqua plusieurs fois à la porte avant que Marie-Josèphe ne vienne lui ouvrir.

— Vous êtes bien matinal, fit la jeune fille, surprise de voir un visiteur à une heure indue.

— Et je ne suis pas le seul, à ce que j'entends, répondit Boileau de son sourire le plus aimable pour cacher sa fébrilité.

— Mon frère et le docteur aiment profiter du moment de répit qui suit la messe du matin pour répéter. À cette heure-là, ils sont rarement dérangés. Mais entrez donc.

Boileau se secoua les pieds et pénétra dans la grande chambre en retirant sa pelisse et son casque de fourrure. Le curé abandonna le clavier de l'épinette pour accueillir son visiteur tandis que Talham déposait son instrument sur une table.

— Monsieur Boileau, que nous vaut l'honneur? salua l'ecclésiastique. Rien de grave?

Mais en prononçant ces mots, messire Bédard, qui avait l'habitude du confessionnal et des âmes tourmentées, lut sur le visage de son paroissien la nécessité impérieuse de confidences. Il l'invita à le suivre dans le cabinet qu'il réservait aux affaires de la paroisse et à ses méditations. Le docteur aussi avait tout de suite compris qu'il y avait une urgence.

— Je vous laisse, s'excusa-t-il en faisant mine de partir.

Boileau supputa rapidement. Devait-il laisser partir le docteur? Dans les circonstances, aussi bien que ce dernier entende également l'histoire qu'il allait raconter au curé.

— Non, non, je vous en prie, au contraire, restez. Votre avis sur l'affaire qui m'amène sera précieux.

Le docteur hésita. Il avait rarement vu son ami dans un tel état d'agitation, et la curiosité l'emporta. Il suivit Boileau dans le cabinet du curé.

La petite pièce comprenait un joli fauteuil à la capucine installé derrière une table où était posée une vieille écritoire qui datait vraisemblablement du temps de la Nouvelle-France. Dans une bibliothèque, les gros registres paroissiaux recouverts de cuir de veau fin, des livres de piété, un Nouveau Testament écorné, un psautier à dorures et quelques cahiers de musique se côtoyaient. Près de la fenêtre qui faisait face au bassin, le curé avait aménagé un espace pour ses dévotions. Un beau crucifix et une grande image de la Vierge ornaient le mur contre lequel étaient adossés un petit autel et un prie-Dieu lustré à force d'usage. Le prêtre invita les deux hommes à s'asseoir. Talham avisa une vieille mais confortable chaise rembourrée de style Louis XV. Monsieur Boileau préféra le beau fauteuil d'acajou Chippendale qui complétait l'ameublement. Le curé alluma le petit poêle dans lequel il venait d'insérer quelques morceaux de bois sec et bientôt, la flambée réchauffa la pièce.

— Je vous écoute, mon ami, dit-il à Boileau, qui réfléchissait encore sur la manière de présenter les faits.

— Il s'agit de ma nièce, Marguerite Lareau, expliqua le notable.

— Votre nièce ? s'étonna le curé.

Monsieur Boileau ravala pour ne pas perdre sa belle assurance.

— La famille de Marguerite, en effet, souhaite la marier, mais ce n'est pas exactement cela.

Le curé regarda Monsieur Boileau d'un air interrogateur. Puis, son visage s'illumina, comme s'il venait de saisir les motifs de la démarche du bourgeois.

— Il s'agit de votre fils, s'exclama-t-il tout joyeux, comme s'il venait de faire une grande découverte. La promesse de mariage entre ces jeunes gens n'était donc pas que vague rumeur? Je m'en réjouis. Bien sûr, il faut une dispense de parenté, mais je vous aiderai. Vous faites bien de commencer dès maintenant les démarches. Je vous félicite sincèrement, dit finalement le curé en serrant le bourgeois dans ses bras sans laisser à Boileau le temps de se ressaisir.

À mesure que messire Bédard parlait, le visage de Monsieur Boileau se congestionnait. Talham l'observait, amusé, se disant qu'il finirait par exploser. De vagues rumeurs couraient en effet dans la paroisse, propagées sans doute par madame Bresse, à propos de l'inclination des deux cousins. Le docteur se doutait bien qu'il n'y avait rien de vrai, sachant que les parents du jeune homme avaient d'autres ambitions pour leur fils. Le voyage de René visait à l'éloigner de sa cousine.

— Il n'a jamais été question de ce mariage, s'écria Monsieur Boileau en se levant brusquement de sa chaise, hors de lui. Comment pouvez-vous? Comment osez-vous?

Il en balbutiait d'indignation.

— Allons mon ami, messire Bédard ne voulait pas vous choquer outre mesure, le calma le docteur. Expliquez-nous plutôt ce qui vous amène.

— Pourquoi Lareau et sa femme ne se présentent-ils pas eux-mêmes pour m'en parler? demanda en effet le curé.

— C'est qu'il y a quelques petits détails à régler auparavant, reprit le bourgeois en hésitant, qui s'en voulait d'avoir perdu sa belle assurance. Certains faits dont je dois préalablement vous faire part.

— Des faits?

— Oui, c'est cela. Des faits dont nous devons discuter. La famille m'a délégué pour vous les exposer.

— Je ne veux pas me mêler de vos histoires de famille, interrompit alors Talham en se levant. Permettez que je me retire, j'ai des remèdes à préparer, des visites à faire.

— Non, restez, je vous en prie, insista Boileau, suppliant, le forçant presque à se rassoir.

— Que de mystère! s'exclama le curé. Allez donc droit au but, Boileau. À force de tergiverser, vous nous noyez dans un flot de paroles inutiles qui nous font dire des hypothèses invraisemblables.

Le bourgeois baissa naturellement le ton de sa voix, démontrant la gravité de l'affaire. Il murmura presque en annonçant:

— Mademoiselle Lareau, ma jeune nièce, a... la maladie.

— Vous voulez dire qu'elle est enceinte? s'informa Talham, qui aimait la précision.

Il détestait cet euphémisme généralement employé pour désigner la grossesse. Rien de plus naturel pour une femme que d'attendre un enfant! Ce n'était pas une maladie, même s'il arrivait parfois qu'une naissance donne lieu à une tragédie. Trop souvent alors, il fallait opérer la pauvre femme à moitié morte pour tenter de libérer l'enfant en espérant le sauver. Ce qui n'arrivait jamais, ni pour la mère ni pour l'enfant, et les deux se retrouvaient au cimetière.

Mais pour l'heure, ce n'était pas ce genre de danger qu'appréhendait le prêtre, l'air aussi horrifié que si Satan lui-même était venu lui annoncer la nouvelle.

— C'est bien de la fille des Lareau de la Petite Rivière dont vous parlez?

Boileau acquiesça gravement.

— Je ne peux y croire ! s'exclama le curé, rempli d'indignation. Ses pauvres parents doivent être mortifiés. Quelle ingratitude de la part de leur fille !

— C'est assurément une terrible nouvelle, dit le docteur en regardant sévèrement le curé. Mais vos propos me semblent exagérés. Ce n'est pas la première fois qu'une telle chose arrive, même dans une excellente famille. Je me rappelle, il y a quelques années, que la demoiselle Louise de Niverville avait épousé le marchand David Lukin le ventre plein.

Boileau adressa un regard de reconnaissance au docteur, trop heureux qu'il ressorte cette vieille histoire.

— Docteur, ne soyez pas grossier, je vous prie, le réprimanda le curé.

— Et une fois le mariage célébré, plus personne n'en a parlé, renchérit le bourgeois sans tenir compte de la remarque du curé. C'est pourquoi il faut rapidement la marier.

— Certes, convint le docteur. C'est toujours la meilleure solution pour faire taire le scandale.

— Mais qu'attendez-vous pour révéler le nom du père que je tance le jeune vaurien ? demanda le prêtre.

« Assurément, songea-t-il, ce désastre causera nombre d'ennuis à tous, à commencer par moi-même, curé de la paroisse de la jeune délinquante. Je serai obligé de justifier la demande d'une dispense à l'évêque pour un mariage précipité et il est certain que Monseigneur en profitera pour y aller de quelques remarques désagréables sur la moralité de ma paroisse. »

— C'est là que l'affaire se complique, répondit Boileau le regard vague. Nous ignorons de qui il s'agit. Marguerite demeure muette comme une tombe.

— Il faut obliger la jeune fille à parler, rétorqua fermement le curé. Elle connaît bien sûr le nom de son galant.

— Voilà qui est curieux, nota Talham d'un air songeur. Il y a anguille sous roche. Dites-moi, Boileau, ne s'agirait-il pas d'une sordide affaire d'agression ? Un viol ?

Le curé sourcilla à ce mot.

— C'est juste. Un terrible malheur… pour nous tous.

— Je comprends votre position délicate, soutint Talham, un tantinet narquois.

Le docteur ne doutait pas du sentiment de compassion qui animait le bourgeois, mais il soupçonnait celui-ci d'être surtout motivé par la réputation de sa propre famille qui risquait de se voir ternie par ce mauvais coup du sort.

— Qui aurait commis pareille ignominie ? demanda le curé. C'est vrai que la jeune Marguerite est plutôt coquette. Boileau, il faut surveiller vos filles de près, prévint-il d'un ton réprobateur en le montrant du doigt comme s'il prêchait la vertu au prône. Voyez où cela mène !

— Mes filles sont bien élevées, répliqua vivement le bourgeois qui n'était pas venu pour se faire faire la leçon. Et Marguerite l'est aussi !

— Allons, messieurs, cessez donc ces accusations stupides qui ne riment à rien, intervint Talham pour apaiser les deux hommes. Ce n'est pas ainsi que vous trouverez une solution.

Boileau, qui s'était brusquement levé, se rassit, toujours offusqué. Le silence s'installa.

Le docteur se leva à son tour pour se dégourdir les jambes. La petite séance musicale du matin l'avait ankylosé et l'annonce de la triste nouvelle lui gâchait tout le plaisir qu'il en avait retiré. Une fraîche jeune fille à peine sortie de l'enfance, c'était navrant. « Bien sûr que la pauvrette est innocente ! » s'insurgea-t-il *in petto*.

Tout en s'appuyant sur le rebord de la fenêtre qui donnait sur le chemin du Roi, il se demanda qui était le rustre qui avait forcé Marguerite Lareau. Du presbytère, on apercevait le magasin qui servait d'entrepôt au négociant David Lukin, donnant sur un quai entièrement enseveli sous la neige à cette époque de l'année. Les Lukin avaient déjà trois enfants.

— Fort bien, dit-il. Je regrette, messieurs, de ne vous être d'aucune utilité, mais il est temps pour moi de prendre congé.

— N'en faites rien, le pria à son tour le curé. Nous ne sommes pas trop de trois pour trouver une issue à cette épouvantable situation, et votre expérience du cœur des hommes sera utile.

— Le curé a raison. J'insiste, ajouta Boileau.

— Puisque c'est ainsi, dit Talham en se rasseyant, racontez-nous tout ce que vous savez, Boileau. Qui sait? Un détail qui vous aura échappé nous conduira peut-être vers le maraud.

Monsieur Boileau révéla alors ce que Victoire lui avait confié une heure auparavant et pourquoi il en avait déduit que le crime était arrivé le jour de la Saint-Martin. Il y ajouta un incident rapporté par Emmélie ce même jour. Un cheval de l'écurie de Rouville aurait pris le mors aux dents et blessé Marguerite, qui était restée enfermée deux jours dans la chambre des filles avant de réapparaître à la table des Boileau, pâle et défaite, mais sans blessure apparente. Le dimanche suivant, elle était repartie, comme convenu. Personne chez lui n'avait pu supposer un seul instant qu'il aurait pu y avoir une autre raison que celle invoquée par Emmélie pour expliquer le malaise de leur invitée.

— Curieux, en effet, cet incident chez Rouville, fit Talham. Ce cheval furieux qui s'est jeté sur la pauvre

Marguerite a certainement les traits d'un homme. Emmélie n'a eu aucun doute sur la nature de cette fameuse attaque ?

— Grands dieux, qu'allez-vous penser, docteur ? Nous tenons nos filles dans la plus stricte moralité chrétienne. J'avoue que sur le moment, le fait n'a pas retenu mon attention.

Le docteur Talham se demanda si Emmélie était aussi naïve que l'affirmait son père. Elle était assez intelligente pour avoir inventé cette fable afin de protéger Marguerite qu'elle aimait comme une sœur.

— Si Marguerite avait eu un galant, elle aurait facilement livré le nom du coupable, surtout si elle avait eu l'intention de provoquer le mariage, affirma Talham. Donc, c'est la peur qui la muselle ainsi. L'homme qui l'a agressée est suffisamment puissant pour que la jeune fille tienne ses menaces pour réelles.

— Vous avez raison, admit Boileau. C'est d'ailleurs la seule explication au silence de Marguerite.

— Il faudrait en parler à Rouville pour qu'il fasse enquête, avança le curé. Le coupable est sans doute un de ses domestiques ou le garçon d'écurie.

— Non, affirma Talham. Vous vous trompez. Ce n'est pas un domestique. Ce vil personnage jouit de considération et même si vous découvrez son identité, il n'épousera pas Marguerite. La famille aura peut-être droit à un dédommagement ou une pension, mais le scandale demeurera et les Lareau en souffriront longtemps.

— Bien dit, approuva Monsieur Boileau. J'ajoute qu'il faut tenir Rouville dans l'ignorance de la forfaiture qui s'est déroulée chez lui. Il en serait profondément blessé, et nous n'avons que des soupçons.

— Je ferai avouer la jeune fille en confession, affirma le curé.

— Et une fois dépositaire du secret, que ferez-vous? Le malappris niera, soyez-en assuré, déclara le docteur. Sans compter que la vérité peut comporter des dangers. Rappelez-vous que Marguerite est terrorisée. Elle n'a pas seulement besoin d'être mariée, elle a aussi besoin d'être protégée.

Les secrets d'alcôve échappaient rarement à un médecin et dans l'exercice de sa profession, il avait parfois eu connaissance d'abominables choses. Des choses honteuses qu'on taisait.

— Vous êtes un sage, Talham, prononça Monsieur Boileau d'un ton sombre. Celui qui a commis ce forfait ignore pour l'instant qu'il est le père de l'enfant de Marguerite. Mais s'il l'apprenait, Dieu seul sait de quoi il serait capable pour sauver sa réputation.

Il se leva pour ajouter une bûche dans le poêle. Le curé et le docteur allumèrent leur pipe. Le bourgeois, qui préférait priser, sortit une tabatière en or de la poche de sa veste. Il renifla et toussota.

— Inutile de s'attarder à chercher le vrai père de l'enfant. Nous pourrions avoir une très mauvaise surprise. Trouvons-lui un mari et un père convenable.

— Vous avez raison et je comprends que vous veniez consulter messire Bédard, notre pasteur, dit le docteur. Mais moi, que puis-je faire pour vous aider, mon ami?

La pièce était maintenant bien chaude, mais Boileau se frottait vigoureusement les mains, comme s'il avait froid. Ce geste lui était coutumier lorsqu'il éprouvait une grande émotion. Il fixa le docteur.

— C'est là que vous pourriez intervenir, mon cher Talham, avança prudemment le bourgeois.

— Je peux, oui, consulter mes connaissances et relations pour vous aider.

— Ce n'est pas à ce genre d'aide que je songeais, docteur, fit l'autre d'une drôle de voix. Vous pourriez encore faire plus que cela.

— Que voulez-vous dire ? demanda Talham qui commençait à se méfier de son ami Boileau.

Attendait-il de lui qu'il joue la « faiseuse d'anges » comme une vulgaire matrone ? Non. Il n'oserait jamais lui demander une chose pareille. Surtout pas devant le curé !

Monsieur Boileau prit une profonde inspiration et risqua son va-tout :

— En étant le mari.

— Boileau ! s'étouffa le docteur, stupéfait par tant d'aplomb. Vous ne parlez pas sérieusement ?

Messire Bédard, qui cherchait une solution de son côté, sursauta. L'audace de Boileau le sidérait.

— C'est un immense service que je vous demande, j'en suis fort conscient, ajouta vivement le bourgeois qui ne voulait pas rompre le fragile filin qu'il venait de lancer. Par amitié pour notre famille, je vous implore de secourir une jeune fille au noble cœur qui a certainement été violentée par une brute, implora-t-il d'un ton suppliant. Et les Lareau sont au désespoir !

Talham resta médusé par l'outrecuidance du bourgeois qui se disait son ami et se permettait de disposer de lui sans sourciller. Pas de doute, il rêvait. C'était un cauchemar et il allait se réveiller. Il secoua la tête.

— Mais vous êtes fou ! Vous me demandez aussi d'endosser cette ignoble paternité, d'entacher ma réputation à jamais ? Dans quelle gabare voulez-vous m'entraîner ?

— Pensez-y, Talham. Vous êtes veuf depuis bon nombre d'années. Une jeune et jolie épouse vous apportera du contentement et tiendra votre ménage. Je pourrais vous avancer une dizaine de bons arguments sur les avantages de ce mariage.

— Figurez-vous que j'ai fait le vœu de ne pas me remarier, rétorqua le docteur d'un ton brusque.

— Vous l'avez juré à votre défunte ? demanda alors le curé.

— Il ne s'agit pas de cela, répondit Talham, embarrassé. Personne ne remplacera jamais auprès de moi mon inestimable Appoline. Je ne souhaite ni un mariage de convenance ni d'aucune autre sorte. D'ailleurs, j'ai suffisamment d'occupations dans la paroisse de Chambly pour ne pas m'encombrer d'une épouse et d'enfants. J'y ai aussi d'excellentes relations et de bons amis… du moins, c'est ce que je croyais jusqu'à maintenant, ajouta-t-il en jetant sur Boileau un regard courroucé. Et je ne réclame rien de plus au ciel que de m'accorder la force nécessaire pour poursuivre l'exercice d'une profession que j'aime.

— Cher ami, insista Boileau qui ne voulait pas lâcher sa proie, n'aimeriez-vous pas avoir des fils qui assureront la perpétuité de votre nom en Amérique ?

— Boileau, il est hors de question que j'épouse Marguerite Lareau, retirez ça de votre ingénieuse cervelle. Peu m'en chaut de perpétuer le nom de Talham, surtout avec l'enfant d'un autre, malgré tout le respect que j'ai pour la jeune Marguerite et sa famille.

Et il attrapa son violon pour le ranger dans son étui, bien décidé à partir, cette fois.

— Allons, allons, messieurs, vous allez vous échauffer les sangs ! intervint vigoureusement le curé.

Mais la dispute ne cessa pas.

— Des pères de parade, cela s'est vu, poursuivait l'imperturbable Boileau. La paternité est avant tout un état de fait.

— Tiens donc! Serait-ce votre cas, mon cher Boileau?
le nargua Talham.

— La vertu de mon épouse est irréprochable! rétorqua
le bourgeois, offusqué.

— Cela suffit, messieurs! ordonna sévèrement le curé
en haussant le ton pour couvrir les éclats de voix. Je vous
en prie, reprenez vos esprits!

Jean-Baptiste Bédard s'assit à sa table de travail et
entreprit de tripoter une plume, ce qui l'aidait généralement
à réfléchir lorsqu'il écrivait ses sermons. Il suffisait de
réfléchir. On finirait bien par trouver un meilleur candidat
pour épouser la jeune fille. Quoique, à bien y penser, l'idée
de Boileau n'était pas mauvaise. À vrai dire, il la trouvait
même excellente.

— Des noces expéditives paraîtraient plus naturelles à
l'intérieur de votre clan familial, argua Talham. La paroisse
entière est votre parente.

— Malheureusement, il n'y a aucun jeune homme dans
ces familles en âge de se marier. Et Marguerite ne fera
pas une bonne épouse d'habitant, répondit simplement
Monsieur Boileau.

— Pas une bonne épouse pour un habitant, mais une
bonne épouse pour moi! Vous ne manquez pas de culot,
Boileau! Dans les circonstances, la jeune fille devra tout
simplement obéir à ce qu'on lui ordonnera de faire, laissa
tomber abruptement le docteur.

— C'est pourquoi elle acceptera de vous épouser si vous
y consentez.

— Je n'ai jamais démontré le moindre intérêt pour
cette jeune fille, protesta le docteur. Et j'ai l'âge d'être son
père!

— Des époux avec de grands écarts d'âge sont chose
courante.

— Ces hommes ont toujours l'air ridicule. Rappelez-vous comment la bonne société s'est gaussée de monsieur Baby lorsqu'il a épousé, à cinquante-deux ans, la jeune demoiselle Tarieu de Lanaudière, qui n'en avait que quinze. On en parle encore.

— C'est vrai, on a bêtement ricané dans les salons. Mais tous se sont tus en voyant la belle entente de ces deux-là et les beaux enfants qu'ils ont eus.

Talham resta coi. Pourquoi argumentait-il alors que tout cela était si absurde ?

— Le temps que notre curé demande la dispense et reçoive la réponse de Monseigneur, cela prendra bien deux ou trois semaines. Vous pourrez faire votre cour pendant ce temps-là, poursuivit l'imperturbable Boileau.

— Et l'enfant qui arrivera en août ?

— Si vous vous mariez d'ici deux ou trois semaines, on dira tout bonnement qu'il est venu avant son temps. Cela arrive, parfois, un « petit sept mois » !

— Quel redoutable plaideur vous faites ! Au train où iront les choses, c'est déjà un « petit six mois » qui est en route. Et ma réputation ? Qu'en faites-vous ?

— Justement, ce mariage fera taire les mauvaises langues, avança sournoisement Boileau.

— Que voulez-vous dire ?

— Vous n'êtes pas sans savoir que la présence d'une jeune servante sous votre toit fait jaser.

— Vous êtes ignoble ! Selon votre charitable raisonnement, j'aurais dû jeter Charlotte à la rue à la mort d'Appoline, sans aucune pitié. Mais quelle sorte de monstre êtes-vous donc ? Et vous insultez la mémoire de ma défunte femme qui a élevé notre servante comme sa fille !

Le docteur fulminait.

— Calmez-vous, intervint le curé Bédard. Personne ne doute de votre grand cœur. Malheureusement, docteur, Monsieur Boileau dit vrai. Plus d'une fois j'ai dû faire taire un esprit malveillant, soi-disant choqué par la présence de Charlotte sous votre toit.

— Un jour ou l'autre, Talham, vous devrez vous résoudre à demander à Charlotte Troie de vous quitter pour la remplacer par une duègne irascible, mais irréprochable sur le plan moral, renchérit Boileau. Par contre, la présence d'une épouse vous permettra de garder votre servante chez vous. Les commères n'auront plus rien pour faire aller leur langue.

Abasourdi par ces révélations au sujet de sa domestique, Talham braqua son regard sur le curé. Mais le pire, c'était que Bédard considérait sérieusement la solution de Boileau.

— Comment, messire Bédard? Vous approuvez cette insupportable proposition? Je devrais dire ce «marchandage».

— Permettez-moi, mon cher Talham, de me rallier à la demande de Monsieur Boileau. Vous avez eu l'amitié de me faire connaître les vifs sentiments que vous inspirait votre défunte épouse, et la douleur inextinguible que provoquât sa perte. Mais il serait temps de vous remarier. Les hommes de votre âge font généralement de bons maris et de bons pères. La jeune fille est éduquée et appartient à une de nos meilleures familles d'habitants, étant la cousine même de Monsieur Boileau. Elle possède tout ce qu'il faut pour devenir l'épouse d'un médecin. Vous n'aurez pas à rougir d'une femme dont les origines remontent aux premiers temps de cette paroisse, bien au contraire. Et vous éviterez à cet enfant de naître dans la honte. Que dire de plus? L'arrangement est parfait.

— On dira surtout que le docteur a engrossé une fillette. Je perdrai des pratiques et la confiance de ma clientèle, surtout chez les gens de la bonne société, car les pauvres m'en tiendront moins rigueur, quoique plusieurs hésiteront avant de quérir mes services.

— J'avoue que cette question est préoccupante et que je n'ai point eu le temps d'y réfléchir, fit le curé. Mais nous trouverons un moyen, n'est-ce pas, Monsieur Boileau?

Que faire pour protéger tous ses paroissiens? se demanda le curé. Pas question de priver les pauvres de la paroisse du bon docteur qui les soignait souvent sans rien réclamer, sinon une poule ou quelques légumes. Les arguments de Boileau étaient sensés. Le choix du docteur Talham s'avérait excellent. Par contre, il comprenait l'hésitation de ce dernier. En l'espace d'une heure, on le suppliait d'épouser une jeune fille qu'il connaissait à peine et, qui plus est, avait été engrossée par un inconnu dont il fallait, selon Boileau, ne pas chercher à connaître le nom.

Mais si le docteur Talham refusait d'épouser la jeune fille, qui le ferait? Et comment les Lareau surmonteraient-ils le choc du scandale? Il pensa à François Lareau et à sa femme, Victoire. D'infatigables travailleurs. Une terre prospère. Des gens honnêtes à la réputation sans tache. Lareau avait été marguillier en charge et sa femme était une Boileau, par sa mère. La déchéance de leur fille les anéantirait. Et quel malheureux exemple à donner aux esprits faibles de la paroisse, toujours prompts à pécher!

Le docteur s'était installé devant la fenêtre, le regard vague, fixant au loin un point imprécis. Ses propres pensées le surprenaient. Il était incapable de rester indifférent à l'invraisemblable conversation qui venait d'avoir lieu. Il ressassait ses souvenirs, son mariage avec Appoline, si belle, si vive. À ce moment précis, elle lui manquait cruellement.

D'elle, il n'avait eu aucun enfant. Elle était morte à vingt-huit ans à peine, l'abandonnant seul et sans famille en terre d'Amérique. La sœur d'Appoline, qu'on appelait Manette, avait épousé le notaire Joseph-Édouard Faribault de L'Assomption, quelques jours à peine avant sa mort. Manette et lui avaient conservé de bonnes relations, épistolaires surtout. Plus d'une fois, sa belle-sœur lui avait suggéré de se remarier. «Ne restez pas seul, Alexandre. Votre chagrin ne fera pas revenir ma chère sœur.» Les Faribault approuveraient un mariage avec une parente des Boileau de Chambly.

Il se rappela Marguerite Lareau à la dernière Saint-Martin. Le hasard avait fait qu'ils s'étaient tous les deux trouvés ensemble à la fête. Selon ce que Boileau leur avait rapporté, c'était peut-être ce jour-là qu'il était arrivé malheur à la jeune fille. Finalement, était-ce vraiment le hasard qui était intervenu lorsqu'il avait offert son bras à Marguerite?

Il chassa cette pensée. Mais jamais, auparavant, il n'avait ressenti aussi fortement la solitude.

— Vous me piégez, Boileau, accusa-t-il d'une voix rauque. Et vous aussi, messire Bédard.

Boileau nota un imperceptible changement d'attitude chez le docteur. Comme si le frais visage d'une jeune fille commençait tranquillement à faire son chemin dans ce grand cœur déserté. Telle la branche de saule chargée de neige qui finit par toucher le sol, Talham mollissait.

— Mon ami, chuchota Boileau, je pourrais ajouter quelque chose d'important dans la corbeille de noces de ma cousine. Ne réfléchissez pas trop et venez me voir plus tard, chez moi. Nous causerons.

Il était presque midi et chacun devait retourner à ses occupations. Monsieur Boileau réclama son manteau à Marie-Josèphe.

À la manière d'un somnambule, le docteur replaça son violon dans son étui.

— Cher docteur, lui dit alors le curé, aux yeux de Dieu, un veuf avisé avec du bien et suffisamment de fortune se doit de considérer le mariage et d'avoir des enfants. Une famille ! Qu'Il bénisse vos pensées.

Talham se sentait pris au collet comme un vulgaire lièvre des bois. La détermination de Boileau, qui n'avait d'égale que l'approbation du curé, le révoltait. Dire qu'il croyait les deux hommes ses amis !

— Ne pensez pas me voir épouser Marguerite Lareau, lança-t-il aux deux autres qui le regardaient, éberlués, pourtant convaincus d'avoir gagné la partie.

Le docteur Talham quitta le presbytère, profondément troublé. Il se sentait incapable de trahir le souvenir d'Appoline. Mais au même moment, ce fut plus fort que lui, l'image de la jeune Marguerite à son bras, l'automne dernier, s'imposa. Il se rappela qu'elle était fort jolie.

∾

Françoise Bresse, qui passait une grande partie de sa journée à la fenêtre donnant sur le chemin du Roi – la lumière y était, paraît-il, excellente pour ses ouvrages – s'étonnait de l'étrange va-et-vient qu'elle observait depuis le matin.

Le soleil venait à peine de se lever qu'une carriole d'habitant était passée devant chez elle pour se rendre directement chez ses voisins, les Boileau. Le fait en soi était tout ce qu'il y avait de plus courant, mais après la tempête de la veille, qu'un paysan puisse être sur la route de si bon matin était curieux. Sans doute un des fermiers employés par Boileau venu rendre compte des dommages causés aux bâtiments d'une de ses terres, s'était-elle dit. Une heure plus tard, elle avait oublié l'incident lorsqu'elle vit repasser la même carriole et reconnut madame Lareau tenant les rênes. « Bizarre », s'était dit la dame de plus en plus intriguée. L'instant d'après, Monsieur Boileau, emmitouflé jusqu'au nez, pressait le pas en direction de l'église et du presbytère pour ne revenir que plusieurs heures plus tard, juste à temps pour le dîner. Et maintenant, c'était le docteur Talham qui venait de passer devant chez elle, à pied et sans sa sempiternelle trousse de médecin à la main. Elle le vit emprunter l'allée qui menait à la maison rouge. Lorsqu'il en ressortit, dix minutes plus tard, tout au plus, il avait l'air terriblement préoccupé.

« Plutôt singulier », songea madame Bresse qui se targuait d'être perspicace.

— Décidément, dit-elle à son mari qui rentrait, il se passe de drôles de choses aujourd'hui.

— À qui le dis-tu ! s'exclama le marchand. Je viens de croiser le docteur qui n'a répondu ni à mon coup de chapeau ni même à mon bonjour.

Françoise Bresse se décida. Sitôt que la bienséance le permettrait, une visite à sa voisine Boileau s'imposait.

❧

Vers la fin de l'après-midi, Monsieur Boileau ne fut pas le moindrement du monde étonné de trouver Françoise Bresse installée dans la chambre de compagnie avec son épouse, une tasse de thé fumante à la main. « Pardieu, se dit-il. La Bresse a déjà flairé un gibier. Peste soit de cette femme ! La voilà sur la piste, fin prête à prendre dans ses filets le prochain ragot. » Un regard discret en direction de sa femme confirma ce qu'il pensait.

— Madame Bresse! s'exclama-t-il hypocritement en lui baisant la main. C'est toujours un immense plaisir de vous voir chez nous. Voulez-vous me dire où sont nos filles? demanda-t-il à son épouse, soupçonnant ces demoiselles d'avoir trouvé un bon prétexte pour s'éclipser, laissant leur pauvre mère seule se débattre avec leur voisine et son insatiable curiosité.

— Sophie souffre d'une migraine et sa sœur la soigne, confirma madame Boileau d'une voix trouble, encore sous le coup des émotions de la matinée. Elle avait à peine eu le temps de se remettre de la terrible nouvelle rapportée par son mari que Françoise Bresse se présentait chez eux avec ses mines de chatte à la recherche de son bol de crème.

La noble dame gratifia l'arrivée de son mari dans la pièce d'un regard de soulagement. Tous les habituels sujets de conversation concernant le temps qu'il faisait, l'hiver difficile, les vents destructeurs et les dernières mésaventures des demoiselles de Niverville étaient épuisés. Les questions indiscrètes ne manqueraient pas d'arriver et elle n'avait pas la force d'y répondre.

— J'ignorais que votre pauvre Sophie souffrait de migraines, persifla Françoise, qui n'était certainement pas dupe des excuses embarrassées de madame Boileau. Je m'informais à l'instant auprès de votre dame à savoir ce qui arrivait au pauvre docteur Talham! On m'a dit l'avoir vu courir chez vous plusieurs fois aujourd'hui et dans un grand état d'agitation.

— Ma chère madame Bresse, vous connaissez notre ami médecin. Toujours l'esprit ailleurs, ne pensant qu'à la santé de ses patients. Je le crois tourmenté par l'état de la pauvre dame Robert, celle qui habite le bas de la paroisse. Il craint une épidémie de fièvres… pourpres, à moins que ce ne soit une fièvre infectieuse tropicale, affirma-t-il. Troublant!

— Des fièvres tropicales! Monsieur Boileau, vous vous moquez, se vexa Françoise.

— Vous savez, moi, tous ces grands mots savants, je m'y perds, répliqua évasivement Monsieur Boileau qui cherchait à détourner la conversation. Mais dites-moi, chère voisine, comment vont les affaires de votre époux? A-t-il finalement acheté cette maison à Montréal qui appartient aux petites Sœurs de la Charité? Il me disait qu'il en aurait un bon prix.

— Croyez-vous que mon époux, un chrétien exemplaire s'il en est un, chercherait son profit dans les difficultés de ces saintes femmes?

— Dieu m'en garde!

— Mon mari badine, comme toujours, ma chère Françoise, intervint madame Boileau. Il a trop d'admiration pour votre époux pour sous-entendre des manœuvres douteuses. N'est-ce pas, mon ami?

Boileau sourit à sa femme en acquiesçant.

— Monsieur Bresse est un homme remarquable. Aimable dans la bonne société et généreux envers les pauvres. Que diriez-vous d'une partie de whist, ma chère? demanda-t-il le plus sournoisement du monde, sachant qu'après le commérage, le whist était le péché mignon de madame Bresse.

Mais Françoise repoussa courageusement la tentation. Constatant qu'elle ne tirerait plus rien d'intéressant de sa visite, elle s'excusa, même si elle était de plus en plus persuadée que Monsieur Boileau se payait sa tête en lui cachant un fait important concernant le docteur Talham.

— Avouez quand même que le docteur avait une drôle de mine aujourd'hui, insista-t-elle avant de partir.

Monsieur Boileau la raccompagna jusqu'à la porte.

— Vous avez sans doute raison. Peut-être couvre-t-il une grippe? conclut-il en aidant Françoise à s'envelopper dans son grand manteau. Si je le vois, je ne manquerai pas de lui faire part de votre sollicitude. Adieu, chère amie, et revenez bientôt, ajouta-t-il en lui baisant la main, trop heureux de se débarrasser aussi facilement de l'envahissante voisine et de ses questions indiscrètes. Mais les yeux noirs empreints de scepticisme de Françoise lui apprirent qu'elle n'était pas dupe de ses manœuvres détournées. Il y avait quelque anguille sous roche à propos du docteur, elle en était certaine. Elle finirait bien par tirer l'affaire au clair.

Tout de même, quelle journée extraordinaire ! se dit Monsieur Boileau en regagnant son cabinet avec une pointe d'angoisse. Car, malgré sa dernière proposition, il ignorait toujours s'il avait réussi à convaincre le docteur Talham d'épouser Marguerite.

Chapitre 6

La demande

Alexandre Talham contemplait le spectacle qu'offrait la large étendue blanche qui s'étalait devant sa demeure. Là d'où il venait, ceux qui redoutaient les arpents de neige ignoraient tout des splendeurs de cette saison nordique. De ce pays rude, Talham avait appris que l'hiver canadien était comme une belle dame farouche qu'il fallait apprivoiser. Lorsqu'on savait affronter la déesse glacée en s'habillant chaudement de vêtements de laine et de fourrure, elle devenait irrésistible. La neige était une magicienne qui habillait les maisons de ouate blanche, ornant les arbres d'une parure de fine dentelle qui faisait chanter le paysage. Son pouvoir était si grand qu'on entendait à peine les sabots des chevaux et le passage des carrioles qui avançaient sur les chemins capitonnés d'une épaisse couche de cette fascinante ouate blanche.

Sa demeure semblait surgir des amoncellements blancs qui s'élevaient d'au moins six pieds tout autour. L'engagé déneigeait l'entrée, ainsi que le devant des portes et des fenêtres du rez-de-chaussée après chaque chute de neige.

C'était une belle maison de bois, lambrissée de lattes, toute blanche avec une façade ornée de deux larges fenêtres à carreaux que fermaient coquettement des volets peints de couleur bourgogne. Deux autres lucarnes ainsi que deux cheminées en chicane ornaient les pignons d'un toit en larmier à deux versants. La maison comptait huit pièces chauffées par quatre âtres, deux au rez-de-chaussée et deux autres à l'étage, sans compter les poêles en fonte dont les tuyaux couraient le long des plafonds et des murs. Le docteur l'avait fait construire quelque temps après son arrivée à Chambly, près du vieux chemin qui menait à Longueuil. Il y avait connu des années heureuses aux côtés de sa chère Appoline, qui avait tant aimé cet endroit avec sa vue spectaculaire sur le bassin de Chambly. Mais depuis la disparition de la maîtresse de maison, lorsque le va-et-vient des patients venus consulter à l'apothicairerie cessait, la spacieuse demeure, aussi vaste qu'un petit manoir, sombrait dans la tristesse. Le docteur y vivait seul avec sa domestique, Charlotte. L'engagé qui dormait enroulé dans une couverture devant l'âtre se contentait de peu et n'allait jamais plus loin que la cuisine.

La veille, il avait passé la journée à ressasser les raisons qui l'avaient amené à accepter la proposition de Boileau. L'habile homme ! L'urgence de la situation laissait peu de temps pour la réflexion, et Boileau avait misé juste. Il l'avait mené exactement là où il voulait le voir : dans un état de confusion totale. Sans trop savoir pourquoi, Talham était allé voir Boileau chez lui. Dans son cabinet particulier, loin des chastes oreilles du curé, le bourgeois de Chambly s'était livré à un marchandage machiavélique.

— On vous a vu conter fleurette à la jeune Lareau, le jour de la Saint-Martin, lui avait rappelé le bourgeois.

— Que voulez-vous dire ?

— Que des bonnes âmes, soi-disant bien intentionnées, transforment aisément des sourires courtois en œillades galantes.

— Je n'ai jamais rien entendu de tel.

— C'est que vous vous faites rare en société pendant que les langues s'agitent et parlent à tort et à travers. Je ne peux même pas les empêcher d'aller.

— Racontars et clabauderies ! Qui écoute ces bavassages de servantes ? Il n'y a rien de compromettant à féliciter une demoiselle pour sa mine resplendissante, ce qui réjouit le médecin, et à lui adresser un petit compliment sur sa joliesse, ce qui est le propre de l'homme du monde.

— Voyez à quel point vous-même vous rappelez des moindres détails de votre dernière rencontre avec Marguerite ! Vous dites ne pas y prêter d'importance, et je vous crois, mon ami, mais imaginez combien ces paroles ont pu être mal interprétées par des esprits simples, voire malfaisants, avait ajouté le bourgeois d'un ton entendu.

— Mais c'est du chantage ! avait accusé le docteur.

— Vous voyez le mal là où il n'y en a pas, mon ami, avait répondu Boileau, nullement décontenancé. Je dis simplement que les commères se rappelleront votre intérêt pour la jeune fille lorsqu'elles apprendront le mariage.

— Boileau, vous êtes impitoyable !

— Allons, allons ! Mon ami, comme vous exagérez. Mais occupons-nous plutôt de choses sérieuses.

— Qu'allez-vous encore me sortir là ? s'était exclamé Talham, plus méfiant que jamais. Vous êtes vraiment le roi des embrouilles, Boileau.

Ce dernier commentaire n'avait eu aucun effet sur le bourgeois et son visage demeura stoïque jusqu'à ce que s'y esquisse un sourire énigmatique.

— Que diriez-vous si, dans le trousseau de la mariée, se trouvait la quittance de cette ancienne hypothèque que je détiens sur votre terre ? Je vous en tiendrais pour quitte, à tout jamais, vous et vos hoirs, bien entendu, poursuivait l'imperturbable Boileau. Une entente cordiale, de bon aloi dirais-je, puisque par votre mariage vous deviendrez un membre de notre famille.

« Le tartufe ! » avait pensé Talham, suffoqué par cette proposition indigne de la jeune fille qu'on voulait lui faire épouser. Que faisait-il à écouter ce marchandage vulgaire ?

Boileau évoquait là une pénible affaire. L'année précédente, le docteur avait été dans l'obligation d'emprunter plusieurs dizaines de livres à Rouville. Loin d'être démuni – le docteur estimait ses biens à quelque trente-cinq mille livres – Talham manquait souvent d'espèces sonnantes et trébuchantes. Non seulement les plus riches de ses patients négligeaient de le payer, mais ils marchandaient ses honoraires. Et ce n'était pas en soignant les Charles Latrémouille, Toussaint Jaquet ou les autres pauvres habitants du côté des Étangs, dans le bas de la paroisse, que le docteur s'enrichirait. La maladie frappait toujours plus durement les miséreux que les riches, et le docteur se faisait un devoir de secourir ces malheureux sans ressources.

Rouville, à qui il s'était adressé plus d'une fois lorsqu'il était dans une situation précaire, avait pourtant réclamé l'argent bien avant la date prévue du remboursement, sans aucune explication. Talham avait d'abord pensé que madame de Rouville, connue pour être proche de ses sacs d'argent, avait obligé son mari à réclamer son dû avant terme. La noble dame cachait difficilement son antipathie pour le docteur, qu'elle accusait d'être un charlatan. Elle ne lui avait jamais pardonné le refus de la saigner après son dernier accouchement. En cela, Talham avait suivi les enseignements de son maître, Lepeq de la Clôture, le grand docteur de l'université de Rouen, qui croyait que les saignées chez les accouchées ne pouvaient que les affaiblir.

Mais plus tard, il avait appris que Boileau avait révélé à Rouville qu'il détenait une vieille hypothèque sur la terre de Talham, au nom d'une cousine qui vivait en France. Avec le résultat que le colonel avait craint de ne plus revoir son argent et exigé – devant le tribunal, par-dessus le marché ! – le remboursement du prêt, deux semaines à peine après l'avoir accordé. Se retrouver devant un tribunal pour dettes impayées avait été une expérience humiliante que le docteur souhaitait ne jamais revivre.

— Boileau, vous êtes le diable !

— Que risquez-vous, cher ami, à épouser Marguerite Lareau, sinon à mignoter une jolie femme et goûter aux joies de la famille ?

Talham lui avait lancé un regard noir puis était retourné chez lui sans rien dire, plus perturbé que jamais.

～

Jamais il n'avait vécu un épisode aussi éprouvant, sinon pendant les jours où, malade, Appoline se mourait. Toute la journée, il avait tourné en rond dans son apothicairerie, totalement désemparé. Les arguments pécuniaires et mesquins de Boileau le laissaient parfaitement indifférent. Ce n'était pas ça qui le tourmentait.

En réalité, depuis la matinée passée au presbytère, le souvenir de Marguerite Lareau ne le quittait plus. Il revoyait le visage de la jeune fille et son regard franc. Qu'un malotru ait osé lever la main sur cette jeune fille pour la violenter le choquait vivement. Talham ne supportait pas qu'on malmène une femme ou un enfant. Il imaginait la détresse de cette jeune fille innocente qui avait découvert la brutalité des hommes d'une manière aussi abjecte, et il la plaignait.

Mais plus encore que ce sentiment de compassion, dans l'embrouillamini des pensées qui l'agitaient, il la revoyait telle qu'elle était le jour de la Saint-Martin, se rappelant son sourire lumineux et sa lourde tresse soyeuse qui ondulait sur ses vêtements. C'était comme si, subrepticement, on avait semé une graine qui germait dans son cœur. Elle – il n'osait pas encore, même en son for intérieur, l'appeler Marguerite – semblait différente des autres jeunes filles. Il réalisait soudain que sa beauté l'avait touché et découvrait, avec stupéfaction, qu'il souhaitait la protéger. Ardemment. Puis, il chassait désespérément la pensée de la jeune fille et s'efforçait de faire ressurgir le visage d'Appoline dans son esprit, mais curieusement, le souvenir chéri se refusait à lui.

Surpris par ses propres conclusions, Alexandre Talham s'était dit qu'après tout, il n'avait que quarante-deux ans et qu'il n'était pas trop tard pour refaire sa vie. Une nouvelle épouse effacerait peut-être le pénible sentiment d'abandon qu'il ressentait souvent en rentrant chez lui, une fois ses visites finies, le soir, parfois si tard que les feux des poêles s'étaient éteints dans la maison devenue froide et silencieuse.

Le docteur avait mal dormi cette nuit-là, mais au matin, sa décision était prise. Lorsqu'il frappa à la porte de Monsieur Boileau, il avait encore le visage défait, l'air hagard d'un homme qui avait combattu ses pires démons. Ce dernier le conduisit dans son petit cabinet. Talham refusa de s'asseoir et avant même que Boileau ne prononce une parole, il lança abruptement, d'une voix rauque, presque meurtrie :

— J'accepte. J'épouserai Marguerite Lareau. Vous pouvez garder vos cadeaux de noces, je n'en veux pas. Surtout, n'ajoutez rien et ne me demandez pas d'explication, d'ailleurs, je ne saurais vous en fournir. Dieu m'est témoin que je ne souhaitais pas me remarier. Je ne suis sans doute qu'un vieux fou, mais je vous en donne ma parole. Vous pouvez annoncer à vos cousins Lareau que j'irai faire ma demande dans les prochains jours. Et de grâce, ne me remerciez pas, dit-il avant de repartir aussi vite qu'il était venu.

Deux jours après cette matinée inouïe au presbytère qu'il n'était pas prêt d'oublier, le docteur Alexandre Talham s'apprêtait à sortir. L'engagé venait d'atteler le cheval. À cette époque de l'année, les chemins enneigés rendaient les voyages faciles. Il n'y avait qu'à laisser glisser doucement la carriole chaussée de patins sur la neige. Talham prit les rênes que lui tendait l'engagé, héla le cheval et la carriole s'élança sur le chemin du Roi qui longeait le bassin jusqu'à l'extrémité du village. En empruntant une courbe qui menait directement à la Petite Rivière, il salua le passeur qui faisait traverser sur l'autre rive du bassin les gens qui se rendaient à Pointe-Olivier. Il remonta une vieille route jusqu'aux abords de la Petite Rivière, puis avisa une descente et poursuivit sur la longue bande glacée, filant droit son chemin. Une demi-heure plus tard, il reconnut la ferme des Lareau et remonta une allée pour se retrouver dans la cour de la ferme où des enfants jouaient dehors.

Il venait formellement demander la main de la demoiselle Lareau à son père. L'estomac noué, il se sentait comme un collégien engoncé dans des habits neufs le soir de son premier bal. «Quel benêt je fais! se dit-il, mal à l'aise malgré le fait qu'il se savait attendu comme un sauveur. N'est-ce pas moi qui rends un immense service à cette famille?»

Talham tendit les rênes du cheval au garçon qui venait à sa rencontre. En apercevant la carriole du docteur, les autres enfants étaient vite rentrés, leurs charmants minois rougis par le froid et par la main vigoureuse de Victoire qui, le matin même, avait frotté les visages et ordonné le lavage de toutes les mains de la maisonnée. Les garçons étaient maintenant tous assis en rang dans l'escalier qui menait à l'étage. La petite Esther souriait et babillait, assise sur les genoux de la fillette Marie. La mère avait averti sa marmaille de rester sage pendant la visite du docteur. Le poêle chauffait à tout rompre et un feu brûlait dans l'âtre, surchauffant la maison, ce qui n'empêchait pas Marguerite d'avoir de petits tremblements nerveux. Assise dans un coin, près d'une fenêtre, elle faisait des efforts désespérés pour se concentrer sur un ouvrage de couture. Lorsque le docteur entra finalement dans la maison en saluant à la ronde, elle resta penchée, tirant nerveusement son aiguillée.

Talham ne l'avait pas revue depuis la Saint-Martin. Dans son environnement familial, son extrême jeunesse était flagrante. Il lui semblait que les traces de l'enfance venaient à peine de s'estomper sur son visage rose, et cette apparente fragilité l'émut. «Crénom!» se dit-il en se contentant de sourire timidement à la jeune fille qui, de son côté, tentait de cacher son désarroi en se relevant finalement pour saluer le nouveau venu d'une courte révérence.

Qu'avait-il fait pour mériter un tel trésor? «Un affreux satyre épousant une fraîche jeune fille au visage de madone», se jugea-t-il sévèrement, bouleversé par la beauté émouvante de Marguerite.

❧

« Mon Dieu qu'il est vieux ! se dit Marguerite, affolée. Je ne peux pas épouser le docteur. Je veux épouser René », songea-t-elle de toutes ses forces, comme si ses pensées désespérées avaient le pouvoir de changer les choses.

Celui qui l'avait intimidée par ses manières courtoises, ce jour fatidique de l'automne dernier, venait demander sa main à la suite de mystérieuses tractations avec son oncle Boileau, comme on réglait une affaire chez le notaire. L'avait-il achetée contre la promesse d'une dot substantielle ? Car les Lareau possédaient du bien et ça, elle le savait. Marguerite n'osait le regarder, craignant de découvrir sur le visage de l'élégant docteur rides et cheveux gris. Elle ne pouvait s'empêcher de le comparer à René, évoquant la prestance de son amour secret avec sa belle chevelure sombre, sa voix profonde et caressante. Mais René était loin et elle, plongée dans l'affliction à l'idée de leur amour irrémédiablement perdu. Jamais elle ne pourrait lui expliquer ce qui s'était passé ni pourquoi elle n'avait pu l'attendre. Elle l'avait trahi et jamais il ne lui pardonnerait. Elle serait la femme du docteur et René épouserait une fille richement dotée de la rivière Chambly, peut-être une demoiselle Cartier de la famille des marchands de Saint-Antoine, ou bien une des filles du docteur Mount, de Belœil. Au plus profond d'elle-même, elle se résigna. Elle avait été bien folle de croire à l'espoir qu'il lui avait donné.

François Lareau était assis près du feu, la pipe à la bouche, occupé à réparer le barreau cassé d'une chaise. Il se leva pour accueillir son futur gendre en mettant de la lenteur dans chaque geste, conférant à sa manière la solennité de cette visite. Près de lui, Victoire se tenait droite, sa plus jolie coiffe posée sur ses cheveux bien tirés, lissant du revers de la main son tablier propre et bien repassé tout en surveillant du coin de l'œil le contenu d'un gros chaudron suspendu à la crémaillère du vieil âtre. Dans l'escalier, on entendait les rires amusés des enfants. La mère les fit taire d'un regard et l'essaim de têtes blondes fila à l'étage dans un bruit de bousculades.

Un silence gênant s'installa. Tout le monde restait sur son quant-à-soi, attendant qu'il se passe quelque chose. Victoire réagit la première, s'empressant auprès du docteur en lui avançant une chaise à la table :

— Asseyez-vous, docteur.

— Mais oui, fit François en se secouant. Vous prendrez bien un verre de rhum, offrit-il le plus aimablement possible afin de cacher sa méfiance typiquement paysanne depuis qu'il avait su que le docteur avait accepté de marier sa fille, une simple habitante déjà grosse.

On disait partout qu'il était insensible aux charmes féminins depuis la mort de sa première épouse. Et si c'était lui, le père de l'enfant ? Victoire lui cachait-elle quelque chose tout en prétendant le contraire ? Il y avait aussi l'épineuse question de la dot. Les Lareau possédaient des terres et des troupeaux, mais pas beaucoup d'argent sonnant. Le docteur se contenterait-il d'une dot en nature ?

— Arrête de t'en faire, avait rétorqué Victoire la veille au soir, Marguerite sera mieux dotée que bien des bourgeoises.

Elle était encore sous le coup de l'émotion. La veille, Monsieur Boileau était entré dans la maison sans façon, saluant franchement François d'une vigoureuse poignée de main et embrassant Victoire à qui mieux mieux en annonçant la bonne nouvelle.

Au début, la mère de famille n'avait pas compris ce que tentait d'expliquer son cousin tout en les félicitant. « Bonté divine ! » s'était-elle exclamée, stupéfaite. Le docteur épouserait leur fille! Il n'y avait pas de meilleur parti dans toute la paroisse. Et de surcroît sans enfant. Ses petits-enfants à venir n'auraient pas à disputer le patrimoine familial aux héritiers d'un premier lit. Les partages à l'intérieur des familles étaient déjà bien assez compliqués comme ça!

Et voilà que le docteur Talham était là, assis à la table de la grande salle familiale, à triturer nerveusement la fourrure de son casque d'hiver, acceptant le verre de rhum que lui tendait le maître de maison avec une cordialité exagérée, s'enquérant de la santé des occupants de la maison. Comme si de rien n'était.

— Personne ne tousse, répondit machinalement Victoire à la discussion du docteur, éberluée par la tournure de la conversation. Notre petite Esther a toujours la morve au nez, mais c'est pas ma première à qui ça arrive.

La conversation retomba ensuite sur les incontournables considérations sur le temps. Une fois le sujet clos, il y eut à nouveau un silence que le docteur rompit en s'inclinant cérémonieusement devant François.

— Monsieur Lareau, j'ai l'honneur de vous demander la main de votre fille Marguerite.

Pris de court, François ne répondit pas. Il ne s'attendait pas à recevoir une demande en bonne et due forme, croyant que le docteur était simplement venu pour qu'on s'entende sur les conventions de mariage, comme on préparait un marché. La délicatesse du médecin laissa Victoire sans voix. Son futur gendre lui plut immédiatement et ce fut elle qui répondit:

— Vous nous faites grand honneur, docteur Talham, proclama-t-elle d'une voix émue. Avec tout le respect qu'on vous doit, nous acceptons.

François acquiesça à sa suite, laissant tomber sa garde en serrant franchement la main du docteur, profondément ému. Avec des picotements dans les yeux, il servit une nouvelle tournée de rhum et les deux hommes se mirent à bavarder tout bonnement. Alexandre Talham était un homme rassurant.

∾

Après s'être entendus sur les détails du mariage, le docteur avait demandé à François et Victoire l'autorisation de parler en tête-à-tête à leur fille, permission qui lui avait évidemment été accordée. Les parents s'étaient retirés au fond de la pièce pour laisser Marguerite seule avec son prétendant.

— Votre famille m'accorde votre main. Mais vous, mademoiselle Lareau, acceptez-vous de devenir ma femme ? Je tiens à ce que vous y consentiez. Je suis certain que vous avez eu le temps d'y songer.

La gorge serrée, Marguerite était bien incapable de répondre.

— Je connais votre situation, ajouta doucement Talham, mais jamais je ne vous forcerai en rien. Si vous m'épousez, je promets de prendre soin de vous et de votre enfant. Il portera mon nom et nous n'en reparlerons plus jamais.

Maintenant que cet homme était là, devant elle, lui offrant sa protection et sa maison, Marguerite n'osait le regarder. Elle ne pouvait protester, il n'y avait plus rien à ajouter.

Talham la regardait en souriant gentiment. Il avait pris sa petite main dans la sienne, attendant toujours sa réponse. Elle était jeune et si attendrissante.

— Vous ne voulez pas savoir ? Jamais ? demanda-t-elle timidement, les yeux baissés, l'air contrit.

— Non, répondit gravement Talham. C'est vous qui serez juge, s'il faut en reparler.

Marguerite lui trouva l'air gentil, malgré tout. Elle découvrit un visage légèrement ridé, mais pas plus finalement que celui de son père. Il avait pris une voix douce en s'adressant à elle. C'était certainement un homme bon. Alors, elle avait levé les yeux et murmuré un « oui » presque inaudible. Mais Talham l'avait entendu et cela lui suffit.

— Mademoiselle Lareau, je suis très honoré que vous acceptiez. Jusqu'au jour de notre mariage, je viendrai vous voir au moins une fois par semaine. Nous pourrons ainsi mieux nous connaître. Est-ce que cela vous convient ?

La jeune fille acquiesça d'un signe de la tête.

De retour dans la grande salle familiale, il retrouva François qui tirait nerveusement sur sa pipe.

— Votre fille accepte, monsieur Lareau. C'est un grand bonheur pour moi que de faire bientôt partie de votre famille.

— Ça lui fait pas beaucoup de temps pour monter son trousseau, intervint Victoire en abordant le côté pratique des choses.

— Nous lui en ferons un, ne vous inquiétez pas, madame Lareau. Nous discuterons de tous ces détails lors de ma prochaine visite. Je reviendrai dès que je pourrai. Mais je ne peux pas toujours m'annoncer d'avance. Mes malades, vous comprenez...

— Mais vous resterez bien manger avec nous ce midi ? demanda Victoire.

— Cela aurait été un grand plaisir, croyez-moi. Malheureusement, je dois partir. On m'a averti plus tôt, ce matin, que la veuve Robert est toujours souffrante et une des demoiselles de Niverville me réclame, impérativement, ajouta-t-il dans un sourire à demi-moqueur.

Les demoiselles de Niverville étaient connues dans la paroisse pour leurs nombreux maux, la plupart du temps imaginaires.

Talham s'apprêtait à reprendre son manteau de fourrure et son chapeau de poil lorsqu'une voix provenant du fond du petit cabinet se fit entendre.

— Docteur Talham !

C'était la vieille. Pas question qu'on l'oublie, surtout aujourd'hui, alors qu'il se passait un événement important.

— Ne vous occupez pas d'elle, s'excusa François Lareau, embarrassé.

— Laissez, monsieur Lareau, fit Talham dans un sourire. Dire que j'allais oublier Mémé Lareau ! J'ai même apporté un remède à votre terrible mère, ajouta-t-il avec un clin d'œil complice.

Il poussa la porte de la petite pièce d'où provenait une tenace odeur de pot de chambre qui lui arracha une grimace. Machinalement, il sortit son mouchoir de sa poche pour s'en couvrir le nez. Il repéra la vieille dame, assise sur la paillasse d'un vieux lit cabane*.

— Bonjour, Mémé Lareau. Comment allez-vous ce matin ? Vous me semblez avoir une excellente mine.

— Vous êtes un grand menteur, comme tous les docteurs. M'avez-vous apporté mon bon remède, au moins ? Vous savez bien que je suis sur le point de rejoindre mon défunt au cimetière. Je ne suis plus capable de me lever, fit-elle en grognant.

— Allons, vous allez en enterrer quelques-uns avant d'aller rejoindre le bon Dieu. Vous êtes aussi solide que votre père, le voyageur Antoine Ménard, dont on m'a dit que c'était une force de la nature. On vous a appris que la veuve Robert est au plus mal ?

Elle lui offrit un large sourire édenté. La vieille aimait apprendre ce genre de nouvelle. Cela l'amusait de tenir la comptabilité mortuaire de ses contemporains qui la précédaient dans l'autre monde.

Une fois la nouvelle assimilée, la vieille matoise le fixa d'un air narquois.

— Je le savais. Je sais tout ce qui se passe dans cette maison. J'ai vu avant tout le monde que Marguerite était grosse, affirma-t-elle non sans malice. Ça se lit dans les yeux, ces affaires-là !

— Et bien entendu, vous n'en avez rien dit.

— Pourquoi j'aurais parlé avant le temps ? Elle pouvait bien le perdre et on aurait vite oublié tout ça, dit-elle en claquant des doigts. Pftt ! Plus rien.

— C'est vrai. Les sages-femmes prétendent en effet que cela arrive chez les jeunes femmes, parfois. Mais si Marguerite tient de sa mère ou des Ménard, elle en aura au moins une douzaine à terme.

— Ça, c'est la vérité ! Les femmes de notre famille sont fertiles. Et fortes, pardieu ! Alors comme ça, vous allez devenir mon petit-fils par alliance ?

— Mais oui ! Et c'est tout un honneur pour moi, fit-il en s'inclinant.

— Allons, docteur, ne m'en contez pas, je suis trop vieille pour ça. Combien vous a payé le sacripant de Boileau pour que vous épousiez Marguerite ? Car il fallait bien qu'il s'en mêle, celui-là. Ma bru ne savait plus quoi faire. Et mon pauvre François, complètement défait qu'il était.

— Et si je vous disais, madame Lareau, qu'il n'y a pas eu le moindre sol versé. Pas un sou, Mémé, je vous le jure. D'ailleurs, je n'ai pas besoin d'argent.

— C'est qu'il vous a accordé une faveur. J'le connais. Le déshonneur l'aurait éclaboussé comme de la crotte de cheval qui revole sous les roues de son beau carrosse.

La vieillarde avait sa façon bien à elle d'énoncer ses idées.

— Vous êtes bien maligne, Mémé. Mais vous savez aussi que votre petite-fille est fort jolie et très bien élevée. C'est un excellent parti.

— Elle vous donnera des fils, prédit-elle en l'observant attentivement. C'est votre genre, ça. Si vous aviez été le père de celui-là, je l'aurais su aussi. Comme bien d'autres choses, ajouta-t-elle d'un ton énigmatique. Marguerite n'a jamais eu d'amoureux, mais c'est une rêveuse. Faites attention à ça !

— Vous n'avez plus à vous inquiéter pour elle. Je vais l'épouser et nous aurons cet enfant aux yeux de tous.

— Grand bien vous fasse, docteur ! Dans mon temps, vous savez, on ne s'en faisait pas trop avec ces histoires-là. J'en ai vu, des mariages avec l'épousée, un enfant dans les bras ! Ou le ventre trop rond sous le tablier ! Dans le temps, lorsqu'il fallait remonter du lac Champlain en canot pour recevoir les services de la religion, comme disent les curés, on faisait tout faire à la fois. Des fois, le curé en baptisait deux ou trois de la même famille. Mais aujourd'hui, on se bâdre pour un rien. Y paraît que vous sauvez ma petite-fille du déshonneur… Ça me fait rire, tout ce bruit. Grand outrage que d'avoir un petit dans le ventre !

— Mémé, c'est moi qui ai la chance d'épouser votre Marguerite.

— Je ne manquerai pas de dire un bon mot pour vous, quand je serai près du bon Dieu, docteur Talham. En attendant, vous aurez un beau brin de fille à câliner dans votre lit.

— Je vous dis au revoir, Mémé Lareau.

Talham allait quitter la pièce, mais la vieille l'arrêta.

— Méfiez-vous du père, ajouta-t-elle d'un ton étrange.

— Vous le connaissez ? demanda Talham, interloqué.

— Non, personne ne le connaît, sauf Marguerite, comme de fait. Mais elle n'a pas peur pour rien.

—Vous croyez qu'elle a peur ?

Ce dernier avertissement laissa le docteur perplexe. Il réapparut dans la pièce commune en se disant qu'une fois mariée, Marguerite n'aurait plus de raison d'avoir peur puisqu'il serait là pour la protéger.

Il s'approcha de sa future épouse.

— Avant de partir, j'ai un présent pour vous, dit-il en déballant un paquet qu'il avait apporté avec lui.

Une cordelette de soie retenait un vieux linge de coton dans lequel Marguerite découvrit plusieurs aulnes de tissu.

— Oh ! s'exclama la jeune fille en s'extasiant devant une étoffe de taffetas bleu et chatoyant.

Marguerite n'avait jamais rien vu d'aussi merveilleux et lissait le tissu avec précaution en répétant : « Que c'est beau ! Que c'est beau ! » Même Sophie Boileau ne possédait pas de robe faite d'un tissu aussi soyeux.

Victoire contempla l'étoffe et leva sur Talham des yeux pleins de reconnaissance. Ce dernier expliqua à Marguerite :

— Ce tissu a été acheté il y a longtemps par ma première épouse. Elle devait s'en faire une robe pour assister aux noces de sa jeune sœur avec le notaire Faribault. Malheureusement, elle a été emportée par la maladie quelques jours auparavant. Je l'avais gardé. Voyez-y le gage de mon amitié pour vous, et faites-vous belle pour nos noces. Ce bleu azuré vous ira à merveille.

La jeune fille lui fit à nouveau une petite révérence, tandis que ses frères et sœurs dévalaient l'escalier en se bousculant pour admirer le présent reçu par leur sœur. Mais le regard sévère de leur mère arrêta net les doigts curieux.

Talham prit alors la main de la jeune fille et la baisa. Les enfants se mirent à rire, peu habitués à voir autant de cérémonie autour de leur grande sœur. Mais à peine eut-il franchi le seuil de la ferme que Marguerite monta l'escalier quatre à quatre pour s'enfermer dans la chambre des filles et pleurer à chaudes larmes.

Victoire et François se regardèrent sans dire un mot. Pour leur part, ils étaient grandement soulagés. Le malheur annoncé n'arriverait pas. Victoire avait repris sans hésiter ses occupations et ordonna aux enfants de se mettre à table.

Mais ce midi-là, Marguerite sauta le dîner et sa mère n'insista pas.

La carriole de Monsieur Boileau s'engouffra sur le chemin du Roi en direction du faubourg Saint-Jean-Baptiste et s'arrêta devant le manoir de Rouville. Le bourgeois enviait au seigneur sa demeure cossue aux lignes élégantes d'inspiration géorgienne, la symétrie des larges fenêtres et le pignon central orné d'une fenêtre en anse de panier, un effet du style palladien qu'affectionnaient les Britanniques.

— Je ne serai pas long, dit-il à Augustin, malheureux d'être obligé de sortir par une journée aussi froide. Va te réchauffer aux cuisines, je t'y ferai appeler dès que j'aurai terminé mes affaires avec monsieur de Rouville.

La porte s'ouvrit sur un domestique qui débarrassa le visiteur et le mena à la grande chambre, une pièce garnie de quelques beaux meubles. En connaisseur, Boileau admira le bahut à deux panneaux et tiroirs agrémentés d'élégantes ferrures forgées. À côté d'un grand miroir étaient suspendus les portraits des ancêtres Rouville qui veillaient silencieusement sur les aîtres du manoir. Jean-Baptiste Hertel de Rouville, premier seigneur en titre, posait dignement sous sa perruque Louis XIV, dans son bel habit bleu ceinturé de rouge. René-Ovide, l'ancien juge honni et père de Melchior de Rouville, tentait désespérément de faire bonne figure, la perruque blanche de juge trop étroite sur une tête au visage gras et disgracieux. Il ne manquait à cette galerie que le portrait du maître de céans, ce dernier retardant toujours le moment de se faire portraiturer.

« Frivolité », bourrassait l'ancien militaire à son épouse lorsqu'elle lui rappelait l'importance de laisser ces précieux témoignages à leurs descendants. En réalité, il considérait que rester immobile pendant des heures pour complaire aux besoins de l'artiste constituait une impensable perte de temps.

Rouville apparut et salua chaleureusement son visiteur.

— Mon cher colonel, l'affaire qui m'amène requiert la plus haute discrétion. Puis-je vous parler un moment ?

— Passons alors dans la bibliothèque. Vous prendrez bien un verre de madère ? offrit l'hôte.

— Bien volontiers. Vous n'imaginez pas à quel point j'en ai besoin.

Les deux hommes pénétrèrent dans cette pièce que le colonel appelait modestement son cabinet. Un magnifique meuble d'acajou garni de rayonnages et de livres occupait presque tout un mur. Dans un coin de la pièce se dressait une petite table à tiroir sur laquelle était posée une écritoire recouverte de cuir fin. Un coffre de voyage de grande dimension, gravé aux armoiries du gentilhomme, avoisinait un petit poêle d'où provenait une chaleur diffuse et réconfortante. Au mur étaient accrochées une mappe-monde et une gravure de Paris. Sur un très beau tapis de Bruxelles, deux confortables fauteuils entouraient une table basse, également d'acajou. Rouville invita le visiteur à s'asseoir et sortit une bouteille d'une petite armoire avec deux verres qu'il s'empressa de remplir. Il tendit un verre à son visiteur en lui lançant un regard intrigué.

— Je vous avertis, je refuse de marcher dans une de vos petites combines, déclara le militaire d'un ton péremptoire. La dernière fois, j'ai failli y perdre un de mes meilleurs amis. Alors, de quelle affaire s'agit-il ?

— Il ne s'agit pas d'argent, démentit vivement Boileau, mais bien du sort de notre ami commun, le docteur Talham.

— Qu'arrive-t-il à Talham ?

— Voilà. Notre ami est en fâcheuse posture et il aura besoin de votre aide d'ici quelques jours, tout au plus, une semaine ou deux. Du moins, j'espère que le délai sera le plus court possible, ce sera mieux pour tout le monde.

— Nébuleux comme toujours. Allons, Boileau, donnez l'assaut ! ordonna le vieux militaire.

— Eh bien, voici : il vous faudra assister sans faute au mariage de notre ami commun.

— Diantre ! Que ne le disiez-vous ? J'accepte avec grande joie une telle invitation, s'exclama joyeusement Rouville. Depuis le temps que je lui souhaite tout le bonheur du monde, à notre cher veuf. Mais pourquoi faites-vous tant de cérémonie autour d'une aussi bonne nouvelle ? demanda-t-il, méfiant, tentant de décrypter le visage jusque-là impassible de Boileau.

Rouville connaissait la propension du bourgeois pour les complots de tout genre. Dans quelle histoire ce dernier allait-il encore l'entraîner?

— Dites-moi, qui a su conquérir le cœur de cet émule d'Hippocrate?

— En quelques mots, voilà: le docteur Talham doit, toutes affaires cessantes, épouser Marguerite Lareau.

— La fille de l'habitant Lareau? Et que voulez-vous dire par «toutes affaires cessantes»?

— C'est que... la jeune fille est, comme qui dirait, dans une situation intéressante. Mais encombrante, puisqu'elle n'est pas mariée.

— Si je vous suis bien, vous insinuez qu'elle est enceinte des bonnes œuvres de Talham?

Rouville fustigea son invité d'un regard cassant.

— Il aurait séduit une jeune fille innocente? Mais vous délirez, Boileau! Le docteur est bien incapable d'une telle ignominie.

— Je n'ai jamais voulu dire cela, répondit vivement Boileau en se levant d'un bond.

Il se mit à tournoyer dans la pièce.

— En fait, c'est tout à fait le contraire, bien que la plupart des gens en arriveront à cette navrante conclusion.

— Peste, Boileau, vous vous empêtrez! Plutôt que de tergiverser, rasseyez-vous donc et allez droit au but. Avec des officiers comme vous, on perd la bataille à coup sûr, maugréa Rouville.

— Voilà. La jeune Lareau est enceinte des œuvres d'un mécréant, jeta tout de go le bourgeois. Nous ignorons de qui il s'agit, mais Talham a tout de même accepté d'épouser Marguerite.

— Mais il est fou! s'exclama Rouville.

— Il y a un instant, vous avez accueilli la nouvelle en applaudissant.

— C'est que j'en ignorais les détails.

— C'est pourquoi votre présence au mariage est nécessaire. Elle fera taire les mauvaises langues.

— Comme il vous plaira, mais j'en connais qui font allègrement la navette entre le confessionnal et la tasse de thé de l'après-midi, propageant des ragots d'abord, s'en confessant ensuite. Les dames de la paroisse pratiquent le commérage à cœur de jour comme d'autres sont boutiquiers !

— Ma chère Falaise se taira, croyez-moi. Inutile d'en informer votre épouse avant le temps, puisque le mariage doit demeurer secret.

Perplexe, Rouville contempla un moment son verre.

— Mais pourquoi Talham a accepté d'épouser mademoiselle Lareau dans de telles conditions ? Cela me dépasse, Boileau. Il n'est pas homme à rechercher pareille publicité. Qui est au courant ?

— Messire Bédard, bien entendu, ainsi que les parents de la jeune fille. Et vous, désormais.

— Vous dites que notre curé est au courant ? À mon tour. Je veux tout savoir, mais de grâce, sans vos habituelles circonlocutions. Qu'est-il arrivé à la jeune Lareau ? C'est la fille de votre cousine, ce me semble ?

Monsieur Boileau entreprit de narrer la mésaventure de la jeune fille, mais en prenant soin de transformer certains passages, comme il en avait convenu avec le curé Bédard et le docteur Talham. L'agression avait eu lieu à la Saint-Martin, c'est tout ce qu'on savait. Inutile de préciser à Rouville que la brute avait commis le crime sous son propre toit. Le vieux militaire aurait immédiatement déclenché une enquête parmi ses gens, et la nouvelle de la grossesse de Marguerite se serait répandue aussi vite qu'une traînée de poudre.

— Ainsi, Talham a accepté par esprit chevaleresque.

« C'est quasi incroyable ! songea Rouville. Quel homme que ce Talham ! De toute manière, j'y serai. Ne serait-ce que par amitié. »

— Croyez-moi, Boileau, je connais les hommes et je sais parfaitement les jauger. Talham est un homme bon tel que notre Créateur le souhaite. Et pour faire taire nos bavasseuses, dites-lui que je serai même le parrain de l'enfant à venir. Et que c'est un ordre ! Il n'a pas à revenir là-dessus.

— Ah ! Merci, cher colonel. J'étais certain de pouvoir compter sur vous. Notre famille vous devra une fière chandelle. Et le curé sera content.

— Alors, s'enquit le militaire, à quand la noce ?

— Impossible de fixer une date pour le moment. Il faut attendre les instructions de Monseigneur, vous vous en doutez.

— Ces évêques ! Ils se prennent pour le bon Dieu en personne.

— Ils sont en effet plus près de Lui que nous, pauvres pécheurs, fit faussement Boileau.

Rouville porta le verre d'alcool à ses lèvres et fixa Boileau d'un air qui en disait long.

∾

Penché sur l'écritoire, Jean-Baptiste Bédard réfléchissait à ce qu'il allait écrire à Monseigneur pour obtenir la dispense nécessaire au mariage de Marguerite Lareau et Alexandre Talham. Il lui fallait peser ses mots, bien étaler les faits connus, sans plus. La moralité du docteur ne devait pas être mise en doute ; sa lettre devait donc être circonspecte, juste et convaincante. Prenant une plume qu'il venait soigneusement de tailler, il la trempa dans l'encre et écrivit.

L'objet de cette lettre est une chose pour laquelle j'ai besoin des avis et du secours de Votre Grandeur. Une jeune fille de la paroisse est enceinte des œuvres d'un mécréant. La fille a sans doute été violentée par un soldat en garnison et elle refuse de livrer le nom du coupable. Elle n'a que dix-sept ans et redoute que son agresseur lui fasse subir un mauvais sort. C'est la seule explication possible à son silence d'après toutes les personnes concernées. Elle avouera certainement en confession, lorsqu'elle réalisera la gravité de son silence qui la rend complice du crime.

Mon paroissien Monsieur Boileau, que vous connaissez pour sa générosité envers sa paroisse, est un oncle maternel de la jeune fille et possède un réseau de relations fort étendu. C'est ainsi qu'il a approché le docteur Alexandre Talham. Il s'agit du médecin qui soigne notre pauvre Fréchette à Belœil. Jamais la conduite de ce médecin n'a provoqué quelque scandale que ce soit, bien au contraire. Il est veuf depuis au moins huit ans et a toujours refusé de se remarier en mémoire de sa défunte. C'est un homme d'une grande bonté qu'il faudrait épargner puisqu'il accepte d'épouser la jeune fille. Je sais, Votre Grandeur, que dans de telles circonstances, vous exigeriez un bulletin d'honnêteté publique. Mais je me porte garant du docteur, qui est bon chrétien. Il n'est pas l'auteur de l'épouvantable crime. Outre les parents de la fille, son oncle et le docteur, seul monsieur de Rouville connaît les faits. Ce dernier sera témoin au mariage.

Je vous supplie de considérer cette situation comme étant la preuve qu'il faut à Chambly un vicaire pour aider le pasteur de cette paroisse à maintenir la moralité. La présence d'une garnison rend les choses extrêmement difficiles. Les officiers exigent de la soldatesque de bien se conduire devant la population, mais il arrive trop souvent des incidents extrêmement fâcheux. Certes, les filles de basse extraction se laissent facilement séduire par l'uniforme, mais cette fois, c'est une jeune fille de bonne famille qui est concernée, et ses parents sont dans le plus grand des désarrois.

Le curé relut sa lettre. Il préférait attribuer le crime à un soldat plutôt qu'à une personne bien en vue. Monsieur Boileau avait suggéré cette possibilité, ce qui n'étonnait guère messire Bédard. La présence de soldats était toujours une source d'ennuis. En souhaitant que Monseigneur comprenne bien à quel point il avait besoin d'aide pour bien exercer son ministère, il reprit :

> *Dans les circonstances, je vous prie instamment, Monseigneur, de faire parvenir la dispense de trois bans le plus tôt possible. Les futurs époux acceptent toutes les conditions habituelles d'un tel mariage. Ils se confesseront la veille de la cérémonie et demeureront à jeun jusqu'au moment de la bénédiction nuptiale, qui leur sera donnée avant le lever du soleil et devant les seuls témoins. Je suis persuadé que vous serez touché par la compassion dont fait preuve le docteur Talham et que vous nous répondrez par retour du courrier.*
>
> *J'ai l'honneur d'être, Votre Grandeur, votre humble et obéissant serviteur,*
>
> *Jean-Baptiste Bédard, prêtre*

«J'espère que cela sera suffisant pour convaincre Monseigneur de l'urgence de la situation», songea avec angoisse le curé. Il n'était pas sans savoir que les situations difficiles se réglaient souvent après avoir franchi nombre d'obstacles.

Le curé reposa sa plume, saupoudra le parchemin de seiche et remit le surplus de poudre dans le sablier. Il cacheta, apposa son sceau et partit à la recherche d'un messager qui porterait rapidement la lettre. Par chance, l'évêque du diocèse de Québec, monseigneur Denault, habitait Longueuil, ce qui raccourcirait d'autant les délais, si tout se passait bien, évidemment. Jean-Baptiste Bédard l'espérait, car il ne pouvait rien faire de plus, sinon de s'assurer que la grossesse de Marguerite Lareau soit tenue secrète jusqu'au jour du mariage. C'était important. S'il était connu, le malheur de cette jeune fille de bonne famille pourrait inciter des jeunes gens pressés à sauter la clôture avant le mariage.

Chapitre 7

La sortie de la messe

— Fiancée au docteur Talham ! s'exclamèrent en chœur Emmélie et Sophie.

— Des noces ! Oh ! que j'ai hâte, poursuivit Sophie, toute joyeuse. Je veux un nouveau jupon avec trois rangs de festons de dentelle et de jolis bas brodés pour l'occasion.

Emmélie, époustouflée, s'arrêta net au milieu du chemin. Marguerite allait se marier ! C'était donc pour ça qu'on ne la voyait plus. Et avec le docteur Talham, par-dessus le marché ! Cette dernière nouvelle la laissa perplexe. Qu'adviendrait-il de l'amour de René et de Marguerite ? Les regards enamourés de ces deux-là n'avaient pas échappé à Emmélie qui avait compris depuis longtemps à quel point ils s'aimaient. Elle était certaine que son frère gardait espoir d'épouser Marguerite malgré l'interdiction de leurs parents.

— C'est pour quand, tes épousailles ? demanda-t-elle d'un ton curieux.

— Il n'y aura pas de noce, répondit tristement Marguerite.

— Pas de noce ? Mais pourquoi ? demanda une Sophie intriguée.

Marguerite se replia sur elle-même et fit mine de se diriger vers l'église.

— Il vaut mieux que je m'en aille retrouver mon père chez mon oncle Lagus.

— Ah non ! riposta doucement Emmélie en sortant une main de son manchon pour la passer sous le bras de Marguerite.

— Nous avons eu trop de mal à obtenir la permission de te ramener chez nous, ajouta Sophie en attrapant Marguerite de l'autre côté. Maintenant, tu dois tout nous raconter. Qu'as-tu tant fait ces dernières semaines que nous ne pouvions te voir ni à la messe ni ailleurs ? Tu cousais ton trousseau ?

Les trois jeunes filles se tenaient solidement l'une à l'autre en revenant à pied de l'église, au retour de la messe. La neige, bien tassée, n'entravait pas la marche, mais le chemin était glissant. En ce 6 février 1803, le soleil pâlot se distinguait à peine dans le ciel gris et un petit vent glacial soulevait une fine poudrerie blanche et fouettait les visages. Il fallait marcher vite pour ne pas se geler les sangs. L'allée qui menait à la maison des Boileau, déjà plus haute d'un bon pied par rapport au bord du chemin, était bordée de hauts bancs de neige arrondis. On aurait dit un immense ber taillé à même la neige. Augustin, juché sur une échelle, cassait les glaçons qui pendaient de la toiture afin d'éviter un accident fâcheux.

Malgré la froidure, les deux sœurs aimaient se rendre à l'église à pied. Pour cela, il fallait se chausser de souples bottes de « sauvage » qui montaient plus haut sur la cheville, facilitant ainsi la marche dans la neige. Même Sophie faisait fi de ses belles bottines fines, troquant une place confortable dans la carriole pour le plaisir de marcher sur le chemin enneigé. La neige craquait joyeusement sous leurs pas.

Revêtues de leurs longs manteaux de laine à larges capuchons bordés de lapin, rouge pour Sophie, bleu pour Emmélie, les jambes bien au chaud grâce à leurs longs bas de laine et leur chaud jupon, également en laine, les filles se riaient du froid. De longues fentes sur le devant du manteau, elles aussi bordées de fourrure, permettaient de sortir les mains qu'on enfouissait profondément dans un manchon fourré. Avec un tel équipage, elles étaient libres d'aller et venir à leur guise sans avoir à attendre que leurs parents ne se décident enfin à quitter le parvis de l'église pour rentrer.

C'était la dernière fois que Marguerite assistait à la grand-messe dans le banc familial avec son père. La jeune fille était confinée à la ferme depuis des semaines, mais ce dimanche, Victoire s'était sacrifiée en restant à la maison avec les plus jeunes pour permettre à l'aînée d'aller au village. La mère avait sévèrement sermonné sa fille : pas un mot sur le mariage, et surtout, pas question de s'attarder. On n'attendait plus que la dispense de l'évêque qui arriverait sous peu et le curé avait été formel : aucune publicité ne devait entourer le mariage de Marguerite. Les esprits faibles pourraient y voir un mauvais exemple à suivre.

— Tiens bien ta langue, avait ordonné Victoire qui avait l'impression de retenir son souffle depuis dix jours – elle pourrait respirer le jour de la bénédiction nuptiale. À personne, tu m'entends, sinon le curé ne voudra plus te marier. Tais ta honte, ma fille !

Marguerite avait baissé la tête et promis. Ses épaules se courbaient sous le poids du déshonneur. Fille flétrie ! Son enfant serait marqué par le diable, elle en était sûre.

Elle n'aurait jamais osé parler de ses craintes à son fiancé. La future mariée ne voulait pas aborder ce sujet, fidèle au pacte tacite entendu avec le docteur lors de sa première visite : jamais il ne lui reparlerait de ce qui s'était passé. D'ailleurs, comment aurait-elle pu faire puisque leurs rencontres se déroulaient toujours devant ses parents ? Alors, elle se taisait. Marguerite avait toutefois remarqué qu'après chaque visite du docteur Talham, elle se sentait étrangement rassérénée.

Évidemment, en apercevant leur cousine qu'elles n'avaient pas revue depuis plusieurs semaines, Emmélie et Sophie avaient vite saisi l'occasion pour l'inviter à passer quelques heures à la maison rouge. Devant les hésitations du père de Marguerite, Sophie s'était même faite suppliante :

— Mon oncle Lareau, s'il vous plaît, confiez-nous Marguerite jusqu'au dîner !

François Lareau, bien incapable de résister à une demoiselle Boileau, entendait déjà sa femme lui reprocher son manque de fermeté s'il acquiesçait à la demande de la jeune fille. Et le docteur qui n'était pas là ! Il l'aurait certainement aidé à se dépêtrer de cette situation. Pendant qu'il hésitait, madame Boileau sortit de l'église. Elle avisa son mari d'un regard désapprobateur qui disait clairement : « nos filles n'ont rien à faire avec la pécheresse ! » La bonne dame en voulait terriblement à Marguerite, comme si cette dernière l'avait personnellement offensée ; dans son « état » innommable, la jeune fille avait à tout jamais entaché la tendre affection qu'elle lui avait toujours manifestée, indifféremment de sa naissance et de son inimitié avec la mère. La belle éducation offerte avec tant de générosité n'avait donc servi qu'à ça ! La dame Boileau en restait profondément ulcérée, évitant désormais tout propos concernant la famille Lareau, associant la déchéance de Marguerite à son appartenance à une classe inférieure. N'était-elle pas la fille de Victoire Lareau ? Tout en reconnaissant que cette grossesse immorale tombait à point nommé, puisqu'elle mettait irrévocablement fin aux intentions de son fils bien-aimé, cet avantage ne diminuait en rien le scandale abominable. Sans doute devrait-elle se confesser de s'être réjouie du malheur de son prochain, mais monsieur le curé comprendrait.

Pourtant, son époux ne tint nullement compte de son appel, pas plus qu'il ne prêta attention aux hésitations de François Lareau. Marguerite deviendrait madame Talham dans quelques jours et, à ce titre, ferait partie de leurs intimes. Inutile de blesser davantage la jeune fille en jouant les hypocrites et en vexant le docteur, par le fait même. Et puisque le plaisir de ses filles était l'une de ses grandes faiblesses, Monsieur Boileau donna aux jeunes filles sa bénédiction et tout fut dit.

— Mes filles, allez donc prendre une tasse de chocolat bien chaud avec Marguerite.

Puis, en empoignant François Lareau par les épaules, il ajouta : « Mon cher cousin, restez donc un moment à bavarder avec nous avant d'aller au faubourg, chez votre beau-frère Lagus. »

Les jeunes filles s'enfuirent en riant. Lareau n'eut pas le choix d'obtempérer tandis que, pétrie d'indignation, madame Boileau tournait le dos à son mari pour retrouver les douairières de la paroisse.

Marguerite ne partageait pas la joie de ses cousines. Malgré son manchon de laine et son épais manteau qui la protégeaient du froid, d'irrépressibles frissons la secouaient. Des pensées contradictoires s'entrechoquaient dans sa tête. Elle aurait dû faire comme les autres dimanches et assister à l'office du matin où elle n'aurait croisé personne, surtout qu'en pénétrant dans l'église avec son père et son frère, elle avait aperçu Ovide qui assistait à l'office divin, installé entre sa sœur et sa mère dans le banc de la famille Rouville. Celui-ci se trouvait dans la rangée de gauche donnant sur l'allée du milieu, près des poêles qui avaient pour tâche désespérée de chauffer l'église glaciale. Il fallait donc passer près de la noble famille pour se rendre au banc des Lareau, situé dans les premières rangées en avant, près du banc des marguilliers. Lorsqu'il l'eut aperçue, Ovide avait ricané méchamment en voyant son air effaré. Julie avait gratifié son frère d'un coup de coude tout en souriant à Marguerite, qu'elle reconnaissait. Mais tout le long de la cérémonie, Marguerite imagina le regard mauvais d'Ovide de Rouville posé sur elle et fut incapable de se recueillir et de prier, alors qu'elle en avait tant besoin.

Plus tard, l'épouvantable sermon du curé lui avait fait amèrement regretter d'être venue. Elle aurait dû rester chez elle, à l'abri de tous. Même le docteur n'assistait pas à la grand-messe. Il était parti dans la paroisse de Belœil pour deux jours, lui avait-il appris lors de sa dernière visite.

Tout en marchant dans le froid avec ses cousines, Marguerite ravalait difficilement ses larmes. Elle se sentait terriblement seule. Enceinte par la faute de cet infâme Ovide de Rouville, elle avait trahi son amour pour René et devrait son salut à un homme bon, mais qu'elle n'aimerait jamais. Comme toutes les jeunes filles, elle avait imaginé le jour de son mariage : l'église remplie à craquer par la parenté, le joyeux repas de noces avec les invités et la danse, une fois le curé parti, au bras d'un gentil mari qui aurait eu les traits de René Boileau. Douloureusement, elle se rappela ce jour de l'été dernier, sa rencontre inopinée avec René au retour de la cueillette des framboises. Après l'été, il y avait eu l'automne. Cet automne qui n'aurait jamais dû arriver. L'été prochain, avant que René ne soit de retour, elle aurait trahi son serment et mit au monde l'enfant du péché.

Depuis qu'elle se savait enceinte, Marguerite égrenait ses tristes pensées, cherchant d'inutiles explications à son malheur. Il avait suffi de quelques minutes pour que sa vie bascule. Et pour couronner le tout, alors qu'elle était en pleine disgrâce, elle rompait la promesse faite à sa mère en allant chercher auprès de ses amies un peu de réconfort.

Mais c'était plus fort qu'elle, elle en ressentait l'ultime besoin. Emmélie, si raisonnable et si intelligente, saurait peut-être lui expliquer pourquoi un homme comme le docteur avait accepté de l'épouser, elle, une fille que d'autres considéraient comme souillée. «Mais c'est le péché d'un autre!» hurlait dans sa tête une voix qui se révoltait. Et qu'allait-elle répondre à ses cousines, à toutes les questions qui viendraient certainement?

Qu'importe, se dit-elle finalement. Dans quelques jours, plus rien ne serait comme avant. Elle deviendrait l'épouse d'un inconnu en conservant son terrible secret. Tiraillée entre la honte et l'incompréhension, la soumission et la révolte, Marguerite ressentait un grondement sourd qui la happait, la précipitait dans des émois tourmentés comme les rapides de la rivière Chambly pour l'engloutir à jamais.

L'amour, comme le célébraient si joyeusement les vieilles chansons de voyageurs, n'était pas pour elle.

Les jeunes filles étaient arrivées à destination. Marguerite prêtait une oreille distraite aux bavardages d'Emmélie et de

Sophie qui la tenaient joyeusement par le bras tout en lui narrant la dernière déconvenue des demoiselles de Niverville qui avait amusé le village.

— Marguerite, tu n'écoutes pas, lui reprocha Sophie avec raison.

La jeune fille se força à sourire et entra avec Emmélie et Sophie dans la maison chaude et accueillante.

∾

Sur le parvis de l'église, Julie aurait bien voulu suivre les jeunes filles, mais le regard sévère de son père – qui avait annoncé qu'il rentrerait plus tard – lui intima de suivre sa mère au manoir. La carriole des Rouville filait déjà sur le chemin du Roi lorsque les derniers paroissiens sortirent de l'église.

— Pourquoi s'en retourner si vite ? demanda-t-elle à sa mère. C'est dimanche, après tout. Les demoiselles Boileau m'auraient certainement invitée à me joindre à elles si nous ne nous étions pas dérobées à la sauvette. Vous agissez toujours ainsi, se plaignit-elle en s'emmitouflant dans la chaude robe de carriole.

— Elles repartaient avec cette paysanne qui est leur cousine. Une Rouville ne doit pas fréquenter une fille de basse extraction, répondit sèchement madame de Rouville.

— J'aime bien la demoiselle Lareau. C'est une jeune fille charmante. Elle est très fréquentable, si vous voulez mon avis.

— Justement, ma fille, ton avis m'importe peu. Je sais ce que je fais et je ne veux plus que tu m'importunes avec cela, déclara madame de Rouville, furieuse d'être mise de côté par son mari.

Ces derniers temps, monsieur de Rouville passait beaucoup de temps avec Boileau. Les deux hommes arboraient des airs de comploteurs qui intriguaient la noble dame. Son mari lui cachait quelque chose, mais elle n'arrivait pas à lui soutirer la moindre confidence.

De son côté, Julie se serait contentée de bavarder avec les bourgeoises du village, puisqu'on lui interdisait de suivre les autres jeunes filles. Elle aurait peut-être appris des nouvelles de René Boileau. Mais comme toujours, elle subissait les contrecoups de la mauvaise humeur de sa mère qui n'aimait pas fréquenter les autres dames d'une classe inférieure à la sienne. Julie soupira. Elle menait l'existence la plus morne qui soit.

❧

Après la grand-messe, toute la paroisse s'attardait par petits groupes devant l'église pour échanger les dernières nouvelles.

— Je me demande quelle mouche a piqué Bédard pour nous servir un sermon pareil! s'écria le colonel de Rouville, flanqué de son fils, en rejoignant Monsieur Boileau qui bavardait avec le marchand Joseph Bresse sur le parvis de l'église. Je comprends bien qu'il veuille démasquer l'infâme qui…

— Il voulait sans doute ébranler une âme coupable, l'interrompit vivement Boileau pour lui rappeler qu'il fallait garder le silence sur une certaine affaire. Ne cherchons pas à comprendre.

Ovide de Rouville, qui exhibait ce matin-là un chapeau de castor extravagant, dernier modèle d'un célèbre chapelier londonien importé par un tailleur de Montréal, était arrivé de la ville juste à temps pour assister à la messe paroissiale

185

avec sa famille. Le sermon dominical l'avait secoué. Il avait eu la désagréable impression que le curé s'adressait à lui, qu'il le fustigeait en le montrant du doigt.

«Certains d'entre vous commettent des crimes qui restent impunis, avait clamé messire Bédard du haut de sa chaire. L'amour de Dieu commande-t-il qu'on violente sauvagement notre prochain? Et pire encore, il arrive que la faute d'un crime soit attribuée à un autre parce que le criminel refuse de s'en confesser. Une femme séduite contre son gré doit-elle porter la responsabilité de son infortune? Et son séducteur, l'impudent qui tait son forfait, n'est-il pas coupable d'un grand crime? Rappelez-vous, mes frères, que Dieu voit tout. Un coupable a l'esprit obscurci par des actes ignobles. Il ne connaîtra jamais la paix du Seigneur tant qu'il ne se sera pas confessé. Le Seigneur notre Dieu nous ordonne d'aimer notre prochain comme Il nous aime. S'il y a parmi vous des coupables, qu'ils se dénoncent en confession et Dieu, dans Sa grande miséricorde, leur pardonnera après qu'ils auront fait pénitence. Tels sont les bienfaits de la confession. Sinon, les pécheurs brûleront dans les flammes de l'enfer.»

Les derniers mots avaient résonné dans l'église, et les murs en avaient tremblé tant le prêtre avait prêché sévèrement. Ovide tressaillit nerveusement à ce souvenir. «La fille aurait-elle parlé? se demanda-t-il. Non. Impossible. Ses yeux disent le contraire.» Mais il détesta encore plus Chambly, son curé et tous ses habitants.

— Tous ces Bédard ne sont qu'une belle bande de radoteurs, siffla-t-il.

— Ne blasphème pas, le rabroua son père. Notre curé est un pasteur juste et il a droit à tout notre respect. Mais j'avoue que je n'aime guère son autre frère, Pierre-Stanislas Bédard, qui vient d'être élu à la Chambre d'assemblée. Un fomenteur de troubles, toujours à hue et à dia avec monsieur de Bonne, le parent de mon épouse.

— Hum ! Permettez, colonel, que je ne partage pas votre opinion à propos du député Bédard, protesta Boileau. Sacrelotte ! Voilà un homme hors du commun. Un érudit, un savant qui choisit de consacrer sa vie à défendre les Canadiens à notre Parlement du Bas-Canada. Mais il nous en faudrait plutôt une dizaine comme lui !

— Croyez-moi, Boileau, vous verrez que ce Parti canadien finira par mal tourner, riposta Rouville d'un ton sans réplique. Notre Bédard à nous se retrouvera curé d'une paroisse de mécréants si son frère de Québec persiste dans ses propos pernicieux, je vous le prédis.

Le vieux militaire détestait les discussions touchant la politique.

— Justement, voilà le curé, fit Rouville en apercevant messire Bédard suivi d'un enfant de chœur qui grelottait. Dites-moi, Bédard, qu'est-ce qui vous a pris ce matin ?

— Cela ne vous ressemble guère de clamer en pleine chaire que la paroisse est un repaire d'impies, ajouta monsieur Bresse.

— Des plans pour endiabler la populace ! renchérit le colonel, ce qui ne décontenança nullement le curé qui les observait avec circonspection.

— La bonne moralité de la paroisse est le plus grand de mes soucis, messieurs. J'espère que mon sermon fera les effets que je souhaite qu'il fasse, répondit messire Bédard, impassible.

— C'est-à-dire ? fit Monsieur Boileau, avec un regard plein de suspicion.

Si Bédard voulait provoquer des remords chez l'agresseur de Marguerite, c'était bien mal s'y prendre. Le coupable allait s'enfoncer encore plus profondément dans son terrier, il en était convaincu.

— Rien d'autre que l'approche du carême, dit le curé, faussement innocent, convaincu que tous les pécheurs éprouvaient le besoin de se confesser. Il faut préparer les âmes au repentir, ajouta-t-il d'un ton docte et sans réplique.

— Parlant de carême, il ne sera plus possible de célébrer des mariages, n'est-ce pas? insinua Boileau d'un ton entendu. Si cette dispense tarde trop, Talham devra payer pour une deuxième afin d'obtenir la permission de se marier pendant le carême. Et mon bel échafaudage risquerait de s'effondrer.

— Il faut avoir confiance en notre divin maître, mon cher Boileau, répondit le curé d'un ton sibyllin. Messieurs, veuillez m'excuser, mais les demoiselles de Niverville m'attendent.

— Elles ne peuvent donc pas venir à l'église comme tout le monde, ces deux cervelles d'oiseau rare? grogna Rouville.

— Quel manque de charité, mon colonel! gronda le curé. Les demoiselles sont souffrantes. Ces bonnes chrétiennes me mandent pour la confession et la communion. Je ne fais qu'accomplir mon devoir de pasteur.

— Vous êtes trop bon, Bédard, rétorqua Rouville dans un sourire moqueur. Ces demoiselles sont pourtant toujours très en forme lorsqu'il s'agit d'accepter les invitations à prendre le thé.

Le curé haussa les épaules avant de monter dans la carriole que le bedeau venait d'amener devant l'église.

— Bédard déraisonne, vous disais-je, insista Ovide de Rouville. Il faut se plaindre à Monseigneur.

Monsieur Boileau toisa le jeune homme. Autant il estimait le colonel de Rouville, autant il méprisait son fils.

— Jeune homme, déclara-t-il d'un ton sentencieux, sachez que notre curé est estimé en haut lieu. L'évêque lui-même le cite en exemple pour sa mansuétude et sa connaissance des Saintes Écritures. On ne peut lui en vouloir de dénoncer les séducteurs impénitents, insista-t-il en scrutant Ovide de Rouville qui rougissait.

« Tiens, tiens, nota Boileau, soupçonneux. Ce jeune coq engrosseur de servantes n'a certainement pas la conscience tranquille. »

Le jeune coq en question se dressa sur ses ergots. Il n'allait tout de même pas se faire endêver* par un descendant de sang-mêlé, malgré ses beaux habits.

Boileau le détailla d'un air moqueur. Ovide allait répliquer lorsqu'un roulement de tambour annonçant le crieur se fit entendre. Tous les habitants se rapprochèrent, impatients d'entendre ce qu'allait leur apprendre Baptiste Roussel. Ce dernier grimpa sur un petit tabouret qu'il traînait toujours avec lui et lança d'une voix forte :

— La terre de la succession d'Édouard Benoît, de son vivant époux de Marie Delique, de trois arpents de largeur, ayant front sur le bassin de Chambly et d'une profondeur d'environ vingt arpents jusqu'à la Petite Rivière, sera mise aux enchères par ordre du shérif Gray après trois annonces faites trois dimanches consécutifs à Saint-Joseph-de-Chambly.

L'annonce faite, le crieur colla l'avis du shérif sur la porte de l'église.

— Il était temps qu'on en finisse avec cette succession ! s'exclama Joseph Bresse. J'ai déjà fait une proposition à Gray la semaine dernière.

— J'avoue que j'y ai songé moi aussi, dit Monsieur Boileau, mais j'ai assez à faire avec la gestion de mes fermes.

Un nouveau roulement de tambour interrompit les conversations.

— Une grande dame du village a écarté son manchon de lapin. Il y aura une récompense pour celui qui le lui rendra en allant le rapporter au presbytère. Qu'on se le dise ! aboya encore le crieur juché sur sa tribune branlante.

Pressé, l'homme repartit aussi vite qu'il était venu. Il devait se rendre à l'église d'en face, et arriver à temps pour la fin de la grand-messe de Pointe-Olivier. Quelques hommes le suivirent pour l'aider à faire descendre son cheval sur le bassin, à la hauteur du pont de glace.

— La terre de Benoît ne vaut rien pour la culture, confia Boileau à Bresse. Vous devriez laisser tomber.

— Je songeais plutôt à un lotissement. Ce grand emplacement situé tout près de l'église pourrait convenir pour bâtir plusieurs petites maisons, expliqua Bresse.

Surpris par la pertinence de cette réflexion – une idée qui ne lui avait jamais effleuré l'esprit – Monsieur Boileau examina son vis-à-vis d'un œil nouveau. L'homme était court de jambes et malgré ses trente-quatre ou trente-cinq ans, présentait déjà un petit embonpoint à l'estomac. Ce matin, coiffé d'un chapeau de poil assorti à son manteau de castor, Bresse affichait une impressionnante aisance pour un fils d'habitant. C'était un homme pragmatique doublé d'un bon sens du commun. Délaissant la terre, il s'était tourné vers le négoce pour lequel il était particulièrement doué. En affaires, il ne manquait ni d'audace ni d'imagination. Mine de rien, le jeune marchand accumulait discrètement une petite fortune. On disait qu'il pouvait prêter de grosses sommes ; certains racontaient même qu'il était un des bailleurs de fonds des Sœurs de la Charité que tous appelaient communément les Sœurs grises. Bresse était aussi un homme profondément pieux.

— Chambly serait une place de commerce aussi importante que Montréal, poursuivit Bresse, pour peu que ses marchands et notables ne craignent d'investir. Inutile d'attendre après ceux de Montréal et de Québec pour faire avancer nos propres affaires.

«Décidément, songea Boileau en l'écoutant, Bresse n'a qu'un défaut. C'est de se faire mener par le bout du nez par son épouse, une bien belle créature, par ailleurs.»

— Votre idée a du bon, approuva le bourgeois. Vous savez qu'à l'époque où on construisait le fort de pierres, c'était du temps des Français, certains voyaient Chambly comme capitale de district* ?

— Votre famille a fait sa fortune avec le commerce du bois, n'est-ce pas ?

— Rien n'est plus vrai, admit Boileau. J'avais un oncle qui connaissait parfaitement les forêts du lac Champlain. Il indiquait aux ingénieurs du roi l'emplacement des bois précieux, chênes, pins et cyprès, qui servaient à construire les vaisseaux du roi. C'était mon père qui s'occupait du transport du bois, qui flottait jusqu'ici pour être assemblé en cageux. Je n'étais alors qu'un enfant, mais je me rappelle comme si c'était hier ces grands radeaux sur le bassin qu'on amenait jusqu'aux chantiers maritimes de Québec.

— La région de la rivière Chambly d'aujourd'hui est tout aussi riche. Le blé et l'avoine y sont d'excellente qualité, affirma Bresse avec conviction.

Boileau approuva d'un signe de tête, attendant avec intérêt la suite du raisonnement de son voisin.

— Récemment, dans la *Gazette de Montréal*, on annonçait une petite goélette à vendre. *La Maria*, huit tonneaux, à fond plat. Idéale, dit-on, pour naviguer sur la rivière Chambly. Je pense à l'acquérir. Nous pourrions nous associer dans le transport de marchandises. Voyez, la route commerciale est là, reprit Bresse en désignant d'un geste le bassin et la rivière, tracée depuis des siècles, entre Québec et les États-Unis. À notre tour de savoir bien l'utiliser.

— Mais pour ce faire, il faudra contourner les rapides en creusant un canal qui commence à Chambly, argua Boileau

— Creuser un canal, mais ma parole, vous n'y pensez pas ! s'exclama monsieur de Rouville qui avait entendu. Il faudra des ingénieurs, des ouvriers en grand nombre et beaucoup de moyens ! Nous n'avons rien de tout cela.

— Il faut surtout que nos députés de la Chambre y croient et votent les *bills* nécessaires, répliqua Bresse. Bientôt, nous verrons les bateaux mus par la vapeur qui ne seront plus à la merci des vents. C'est là qu'est l'avenir, et les Américains l'ont compris. Ils ont déjà creusé des écluses sur la rivière Mohawk, dans l'État de New York.

— Ne me parlez pas de la Mohawk et de ces maudits révolutionnaires, fit brusquement Rouville.

Bresse ravala. Aussi bien dire qu'il venait de réveiller le diable ! Le vieux militaire avait goûté aux geôles américaines durant deux longues années pour avoir combattu les rebelles américains au fort Saint-Jean, en 1775. Libéré, il avait repris la tête d'une compagnie et participé à la célèbre bataille du fort Stanwix, justement dans la région de la rivière Mohawk. Il en était revenu profondément ulcéré.

Vingt ans plus tard, les Américains demeuraient toujours de satanés rebelles pour le colonel Rouville.

— Je suis d'accord avec ces messieurs, dit alors Ovide de Rouville. Il faut un canal. Mais avec un tracé du côté de notre fief, à Pointe-Olivier, spécifia-t-il en narguant les deux bourgeois.

Boileau et Bresse échangèrent un regard entendu. Ils favorisaient plutôt un tracé du côté de Chambly.

— Vous êtes tous fous, s'exclama Rouville, que les bienfaits du progrès n'intéressaient pas. Vous ne trouvez pas que nous sommes bien ici, à mener une vie paisible et sans complications ?

Curieux de connaître les derniers développements de l'affaire Talham, il coupa court à toute autre discussion.

— Boileau, dit-il en apostrophant le bourgeois d'un ton sans réplique, allons à pied jusque chez vous. J'ai besoin d'exercice et rêve de goûter ce madère dont vous m'avez vanté les incomparables vertus. Toi, ordonna-t-il à son fils, prends la carriole et annonce que je serai de retour pour le dîner. Boileau me fera raccompagner.

— Bien volontiers, acquiesça ce dernier tandis que Bresse le saluait. Le temps que je retrouve ma chère femme et je suis à vous.

Il l'aperçut un peu plus loin qui écoutait d'un air dubitatif madame Bresse narrant comment l'une des demoiselles de Niverville avait encore perdu son manchon et s'en était plainte au curé.

— Messire Bédard a des choses plus importantes à faire que de retrouver le manchon d'une étourdie, argua sévèrement madame Boileau.

— Je ne vous le fais pas dire, approuva Françoise Bresse. Des étourdies et des malades imaginaires ! Elles font une belle paire.

— Ma chère, l'interrompit son mari, il vous faut retourner chez nous, nos filles sont déjà en chemin avec la jeune Marguerite.

— Vous avez raison. J'y cours, mon ami. Je vous attends demain, pour le thé, rappela-t-elle à Françoise en prenant congé.

Monsieur Boileau fit signe à Augustin de ramener sa maîtresse à la maison. Une fois la bonne dame bien installée dans la carriole, les deux hommes s'engagèrent sur le chemin du Roi à sa suite. L'ancien militaire avançait d'un pas vigoureux et Boileau le suivait péniblement en haletant.

— Je croyais voir Talham. Voulez-vous me dire où il est passé ? demanda Rouville à Boileau.

— Dans le bas de la paroisse, ce me semble. On m'a dit que la bonne femme Robert est mourante.

— Et comment s'annoncent ses affaires ?

— La dispense de l'évêque n'est toujours pas arrivée.

— Il prend bien son temps celui-là, grommela Rouville. Pourtant, connaissant notre curé, il a dû lui écrire une lettre détaillée de trois pages, brodant avec circonspection autour des passages délicats.

— C'est bien sa manière, en effet. Mais vous savez comme moi que les évêques n'aiment pas juger les cas difficiles dans la précipitation. Les odeurs de scandale leur répugnent. Ils préfèrent sermonner les curés sur l'immoralité de nos paroisses de campagne, et pendant ce temps-là, les jours filent.

— Faudra-t-il que je m'en mêle ? grogna Rouville en s'arrêtant tout net au beau milieu du chemin.

— Surtout, n'en faites rien, l'enjoignit le bourgeois essoufflé.

Il profita de la pause pour reprendre haleine.

— Je vous avoue que j'avais aussi pensé écrire une lettre à monseigneur Denault. Mais j'ai peur que toute intervention de notre part risque plutôt de retarder la réponse. Un évêque n'aime pas qu'on lui dicte sa conduite.

— Mais il devrait comprendre que plus le mariage tarde, plus Talham, qui est innocent dans cette histoire, sera perçu en infâme.

— Tantôt, Bédard semblait confiant. Du moins, c'est ce qu'on pouvait croire, à mots couverts.

Rouville acquiesça en silence. Les deux hommes se turent un moment, immobiles, comme des piquets au milieu du chemin, indifférents au passage des carrioles. Puis, Rouville allongea la jambe et Boileau se remit à trottiner derrière lui.

— Il n'avait pas besoin de lancer des hauts cris à faire trembler tous les damnés de l'enfer. Diantre! J'en ai encore des frissons. Ce n'est pourtant pas dans ses habitudes.

— Assurément, messire Bédard cherche à jeter le trouble dans l'âme du coupable qui a agressé Marguerite afin que celui-ci s'en confesse.

— J'en conviens, mais c'est bien mal connaître les gibiers de potence. J'en ai trop vu, au cours de ma vie. La guerre, vous savez, permet les pires forfaitures. Ces pratiques me répugnent, et ce n'est pas d'hier que les femmes sont considérées comme du butin de guerre.

— Mais nous ne sommes pas en guerre. Comment un soldat de la garnison aurait-il pu violenter la jeune fille?

— Je l'ignore. Sinon, qui, dans notre paroisse si tranquille, aurait pu commettre un geste aussi vil? J'ai même songé solliciter une enquête auprès du commandant du fort, mais notre curé m'en a empêché. Il ne veut absolument pas que le scandale soit connu.

— Vous avez sans doute raison, c'est un soldat qui a commis ce crime, approuva vivement Boileau qui, en réalité, n'en était pas certain du tout.

Quelque chose le chicotait. Il avait eu des soupçons en voyant le trouble du jeune Rouville, tantôt. À sa connaissance, le fils du colonel n'était pas revenu à Chambly depuis les fêtes. Certes, le fils et le père ne s'entendaient guère. Mais le jeune était toujours à court d'argent et venait régulièrement quémander sa mère, tout le village savait cela.

Les deux hommes étaient arrivés. Ils accrochèrent leurs lourds manteaux au portemanteau de l'entrée et Boileau invita Rouville à le suivre dans son cabinet privé.

Emmélie se demandait pourquoi Marguerite avait l'air si triste. Cela ne lui ressemblait pas. Normalement, elle aurait applaudi à l'invitation de ses cousines et insisté auprès de son père pour qu'il lui accorde sa permission. Au lieu de ça, elle baissait les yeux, l'air contrit, comme si quelqu'un allait prononcer contre elle une terrible sentence. « C'est la faute au sermon du curé », se répéta Emmélie en apportant la chocolatière et les tasses. Elle aussi avait été ébranlée par le ton vindicatif du prêtre. Rarement avait-on vu messire Bédard être si sévère du haut de sa chaire. D'ordinaire, Emmélie prenait plaisir à écouter l'homélie du curé. Elle appréciait son éloquence et ses propos mesurés. Il prêchait fermement, mais avec douceur, en méditant longuement sur une sainte parole, et ses paroissiens l'écoutaient religieusement. Le curé pouvait se vanter de conserver l'attention des fidèles jusqu'au *ite missa est*. Même sa sœur Sophie, qui aimait se rendre à l'église tant pour exhiber sa dernière toilette que pour prier – elle était toujours ravie lorsqu'on lui demandait de passer la quête ou de distribuer le pain béni – avait été bouleversée par le sermon dominical. Sauf peut-être la demoiselle de Rouville, qui devait avoir l'esprit ailleurs ce matin. Emmélie l'avait vue bâiller discrètement derrière son mouchoir. Elle avait eu l'intention de l'inviter pour ce chocolat, persuadée que Julie aurait apprécié l'invitation, mais à la sortie de la messe, la demoiselle était déjà partie.

On aurait dit que le discours du curé en chaire semblait destiné à une seule personne, se dit encore Emmélie, qui avait surpris des paroissiens à hausser les épaules. Certains avaient même baissé les yeux. Ils avaient sans doute quelque chose à se faire pardonner, s'était dit Emmélie.

— Tu n'étais pas à la messe de la Chandeleur, l'autre jour, lança Sophie à Marguerite sur un ton de mère supérieure.

Marguerite contemplait le récipient fumant posé devant elle sans répondre.

— Tu ressembles à notre mère en disant ça, dit Emmélie. Laisse donc Marguerite tranquille.

— Tu dois être folle de joie à l'idée de te marier ! déclara Sophie, radoucie. Mais pourquoi tes parents te font épouser notre docteur avec ses manières d'un autre siècle ? Il est si vieux !

— Tu l'ennuies avec tes questions, fit sa sœur en cherchant à retenir le regard fuyant de Marguerite.

Les jeunes filles étaient assises dans le petit cabinet de leur mère, comme elles le faisaient souvent pour bavarder avant le dîner. C'était une pièce charmante avec son petit sofa recouvert de soie jaune et sa table en cerisier qui permettait de servir le thé ou le chocolat. Leur mère y recevait les dames de ses amies. Le long du mur orné d'une tapisserie de Bruxelles étaient alignées plusieurs chaises recouvertes de toile de Jouy et une table de jeu qu'on tirait pendant les soirées. Assise sur le rebord du sofa, Emmélie versa le chocolat dans les tasses de porcelaine bleue.

— Je n'aurais jamais cru voir messire Bédard en colère, fit Sophie avec une moue capricieuse.

— J'ai l'impression qu'il s'adressait à quelqu'un en particulier, commenta Emmélie en tendant une tasse à sa cousine. Comme s'il était au courant d'une forfaiture, mais ignorait le nom du coupable. Marguerite, prends ta tasse. Marguerite ?

La jeune fille était perdue dans ses pensées.

— Oui, merci Emmélie, répondit-elle timidement.

— Assez de cachotteries, badina Sophie en prenant un air faussement sérieux. Parle-nous de ton mariage. Dire que tu seras la première de nous trois à te marier ! Allez, Marguerite, je veux tout savoir de tes mystérieuses fiançailles. Je savais bien que le docteur te faisait la cour, à la dernière Saint-Martin ! proclama-t-elle, triomphante. Pourquoi ne l'as-tu pas dit, cachottière ?

— C'est vrai, c'est un secret. Je t'en supplie, Sophie, n'en parle pas à qui que ce soit, la conjura Marguerite.

— Pour l'amour du ciel, explique-toi !

Sophie semblait furieuse tout d'un coup : elle en voulait à Marguerite de trahir leurs serments. « Nous avions juré de nous confier nos plus grands secrets ! Et toi, tu tais la nouvelle la plus importante de ta vie ? Et toi, mademoiselle je-sais-tout, fit-elle à sa sœur d'un ton rageur, je parie que tu le savais ! »

Sophie soupçonnait sa sœur aînée de lui cacher des choses qu'elle estimait sans doute trop compliquées pour elle, la cadette. Évidemment que Marguerite avait dû la mettre dans la confidence ! Ces deux-là se disaient toujours tout. Et pourquoi ses parents, toujours les premiers au courant de ce qui se passait dans la paroisse, n'avaient rien dit de ce mariage ? Car, dans le cas contraire, ils auraient abondamment commenté les noces d'une cousine, surtout s'il s'agissait de Marguerite pour qui ils avaient autant d'affection qu'une fille adoptive. Mais Emmélie s'empressa de la détromper.

— Je t'assure, Sophie, que je n'avais jamais entendu parler du mariage de Marguerite avant aujourd'hui.

C'était vrai. Marguerite était devenue invisible. On ne la voyait plus à la grand-messe. Sa mère justifiait son absence par un débordement de travail à la ferme. Marguerite faisait la cuisine. Marguerite cousait. À entendre Victoire, il y avait sans cesse de la laine à filer, des vêtements à repriser.

Même si elle en mourait d'envie, Marguerite hésitait à se confier. L'agressivité inattendue de Sophie la désarçonnait. Plus sa cousine semblait fâchée, plus elle s'enfonçait dans un silence angoissé.

— Je... Je ne dois pas en parler.

— Très bien. Si tu ne veux pas en parler, tais-toi, bien que je ne te comprenne pas, lui reprocha Emmélie. Ne sommes-nous pas cousines et amies liées par le cœur et par le sang ?

— Ce n'est pas ça. C'est juste que je ne peux rien révéler. Sinon, je serai damnée, ajouta-t-elle d'une voix troublée.

— Damnée ? Que dis-tu là, Marguerite ? C'est impossible, tu ne peux pas être damnée, soutint Emmélie. Tu es pourtant bonne chrétienne, toujours si gentille et serviable.

Marguerite baissa les yeux, désemparée. Une force puissante la poussait à tout révéler à Emmélie, à lui confier son secret, du moins, une petite partie.

— Emmélie, je ne sais pas comment dire...

— Parle simplement, ma douce, fit Emmélie. C'est le chemin le plus facile.

Encouragée, Marguerite murmura :

— J'ai la maladie. Je suis grosse.

— Tu veux dire que tu attends un enfant ? Mais c'est impossible ! s'exclama Emmélie, stupéfaite par l'aveu de son amie.

— Mais tu es folle, Marguerite Lareau ! s'écria en même temps Sophie, scandalisée.

Le sermon du curé lui revint soudainement.

— L'immoralité... c'était pour toi. Il parlait de toi!

— Sophie, reprends-toi, voyons, plaida Emmélie pour tempérer la vindicte de sa sœur. Le curé faisait allusion à un homme!

— Un ou une, c'est le même péché! Tu as forniqué avec le vieux docteur et le curé l'a appris. Il attend tes aveux. Pouah! C'est dégoûtant. Je te déteste.

— Sophie, tu es trop dure. Tu condamnes sans savoir.

Emmélie défendait Marguerite qui cachait son visage dans ses mains.

— Tu ferais mieux de tout nous dire, dit-elle à Marguerite. La vérité vaut mieux, sinon, on imagine le pire.

— Moi, je ne veux plus rien entendre, déclara Sophie, bouleversée. Je refuse désormais d'adresser la parole à cette fille perdue!

Incapable de supporter plus avant les confidences de Marguerite, la jeune fille sortit vivement de la pièce. Il lui fallait impérativement voir sa mère.

— Je dois partir, dit rapidement Marguerite à Emmélie, avant que tes parents ne me jettent à la porte comme une moins que rien!

— Que t'est-il arrivé pour qu'on te fasse épouser le docteur Talham en cachette? Je veux simplement comprendre. Tu sais bien que mon affection ne changera pas. Je suis certaine que tu n'as rien fait de mal. Ce n'est pas toi, je te connais trop.

— Emmélie, si seulement je comprenais moi-même, répondit sa cousine en réprimant un sanglot. Ton père est au courant de... mon état. Ma mère lui a tout dit et c'est lui qui a arrangé mon mariage avec le docteur.

— Mon père? Ressaisis-toi, consola Emmélie en prenant la main de Marguerite, et raconte-moi tout.

— Oui, quand ma mère lui a appris… ma faute, hoqueta Marguerite en tordant nerveusement son mouchoir dans ses mains, mon oncle Boileau a convaincu le docteur de m'épouser pour me sauver de la honte et préserver la réputation de la famille. Le curé a accepté de bénir le mariage, mais à la condition expresse que personne n'en sache rien. À cause du mauvais exemple, tu comprends.

— Ma pauvrette, fit Emmélie en la prenant dans ses bras d'un geste consolateur. Certes, le docteur est un homme généreux, mais ce n'est tout de même pas suffisant. Peut-être était-il secrètement amoureux de toi, comme le prétend Sophie ?

— Je ne sais pas, je ne crois pas. Mais je dois l'épouser. Je n'ai pas le choix, je dois donner un père à l'enfant, protéger ma réputation et sauver ma famille de l'infamie. On m'a assurée que le docteur souhaitait avoir des héritiers et qu'il croyait que je lui ferais une bonne épouse. Je pense qu'il m'épouse surtout par amitié pour ta famille.

— Mais ce n'est pas lui le père, n'est-ce pas ? demanda Emmélie dans un souffle.

Elle se disait qu'il en fallait bien un, même si elle n'avait qu'une vague idée de comment se passaient ces choses-là ! C'était si difficile d'en parler.

Marguerite baissa la tête, incapable de soutenir le regard franc de son amie. Elle ne pouvait lui révéler tout son secret.

— Non, ce n'est pas lui. Quelqu'un m'a forcée, avoua-t-elle finalement.

— Forcée ? Mais pourquoi dis-tu que c'est ta faute ? Et quand est-ce arrivé ? Oh, mon Dieu ! s'exclama Emmélie en revoyant la scène dans l'écurie des Rouville. Ton jupon déchiré, ta jupe abîmée… C'était ce jour-là ? Quelqu'un t'a violentée. Mais c'est trop horrible !

Emmélie était bouleversée. Elle posait les questions et les réponses lui venaient. Elle enlaça affectueusement Marguerite.

— Mais qui a fait ça? Tu dois le dire pour qu'il soit puni.

— Je ne peux pas. Il a juré qu'il me tuerait!

— Te tuer? Mais c'est impossible, voyons. La famille te protège, plus personne ne peut te faire de mal maintenant.

— Non, non, il me tuera, j'en suis sûre. Il me l'a dit. Et il en est bien capable!

Marguerite se mit à pleurer.

— Si tu savais, hoqueta-t-elle. Il était beaucoup plus fort que moi. J'ai peur, Emmélie. Et tellement honte... Jure-moi.

— Je déteste jurer, Marguerite.

— Mais pour l'amour de moi, je t'en supplie, jure-moi que jamais tu ne diras à quiconque ce que je viens de te dire!

— C'est très bien, je jure de ne jamais révéler ce que tu viens de me confier, déclara Emmélie solennellement. Mais l'amour, Marguerite? Que fais-tu de l'amour dans tout ça? Et de René? demanda-t-elle finalement dans un murmure précipité.

«L'amour de René est à jamais perdu», songea la triste fiancée, le cœur rempli de désespoir.

— L'amour! s'exclama finalement Marguerite. Quel amour, Emmélie? Il n'y a plus d'amour. L'amour, c'est quelque chose d'impossible.

∞

Madame Boileau jeta un regard sévère aux jeunes filles. Elle confina Emmélie à sa chambre et somma Marguerite de l'accompagner, car son oncle avait émis le souhait de lui parler.

Penaude, Marguerite la suivit jusqu'au cabinet particulier de Monsieur Boileau. Elle n'était jamais venue dans cette pièce, sanctuaire incontesté du maître de maison, où nul ne mettait les pieds sans y être dûment mandé. Deux bibliothèques, dont les étagères ployaient sous des livres aux belles reliures faites de cuir fin et des piles de manuscrits, couvraient tout un mur. Posée sur une petite table, une précieuse longue-vue, dont Monsieur Boileau se servait pour observer les nombreux oiseaux qui sillonnaient le ciel au-dessus du bassin de Chambly et dans les îles Saint-Jean, scintillait comme un diamant. Au mur étaient accrochés deux fusils. Près du poêle, il y avait une commode sur laquelle étaient posés une aiguière et un bol à barbe, ainsi que le semainier qui contenait un rasoir et ses sept lames. Monsieur Boileau était assis à sa table de travail où trônaient une belle écritoire en cuir, plusieurs plumes, un couteau à aiguiser, de l'encre et une rame de papier.

Sur une chaise aux pieds tournés de pur style Louis XV, le colonel de Rouville contemplait son verre rempli d'un liquide ambré. Il sourit avec bienveillance en apercevant Marguerite et se leva pour la saluer d'un baisemain.

— Bonjour, mademoiselle Lareau.

Marguerite était bien incapable de répondre. Monsieur de Rouville la traitait en dame, mais elle voyait toute l'indignation du monde peinte sur le visage de sa tante restée dans l'embrasure de la porte.

— Je vous l'avais prédit, murmura-t-elle vivement à son mari, nos filles savent maintenant et Sophie est profondément perturbée.

— Ma chère, ne vous tracassez pas de tout cela. Je parlerai à nos filles. J'ai fait atteler et monsieur de Rouville raccompagnera notre nièce chez son oncle Lagus où l'attend son père. Auriez-vous l'obligeance de faire apporter son manteau ?

— Je vais en donner l'ordre, répondit la dame en sortant de la pièce, fâchée.

Monsieur Boileau s'avança vers la jeune fille, les bras ouverts.

— Allons, allons, ma chère nièce, quelle triste mine pour une fiancée ! fit joyeusement le bourgeois. Voici monsieur de Rouville, qui souhaite te féliciter pour tes prochaines épousailles.

— Mon oncle, balbutia-t-elle. Merci ! ajouta-t-elle dans une petite révérence à l'intention du noble seigneur.

Celui-ci attrapa sa main gauche tout en examinant Marguerite affectueusement.

— Marguerite, crois-moi, tout ira bien. Tu me fais confiance, n'est-ce pas ?

— Oui, mon oncle. Vous êtes bien bon.

— Monsieur le colonel de Rouville, ici présent, servira de témoin à ton futur époux. N'est-ce pas là une nouvelle réjouissante ?

Marguerite pâlit. Monsieur de Rouville à son mariage ! Mais il ne pouvait pas. Son fils croirait à une manigance de sa part et finirait par mettre ses menaces à exécution.

— Et je tiens à être dans les honneurs à la naissance de votre premier-né, ajouta gaiement le colonel. Si c'est un garçon, nous l'appellerons Melchior, comme son parrain. Nous demanderons à madame Leguay, la femme du notaire, d'être ma commère. Qu'en dites-vous, ma chère ?

L'estomac noué par l'angoisse, Marguerite écarquilla les yeux. Le seigneur de Rouville, parrain ! Et dire que la coutume voulait que le grand-père soit habituellement parrain d'un premier-né. Son oncle se méprit de son air épouvanté :

— Ma chère enfant, je comprends que tu sois impressionnée : un si grand seigneur qui t'offre son amitié ! Sache, ma belle nièce, qu'il tient en grande estime ton futur mari. Tu feras plus ample connaissance avec le parrain de ton enfant en chemin. Va, ma chère petite, et dis à ta mère toute mon affection. Telle que je la connais, elle doit se ronger les sangs. Répète-lui ce que je viens de te dire. Tout ira bien. Embrasse-moi plutôt, fit-il. Nous nous reverrons dans quelques jours pour ton mariage.

« Il ne manque plus que la dispense, pensa Monsieur Boileau, inquiet, malgré son sourire rassurant à Marguerite. Si Monseigneur peut enfin se décider. »

❧

Après le départ de ses visiteurs, Monsieur Boileau fit chercher Emmélie. Lorsque sa fille aînée pénétra dans son antre, il referma doucement la porte derrière elle.

— Maintenant que tu connais le malheur de ta cousine, causons, ma fille. J'aimerais bien que tu me racontes à nouveau tout ce que tu sais. Ta cousine t'a-t-elle fait des confidences ?

— Tout cela est tellement curieux. Le docteur Talham l'épousera, mais ce n'est pas lui le père de son enfant. Je n'y comprends rien, mais j'ai vu que Marguerite avait terriblement peur.

— J'en ai l'impression, moi aussi. C'est pourquoi j'aimerais bien que tu m'expliques à nouveau tout ce dont tu te souviens du jour de la Saint-Martin. Raconte-moi tout ce que tu sais et surtout, n'omets aucun détail, même s'il t'apparaît insignifiant.

— Bien, père, approuva Emmélie.

Tout en essayant de ne pas rompre la promesse qu'elle venait de faire à sa cousine, elle se confia à son père. Après les confidences de Marguerite, des détails de l'incident lui revenaient. Elle se rappelait l'avoir trouvée inconsciente et misérable, gisant sur la paille. Plus tard, à la maison rouge, avant que tout le monde ne revienne de la fête chez les Rouville, Emmélie avait fait coucher Marguerite dans son lit. Elle n'avait aucune blessure apparente, sauf quelques ecchymoses au bras, avait constaté la jeune fille en retirant les vêtements qu'elle avait dissimulés aux yeux de Sophie et de madame Boileau, à la demande de sa cousine. Les jours suivants, elles avaient réparé les hardes déchirées. Marguerite ne voulait pas qu'on en parle. Emmélie avait cru que cette dernière craignait les reproches de sa mère et n'avait rien dit.

Monsieur Boileau encouragea sa fille en opinant du bonnet. Emmélie se souvint du cavalier sorti en trombe de l'écurie qui l'avait presque renversée.

— Il faudrait interroger le palefrenier, suggéra Emmélie. Il a peut-être vu quelque chose.

— C'est possible, répondit distraitement son père. Maintenant, essaye d'oublier tout cela. N'en veux pas trop à Marguerite. Il te sera impossible d'assister au mariage de ta cousine, mais plus tard, tu pourras te réjouir avec elle de son bonheur.

Emmélie acquiesça, consciente qu'il fallait garder entier le secret de Marguerite, puisque tout était arrangé. Elle sortit du petit cabinet de son père en songeant à son frère, René, et à la déception qui l'attendait à son retour d'Europe. René ne lui avait jamais fait de confidences au sujet de leur cousine.

« Marguerite a raison », songea Emmélie. L'amour, dans ce mariage, ne tenait pas grand place. Quoique… Emmélie admira le cœur généreux du docteur Talham qui sauvait sa cousine du déshonneur. «Mais, se dit-elle finalement, peut-être est-il amoureux et tait-il ses sentiments? Qui peut savoir ce qui passe dans le cœur des autres? conclut la jeune fille.»

Chapitre 8

Confessions

Madame Talham ! C'était si étrange de penser que dans quelques jours, aux yeux de tous, elle, Marguerite Lareau, serait pour toujours madame Talham, l'épouse du docteur qu'elle connaissait depuis qu'elle était au monde. Celui qui était accouru à la maison avec le curé pour recueillir le dernier souffle de la chère grand-mère Sachet et qui avait annoncé la mort de l'aïeule en caressant gentiment les tresses de la petite Marguerite, attristée.

Fidèle à sa promesse, chaque semaine, le docteur lui rendait visite. Il l'entourait de nombreuses attentions, un peu comme s'il voulait effacer les traces d'un mauvais sort, en la comblant de présents qu'il rapportait de Belœil, sans doute pour ne pas attiser la curiosité des marchands de Chambly qui se seraient étonnés des achats inhabituels du médecin. Un jour, il lui faisait cadeau d'aulnes de mousseline ou d'indienne ; une autre fois, il lui offrait une jolie croix d'or à porter en pendentif. C'était bien agréable de recevoir autant de cadeaux à la fois. Mais Marguerite restait distante, ne sachant trop quoi penser, intimidée par la sollicitude de Talham.

«Évidemment, à ses yeux, je suis presque un homme âgé!» se désolait le docteur.

La plupart du temps, lorsqu'il arrivait à la ferme, elle cousait ou brodait. Parfois, Marguerite s'animait, demandant des conseils ou donnant des détails sur l'avancement du trousseau qu'elle préparait pour sa future vie. Pour l'encourager, et surtout pour mieux l'apprivoiser, Talham demandait à voir son travail. Par pudeur, elle refusait de lui faire voir ce qu'elle préparait pour elle-même, mais elle consentait à lui montrer l'ouvrage exigé par sa mère pour les besoins de la famille.

— C'est une nouvelle robe pour Marie. Voyez, je l'ai retaillée dans une de mes anciennes jupes.

Et lui, admirant les bâtis bien coupés, les coutures droites et les ourlets bien faits, découvrait non sans plaisir que ses doigts étaient fort habiles.

— Admirable, ma chère, s'extasiait le docteur. Quel soin et quelle minutie vous apportez à vos travaux! Vous faites preuve d'un goût très sûr.

Marguerite accueillait avec un sourire timide les compliments de son futur mari, mais Victoire, qui surveillait le couple du coin de l'œil, appréciait fièrement le savoir-faire de sa fille.

— Sans vouloir vanter ma fille, vous ne trouverez pas de meilleure couturière dans la paroisse. Ma mère lui a appris à broder à la manière indienne et madame Boileau, qui a été instruite chez les Ursulines de Trois-Rivières, a complété son instruction.

Toutes ces petites choses enjolivaient l'univers du docteur, qui découvrait à son insu que la présence de Marguerite donnait un sens à sa vie. Le temps passait et il se surprenait à vouloir la chérir et la protéger.

Les visites du docteur Talham étaient aussi très attendues par la famille Lareau. Elles apportaient une agréable diversion au creux de l'hiver et tous se rassemblaient dans la grande chambre, près du poêle pour écouter le docteur.

— Talham est un nom plutôt curieux, lança un jour François Lareau à son futur gendre.

— Vous avez raison, d'autant que ce n'est pas un nom français. Mon père est né en Bavière et son véritable nom était Talhant, expliqua le docteur en prononçant le nom avec un curieux son guttural. Mais à son arrivée en Normandie, il a transformé Talhant en Talham, qui sonne mieux aux oreilles françaises.

— Mais vous, docteur, vous êtes bien né en France? demanda Victoire.

— Oui, bien sûr. Ma mère s'appelait Françoise Mortoire. Notre famille vivait à Fauville-en-Caux. À cause d'elle, sans doute, je me suis toujours senti entièrement Français.

Marguerite écoutait avec étonnement ces révélations touchantes. Le docteur avait été un petit garçon qui adorait sa mère. Elle tenta d'imaginer la lointaine Normandie, les maisons de briques rouges, de chaux et de silex que décrivait Talham, avec leurs granges aux toits de chaume.

— Mon père venait de la région d'Avranches, expliqua Victoire à son tour devant tous les enfants qui se serraient près du feu pour entendre les histoires de leurs aïeux. C'était d'abord un marin, mais lorsqu'il arriva au pays, il devint aussi voyageur. Il s'est engagé auprès du marchand de fourrures Louis Saint-Ange Charly et a vécu trois ans dans le pays d'En-Haut, au lac Supérieur, avant de rencontrer ma mère, Madeleine Boileau.

— Comment peut-on l'oublier? dit Talham. Elle est morte auréolée par sa légende.

— C'est vrai que ce n'était pas une femme ordinaire. Lorsque mon père l'a rencontrée, elle vivait à la mission des Abénakis de Missiscoui, près du lac Champlain, loin de sa mère, qui était sage-femme, et de ses frères, des voyageurs et des interprètes en langues sauvages. Ma mère entendait parfaitement ces langages. C'est à cet endroit que mes parents se sont mariés, en pleine forêt, devant le frère Lauverjat, un jésuite qui s'occupait de la mission. Ensuite, ils sont revenus vivre au village de Chambly.

— Les Lareau aussi viennent de Normandie, ajouta à son tour François. De Dieppe, précisément.

— Alors, nous avons tous du sang normand, s'exclama le docteur, ce qui fit rire les enfants.

Normand ou Français, Marguerite ne voyait pas la différence. Elle n'avait jamais connu ce fameux grand-père que sa mère évoquait avec nostalgie.

— Et dans notre famille, nous avons tous du sang indien, ajouta Victoire.

— Vaut mieux pas parler de ça, dit François. Avoir des ancêtres à la mode du pays, comme on disait autrefois, c'est mal vu de nos jours.

— Pourtant, on ne devrait pas avoir honte, déclara Victoire, dont les traits du visage trahissaient l'ancêtre algonquine lorsqu'on l'observait attentivement.

Le docteur admira sa future belle-mère pour son courage. La plupart des familles préfèrent taire ce genre d'ascendance gênante. Mais sur ce point, elle ressemblait à son cousin. S'il était parfois fantasque, Boileau savait agir en grand seigneur, et lorsque des familles indiennes venaient à Chambly pour faire baptiser un enfant, lui et sa dame servaient volontiers de parrain et marraine. Cette famille était aussi issue du terreau de ce pays neuf et ne voulait pas l'oublier.

❧

À Madame Adélaïde Rochette
Cany, département de la Seine Maritime,
France

Chambly, dans la province du Bas-Canada, ce 15 février 1803

Ma bien-aimée sœur,

J'espère que cette lettre vous trouvera en bonne santé, toi et ton cher fils Raoul. Je comprends tes craintes de le voir se faire enrôler dans les armées républicaines. Tu peux être fière de ton fils qui veut se battre pour sa patrie comme son grand-père, le capitaine Joseph Talham du régiment d'Anjou, décoré de la croix de Saint-Louis. Bon sang ne saurait mentir, ma chère sœur. Que Dieu préserve cet enfant! Le général Bonaparte est un grand général et je me réjouis qu'il ait été nommé consul à vie, quoique je déplore qu'il veuille vendre la Louisiane aux Américains. À mon avis, c'est une erreur qui affaiblira les Français d'Amérique. Mais surtout, prions pour que la paix, qui semble si fragile, demeure entre la France et l'Angleterre.

J'ai reçu ta dernière lettre par la malle de novembre venant de la Nouvelle York. Tu es loin, chère petite sœur! Je pense souvent à toi et à la douce Normandie ; la vieille maison de notre enfance recouverte de lierre (où nous avons si bien gelé l'hiver, transis par le froid et l'humidité), le jardin de notre mère, les vergers et les champs blonds du pays de Caux, sans oublier le vieux collège où je fis mes études, dans la bonne ville de Rouen.

Mais ce n'est pas la nostalgie qui m'amène auprès de toi en cette froide journée de février. Lorsque tu liras ces lignes, tu apprendras mon remariage avec la demoiselle Marguerite Lareau. Je sais, j'avais juré de ne jamais me remarier après la mort de ma chère Appoline. Que le Créateur me pardonne ce serment qui ne sera point tenu! Mon Appoline demeure, dans mon cœur, une compagne irremplaçable. Son caractère avenant, ses manières distinguées, sa belle sociabilité et son intelligence me convenaient en tout point. Et pourtant, demain, à l'aube, avant même que le soleil ne se lève, je prononcerai pour la deuxième fois les vœux solennels du mariage. Le seigneur de Rouville et Monsieur Boileau seront mes témoins. Comme tu vois, je serai bien entouré.

Les Lareau sont les éleveurs de la région et leurs grands troupeaux font l'envie de tous. Ma future belle-famille a de nobles origines, de celles qui comptent dans ce pays. Marguerite aura dix-huit ans. C'est une jeune fille accomplie et gracieuse. Elle est plus châtaine que blonde, avec de beaux traits. Au-delà de l'océan qui nous sépare, j'entends l'écho de tes exclamations! Tu vas me remettre sous le nez mes beaux discours de jeunesse qui dénonçaient violemment les grandes différences d'âge entre époux. Comment je méprisais ces barbons épousant des tendrons! Oui, ma chère Adélaïde, la demoiselle a plutôt l'âge d'être ma fille que mon épouse. Me voilà à mon tour Pygmalion prenant pour femme une jeune fille qui ne connaît rien du monde. Et tu n'es pas au bout de tes indignations, puisque la demoiselle attend un enfant et ce n'est pas moi qui en suis le père. Pygmalion, je le veux bien, mais satyre, non!

Tous ignorent qui est le père de l'enfant. Marguerite refuse de révéler son nom. Je n'ai pas non plus l'intention d'interroger ma future épouse. Le sujet est délicat. Inutile d'entreprendre une vie conjugale avec des reproches sans fin. J'ai accepté de prendre cette responsabilité, alors n'en parlons plus.

Dans ma pratique, il m'est arrivé de rencontrer des cas semblables de jeunes filles. J'en ai vu, terrorisées, qui s'enfermaient dans un mutisme destructeur. Souvent, leurs familles les affublent d'un mari trouvé dans la parenté ou dans le voisinage. Quelques-unes sont malignes et le futur mari ignore tout de son sort.

Pourquoi ai-je accepté cette paternité imposée? Je t'ai déjà parlé de mon ami Monsieur Boileau. Il est un proche parent de ma future épouse et c'est par son intermédiaire que tout est arrivé. Madame Lareau s'était aperçue que sa fille Marguerite avait, comme on dit ici, « la maladie ». L'enfant étant le résultat d'une odieuse agression, assurait-il, il fallait trouver un modus vivendi honorable pour la jeune fille, c'est-à-dire lui dénicher rapidement un mari. Et il m'avait choisi, parmi tous ceux qu'il connaissait!

Embobeliné dans d'extravagantes circonlocutions, mon ami Boileau me fit d'abord un petit discours sur les héritages, les cris joyeux des petits enfants égayant le désert d'une grande maison comme la mienne et les attentions dont nous entourent ces chers enfants lorsque nous vieillissons. Ce cher Boileau oubliait tous les vieillards maltraités par leurs propres enfants, des situations déplorables qu'un médecin est à même d'observer trop souvent. Il chercha à m'attendrir sur les malheurs de la famille Lareau : les parents désemparés, le déshonneur de la jeune fille, le scandale à dissimuler. J'étais le mari idéal pour sa petite cousine. Je lui opposai vivement mon désaccord. Je n'étais qu'un vieux loup endurci qui se passionnait pour ses malades. Mes livres et la musique me tenaient compagnie et l'aimable société de Chambly m'offrait le divertissement. Je possède un petit bien et ma domestique s'occupe de mon ménage. Pour moi, c'était bien suffisant.

Mais j'ignorais à quel point Boileau était tenace. Il réussit à convaincre le curé qui approuva l'idée et décida de jouer les « marieuses » : bonne famille, belle éducation et dot convenable, la demoiselle fera une excellente épouse de médecin. On invoqua mon esprit chevaleresque, on fit appel à ma compassion, on me fit miroiter une belle descendance, déjà en route par ailleurs… On m'emberlificota de belle manière. Le curé approuvant, je me trouvai piégé.

J'aurais pu dire non. Mais certains arguments de Boileau avaient fait mouche et mon univers paisible s'était écroulé. Durant des heures, je soupesai le pour et le contre. La venue d'une jeune femme redonnerait vie à ma maison, certes, mais elle bousculerait profondément mes habitudes. Des enfants? Ils m'apporteraient certainement de la joie et une descendance, mais aussi bien des soucis. Folie que ces épousailles qui entraveraient mon travail! Je subirais des contraintes qui jusqu'alors m'étaient tout à fait inconnues. Une seconde plus tard, pourtant, je me moquais de moi. Avoir une famille fait partie du désir de tout homme. Les médecins ne sont pas tenus au célibat, comme les prêtres. Voilà qu'on me proposait la main d'une jeune femme charmante assortie d'une grande famille et je rechignais. Les rumeurs villageoises iraient bon train, puis s'effaceraient comme peau de chagrin. Je deviendrais du coup cousin de Boileau, j'appartiendrais à son clan. L'alliance proposée devenait séduisante.

Et puis, Charlotte, ma servante, m'abandonnera un jour pour se marier. C'est ainsi qu'après avoir retourné tout cela dans ma tête, j'acceptai d'épouser la jeune fille. À quoi bon réfléchir plus longuement? L'enfant s'annonce pour la fin de l'été et pour sauver les apparences, il fallait faire vite. Le curé s'est chargé d'obtenir les dispenses nécessaires auprès de l'évêque. J'ai rencontré la famille de la jeune Marguerite et nous nous sommes entendus sur les conventions de mariage. Voilà comment je suis devenu le sauveur d'une jeune fille perdue.

Alexandre Talham déposa sa plume sur l'écritoire. Adélaïde croirait-elle à ce conte de chevalier sans peur et sans reproche épousant la bergère en détresse? «Et toi, docteur, y crois-tu seulement?» se demanda-t-il. De plus en plus, Marguerite occupait ses pensées, il ne pouvait se le cacher.

Calmement, il reprit sa plume.

Voilà toute l'histoire, ma chère sœur. Demain, je serai bel et bien marié. Si un jour j'ai une fille, elle portera ton doux prénom en souvenir de cette sœur qui m'a tant chéri, enfant. Je termine prestement. Il me reste à écrire à notre père pour lui annoncer la nouvelle. Je compte sur toi pour lui donner les détails que tu jugeras bons. Je suppose qu'il m'approuvera, lui qui s'est remarié si vite après la mort de notre mère. Le commis de Monsieur Boileau part tantôt pour Montréal. Il déposera la lettre chez une de ses connaissances qui part à la Nouvelle York. Les «paquet boats» partent de là-bas plus tôt, et ainsi, ma lettre arrivera plus vite pour te dire toute mon affection.

Adieu, ma chère sœur, et sois assurée de l'amour de ton frère,

Alexandre

❧

La veille du mariage, Marguerite avait rencontré le curé Bédard pour l'obligatoire confession. Elle savait que le curé en profiterait pour sonder son âme, mais elle était bien décidée à ne pas le laisser entrer dans le côté obscur d'un jardin dont elle avait verrouillé la porte à jamais. Même son fiancé, le docteur, était d'accord sur ce point. À sa dernière visite, Talham avait pris à part sa promise pour la rassurer.

— Les aveux d'un confessé ne franchissent jamais les lèvres scellées d'un homme de Dieu, lui avait rappelé le docteur. Mais ce que vous devez comprendre, avait-il dit d'une voix douce, c'est que vous n'êtes pas dans l'obligation d'avouer à notre curé le nom de celui qui vous a blessée. C'est votre secret et vous avez le droit de le garder pour vous. Dieu sait que vous n'avez pas péché, Marguerite, et moi, je le crois aussi. C'est tout ce qui importe.

Perplexe, la jeune fille avait contemplé le bout de ses souliers de bœuf*. Le docteur semblait comprendre ce qu'elle ressentait. C'était certainement un miracle. «Une blessure », avait-il dit. Cette chose ignoble, qu'elle-même n'arrivait pas à nommer, serait une blessure ? Elle pourrait donc en guérir ? Lorsqu'elle releva la tête, ses yeux reconnaissants croisèrent ceux de son futur mari. Plus que de la compréhension, elle y découvrit de la bonté et les premières lueurs d'une tendresse infinie.

— Vous avez assez souffert, ces dernières semaines. Sauf qu'il nous faut nous soumettre à la confession prénuptiale. Faites-le suivant votre habitude. Et si messire Bédard cherche à provoquer vos aveux, ne répondez pas, si tel est votre désir. L'important, pour l'heure, est d'échanger nos serments devant Dieu.

En guise de réponse, Marguerite offrit un timide sourire.

Et ce jour-là, avant de quitter sa fiancée, le docteur Joseph-Alexandre Talham avait discrètement déposé, dans la paume d'une petite main douce, un tendre baiser qui avait fait frémir la jeune fille.

— À bientôt, belle Marguerite.

« Belle Marguerite... » Ces mots l'avaient touchée.

Malgré cet épisode confortant, une fois à genoux dans l'obscurité du confessionnal, Marguerite avait perdu le peu d'assurance que Talham avait réussi à lui inculquer. La confession s'était déroulée comme à l'accoutumée, Marguerite énuméra ses petits péchés véniels, s'accusant surtout d'avoir été orgueilleuse, l'automne précédent. En confessant le plus grand nombre de péchés possibles – quitte à en ajouter quelques-uns qu'elle avait certainement commis sans s'en rendre compte –, elle calculait rendre à son âme toute sa pureté.

Elle avait déjà beaucoup prié, mais ses appels à Dieu étaient-ils suffisants ? L'orgueil étant considéré comme une faute grave, le curé lui infligerait, du moins l'espérait-elle, une très longue pénitence. Ainsi, Dieu lui pardonnerait peut-être *l'autre* péché.

— Ma fille, lui avait demandé le curé pendant qu'elle faisait sa comptabilité intérieure, réfléchit bien à cette question et, avant de répondre, souviens-toi de l'infinie miséricorde de Dieu. As-tu cherché ton malheur ?

Même si elle s'y attendait, Marguerite fut prise au dépourvu. Mais elle avait répondu vaillamment, quoiqu'avec un sanglot dans la gorge.

— Non, mon père, je vous le jure.

— Ne jure surtout pas. As-tu incité à la fornication, par quelque artifice de séduction, le père de l'enfant ?

— Je ne comprends pas ce que vous voulez dire.

— Marguerite, Dieu sait tout.

Un profond silence.

— Il voit tout. Il a tout vu.

Les larmes avaient inondé les joues de la jeune fille. Elle reniflait dans son mouchoir humide. Si Dieu avait tout vu, pourquoi n'avait-Il pas arrêté le malfaisant ? S'Il lui infligeait cette épreuve, c'était peut-être parce qu'il croyait que c'était sa faute ? Les seuls moments où la culpabilité la fuyait, c'était lorsque le docteur venait la voir. Sa gentillesse avait sur elle un effet bienfaisant et mettait du baume sur son cœur meurtri. Alors, elle était convaincue de ne pas avoir cherché à provoquer *l'autre*, de n'avoir rien fait pour mériter son malheur, comme le disait le curé. Et à mesure que le temps passait, il arrivait que, pendant des jours entiers, elle ne pensât pas à la chose affreuse. Mais lorsque subrepticement le terrible souvenir s'imposait à nouveau, elle se rappelait précisément certains gestes, mais des détails s'estompaient.

S'était-elle défendue ? Avait-elle crié ? Tout cela demeurait flou dans sa mémoire. Seules demeuraient la violence de cette haine déferlante et cette douleur inouïe meurtrissant sa chair. Sophie l'avait accusée, avec ses paroles dures, « fille perdue », « fornication » ; son père fuyait son regard et sa mère avait honte. Alors, Marguerite se sentait sale, flétrie ; son déshonneur la stigmatisait. Elle avait même souhaité mourir. Mais elle était bien incapable d'expliquer tout cela au curé. Les mots pour le dire ne lui venaient pas.

— Je n'avais rien fait, murmura-t-elle. Je caressais le museau de son cheval... en fait, j'ignorais que c'était le sien. C'était une si belle bête ! Je ne savais pas qu'il était là. Est-ce que ce sont des artifices de la séduction, monsieur le curé ?

Le curé n'avait pas répondu, décontenancé par l'innocence de la jeune fille. Messire Bédard n'avait jamais été confronté à pareille situation et ignorait comment il fallait agir dans ces cas-là. Mais Marguerite poursuivait. Peut-être allait-elle enfin avouer ?

— Je ne l'ai pas entendu approcher, sinon...

Elle s'arrêta pour se moucher.

— Sinon ?

— Eh bien, je n'aurais jamais osé, vous comprenez, monsieur le curé.

— Oui, certainement, l'encourageait-il doucement en ne voulant pas la brusquer. Continue. Tu n'aurais jamais osé caresser ce cheval-là ?

— Bien non, monsieur le curé, si j'avais su, je n'aurais jamais eu cette audace-là.

— Pourquoi, Marguerite ? Il n'y a rien de bien méchant à flatter le museau d'un cheval. Même si c'est celui de quelqu'un d'autre. C'était... le cheval de quelqu'un d'important ? demanda-t-il avec beaucoup d'hésitation.

Il y eut un court moment de silence.

— Il s'est fâché.

— Qui s'est fâché, ma fille ? Le cheval ?

— Non. Pas le cheval. Lui.

Le curé retenait son souffle. Elle allait enfin lui révéler le nom de l'ignoble individu qui entachait sa paroisse ! Par la sainte miséricorde de Dieu, il pourrait enfin le confronter, lui faire avouer sa faute, consulter l'évêque et l'obliger à réparer le mal qu'il avait fait. Mais Marguerite s'était affolée et s'était tue.

— En taisant le nom du coupable, reprit prudemment l'ecclésiastique, tu le protèges. Tu te rends même complice de son péché.

— Ce n'est pas vrai, protesta Marguerite. Mais j'ai si peur, monsieur le curé. Si je parle, il me tuera.

— Mais non, ma pauvre fille, personne ne te tuera.

Marguerite se réfugia dans un silence résolu, tentant de retenir les larmes qui coulaient sur ses joues. L'insistance du curé ravivait la douleur et l'impuissance. Elle brûlait de se confesser, de se décharger de son terrible secret. Elle resta longtemps sans bouger, indécise. Ses genoux lui faisaient mal.

Ah ! Si seulement le docteur était là ! Il saurait lui dire quoi faire.

Mais Marguerite était seule avec sa conscience et le curé. Elle n'avait pas le choix. Elle devait avouer pour éviter la damnation éternelle. Alors, pour la première fois, et avec un nombre incalculable de sanglots, elle raconta à messire Bédard ce qui lui était arrivé le jour de la Saint-Martin.

Plus tard, agenouillée, elle récita des rosaires et des *Pater noster* de pénitente en pleurant, impassibles patenôtres employées à guérir son âme mortifiée.

Une fois seul dans son cabinet, le curé s'agenouilla à son tour et pria longuement. « Seigneur, éclairez-moi, épargnez-moi. Je Vous implore humblement de m'envoyer Vos divines lumières. Seigneur, ne Vous ai-je pas toujours servi avec célérité ? Suis-je le bon pasteur pour cette paroisse ? »

Lorsqu'il se releva enfin, le curé avait froid. Le feu mourait lentement dans le poêle. Il l'alimenta et, au bout d'un moment, les braises s'enflammèrent. Un frisson terrible le fit tituber.

Jean-Baptiste Bédard se laissa choir dans son fauteuil, atterré. Il médita un long moment sur les bienfaits de la confession auxquels, pourtant, il avait toujours cru fermement. Faire preuve de contrition rendait les hommes meilleurs.

Les révélations de Marguerite avaient soulagé sa paroissienne, croyait-il. La jeune femme avait désormais l'âme en paix, se disait le curé pour s'en convaincre, et recevrait la bénédiction nuptiale en état de grâce. Mais ses aveux l'avaient plongé dans une profonde perplexité. En réalité, messire Bédard était effrayé par le contenu de cette confession et mesurait son impuissance.

Il connaissait désormais le nom du coupable. Mais Ovide de Rouville résidait dans une autre paroisse. Il lui était donc impossible de soutirer des aveux détaillés en confession. Alors, que devait-il faire ? Écrire à son évêque pour l'en avertir ? Si le curé pouvait demander conseil, dans ce cas précis, il lui fallait toutefois taire le nom du criminel, à cause de la confidentialité immuable du sacrement de la confession. Il ne pouvait trahir sa pénitente qui avait fait des aveux. Et il ne pouvait accuser ouvertement le coupable, malgré les péchés graves de fornication et de brutalité. Dans sa grande bonté, le curé ne pouvait croire à tant d'infamie, quoiqu'il avait déjà entendu des récits peu reluisants à propos de la famille Rouville.

Melchior de Rouville avait un frère naturel, fruit du commerce illicite de son père, René-Ovide, avec une servante. La famille avait élevé discrètement l'enfant et, finalement, l'avait bien marié. Jean-Baptiste Hertel de Rouville, le premier de toute cette lignée, avait été autrefois traîné devant les tribunaux pour un crime semblable. «Les hommes de cette famille, tout nobles qu'ils soient, n'ont jamais été des enfants de chœur», se dit messire Bédard avec amertume.

Monsieur Boileau l'avait prévenu, pourtant, de ne pas chercher à connaître le nom du responsable. Puisque la jeune fille serait bien mariée et son enfant, protégé, pourquoi avait-il voulu chercher plus loin? Maintenant, il était lui-même prisonnier du secret de Marguerite Lareau. Le curé se demanda incidemment si Boileau connaissait la vérité.

Chapitre 9

L'heure du thé

Françoise Bresse frissonnait, enfouie sous la courte-pointe, le bout du nez gelé. À ses côtés, son mari dormait profondément, mais sa chaleur ne suffisait pas à la réchauffer. La couverture de laine supplémentaire posée au pied du lit remplirait cet office si seulement elle osait sortir un bras de sous les couvertures pour l'attraper, mais elle voulait retarder le plus longtemps possible le moment de bouger, de quitter le lit. Au cœur de la nuit, la maison refroidie était plongée dans l'obscurité que seule la lune éclairait faiblement. Pour connaître l'heure, Françoise devait allumer la chandelle du martinet, posé sur une petite table près du lit, puis se rendre dans la pièce d'à côté. Sur un bahut de la chambre de compagnie se trouvait en effet la belle pendule de cuivre achetée à Montréal par son époux, au début de leur mariage. Un impérieux besoin naturel la força à reconsidérer sa décision. Il lui fallait se lever. Elle se décida courageusement à sortir du lit, cherchant à tâtons son châle de laine qu'elle serra sur ses épaules grelottantes, puis, tirant le pot de chambre dissimulé sous le lit, elle se soulagea enfin. Sous ses pieds nus, malgré la carpette tissée qui couvrait le sol, elle sentait le plancher glacé. Elle enfila ses pantoufles placées tout près du lit.

« La Perrine doit ronfler. Je parie que tous les poêles de la maison sont éteints, sauf le sien ! » maugréa-t-elle pour elle-même.

Françoise alluma le martinet et sortit de la chambre pour aller réanimer le feu dans la pièce voisine lorsqu'un bruit provenant de dehors l'attira à la fenêtre. Intriguée, elle jeta un regard par un carreau givré et aperçut vaguement la silhouette d'un attelage. Une carriole passait sur le chemin. Elle gratta le frimas avec ses ongles tout en cherchant rapidement autour d'elle un objet qui lui permettrait d'aller plus vite. Ne trouvant rien, elle dut se contenter de meurtrir le bout de ses doigts sur le carreau.

La maison des Bresse constituait un observatoire privilégié pour épier tout ce qui se passait d'important dans le village de Chambly. La demeure était située entre l'église et le carrefour des vieux chemins, pas très loin de la maison rouge des Boileau, leurs voisins, à proximité du magasin général, des quais et du marché public qui se tenait dehors tout l'été. Cette excellente situation se confirma immédiatement à cette heure impromptue de la nuit lorsqu'un spectacle inattendu se déroula sous les yeux ébahis de Françoise. La belle carriole blanche et bleue, chaussée de lisses en métal, que Monsieur Boileau avait fait livrer de Montréal l'automne dernier – et qui avait fait pâlir Françoise d'envie – passait sous ses fenêtres. Facilement reconnaissable à sa pelisse de poil qui l'affublait d'un air prétentieux – c'était du moins l'opinion de Françoise –, Boileau lui-même tenait les rênes. Un homme était assis à côté de lui. L'attelage bifurqua vers l'allée qui menait à la maison rouge, confirmant l'impression de madame Bresse. Un deuxième attelage suivait le premier. Elle reconnut la carriole déglinguée du docteur. Près de lui était assise une femme bien emmitouflée, méconnaissable. Une troisième carriole apparut. Françoise crut distinguer l'habitant Lareau et sa femme, la cousine de Boileau, malgré les robes de mouton qui les recouvraient.

Que signifiaient ces allées et venues intempestives au cœur de la nuit hivernale ? « La femme assise devant serait-elle leur fille ? se demanda Françoise. Comment s'appelle-t-elle, déjà ? Ah oui ! Marguerite. »

Les pensées de dame Bresse s'agitèrent à un point tel qu'elle fut incapable d'aller se recoucher. Le cerveau en ébullition, elle se posait des questions, émettait des hypothèses toutes plus intéressantes les unes que les autres. Quelle urgence nécessitait de tels déplacements ? Et que faisaient dehors tous ces gens, et à cette heure ? Personne n'était encore levé au village. Pas même les servantes ! « Ces gens n'ont pourtant pas l'habitude de mener le bal si tard dans la nuit », marmonna Françoise. Encore sous le choc de sa découverte, elle descendit réveiller sa servante afin que celle-ci rallume les autres feux de la maison.

Un peu plus tard, dans la matinée, elle décida d'en avoir le cœur net. Elle avait retourné dans sa tête toutes les possibilités expliquant ces curieuses manifestations nocturnes ; maintenant, il lui fallait absolument exposer à voix haute ses découvertes afin de s'y retrouver. Elle fit porter un billet habilement rédigé chez les demoiselles de Niverville, les invitant à venir prendre le thé. Seule la perspective de nouvelles croustillantes pouvait faire sortir les vieilles filles de chez elles.

C'est ainsi que dans l'après-midi, les langues allaient bon train dans la chambre de compagnie surchauffée des Bresse, une pièce convenablement meublée selon les critères des demoiselles de Niverville. Des chaises d'acajou recouvertes de crin noir étaient alignées le long du mur, de même qu'une table de jeu à abattant. Les deux fenêtres, habillées de frais rideaux blanc et bleu ciel ornés de festons, laissaient facilement entrer la clarté du jour. Françoise Bresse se démarquait de ses contemporains, qui préféraient les lourdes tentures et l'éclairage de plusieurs chandeliers en plein jour, qu'on voyait comme un signe d'opulence.

Malgré des origines plutôt modestes – son père, Baptiste Sabatté, n'était après tout qu'un boucher de Pointe-Olivier qui avait assez bien réussi à élever sa famille –, Françoise Bresse ne manquait ni de goût ni d'audace. Chez cette femme, l'instinct visait juste. Elle avait été bien inspirée le jour où elle avait accepté d'être l'épouse de Joseph Bresse, un homme de petite taille qui cachait sa calvitie précoce sous une perruque démodée, mais qui était incontestablement doué pour le commerce.

Les demoiselles de Niverville sortaient rarement de leur vieux manoir de pierres, prétextant une santé fragile. Mais elles se sentaient toujours bien lorsqu'arrivait une invitation de madame Bresse. Même si elles jugeaient les flots de lumière indécents dans une demeure bien tenue, elles appréciaient certaines des extravagances de la chère madame Bresse. Sa dernière trouvaille, le manteau de cheminée peint de manière à imiter le marbre et rehaussé d'arabesques en plâtre, brillait par sa distinction.

Françoise saisit la belle théière de porcelaine anglaise – un service à thé valant plusieurs dizaines de livres, estimèrent mentalement les vieilles filles – et versa le thé avant de servir le gâteau garni de crème fraîche que la servante Perrine avait confectionné le matin même. Ces dames échafaudaient les hypothèses les plus plausibles concernant les scènes étranges dont Françoise avait été témoin.

L'hôtesse décrivit avec force détails le va-et-vient de la nuit précédente, agitant ses mains recouvertes de mitaines de dentelle noire qui laissaient voir de longs doigts minces et agiles. À sa main droite, la bague ornée d'un rubis était un cadeau de son époux. Elle portait une simple robe d'intérieur rayée bleu et blanc dont la jupe retombait droite, comme le commandait la dernière mode. D'un bonnet de mousseline blanche orné de festons sortaient des cheveux bouclés qui encadraient le joli visage de Françoise, où des yeux noirs et vifs brillaient d'excitation.

— Ils revenaient tous du côté de l'église, expliqua-t-elle. Il n'y a que le docteur Talham qui habite par là, et comme il n'a pas l'habitude de recevoir chez lui, on peut supposer que tous ces gens étaient réunis pour une autre raison. Je ne vois rien d'autre qu'un mariage qu'on voulait discret, affirma sentencieusement madame Bresse.

— Un mariage le mercredi ! remarqua sournoisement la première demoiselle de Niverville.

— Est un mariage que l'on veut tenir secret ! renchérit la deuxième demoiselle, les yeux aussi ronds que s'il s'agissait de Sodome et Gomorrhe.

— Le ciel était d'un noir d'encre ! ajouta Françoise, théâtrale.

Elle exagérait un peu. Le temps était clair et le filet de lune sur la neige éclairait le chemin, mais elle affectionnait les effets dramatiques. Les histoires n'en étaient que meilleures.

— Le docteur s'est marié ce matin, affirma-t-elle en prenant un air mystérieux, avec la jeune Marguerite Lareau de la Petite Rivière. J'en mettrais ma main au feu, conclut-elle triomphalement.

— Mais ce n'est qu'une enfant! s'exclama la première demoiselle de Niverville en portant à ses lèvres une délicate tasse de porcelaine.

Le thé, trop chaud, l'obligea à saper bruyamment une première gorgée.

— Elle n'a que quinze ou seize ans, ce me semble, fit sa sœur en essuyant délicatement du revers de sa mitaine un peu de crème qui lui chatouillait le menton.

— Le docteur l'aurait-il séduite?

La deuxième demoiselle, profondément indignée par cette ignominie, se barbouilla à nouveau avec la crème du gâteau.

— Nous avons toujours dit que cet homme n'était qu'un enjôleur.

— Un faux jeton! ajouta la seconde demoiselle, après avoir essuyé la crème revenue lui tacher le menton.

— Mais bien sûr, personne ne nous écoute.

— Sauf vous, ma chère madame Bresse.

— Quand je pense qu'on disait le docteur Talham inconsolable de la perte de sa chère Appoline, rappela innocemment Françoise.

La première demoiselle regarda l'hôtesse d'un air entendu en avalant une autre gorgée de thé.

— Offrez à un homme de la chair fraîche! déclara-t-elle.

— Et les plus grands chagrins s'envolent! clama la deuxième demoiselle en s'étouffant avec une miette de gâteau.

Elle chercha vainement son mouchoir dans un minuscule sac brodé du siècle dernier ayant appartenu à sa défunte mère.

Les deux demoiselles n'étaient guère étonnées d'apprendre une pareille nouvelle. Combien de fois, telles des cassandres, n'avaient-elles pas prédit l'imminence d'un scandale?

— Je me suis toujours méfiée de ce docteur, rappela la première demoiselle de Niverville en replaçant son col de dentelle.

— Ce Talham! N'est-il pas un ami des Pétrimoulx de L'Assomption? ajouta l'autre bessonne.

— Pftt! Ces Pétrimoulx! Vaniteux comme leurs amis Boileau.

De l'avis des demoiselles, l'alliance des Pétrimoulx et des Boileau expliquait tout. De la graine de révolutionnaires. Pire. Des régicides! La deuxième demoiselle, qui avait finalement retrouvé son mouchoir, s'épongea précautionneusement le front.

Françoise était d'accord, quoiqu'elle ne voyait pas en quoi la fréquentation des Pétrimoulx rendait le docteur indigne de confiance. D'accord, les demoiselles de Niverville ne portaient pas Monsieur Boileau dans leur cœur. Elles se méfiaient du fils de Pierre Boileau : ce dernier avait été l'agent et le procureur de leur père, un bandit s'abreuvant à toutes les auges et qui avait précipité leur famille dans le malheur, selon la théorie bien étayée des deux sœurs. Les manigances de ce personnage étaient les mêmes qui avaient causé la perte de la Nouvelle-France. Leur père, le grand seigneur Jean-Baptiste Boucher de Niverville, avait dû se résoudre à vendre sa jolie seigneurie à un rustre d'Écossais.

Et bien sûr, lorsque vinrent les Américains à Chambly, en 1776, les Boileau de la Pointe-Olivier se rangèrent évidemment du côté de ces rebelles qui contestaient le roi d'Angleterre. Heureusement, on les avait exilés!

— Vous êtes trop jeune, ma chère, pour vous rappeler ces affreux Bostonnais* – certains disent des Américains – qui sont partis en incendiant le fort!

— C'est vrai que je n'en garde aucun souvenir, c'était l'année de ma naissance, s'excusa Françoise. Mais on m'en a beaucoup parlé, se rattrapa-t-elle.

— Le curé d'alors était un de ces Pétrimoulx, expliqua la première demoiselle, remplie d'indignation.

— On disait qu'il frayait avec l'ennemi, poursuivit l'autre vieille fille.

— Imaginez la terreur qui régnait à Chambly! Un campement de révolutionnaires à nos portes, à Pointe-Olivier.

— Ces Américains se croyaient les maîtres chez nous! Ils n'ont laissé que ruines et amertume en incendiant le fort.

— Et des dettes aux cabochons qui avaient cru en leurs belles promesses.

— Et le docteur est un Français! conclut une des demoiselles, comme si ceci expliquait cela.

Encore une fois, la logique méandreuse des demoiselles échappa à Françoise, qui écoutait poliment. Elle vérifia l'ordonnance des rubans de son bonnet et replaça une épingle. Elle avait besoin d'explications supplémentaires.

— Un Français?

— Un de ceux qui ont coupé la tête au roi Louis! précisa la demoiselle numéro deux.

— Ah! dit négligemment Françoise.

Elle se demanda comment le docteur pouvait trancher une tête couronnée tout en vivant à Chambly. Et puis, les Bresse et les Sabatté, tout comme les aïeux des demoiselles, étaient aussi originaires de ce pays. Mais en ce temps-là, tout était bien différent. C'était avant la venue des Anglais.

— Il a certainement célébré la mort du pauvre roi Louis XVI en cachette.

— Vous croyez?

Françoise était vraiment intriguée.

— Ce qui est proprement révoltant!

— Cela n'a rien d'étonnant pour un simple chirurgien de campagne à peine sorti de la barberie. Ce diable de Français qui se prétend médecin!

— Un barbare, vous dites?

La réflexion de Françoise fit sourire les demoiselles.

— Autrefois, ma chère, les chirurgiens faisaient la barbe des hommes ou amputaient les jambes gangrenées des marins sur les bateaux. De nos jours, les vrais chirurgiens, dans les pays civilisés comme le nôtre, ne font plus ce genre de choses.

Françoise, qui n'avait jamais pris de bateau, avait pourtant souvent fait appel aux services du docteur. Elle commença à douter de ses compétences.

— L'autre jour, raconta la première demoiselle, nous l'avons fait mander. Que voulez-vous, nous n'avons guère le choix, dans cette abominable campagne. Qui d'autre peut faire une saignée?

— Et ma sœur qui a, comme vous le savez, ma chère madame Bresse, une complexion fragile.

— Je requiers d'être régulièrement saignée, reprit la première demoiselle, tout comme ma pauvre sœur qui a toujours besoin d'être purgée.

— Eh bien, figurez-vous que ce charlatan...

— ... m'a refusé la saignée.

— Prétextant que cela allait inutilement l'affaiblir.

— Il m'a bêtement recommandé un régime fait de viande et de légumes.

— Plutôt qu'une bonne purgation...

— ... qui était le remède approprié.

Par quel mystère la saignée devenait purgation ? Lorsque les demoiselles de Niverville entamaient la litanie de leurs innombrables maux, Françoise savait que toute tentative pour changer de sujet de conversation devenait inutile. Son esprit se remit à vagabonder, reprenant le raisonnement de ses remarquables déductions. Si ce mariage avait été célébré en privé, sans aucun ban, c'est qu'il y avait une raison grave. Un enfant en chemin ? Madame Bresse allait faire part de ses conclusions à ses invitées, mais les demoiselles, lancées sur leur sujet de prédilection, c'est-à-dire elles-mêmes, étaient intarissables.

— Et cette faiblesse de constitution...

— ... qu'elle a de naissance.

Ah ! La naissance fabuleuse des bessonnes de Niverville : un événement qui comptait parmi les légendes du pays. Le 19 août de l'an 1767, trois demoiselles de Niverville firent leur entrée dans ce monde. Oui, c'était la pure vérité ! Que le seigneur de Niverville puisse procréer trois enfants à la fois sans que le diable ne s'en mêle tenait déjà du prodige. On prénomma les bessonnes Renée, Madeleine et Thérèse. Mais quelques jours plus tard, les parents pleuraient la petite Renée qu'on alla rapidement porter en terre. Minuscule et frêle, la troisième jumelle n'avait pu survivre.

Mais était-ce bien la petite Renée qui était morte ? N'était-ce pas plutôt Madeleine ? À moins que ce ne fût Thérèse ? Ce drame marqua définitivement le destin des bessonnes survivantes. Depuis l'enfance, chacune d'elle reprenait à tour de rôle le prénom de la petite morte, au cas où l'une d'elles serait en réalité celle qu'on avait prénommée Renée. C'était une sorte de jeu morbide auquel les fillettes se livraient à l'insu du reste de la famille. Un jour où Madeleine avait fait place à Renée, cette petite démone de

Louise – leur sœur cadette – les surprit et les dénonça à leur mère, laquelle en avait été mortifiée. La petite Renée était au ciel, parmi les anges, il n'y avait pas à revenir là-dessus ! Les jumelles avaient été mises au pain sec pendant deux jours et on n'avait jamais plus reparlé de l'étrange mise en scène.

En grandissant, les demoiselles de Niverville étaient devenues l'une et l'autre tout à fait semblables. Elles se confondaient, chacune étant ou Madeleine ou Thérèse – ou la défunte petite Renée –, l'une ne venant jamais sans l'autre, pareillement habillée, partageant les mêmes pensées et les mêmes manies. Madeleine clignait involontairement de l'œil lorsqu'elle s'emportait ; Thérèse pinçait le bec en cul de poule avant de parler, mais comme Madeleine copiait inconsciemment les gestes de sa sœur et que Thérèse imitait Madeleine en tout, il y avait longtemps qu'on avait renoncé à les distinguer. On les tenait pour deux vieilles filles excentriques. Lorsque, par mégarde, l'une s'adressait à l'autre en l'appelant Renée, personne n'y prêtait attention. Elles vivaient au faubourg Saint-Jean-Baptiste, dans le vieux manoir décrépit des seigneurs de Niverville, avec pour seule compagnie celle de leur frère, le chevalier Antoine de Niverville, un vieux garçon qui portait des perruques extravagantes et poussiéreuses où flottaient quelques fils d'araignée. Le nobliau était un collectionneur – passion inavouable – de chaussures fines pour dames. Et certains soirs, dans l'ancestrale maison des anciens seigneurs de Chambly, pendant que le chevalier revêtait corsets, jupons et jupes dans le secret de son alcôve, les demoiselles apprenaient les rudiments du menuet à Renée, la petite disparue qui vivait au ciel.

Françoise faisait de grands efforts pour suivre les propos de ses invitées, tout en cherchant la brèche permettant d'interrompre le flot des malheurs à venir. Finalement, elle tenta le tout pour le tout et lança, à tout hasard, en haussant la voix :

— J'ai appris qu'il y aura bientôt un nouveau chirurgien pour la garnison du fort. Un chirurgien anglais.

— Un chirurgien anglais ?

Cette nouvelle suffit à couper court aux litanies des demoiselles.

— Une excellente nouvelle, assurément !

La première demoiselle de Niverville joignit les mains de ravissement. La deuxième allait commenter lorsqu'elle fut interrompue par une voix joyeuse :

— Et quelle est donc cette excellente nouvelle ?

Ayant à son bras madame de Gannes de Falaise, vêtue d'une austère robe de soie violette qu'un col de dentelle blanche agrémentait, Monsieur Boileau, coiffé de sa plus belle perruque poudrée, les douces rondeurs de sa panse bien cintrées dans une jaquette bleu pâle, faisait une entrée digne du grand roi Louis XIV chez les Bresse.

— Ma chère madame Bresse, toujours aussi aimable et ravissante, fit le bourgeois en s'inclinant gracieusement sur la jolie main de Françoise et en lui tripotant discrètement les doigts.

Les demoiselles affichèrent soudain la même petite moue boudeuse, tant il leur était difficile de cacher leur déplaisir de se retrouver dans la même pièce que le fils de Pierre Boileau.

Le riche mariage du bourgeois et son train de vie princier jetaient une ombre brutale sur l'ancienne splendeur des Niverville, que les demoiselles attribuaient à un « affaiblissement involontaire dû à des causes extérieures incontrôlables », et seule la noblesse de madame de Gannes de Falaise trouvait grâce à leurs yeux. Les sœurs de Niverville évitaient le plus possible de s'adresser au fils du mécréant, ce qui donnait parfois lieu à des situations hautement comiques qui ne manquaient pas d'amuser Monsieur Boileau. Ce dernier, d'ailleurs, prenait un malin plaisir à questionner les nobles demoiselles sur tout et sur rien, celles-ci étant trop bien élevées pour ne pas répondre.

— Chères dames, quel plaisir de vous voir! s'exclamat-il. Avez-vous retrouvé votre manchon de lapin? Sa disparition annoncée par le crieur l'autre jour m'a littéralement plongé dans l'affliction, ajouta-t-il, mi-figue mi-raisin, pendant que son épouse le pinçait discrètement en murmurant: «Arrêtez donc vos moqueries!»

— Vous êtes trop aimable, Monsieur, répondit avec sérieux la première demoiselle. Nous l'avons retrouvé. C'était notre nouvelle petite bonne, Marie-Desanges, qui l'avait rangé.

— Vous m'en voyez heureux pour vous, fit Boileau tandis que son épouse retenait un fou rire.

Avant que n'éclate un regrettable incident diplomatique, madame Bresse demanda à sa servante d'apporter deux chaises supplémentaires et invita les nouveaux venus à s'asseoir. Sitôt fait, elle remit à chacun une tasse de thé.

— Madame de Gannes de Falaise, votre santé est bonne? susurra une des demoiselles de Niverville.

— Et vos ravissantes filles? Vous les avez retirées du couvent? s'informa l'autre demoiselle.

— Avez-vous des nouvelles de votre fils? ajouta madame Bresse au chorus.

— Toute notre famille se porte à merveille, merci, chères amies, répondit avec grâce madame Boileau. Nous avons reçu hier une lettre de notre fils, ajouta-t-elle à l'intention de Françoise. J'aurais voulu vous l'apporter, mais ces jours-ci, j'oublie tout. Mais je peux vous en dire quelques mots. Il aime beaucoup l'Angleterre et fait un séjour chez un avocat afin de se familiariser avec le droit anglais. Il croit que cet apprentissage lui servira.

— Vous-mêmes, mes excellentes dames, vous affichez une mine resplendissante, constata le bourgeois d'humeur joviale.

— Fi monsieur ! riposta une des demoiselles, au bord de l'indignation. Vous dites cela pour vous moquer de notre fragilité naturelle !

— Tut, tut ! Je n'en crois rien, fit Boileau. Vous tenez de votre défunt père, mort dans son grand âge. Je dis que c'est plutôt vous qui suivrez mon cortège funèbre ! Mais quelle était cette nouvelle que vous évoquiez à l'instant ?

Les demoiselles se turent à l'unisson. Françoise brandit la pelle à gâteau vers Boileau :

— Nous disions, hum ! qu'il y a beaucoup d'agitation à Chambly ces jours-ci.

— Rien de nouveau. Quand ce ne sont pas les jours de marché, le changement de garnison, le passage des troupes vers Saint-Jean ou les cages de bois sur le bassin l'été, il reste le bruit des chalands et le bavardage des commères devant l'église, énuméra le bourgeois avec amusement.

Il attrapa une assiette de gâteau que tendait Françoise pour la passer à sa femme.

— Allons, mon ami ! dit aimablement son épouse en posant sa main potelée sur la manche de soie de son mari pour le rappeler à l'ordre. Ne taquinez pas notre chère voisine.

— Vous parliez sans doute de l'arrivée du sixième régiment du *Royal Warwickshire*, reprit plus sérieusement le bourgeois. Rouville m'en a fait part.

— Il vous a dit cela ce matin ? demanda insidieusement madame Bresse.

— Monsieur de Rouville a annoncé la venue d'un chirurgien anglais, ici, à la garnison du fort, coupa une demoiselle
de Niverville.

— Vraiment? Vous me l'apprenez. Espérons que ce
nouveau chirurgien soulagera notre ami Talham, toujours
débordé, quoique je ne vois guère cet Anglais courir nos
campagnes pour soigner les pauvres gens.

— Parlant du docteur Talham, j'ai cru le voir passer ce
matin, très tôt, il faisait encore nuit, sur le chemin menant
à l'église.

— Mais vous êtes très matinale, ma chère madame Bresse,
fit malicieusement Boileau. Justement, à ce propos, mon
épouse et moi venions aussi annoncer une grande nouvelle.

— Une grande nouvelle?

— Le docteur Talham a épousé notre nièce, Marguerite
Lareau, pas plus tard que ce matin, jeta le bourgeois d'un
trait.

Les deux demoiselles se mirent à tousser, cherchant
frénétiquement leurs mouchoirs tandis que Françoise
contemplait son visiteur d'un air triomphant. Elle savait
bien qu'il y avait quelque anguille sous roche à propos du
docteur Talham.

— Vous nous en voyez fort surprises et… enchantées,
déclara-t-elle hypocritement. C'est en effet une… curieuse
nouvelle. Notre curé n'a pas annoncé ce mariage au prône,
ce me semble?

— Il est vrai que tout s'est décidé prestement. Le docteur
était si fort amoureux de ma jeune parente, poursuivit
Boileau en regardant Françoise avec insistance, qu'il a voulu
l'épouser avant carême. Il ne pouvait plus attendre.

— N'est-ce pas un amour… soudain?

Françoise remarqua que madame Boileau n'affichait
pas la même assurance que son mari. Mais derrière sa

MARGUERITE

faconde, Boileau cachait aussi sa nervosité. Il se leva et arpenta la pièce, les mains derrière le dos, avant de se lancer dans un de ces discours qui rappelait l'ancien député.

— Ce fut un coup de foudre, comment dirais-je, automnal. À la dernière Saint-Martin, chez notre ami Rouville, le docteur avait remarqué à quel point notre nièce s'était épanouie – les splendeurs de cette journée d'automne lui ont révélé subitement les charmes et la grâce de Marguerite. Il en est devenu fort épris. Mais il hésitait. Vous comprenez... Son âge! Il avait peur d'être repoussé. Je l'ai vivement encouragé à se déclarer : ma chère Falaise a quasiment élevé cette petite comme une de nos filles, lui ai-je fait remarquer. Finalement, jouant d'audace, il fit sa demande aux parents. Comme je l'avais prédit, la demoiselle, vous vous en doutez, fut flattée d'avoir été remarquée par cet homme de grande valeur. D'ailleurs, Talham est bel homme. De la prestance, de la noblesse...

Monsieur Boileau pérorait comme une donzelle. Il raconta ensuite avec quelques détails de son cru l'épisode du bon curé qui s'était démené comme un diable dans l'eau bénite pour obtenir rapidement la dispense de bans, et Françoise Bresse, suspendue à ses lèvres, écoutait avidement, quoiqu'avec un certain scepticisme. «Monsieur Boileau insiste trop,» pensa-t-elle.

— Vous connaissez les évêques qui aiment à ce que tout soit fait à leur manière, poursuivait Boileau. Monseigneur a exigé un mariage privé.

Voilà que c'était finalement la faute de l'évêque s'il avait fallu en passer par là. Remarquable trouvaille, se félicita Boileau, *in petto*.

— Privé? Et quel genre de mariage privé? demanda Françoise.

240

— Eh bien, voilà. Il s'agit d'un mariage discret que nos évêques – trop sévères, je dirais, en matière de mariage, quoique je comprenne que le rituel soit strict pour prévenir les dérives des basses classes – accordent aux gens bien nés.

Emporté par son lyrisme, Boileau serait monté sur une tribune s'il y en avait eu une à sa portée.

— Ah ! L'amour ! Que de joies, mesdames ! Heureusement, poursuivit-il en revenant sur terre, le curé a bien compris la délicatesse du sentiment de notre ami le docteur et a bien voulu l'avantager. La jeune fille en était la première ravie, croyez-moi. Que voulez-vous : l'amour a ses raisons, comme on dit souvent. Quel beau mystère, n'est-ce pas, ma chère Falaise ? fit-il en désignant sa femme qui trouvait franchement que son mari en faisait trop. Imaginez ! Parmi tous les gentilshommes des Trois-Rivières qui courtisaient cette jolie demoiselle, badina-t-il, c'est moi qu'elle a choisi.

Pendant que Monsieur Boileau relatait l'histoire archi-connue de ses amours avec celle qui fut mademoiselle de Gannes de Falaise, Françoise Bresse se réjouissait secrète-ment de ce mariage. Quelques fois, elle avait surpris les regards enamourés entre Marguerite Lareau et René Boileau, se demandant ce qu'il adviendrait de cette idylle. Et mainte-nant qu'elle avait sa réponse, elle recommença à soupeser les chances de voir une de ses deux jeunes sœurs épouser un jour le fils Boileau, sachant que ce dernier pouvait très bien attendre d'avoir la trentaine entamée avant de convoler. Il n'était pas rare de voir des hommes se marier à cet âge-là, et ses sœurs avaient le temps de grandir et de devenir des jeunes filles accomplies. À preuve, le mariage du docteur Talham qui avait certainement plus de quarante ans. À elle de veiller à ce que les jeunes belles-sœurs du marchand Bresse devien-nent des partis convoités.

Content d'avoir étourdi son auditoire, Boileau se rassit enfin pour attaquer sa part de gâteau.

— Il faut toutefois y mettre les formes, émit la première demoiselle une fois que le bourgeois eut la bouche pleine.

— Oui, les règles admises par les gens de la société, ajouta sa sœur.

« Comme celles qui ont régi les amours de votre jeune sœur », se disait la dame Boileau, qui aurait bien aimé couper court au sempiternel chapitre sur la grandeur de la noblesse et du bon vieux temps où, soi-disant, tout allait si bien. Mais son éducation ne le lui permettait pas.

Elle compatissait avec les demoiselles, dont la famille n'était plus qu'un sépulcre des grandes familles canadiennes d'autrefois, mais ces vaines discussions l'épuisaient. La noblesse ne valait pas tripette. Son propre père, Charles de Gannes de Falaise, avait lâchement abandonné sa famille, et sa mère, Angélique de Coulon Villiers, avait dû se résoudre à quémander des pensions et à se faire boutiquière pour survivre.

Les temps avaient résolument changé. Les nobles réussissaient encore à obtenir des charges plus ou moins utiles, mais de nos jours, c'étaient les hommes d'action, comme Boileau ou Bresse, qui s'enrichissaient. Son mari, qui n'avait aucune prétention de noblesse, venait de se faire octroyer une charge de juge de paix à Chambly. Voilà comment était le monde maintenant !

— Si je me rappelle bien, reprenait malicieusement Boileau en posant son assiette sur un guéridon, le mariage de votre sœur Louise avec David Lukin a *aussi* eu lieu un mercredi, si tôt le matin qu'on n'y voyait guère à trois pas ?

— Ce marchand, fit l'une des demoiselles d'un ton dédaigneux qui déplut à Françoise, a profité de la jeunesse et de l'innocence de notre sœur.

— Heureusement, les enfants ont été baptisés à l'église, ajouta la seconde demoiselle.

— Heureusement, répéta Boileau qui s'amusait franchement.

Les nobles bessonnes ne portaient pas leur beau-frère Lukin dans leur cœur. Avec un nom pareil, il n'avait même pas les apparences d'un «vrai» catholique.

— Un païen! murmura la première demoiselle.

— Peut-être pire! persifla l'autre, qui croyait que son beau-frère était juif.

Madame Boileau coupa court à ces propos désobligeants en demandant à Françoise de transmettre à Ursule, sa cuisinière, la recette de son délicieux gâteau qu'ils étaient à déguster. Françoise rougit, flattée que cette dame, qui avait à son emploi la meilleure cuisinière du pays, serve prochainement chez elle de «son gâteau».

— C'est une recette que je tiens de ma mère. Je la transcrirai moi-même et j'irai la faire porter chez vous, promit Françoise, au comble du ravissement.

La conversation commençait à traîner en longueur lorsque Joseph Bresse vint les rejoindre, accompagné du colonel de Rouville.

Il arrivait que le négociant fasse de gros prêts d'argent, discrètement, à l'abri des regards du curé puisque l'Église dénonçait ce genre de pratique, comme il venait de le faire pour monsieur de Rouville chez le notaire Leguay. Le marchand disposait d'importantes liquidités, ce qui n'était pas le cas du colonel. Bresse se réjouissait de voir une si belle compagnie réunie sous son toit. Que la bonne société fréquente sa demeure était le signe d'une incontestable réussite sociale, et Françoise faisait une excellente maîtresse de maison. Joseph Bresse avait fait le bon choix en épousant la fille aînée du boucher dont il était d'ailleurs follement épris! Fine et intelligente, elle le secondait parfaitement.

Il n'y avait toutefois qu'un seul domaine – outre le fait qu'elle ne pouvait avoir d'enfant – où Françoise accusait un échec. Malgré tous ses efforts pour faire de son mari un homme élégant, ce dernier affichait toujours une allure débraillée. Sur lui, n'importe quel vêtement devenait informe, fut-il taillé sur mesure. Les manches de chemise semblaient toujours trop longues et, au grand désespoir de sa femme, sa perruque était perpétuellement de travers. Détails insignifiants pour Bresse, toujours pressé de courir à gauche et à droite, brassant de grosses affaires.

Le marchand Bresse, qui était si doué pour le négoce, avait pourtant atteint l'âge adulte en sachant à peine lire et écrire. Il avait peiné pour apprendre. Les premières années de son mariage, son épouse lisait à haute voix les termes d'une lettre et rédigeait la réponse. Aujourd'hui, il éprouvait une grande fierté d'avoir réussi à surmonter son ignorance, mais la honte de ses incompétences passées l'avait profondément marqué.

L'ignorance du peuple canadien mortifiait Joseph Bresse, qui le ressentait comme un affront personnel. Le manque d'instruction était endémique dans les basses classes de la société. «Les chevaliers à la croix», se moquaient les Anglais en désignant ceux qui signaient leur nom d'une croix. Certains curés et des notables proclamaient trop facilement qu'il était inutile pour les habitants d'avoir de l'instruction. Bresse ne pouvait croire que l'élite fermait les yeux sur un mal qui rongeait l'économie du pays. Lorsqu'il serait élu à la Chambre législative du Parlement – car telle était son ambition – il défendrait le droit à l'instruction pour tous. Un jour, il en était persuadé, il soulèverait des souscriptions populaires et bâtirait des écoles.

Pendant que monsieur Bresse prenait des nouvelles de ses hôtes, Rouville jetait des regards discrets à Boileau. Il avait été convenu entre les deux hommes de répandre la nouvelle du mariage de Talham par leurs propres soins. Il importait avant tout de protéger la réputation du docteur. Les propos malveillants reprendraient à la naissance de l'enfant, mais ne dureraient que le temps d'un feu de paille, puisque Rouville serait le parrain.

Depuis un moment, une des deux demoiselles se mordait la langue. Elle ne put attendre plus longtemps pour annoncer la nouvelle du mariage du docteur à monsieur de Rouville. Ce dernier la regarda d'un air bienveillant :

— J'y étais, ma chère.

— Vous y étiez ? s'étonna la vieille fille.

— J'ai même eu l'honneur de servir de père à mon ami, le docteur Talham. Vous comprenez que n'ayant aucune famille au pays, il pouvait tout de même compter sur ses amis. Un si beau jour !

— Mais nous sommes mercredi !

— Et alors ? Il n'est pas dit que le mercredi soit un jour maudit pour se marier. Il fallait bien les marier avant carême et si l'évêque n'avait pas tant tardé à délivrer sa dispense.

— Mais pourquoi les marier avant carême ? demanda la seconde demoiselle.

Ne sachant trop quoi répondre, Rouville regarda Boileau qui vint à son secours :

— À l'âge de Talham, on ne perd plus son temps en longues et inutiles fiançailles.

— Enfin ! Il était temps que Talham se remarie, se réjouit sincèrement Bresse. Des rumeurs – toutes fausses, bien entendu – se répandaient de plus en plus au sujet de sa domestique. Mes félicitations à votre famille pour cette nouvelle alliance, Boileau. Un docteur ! Et comme le disent les Saintes Écritures, il n'est pas bon que l'homme soit seul. Messieurs, un verre de porto pour saluer l'événement?

Les deux hommes acceptèrent et Bresse sortit trois verres d'une petite armoire en coin, ainsi qu'un flacon avec un bouchon de cristal.

— À Talham! lança-t-il après avoir servi ses invités.

— Et à sa charmante épouse! ajouta Boileau. Une merveille! déclara-t-il dans un claquement de langue appréciateur.

— Excellent, renchérit Rouville en finissant son verre d'un trait. Madame Bresse, laissez-moi vous remercier de votre hospitalité. Il me faut préparer mes paquets. Demain, je me rends à Montréal pour affaires. Ma femme et ma fille m'accompagnent et, diantre, comme je les connais, ces dames doivent s'impatienter de ne pas me voir arriver.

Bresse et son épouse allaient se lever pour reconduire le visiteur lorsque deux fillettes firent irruption dans la chambre de compagnie.

— Que faites-vous là? demanda sévèrement Joseph Bresse tout en jetant un regard interrogateur à sa femme.

Clémence baissa immédiatement les yeux en rougissant, mais Agathe regarda bravement son beau-frère avant de répondre d'un ton presque impertinent:

— Nous avons terminé nos devoirs.

— Mais vous n'avez pas la permission d'entrer dans la chambre de compagnie sans mon ordre, les fustigea Françoise qui soupçonnait ses sœurs d'écouter aux portes.

— Le vieux docteur s'est marié avec la fille Lareau? lança la frondeuse Agathe, sa curiosité étant plus forte que la réprimande qui ne manquerait pas de survenir.

Les demoiselles de Niverville échangèrent un regard désapprobateur tandis que Françoise se raidit. Agathe avait le don de provoquer des situations embarrassantes.

Monsieur de Rouville se chargea de répondre à l'impertinente fillette.

— *Mon ami*, le docteur Talham, a en effet épousé la demoiselle Lareau, fit-il en prononçant lentement tout en la regardant droit dans les yeux.

Agathe finit par baisser la tête en prenant une attitude penaude. Le colonel n'avait pas l'air content.

Françoise ordonna à ses sœurs de retourner dans leur chambre, les menaçant de n'avoir droit qu'au pain sec et à l'eau en guise de souper. Mais Agathe prit la direction de la cuisine afin de tout raconter à la servante qu'elle savait friande de ragots.

Rouville échangea un regard avec Boileau.

— Peut-être rencontrerez-vous le docteur et sa nouvelle épouse. Les mariés sont partis à Montréal, ajouta ce dernier. Talham y a quelques affaires à régler, et il en profite pour faire voir la ville à sa nouvelle épouse.

Cette fois-ci, ce fut l'hôtesse qui avala sa gorgée de thé de travers. Cette petite paysanne découvrirait Montréal alors qu'elle, Françoise Bresse, n'y avait jamais mis les pieds ! Elle qui suppliait son mari depuis des lustres de l'amener un jour en ville ! Celui-ci, surprotecteur, ne voyait pas l'utilité d'un voyage sur les routes cahoteuses qui ne pourrait qu'épuiser sa femme.

Joseph Bresse était un mari prévenant, mais ô combien aveugle ! Il ne voyait pas à quel point Françoise s'ennuyait. Elle éprouvait un grand besoin de déployer son intelligence, de dépenser cette énergie inutilisée à observer son prochain et, trop souvent, à se livrer au commérage. Françoise dissimulait ainsi l'amère déception de ne pas être mère. Depuis la mort de ses parents, elle s'occupait de l'éducation de ses jeunes sœurs, Clémence et Agathe, mais ce pis-aller de maternité n'arrivait pas à combler le vide. Messire Bédard, à qui elle confiait son désespoir, lui rappelait que Dieu avait décidé pour elle un autre moyen de Le servir. Mais chaque mois rappelait à Françoise son ventre stérile ; à mesure que le temps passait, elle devenait plus anguleuse, plus sèche, plus hargneuse. Combien de temps encore avant que sa beauté lumineuse qui avait tant séduit le jeune marchand Bresse ne s'efface ? Elle regardait avec envie la plantureuse dame Boileau, « une poule pondeuse », pensait-elle parfois, méchamment, lorsqu'un nouveau mois sans espérance s'ajoutait aux précédents.

Le mariage inopiné du docteur avec Marguerite Lareau l'intriguait. Elle ne serait pas étonnée d'apprendre qu'il cachait en fait l'arrivée d'un enfantelet qu'on bercerait dans peu de mois dans la maison du docteur.

Bresse raccompagna Rouville. En retournant à ses invités, il ne put s'empêcher de constater à son tour que le mariage du docteur Talham s'était fait bien rapidement. Personne ne semblait en avoir entendu parler avant le jour même. Mais les amours du docteur furent rapidement remisées aux oubliettes. Il songea plutôt aux dix mille livres prêtées à Rouville. Il s'agissait là d'un bon investissement, à son humble avis, même si les nobles avaient la fâcheuse réputation de retarder pendant des années le remboursement de leurs dettes. Ceux-ci menaient grand train, mais oubliaient prestement leurs créanciers. C'était ainsi que les anciennes seigneuries françaises, criblées de dettes et d'hypothèques, étaient souvent revendues à de riches marchands anglais. Si le seigneur de Rouville ne remboursait pas une somme aussi importante, Bresse pourrait peut-être proposer l'échange d'un des nombreux fiefs que possédait cette famille en guise de paiement. Décidément, c'était de l'argent bien placé !

Chapitre 10

Montréal

Montréal! De sa vie, Marguerite ne s'était rendue aussi loin! Elle n'avait même jamais mis les pieds à Pointe-Olivier, le village de la paroisse voisine. Blottie sous des monceaux de fourrures qui n'arrivaient pas à la tenir au chaud, elle grelottait dans la berline* de voyage que Monsieur Boileau avait prêtée pour l'occasion aux nouveaux mariés. Menée par la poigne vigoureuse d'Augustin Proteau, la voiture d'hiver allait à vive allure. On s'était arrêté une première fois dans une auberge afin de se réchauffer. Depuis le matin, la jeune mariée n'avait pas prononcé trois mots.

La nuit dernière, en quittant sa paillasse pour s'habiller et se coiffer, elle avait eu la curieuse impression que celle qui enfilait la chemise, les bas, les jupons chauds sous la jupe de serge brune et le mantelet tout neuf était une autre. Et c'était cette Marguerite fantôme qui était montée dans la carriole familiale, avec son père et sa mère, pour se rendre au village au cœur de la nuit. C'était la même jeune fille qui avait prononcé le «oui» sacramentel dans l'église noire et glaciale. Cette autre s'était ensuite assise auprès du docteur

249

Talham, à la table familiale, deux heures plus tard, pour prendre une forme de repas nuptial avant leur départ pour Montréal. Car, désormais, elle avait un mari.

Pendant que la maigre noce se rendait à l'église pour la cérémonie, son frère Noël, lui aussi levé avant l'aube, avait suivi les instructions de leur mère. Les feux de la maison ravivés, il avait réchauffé le ragoût préparé la veille, sorti un jambon et placé près du feu des tourtes à la viande. Ainsi, les témoins et la famille prendraient au moins un semblant de festin afin d'égayer ces épousailles de la noirceur sans que le curé y trouve matière à remontrances. On avait même bu du vin pour saluer les mariés, mais Marguerite avait à peine trempé les lèvres dans son verre. Messieurs Rouville et Boileau étaient repartis au lever du soleil, de fort bonne humeur, secouant joyeusement les mains et embrassant les femmes. Victoire avait brusquement pris sa fille dans ses bras, dans une de ses rares démonstrations d'affection. Talham avait d'emblée rassuré sa belle-mère :

— N'ayez crainte, madame Lareau, votre fille est entre bonnes mains. Des mains qui ne la brusqueront en rien, je vous le promets.

Discrètement, Victoire avait essuyé une larme inopportune du revers de la main pendant que le docteur aidait sa jeune femme à prendre place dans la carriole.

Un besoin de s'approvisionner en remèdes et en instruments à la ville, des chemins enneigés facilitant les déplacements en carriole, tout cela l'avait décidé à partir pour passer quelques jours à Montréal. Ce court voyage offrirait par la même occasion un peu de répit à sa jeune épouse qui, depuis des semaines, subissait de violentes émotions. Elle avait besoin de temps pour s'habituer à sa nouvelle situation. « Tout comme moi », avait pensé Talham tandis que la carriole avançait sur la rivière gelée, avant de bifurquer vers la vieille route. Se rappelant les paroles du curé, il songeait à la signification des serments échangés tout en observant Marguerite qui regardait défiler la route, assise à ses côtés, profitant à son insu de ces premiers moments d'intimité. Le gracieux profil et les boucles claires débordant du bonnet sous la grande coiffe d'hiver, tout cela formait un tableau attendrissant. Une nouvelle épouse au visage doux comme les aimaient les peintres italiens. Une femme-enfant à chérir. Le docteur frémit à l'idée de la mission qu'il avait acceptée. Il avait juré de la protéger et cette responsabilité lui plaisait plus qu'il ne l'aurait cru. Marguerite lui semblait si fragile. Instinctivement, son bras entoura les épaules de la jeune femme qui commençait à somnoler. Machinalement, elle se pelotonna tout contre lui dans son sommeil pour se réchauffer. Il en fut troublé. Puis, il se demanda si Victoire lui avait fait ses recommandations sur le devoir conjugal. « Mais qu'est-ce qu'une mère peut apprendre à sa fille lorsque celle-ci a déjà subi le pire des outrages ? » se demanda le médecin avant de s'assoupir à son tour, bercé par le mouvement de la carriole qui filait droit sur le vieux chemin qui menait à Longueuil.

« L'interminable trajet jusqu'à Longueuil ne finira-t-il donc jamais ! » Fourbue, Marguerite s'était réveillée et claquait des dents. Les robes de carriole ne suffisaient plus à protéger les passagers. Le soleil, déjà plus chaud au cœur de février, apportait quelque clémence à l'hiver, mais la rapidité des chevaux vivifiait une froidure insidieuse qui glaçait les membres.

— Nous arrivons bientôt à la dernière étape avant le fleuve, annonça son mari pour l'encourager. Il y a une auberge juste avant la traverse. Nous allons nous y arrêter une heure ou deux. Augustin pourra se reposer avant de retourner à Chambly et vous pourrez vous réchauffer et vous restaurer. Le grand air aiguise les appétits et notre repas du matin est déjà loin.

Loin ? Plus la journée avançait, plus Marguerite s'éloignait de la Petite Rivière, de sa maison, de sa famille, de sa vie d'avant. Tout ce qui lui arrivait depuis ces dernières heures l'effrayait. Cet étranger qui la rassurait était son mari depuis à peine quelques heures ; un inconnu avec qui elle devrait désormais partager un lit. La carriole s'arrêta enfin devant une maison en bois assez grande, flanquée de deux cheminées et d'une longue galerie qui en faisait le tour, avec deux escaliers à ses extrémités. À l'arrière, une autre bâtisse, deux fois plus grande, servait d'écurie et abritait les chevaux de relais.

L'auberge de Longueuil grouillait d'activité. Des gens y entraient et en sortaient, transis de froid par la traversée sur le fleuve ou par un long parcours en carriole dans les terres. Les Talham y entrèrent à leur tour et le docteur avisa une table au fond de la salle, près d'un poêle.

— Venez Marguerite, asseyez-vous ici, vous serez à l'abri des courants d'air.

La jeune femme s'installa et Talham invita leur cocher, épuisé et gelé jusqu'aux os, à s'assoir avec eux. Un homme de corpulence respectable s'approcha, un large tablier noué autour de la taille.

— Je peux vous servir ?

— Qu'avez-vous à nous offrir ? demanda le docteur à l'aubergiste en se frottant les mains pour les dégourdir.

— Perdrix rôties, porc tranché, poulet froid, choux farcis, esturgeon salé, petits pâtés, tourtes à la chair de pomme, énuméra ce dernier.

— Allons-y pour les perdrix et le porc tranché, tout cela arrosé d'un pichet de vin et, pour finir, un morceau de votre tourte à la chair de pomme, commanda le docteur devant Marguerite qui s'étonnait qu'on puisse ainsi choisir ce qu'on désirait manger.

Ses membres lui picotaient : la chaleur dispensée par le poêle aidant, elle commençait à se réchauffer. Après qu'on les eut servis, elle dévora tout ce qui se trouvait dans son assiette avec grand appétit. Elle s'abandonna au plaisir de la nouveauté tandis que Talham se levait pour remercier Augustin de les avoir menés jusque-là.

« Enfin, se dit Marguerite, nous allons entreprendre la traversée vers Montréal. »

❦

Le vent claquait violemment les pans du manteau de Marguerite. Elle attendait son époux parti à la recherche du traversier du chemin de la Côte-Noire, c'est-à-dire de l'homme qui les aiderait à passer sur l'autre rive. Son épais jupon lui frôlait les jambes, préservant le peu de chaleur gagnée à l'intérieur de l'auberge, près du poêle. Elle serra le châle de laine qu'elle avait jeté sur son manteau. De la rive, Marguerite contemplait l'immense étendue blanche et gelée du fleuve Saint-Laurent sur laquelle circulaient, les uns à la suite des autres, des gens formant de petites caravanes tremblantes. Plusieurs étaient encombrés de paquets. Tous avançaient prudemment sur le pont de glace, suivant le chemin balisé par des arbres piqués dans des amas de neige. Au loin, on apercevait la silhouette des clochers d'église et de nombreux édifices de pierres aux toits de tôle que le soleil descendant faisait miroiter. Impossible d'évaluer d'aussi loin la distance qu'il faudrait marcher sur le fleuve entre Longueuil et Montréal. Une demi-lieue ? Une lieue ?

Son époux revenait enfin avec des hommes revêtus de tuques rouges et de capots gris retenus par des ceintures fléchées, tous porteurs de planches et de cordes. Les traversiers les accompagneraient de l'autre côté, posant les planches sur les crevasses de la glace, transportant leurs paquets et le grand coffre de voyage aux garnitures de cuir gravé *Dr J. Alexandre Talham*, dans lequel il y avait une jolie robe de taffetas bleu azur, cousue par Marguerite, suivant un modèle qu'elle avait vu dans un numéro du *Lady's Monthly Museum*, une gazette de Londres destinée aux dames qu'elle avait eu la chance de feuilleter chez ses cousines Boileau.

— Tenez bien mon bras, dit Alexandre à Marguerite.

Conseil inutile à la jeune femme qui l'avait agrippé pour ne plus le laisser. Ils suivirent leurs guides et entreprirent à pied la terrifiante traversée du grand fleuve, avançant trop lentement au gré de Marguerite qui avait bien hâte d'arriver de l'autre côté.

Sur le fleuve gelé, le vent semblait prendre un malin plaisir à souffler encore plus fort, bousculant leurs pas hésitants. De se retrouver au milieu de cette immensité glacée, c'était tout simplement à se figer les sangs. On entendait des craquements, des grondements sourds. Marguerite était morte de peur. Elle avançait prudemment, sentant la sueur lui couler dans le dos malgré l'air glacial. Pourquoi n'était-elle pas chez elle, près du poêle, plutôt que d'être transie de froid au milieu de nulle part ?

— Y a pas de peur à y avoir, ma belle dame, la glace est bien prise à c'temps-ci de l'année, marmonna un des hommes, la pipe au bec, tandis qu'ils longeaient l'île Ronde.

Marguerite n'était pas rassurée pour autant. Tout à côté de l'île, elle voyait une mare d'eau noire bouillonnante qui lui donnait la chair de poule.

— Pensez que dans moins d'une heure, nous serons confortablement installés auprès d'un bon feu chez Dillon, où j'ai l'habitude de descendre, dit Talham pour l'encourager. C'est le meilleur hôtel de Montréal. Vous n'êtes pas au bout de vos surprises, Marguerite, ajouta-t-il, heureux d'offrir tant de nouveautés à la jeune femme. Vous verrez que Montréal se fera belle pour vous accueillir!

∾

Une fois leur groupe arrivé sur l'autre rive, le docteur remercia les traversiers en leur remettant le prix du passage. Marguerite contempla Montréal. Avec angoisse, elle se demanda où elle allait dormir la nuit prochaine. Elle apercevait des dizaines et des dizaines de toits derrière des murailles. Devraient-ils marcher au froid, le long de ce fleuve sans fin dont les rives dépourvues de quais se perdaient dans le lointain? Elle commençait à ressentir la fatigue du voyage et espérait se reposer bientôt. Son mari semblait chercher quelque chose ou quelqu'un.

— Holà! C'est bien vous, Talham? Vous voilà enfin. Comment allez-vous, cher docteur?

Un homme immense à l'allure débraillée s'avançait vers eux, brandissant sa canne en guise de salut. Des cheveux en broussaille s'éparpillaient sous le chapeau haut-de-forme en castor malgré la bourse à cheveux destinée à les retenir, et son large manteau qu'aucune ceinture ne retenait battait au vent.

— Notaire Papineau ! s'exclama Talham en le reconnaissant. Quel plaisir ! Je vois que vous avez bien reçu ma lettre vous annonçant mon séjour à Montréal.

— Ah ! Ah ! C'est la preuve que la poste fonctionne bien, malgré tout ce qu'on en dit, soutint l'homme en avançant. Mais présentez-moi à cette belle créature, que diable !

— Permettez, mon ami. Ma chère Marguerite, voici le notaire Joseph Papineau, un confrère de votre cousin Monsieur Boileau, du temps où il était député à la Chambre législative. Monsieur Papineau, mon épouse, la demoiselle Marguerite Lareau.

— Mais si je m'attendais ! Ainsi, madame était l'heureux événement annoncé ? Mon ami, s'exclama-t-il avec attendrissement. Je me réjouis de vous retrouver en jeune marié !

— Vous ne pouvez pas mieux dire. Le mariage est tout neuf de ce matin.

— Par-dessus le marché ? Cela explique ce regard de biche effarouchée dans de si beaux yeux ! Mes hommages, madame !

Le drôle de bonhomme salua de manière exagérée en soulevant son chapeau devant Marguerite qui suivait la conversation d'un air ahuri. Elle s'inclina devant ce géant à la voix tonitruante.

« Si ça continue comme ça, se dit-elle, tout Montréal sera au courant de nos noces avant la fin du jour ! »

— Une parente de Boileau, dites-vous ? Le bougre ! Il m'a écrit dernièrement pour me demander si je connaissais un bon jardinier, tout en me mentionnant votre prochain séjour à Montréal. Mais il ne m'a rien dit concernant votre mariage avec sa nièce. Peste soit de Boileau ! Mon cher Talham, je vous souhaite bien du bonheur. Mais ne restez pas là au grand vent, vous allez geler... vos attributs virils... ce dont vous avez grand besoin un jour de mariage. Ha !

Ha! Ha! fit-il, fier de son trait d'esprit devant le docteur qui sourcillait.

Le goût prononcé du célèbre notaire de Montréal pour le ton grivois ou les compliments galants de l'autre siècle était connu. « Suivez-moi, un attelage vous attend », ajouta-t-il.

Le docteur et Marguerite emboîtèrent le pas au notaire Papineau. Ils quittèrent le rivage pour traverser une étroite et longue rue perpendiculaire à la rive où se pressaient des marchands et des négociants, des gens à l'allure affairée pour qui le cœur du monde battait là, sur la rue Saint-Paul, à Montréal.

— C'est ici que se déroulent les plus importantes transactions d'affaires de tout le Bas-Canada, expliqua le docteur à Marguerite.

— Et même celles du Haut-Canada, ajouta le notaire. Montréal est toujours la capitale de la fourrure. On y trouve les riches marchands de la Compagnie du Nord-Ouest qui envoient des canots dans l'Ouest pour faire la traite.

— Certains affirment que Montréal est le pivot commercial entre les États-Unis et le Canada.

— Et ils ont raison, docteur! Dans dix ans, cette ville doublera, voire triplera sa population. Je vous le prédis. Le progrès est à nos portes.

Emporté par son enthousiasme, le notaire Papineau faisait dangereusement tournoyer sa canne dans toutes les directions comme pour montrer la vision qu'il avait de la ville de l'avenir.

— Nous reviendrons demain rue Saint-Paul, dit le docteur à l'intention de son épouse. Vous ferez la connaissance de marchands chez qui vous pourrez vous adresser pour faire nos commandes, plus tard, lorsque nous serons de retour chez nous.

Marguerite se troubla à cette réflexion qui évoquait son rôle d'épouse, ne sachant trop ce que cela signifiait. Tout en déambulant, le trio passa près d'une petite église.

— Voici la chapelle Bonsecours, expliqua le notaire à Marguerite, qu'on a reconstruite en 1771 sur les ruines de l'ancienne érigée par Mère Marguerite Bourgeoys. Mon épouse et ma fille aiment aller y faire leurs dévotions. Vous y mènerez votre épouse, docteur, afin qu'elle prie la Vierge miraculeuse, ramenée de France par Mère Bourgeoys. Ainsi, elle vous donnera de nombreux enfants.

Marguerite rougit violemment.

— Notaire Papineau, fit le docteur l'air faussement scandalisé, la jeune madame Talham n'est pas habituée à cette verdeur de langage. Les mœurs sont simples dans nos campagnes.

Mais comme Marguerite offrit à l'exubérant notaire un timide sourire qui la rendait jolie à faire damner un saint, monsieur Papineau se vit tout pardonné.

— C'est vrai que j'ai mon franc-parler, ce qui est un fort mauvais exemple pour ma fille, comme vous le constaterez lorsque vous viendrez chez nous, madame Talham. Telle que je la connais, ma fille Rosalie sera ravie de faire votre connaissance, de même que madame Papineau.

Par la suite, la jeune femme ne porta plus attention aux propos du notaire, occupée à découvrir la vie fascinante qui se déployait autour d'elle. Chambly lui semblait bien tranquille à côté de Montréal.

— Laissez le passage ! hurlaient des cochers aux marcheurs qui encombraient la place.

Certains étaient encore chaussés de leurs raquettes à la mode indienne avec lesquelles ils avaient traversé d'une rive à l'autre. La neige se mêlait à la boue, formant une gadoue brunâtre qui éclaboussait les passants au passage des chevaux, les obligeant à faire des contorsions comiques pour protéger leurs habits. Des gens entraient et sortaient des différents édifices. À l'extrémité est de la rue Saint-Paul, isolée du reste des autres constructions et faisant face au fleuve, près de la rive où les voyageurs abordaient l'île, s'élevait une majestueuse demeure de trois étages, percée de portes cochères et entourée d'un mur de pierres d'environ trois pieds de hauteur couronné d'une grille de fer forgé. Cet hôtel particulier surplombait le fleuve Saint-Laurent.

— Voyez, Marguerite. C'est la demeure de Sir John Johnson, qui est déjà seigneur de Sainte-Marie et vient d'acquérir aussi de belles terres dans la seigneurie de Chambly, du côté de Pointe-Olivier.

— Sir John possède encore de nombreuses propriétés dans le Haut-Canada, notamment dans la région de Kingston, expliqua le notaire. C'est aussi le surintendant des Affaires Indiennes et un de mes bons clients !

— N'est-ce pas son père qui avait épousé la fameuse Iroquoise Molly Brant ?

— Vous avez raison. Ces Johnson ne manquent pas de panache. Il leur faut une épouse à la mode du pays. Vous voyez ce que je veux dire ?

— Eh bien, en voilà de belles, répondit Talham d'un ton sévère. J'ai appris récemment que Johnson songeait à construire un manoir à Pointe-Olivier, ajouta-t-il.

— Surveillez bien vos femmes, surtout celles du peuple, lança le notaire d'un ton étrange. Les Johnson ont une propension pour les amours ancillaires.

Médusée, Marguerite suivait les deux hommes en écoutant cette conversation étonnante Elle n'avait jamais entendu pareils propos auparavant.

— Que signifie « épouse à la mode du pays » ? demanda-t-elle candidement.

— Je devrais en effet me taire, dit le notaire à Talham en aparté. J'oublie l'extrême jeunesse de votre femme.

— Ce sont des hommes qui ont une épouse indienne, expliqua Talham à Marguerite.

— Il n'y a pas de mal à ça, n'est-ce pas ? Du moment qu'ils sont mariés à l'église.

— Tout le problème est là. Généralement, ils ne se marient pas.

— Oh ! fit Marguerite, comprenant ce que cela pouvait signifier : des enfants illégitimes, des femmes à la merci de leur protecteur.

Le notaire s'immobilisa.

— Nous y voilà. Comme promis, mon ami, j'ai fait préparer une carriole de louage selon vos instructions. Un deuxième cocher s'occupera de vos paquets et de la malle, soyez sans inquiétude.

— Comment vous remercier pour votre amabilité, notaire ?

— En vous rappelant que vous avez déjà accepté une invitation pour un souper prié dans trois jours, ajouta-t-il en saluant Marguerite d'une manière extravagante qui fit sourire à nouveau la jeune femme.

— C'était bien aimable de sa part de nous attendre, n'est-ce pas docteur ? commenta Marguerite, amusée par le curieux personnage qui avait disparu aussi vite qu'il était apparu à leur arrivée. Il me fait penser à mon oncle Boileau.

— Le notaire Papineau est une vieille connaissance, répondit le docteur. Je l'ai soigné autrefois et depuis, nous nous écrivons à l'occasion pour échanger de nos nouvelles. Allez, montez, fit-il en l'aidant à s'installer dans la carriole. Vous devez être impatiente de vous réchauffer.

∾

La carriole emprunta la rue Saint-Paul en direction ouest et passa devant l'ancien château du gouverneur Rigaud de Vaudreuil, devenu le collège Saint-Raphaël, qu'on appelait communément le collège de Montréal. La ville était quadrillée de rues qu'énuméra machinalement Talham à l'intention de Marguerite : Saint-Claude, Saint-Jean-Baptiste, Saint-Gabriel, Saint-Vincent, Saint-Joseph, dissimulant une angoisse qui l'étreignait tout à coup.

Le docteur appréhendait les heures qui allaient suivre. Comment allait réagir Marguerite ?

Ce serait la première fois qu'ils se retrouveraient seuls, Marguerite et lui, sans famille, ami ou domestique entre eux.

Près de son mari, la jeune femme fuyait maintenant son regard, évitant d'engager la conversation, s'efforçant de se laisser captiver par l'atmosphère ambiante, comme pour étirer les dernières minutes avant de se retrouver seule, dans une intimité nouvelle qui l'effrayait.

À Montréal, les gens déambulaient dans des rues dont on ne voyait pas la fin, des soldats en rangs se déplaçaient vers les casernes et les carrioles étaient innombrables. Les maisons n'étaient séparées les unes des autres que par un espace d'une dizaine de pieds, lorsqu'il y en avait un. Plusieurs étaient construites en pierres et juxtaposées les unes aux autres, mais la plupart étaient faites de bois.

À Chambly, il y avait le chemin du Roi, le chemin de la Petite Rivière et le chemin neuf qui menait à Saint-Jean. Il n'y avait qu'au faubourg Saint-Jean-Baptiste où l'on voyait des habitations aussi rapprochées. En pensant à son village, une vague de nostalgie lui remonta à la gorge.

Devant la place du vieux marché, des marchands rangeaient rapidement leurs étals avant que la noirceur ne s'installe définitivement.

— Il paraît qu'on déplacera bientôt le marché pour l'agrandir, commenta Talham pour rompre le silence embarrassant, lorsqu'ils empruntèrent la rue Saint-François-Xavier pour monter vers la haute-ville jusqu'à la rue Notre-Dame.

Le cocher rebroussa chemin pour arriver sur la place d'Armes, ou place de la Parade, derrière l'église Notre-Dame. À cette époque de l'année, les grands feuillus et les arbres fruitiers ne laissaient poindre que leurs longues branches grises et dénudées. Chacune des maisons était flanquée de remises, de hangars et d'écuries. La neige avait enseveli les grands jardins des cours arrière.

— Au printemps, mentionna Talham, l'air de Montréal est délicieusement parfumé. Les jardins des Montréalistes* sont magnifiques avec des poiriers et des pommiers chargés de leurs beaux fruits à la fin de l'été. Au-delà des fortifications, nombreux sont les bourgeois de cette ville qui, à l'instar des Papineau, possèdent de grands vergers.

— Les fortifications, c'est cette immense muraille qui entoure la ville ? demanda Marguerite, curieuse. Chez nous, les maisons sont à l'extérieur des murs. Ici, c'est tout le contraire.

— Excellente observation ! la complimenta Talham pour l'inciter à poursuivre la conversation. Ces murailles ont été érigées pour protéger la ville contre les attaques iroquoises, il y a bien une centaine d'années de cela. Comme elles sont devenues inutiles, on parle de les démolir prochainement.

Au loin, derrière les fortifications, le terrain remontait en pente douce pour se fondre dans les flancs d'une montagne qui dominait tout le territoire environnant. En surgissant de la plaine, elle attirait irrésistiblement le regard et impressionnait Marguerite, qui n'en avait jamais vue d'aussi près. Du village de Chambly, au-delà du bassin, on apercevait les monts de Rouville et de Boucherville, ainsi que la montagne de Rougemont. Mais ce n'étaient que des silhouettes floues qui s'estompaient dans le paysage dès que le temps devenait gris ou mauvais.

— Il y a d'autres villages, là-bas, de l'autre côté, vers la montagne ? demanda-t-elle encore.

— On l'appelle le mont Royal, répondit Talham. Vous a-t-on déjà appris qu'autrefois, Montréal s'appelait Ville-Marie ? Mais la ville a finalement adopté le nom de cette belle montagne située au cœur de l'île nommée aussi Montréal. De ce côté, dit-il en désignant le nord-ouest, il y a les faubourgs Saint-Laurent et Saint-Antoine. Vous voyez, là-bas, on aperçoit le domaine des MacTavish. Et de l'autre côté, vers l'est, c'est le faubourg Québec. Mais nous voici arrivés.

✵

Le soleil se couchait et les cloches sonnaient à tout rompre l'angélus du soir. La carriole déposa les Talham devant une grande maison à étages qui donnait sur la place en faisant face à l'église Notre-Dame de Montréal. Le *Montreal Hotel*, qu'on appelait couramment « chez Dillon », ne ressemblait en rien à l'auberge de Longueuil, où ils s'étaient arrêtés en chemin. Tout en pierres grises comme la plupart des maisons montréalaises, l'hôtel comportait deux étages s'élevant au-dessus du rez-de-chaussée.

En pénétrant à l'intérieur d'une vaste pièce, Marguerite fut transportée dans un autre monde. Un portrait du roi George III rappelait la fidélité de l'hôte à la couronne anglaise. Des tapisseries suspendues sur les murs représentaient des scènes étranges peuplées de personnages à turbans, d'éléphants, de singes et d'édifices aux toits ronds comme des boules qui se terminaient par de drôles de pics. Même chez Monsieur Boileau, elle n'avait jamais rien vu de tel.

— Ce sont des minarets, comme on en voit en Orient, expliqua Talham à sa jeune épouse intriguée. Les Britanniques ont des colonies dans des pays lointains et accumulent des objets qui viennent de partout dans le monde, comme cette tapisserie.

Un homme assez grand venait à leur rencontre, remarquable par son épaisse chevelure grise et une belle veste à la mode d'autrefois. Il s'agissait de Richard Dillon.

— *Doctor Talham, how are you*[1] ?

Le propriétaire du *Montreal Hotel* approchait de son grand âge. Il était arrivé au Canada en 1786, appartenant à la suite de Lord Dorchester, lorsque l'ancien gouverneur Guy Carleton était revenu au pays pour une deuxième fois, avec le titre de baron dans ses bagages. L'énigmatique gouverneur avait laissé un souvenir confus aux Canadiens. Les uns se rappelaient un homme froid et méprisant, tandis que les autres affirmaient qu'il leur avait été sympathique. Lord Dorchester était reparti depuis longtemps, mais Dillon avait choisi de rester au Bas-Canada

— *It's a great pleasure to receive you and your young wife at my humble establishment! Welcome, Mrs. Talham*[2].

— *The pleasure is all ours*[3].

La réponse de Talham fit sourire l'aubergiste. Avec son accent français, le docteur prononçait *hours*.

---

1. Docteur Talham, comment allez-vous ?
2. C'est un grand plaisir que de vous accueillir, vous et votre jeune épouse, dans mon humble établissement ! Bienvenue, madame Talham.
3. Tout le plaisir est pour nous.

— Vos chambres sont prêtes selon vos *instructions, Doctor*, reprit l'aubergiste dans son français cassant. Nous allons vous y mener. *Please, come in. Show our honoured guests to their rooms*[1], ordonna-t-il à un employé en claquant des doigts.

Le *Montreal Hotel* plaisait aux visiteurs les plus difficiles. Sa bonne réputation en faisait le favori des Britanniques qui séjournaient au pays, des gens fort exigeants sur la propreté des lieux et l'ordre à la manière anglaise. Talham appréciait ce confort qui lui rappelait son séjour en Angleterre. Cette fois-ci, il découvrait le plaisir de surprendre et de gâter son épouse qui, en ce moment, n'avait pas assez de ses deux yeux pour découvrir le nouveau décor. Une irrépressible soif d'apprendre chassait toute cette gêne qui la tourmentait depuis le matin.

Mais lorsqu'ils gravirent le long escalier qui menait aux étages en suivant l'engagé de Dillon, un sentiment de panique envahit la jeune femme. Le moment fatidique était arrivé. Elle se retrouverait seule avec son mari dans une petite chambre. Pourtant, le valet s'arrêta devant deux portes côte à côte.

— Nous y voilà, Marguerite, lui dit son mari non sans remarquer de l'étonnement dans ses yeux. Vous prenez une chambre, et moi, je dormirai dans l'autre.

Elle entra dans la première pièce qui comportait un fauteuil et une petite table sur laquelle il y avait un martinet et un bassin avec son aiguière. Au mur, on avait joliment accroché un miroir, alors que le pot de chambre avait été glissé discrètement sous le lit. Un poêle, qu'on avait pris soin de chauffer avec du charbon, complétait l'ameublement. Quelqu'un avait posé son modeste paquet sur le lit

1. Veuillez entrer. Conduisez nos invités à leurs chambres.

de plumes, véritable luxe pour une auberge où, le plus souvent, on n'offrait aux voyageurs qu'une malodorante paillasse. De la fenêtre, on pouvait observer l'agitation qui régnait sur la place publique.

— Installez-vous. Une servante apportera de l'eau pour vous rafraîchir. Je serai juste à côté, vous n'avez qu'à frapper à la porte si vous avez besoin de moi. Reposez-vous, la journée a été éprouvante. Je reviendrai vous chercher plus tard. Nous souperons à l'hôtel ce soir. La cuisine y est assez bonne.

Talham lui baisa tendrement la main et referma la porte derrière lui, laissant Marguerite abasourdie par cette journée qui ne ressemblait à aucune autre qu'elle avait vécue à ce jour. « Sainte bénite ! » se dit-elle, reprenant l'exclamation préférée de sa mère. Épuisée, la jeune femme retira son manteau avant de se laisser choir sur le lit. Elle sombra dans un sommeil profond, oubliant même qu'approchait ce qu'elle appréhendait depuis plusieurs jours : la mystérieuse nuit de noces.

❧

— Marguerite, Marguerite ? Tout va bien ?

Quelqu'un frappait à la porte. La jeune femme s'éveilla, l'esprit embrumé. Mais où était-elle déjà ? Ah oui ! Montréal, le truculent notaire Papineau…

— Marguerite ?

Elle remit ses souvenirs en place et se leva pour ouvrir.

— Docteur Talham ?

— Êtes-vous prête à descendre pour le souper ?

— Je me suis endormie, s'excusa-t-elle. Je viens tout de suite.

— Prenez le temps de retoucher votre toilette, fit-il en refermant la porte. Rien ne presse.

Elle portait toujours les mêmes habits qu'au matin. Il y avait de l'eau dans le broc et un essuie-main posé sur la table. Marguerite toucha l'eau : elle était tiède. Après quelques ablutions, elle s'essuya le visage. Le petit miroir lui renvoya son image. Elle remit de l'ordre dans ses cheveux, décida de ne pas porter de coiffe, se pinça les joues et mordilla légèrement ses lèvres. Elle retira son mantelet et sa chemise pour ajuster sa chemisette garnie d'un col de dentelle, remit le mantelet et admira l'effet dans le miroir. La dentelle ivoire contrastait joliment avec la couleur foncée. Tout cela ne prit que quelques minutes et Marguerite sortit de sa chambre. Son époux l'attendait patiemment dans le corridor. Il la complimenta :

— Vous êtes jolie comme une fleur de printemps, madame Talham.

La jeune femme se troubla. Le docteur prononçait des mots tendres qui avaient le don de l'émouvoir. Lui aussi avait fait un brin de toilette et troqué son manteau noir pour une veste plus seyante. Elle prit le bras que lui tendait son mari.

— Descendons.

La salle à manger du *Montreal Hotel* était située au premier étage de la maison. Au fond, un petit orchestre de trois musiciens prenait place. Marguerite reconnut un violon.

— C'est étrange, cet autre instrument.

— C'est un violoncelle, lui apprit Talham dans un sourire. Il accompagnera à ravir le clavecin pendant l'intermède musical. Voici notre table. Laissez-moi vous aider, lui dit-il en tirant une chaise pour qu'elle puisse s'asseoir.

« J'adore la musique ! poursuivit-il, une fois installé. Je crois qu'elle a été inventée par les anges qui l'ont donnée aux hommes pour célébrer la gloire de Dieu. Lui seul peut inspirer cet art grandiose. »

— C'est vrai, acquiesça la jeune femme. C'est beau lorsqu'il y a de la musique à l'église.

— J'espère que vous pourrez vous habituer aux sons parfois discordants de mon propre violon, fit-il modestement.

Détendue par la courte sieste et l'ambiance de l'endroit, Marguerite se sentait d'excellente humeur. Pour la première fois, elle fut portée à la confidence.

— Moi, j'aime bien chanter, tout comme ma mère.

— J'avais remarqué, en effet, au cours des soirées, que madame Lareau a une fort jolie voix, juste et ample.

— Mère dit toujours qu'elle tient ça de son père, qui était marin et voyageur, expliqua Marguerite. Il paraît que mon grand-père est allé dans le pays d'En-Haut. Par là, les bons chanteurs sont un désennui.

— Et ils rythment la cadence des rameurs, ajouta Talham en empoignant un pichet posé devant lui. Le chant semble un talent de famille, si j'en crois la jolie voix que j'ai parfois entendue chez vos parents, insinua-t-il gentiment. J'ai hâte de vous entendre à nouveau, chez nous. Un peu de vin, ma chère ?

— Je veux bien, remercia Marguerite, terriblement gênée par tout ce que supposaient les dernières paroles du docteur sur sa nouvelle vie.

Un serveur déposa devant eux des assiettes de soupe fumante. Qu'on puisse avoir tant d'égards envers elle l'impressionnait de plus belle. Et son époux qui l'entourait d'attentions. Il tirait sa chaise pour l'aider à s'asseoir, lui tendait la main à sa descente de carriole, lui servait du vin à table et la complimentait sans cesse. En serait-il toujours ainsi ? Mise en appétit par les promenades dans la ville et la longue journée de voyage, elle attaqua sa soupe à l'orge.

— Prenez votre temps, belle dame, lui conseilla-t-il, nous avons toute la soirée devant nous.

Cette dernière remarque troubla encore Marguerite. Qu'exigerait d'elle le docteur ? Sa mère ne lui avait guère donné de détails ou d'explications sur ce qui l'attendait dans sa vie de femme mariée. Parfois, le soir, venant de la chambre des parents, elle avait entendu des soupirs, des rires étouffés, puis des drôles de grognements.

Victoire avait tout simplement recommandé à sa fille de plaire à son mari en tout, sans se poser de questions.

— C'est un docteur, il fera attention à toi, lui avait-elle simplement dit.

Quelle curieuse réflexion ! Marguerite se disait qu'en effet, il était dans la nature des maris de prendre soin de leur femme. Comme la plupart des jeunes filles, Marguerite croyait que l'amour consistait en un gentil mari, une maison au village et une grande tablée d'enfants. L'assaut subi l'automne dernier lui avait placé un enfant dans le ventre. Mais l'amour, ça ne pouvait pas être cette chose abjecte qui l'avait rendue si honteuse.

« Et l'amour ? » La question d'Emmélie lui revenait à présent à l'esprit. Un souvenir surgit. Il y avait une éternité de cela – c'était ce jour où René lui avait demandé de l'attendre – et l'espace d'un instant, le monde entier s'était effacé. Sur le chemin ensoleillé, il n'y avait plus eu qu'elle et lui. Ce moment avait-il réellement existé ? Pourtant, son corps se rappelait exactement le trouble délicieux, la sensation vertigineuse d'un bonheur incommensurable. Était-ce cela, l'amour ? Marguerite tres-saillit.

— Tu as froid ? demanda son mari. Tu veux ton châle ? Tu es fatiguée ?

— Non, non docteur, fit-elle vivement, profondément troublée par ces premiers tutoiements.

— Au diable le docteur, la reprit-il gentiment. Il faut désormais m'appeler Alexandre, puisque c'est mon prénom et que je suis ton mari.

Pour l'instant, Marguerite se sentait incapable de répondre aux vœux de son mari.

— Pour moi, vous êtes le docteur Talham, celui qui a soigné la rougeole de Marie.

Alexandre la regarda avec attendrissement. Il semblait la comprendre.

— Il faudra essayer de nouveau, chère petite, tout comme il te faudra apprendre à me tutoyer, comme il est d'usage entre un mari et sa femme. Mais tu as tout le temps d'y arriver. Dis-moi plutôt ce que tu penses de mon vieil ami monsieur Papineau.

Marguerite lui sut gré de ne pas insister sur les choses intimes en changeant de conversation.

— Il a l'air d'un homme très important.

— Oui, c'est vrai. Il est notaire, arpenteur et député à la Chambre d'assemblée du Bas-Canada. Les Sulpiciens, qui sont les seigneurs de l'île de Montréal, le tiennent en haute estime. Il est leur principal procureur, ce qui est un grand honneur. C'est quelqu'un qu'on écoute, car il prend son temps avant de donner un avis.

Tout au long de ce repas en commun, premières bribes de leur vie conjugale, Talham entretint habilement la conversation, invitant sa jeune épouse à livrer ses impressions sur le voyage, sur Montréal et les gens qu'ils avaient croisés, pendant qu'on leur servait le souper. L'entrée de bœuf à la mode fut suivie d'un pâté de mouton accompagné d'une sauce aux huîtres bien chaude. La salle était bruyante et pleine de musique. Le petit orchestre joua plusieurs pièces que Marguerite trouva fort belles. Lorsque les musiciens attaquèrent un menuet, plusieurs couples se levèrent pour danser. Elle reconnut l'air. Dans les soirées, à la campagne, on dansait souvent le menuet au son du violon.

Marguerite admira les dames qui portaient des robes soyeuses faites de tissus légers et colorés. Les tailles hautes et souples étaient marquées par un ruban qu'on tirait sous les seins, comme le voulait la dernière mode. De petites manches bouffantes – très jolies, nota-t-elle – entouraient l'épaule avant de devenir plus étroites et d'épouser le bras. Les décolletés dévoilaient les gorges – un peu plus profondément qu'elle n'avait osé le faire en confectionnant sa belle robe – ornées d'une croix ou d'un pendentif ovale, retenu par un ruban. Jetées négligemment sur une épaule ou un avant-bras, de belles écharpes complétaient les toilettes. Marguerite observa leur coiffure. Des boudins ramenés au sommet de la tête ou sur les côtés et pas de coiffe ni de bonnet. Quelle bonne idée elle avait eue tantôt ! Elle tira sur son mantelet – heureusement qu'il était neuf – afin de cacher sa jupe sombre. Serait-elle aussi élégante que toutes ces dames avec sa nouvelle robe déposée dans la malle que les domestiques avaient portée dans la chambre occupée par son mari ? Pour l'instant, la lui réclamer la gênait horriblement. C'était faire un premier pas vers une nouvelle vie qu'elle admettait encore difficilement.

— On dirait que tu n'as pas assez de tes deux yeux et de tes deux oreilles, remarqua Talham dans un sourire, profitant d'une pause des musiciens. Encore faim pour une pointe de cette délicieuse tarte aux carottes ?

Marguerite tenta de dissimuler un bâillement.

— Tu es fatiguée, constata son mari. Nous allons monter.

Et sans attendre la réponse, il se leva et s'approcha de sa chaise pour l'aider à en faire autant. « Monter ? Non ! » hurla tout à coup une voix dans la tête de Marguerite. Mais déjà, ils avaient quitté la table et prenaient l'escalier qui menait à l'étage. Le docteur ouvrit la porte de la chambre de Marguerite et s'effaça pour laisser entrer la jeune femme. Il la suivit, avant de refermer la porte derrière lui. Il alluma le chandelier et le martinet, sur la petite table, tandis que Marguerite sentait la panique sourdre en elle. Elle était si effrayée que ses jolis yeux faisaient peine à voir. Il la fit asseoir et resta debout, près d'elle.

— Marguerite, ma très chère, dit-il d'une voix grave, je ne ferai jamais rien au mépris de tes sentiments.

Elle le regardait timidement, pauvre petite chose muette, lissant vivement sa jupe du revers de la main.

— La journée a été éprouvante pour toi, comme pour moi. Tu as besoin de te reposer.

— Docteur ?

— Alexandre ! la reprit-il gentiment.

Marguerite baissa les yeux.

— Je ne puis.

— Cela ne fait rien. Nous essayerons encore demain.

Il lui releva doucement le menton et la regarda tendrement.

— Tu verras, je ne suis pas un monstre.

— Je… je ne crois nullement cela.

— Nous avons un long chemin à parcourir ensemble, Marguerite. Nous prendrons notre temps, tout le temps qu'il te faudra. Alors, dors bien. Nous nous reverrons demain.

— Vous voulez dire que je vais dormir ici ? Toute seule ?

— Mais oui ! Maintenant, donne-moi ta main, ma chère petite.

Elle la lui tendit. Il s'inclina sur ses doigts qu'il baisa délicatement, puis retourna sa main et pressa ses lèvres au creux de sa paume. Elle ressentit de nouveau l'étrange picotement et ferma les yeux. Alors, il se pencha vers elle et embrassa doucement ses lèvres roses.

— Je souhaite que tu désires devenir ma femme. J'attendrai. Bonne nuit, belle Marguerite.

Et il sortit.

Pantoise, la jeune femme resta figée, les sens chavirés. Rien n'arrivait comme prévu. Elle venait de recevoir le premier baiser de sa vie. Et ce n'était pas l'amant rêvé qui lui avait offert cette douce caresse, mais un homme qu'on lui avait imposé. Quel tumulte ce baiser provoquait! C'était une sensation délicieuse. Un frisson inconnu lui avait traversé le corps.

Bouleversée, Marguerite ne se reconnaissait plus. Elle venait de vivre une journée incroyable. La terrible angoisse du matin s'était résorbée, faisant place à la découverte, aux nouveaux plaisirs que pouvait lui offrir une nouvelle vie. Pendant le souper, la peur était revenue, sournoise, alors que l'instant redouté approchait : celui du soir des noces où toute femme découvrait le mystère du devoir conjugal. Et voilà que cet événement n'aurait pas lieu. Du moins, pas ce soir.

Et lui, son époux, qu'allait-il faire? Dormir dans la pièce voisine? Tout semblait silencieux. L'abandonnerait-il dans cet hôtel? «C'est mon mari, il s'appelle Alexandre», se répéta-t-elle pour mieux ancrer l'idée dans son esprit. Et s'il avait changé d'avis? S'il lui prenait l'envie de revendiquer ses droits, que ferait-elle? Le voulait-elle? L'espérait-elle? Trop de questions auxquelles elle était incapable de répondre la tiraillaient.

Si elle savait qu'il lui faudrait remplir ses devoirs d'épouse un jour, pour ce soir, il ne lui restait plus qu'à dormir. Marguerite finit par se déshabiller dans la chambre anonyme éclairée par la lueur vacillante d'une chandelle rivée au martinet, ne gardant que sa chemise et ses bas de laine pour la tenir au chaud. Elle attacha lentement son bonnet de nuit, le cœur meurtri, sans comprendre pourquoi. Puis soudain, une immense vague de désarroi l'envahit. Elle éclata en sanglots. Elle pleura sans pouvoir s'arrêter, submergée par le mal du pays. Ses frères et ses sœurs lui manquaient. Et sa mère et son père. Elle avait un besoin impérieux de les voir, de se retrouver dans le giron rassu-rant de l'univers familial, à la ferme de la Petite Rivière, devant la huche à pétrir, pour ne pas sombrer dans le trou béant d'une peur sournoise. «Mère», s'étrangla-t-elle en un violent sanglot, inondant les draps rêches de son lit solitaire.

Elle se moucha bruyamment dans un des beaux mouchoirs qu'elle avait brodés pour son trousseau. Les larmes coulaient encore lorsque, d'épuisement, elle s'endormit.

Comme il était encore tôt pour se mettre au lit, Alexandre était retourné dans la grande salle de l'hôtel où semblait régner une joyeuse ambiance. Peut-être qu'un bon whisky lui ferait oublier la saveur des lèvres qu'il venait d'embrasser ? Il s'installa dans un petit cabinet attenant à la grande salle réservé aux messieurs, où étaient disposés quelques fauteuils confortables. La journée avait été éprouvante. Il entreprit la lecture d'une des gazettes posées sur une table basse. Mais ni les débats de la Chambre ni les dernières nouvelles d'Europe relatées dans la *Gazette de Montréal* n'arrivaient à le distraire.

Depuis qu'il avait accepté ce mariage, quelque chose en lui avait changé. En réalité, le lendemain de la fête des Rois, sa vie avait été irrémédiablement bouleversée. La décision de se remarier, l'attente de la dispense de l'évêque qui était finalement arrivée le 10 février, presque un mois plus tard, suivie rapidement d'un rendez-vous chez le notaire pour arriver à ce 16 février 1803, jour où lui, le docteur Alexandre Talham, épousait la jeune et jolie Marguerite Lareau.

Alexandre avait choisi de ne pas s'imposer à sa nouvelle épouse dès le premier soir. Il préférait ne pas la brusquer, se rappelant les premiers jours de sa vie commune avec Appoline. La gêne de la jeune épousée et son désir impétueux de nouveau marié avaient fait de lui un époux maladroit. L'ignorance des joies de l'amour avait laissé une empreinte indélébile et leurs relations intimes étaient restées marquées par cette gaucherie des premiers jours. Appoline, pourtant, ne s'était jamais plainte. Ce n'était que longtemps après sa disparition, lorsqu'il avait repris goût à la vie et désiré d'autres femmes, qu'il avait su apprécier la joute amoureuse. Il était resté plusieurs années chaste et fidèle au souvenir d'Appoline. Puis un jour, c'était à Belœil, un soir d'hiver, il avait cédé aux charmes d'une fille de basse extraction. Par la suite, il y avait eu de ses rares passades avec des femmes du monde, mais toujours loin de Chambly. À Montréal, il avait fréquenté une jolie veuve, indépendante de fortune, une perle rare de la société montréalaise, qui lui avait fait connaître tous les délices des jeux de l'amour.

Avec Marguerite, il s'était promis d'être patient, désirant réparer les erreurs du passé. Le temps était un grand bâtisseur. « Pour être honnête, se dit-il en prenant une gorgée de l'excellent whisky, je commence à croire en ma bonne étoile. Elle est jolie et charmante, assez jeune pour que je puisse parfaire son éducation. Il était temps ! Je devrais remercier Boileau. Mais ce diable d'ami n'aura jamais droit à cet aveu, pensa-t-il en ressentant encore le piège qui s'était refermé sur lui. »

Certes, il ne croyait pas être amoureux. Mais la caresse qu'il avait laissée sur cette jolie bouche, ce regard à la fois effarouché et implorant, cette radieuse chevelure dans laquelle il rêvait de plonger ses doigts, toute cette beauté, à la fois angélique et farouche, indéniablement, le tenaillait, l'ensorcelait. Il replongea dans son journal.

Une voix railleuse vint rapidement le distraire de sa lecture.

— N'est-ce pas l'excellent docteur Talham ? J'ai appris que vous faisiez un séjour à Montréal. Sans me prévenir ? Cela ne vous ressemble guère, Alexandre.

Talham laissa tomber son journal. Une femme d'environ trente-cinq ans le dévisageait, l'air moqueur, lui tendant une main blanche délicatement recouverte d'une mitaine de dentelle noire. D'une torsade de cheveux blonds s'échappaient de ravissants rouleaux qui entouraient un beau visage illuminé par des yeux bleu violet. L'autre main tenait gracieusement un éventail ouvert, cachant à peine une gorge blanche et tentante. Sur sa robe jaune moirée, elle faisait glisser une écharpe brodée de motifs orientaux. Il s'inclina, admirant le médaillon d'or qui attirait le regard vers le décolleté parfait. Une seule femme à sa connaissance pouvait ainsi braver l'interdit de ce salon réservé à la clientèle masculine.

— Madame de Beaumont ! fit le docteur, faussement réjoui par l'apparition.

— Alexandre, mon cher, tu as enfin laissé ton horrible campagne et tes malades ! s'exclama la dame. Mais que fais-tu ici, chez Dillon, alors que tu pourrais jouir d'un logement autrement plus chaleureux ?

— Eh bien, ma chère, je suis venu à Montréal pour l'agrément en premier lieu, mais aussi pour affaires. Mes malades ont besoin que je me procure ce qu'il faut d'instruments et de remèdes.

— Pour l'agrément, dis-tu ? Dois-je comprendre que nous sommes fâchés ? As-tu oublié l'épaule accueillante de ta chère Lisette et ses douces mains de consolatrice ?

Le ton de madame de Beaumont baissait à mesure qu'elle parlait.

— Je ne peux croire qu'on vous ait laissée seule dans cet endroit, chère Lisette, badina-t-il à son tour.

Talham regarda cette femme sensuelle qui l'avait si souvent accueilli dans son lit. Madame de Beaumont menait ses affaires tambour battant, traitant avec les marchands et les notaires comme le faisait autrefois son défunt mari de qui elle avait repris le commerce de fourrure. Alexandre l'avait rencontrée deux ans après la mort de sa femme, un soir comme celui-ci, pendant un de ses courts séjours à Montréal, lorsqu'il venait faire des achats pour son apothicairerie, renouant avec l'atmosphère fiévreuse d'une ville – quoique la petite ville coloniale avait encore tout à envier aux grandes villes européennes, et même, à certaines autres des États-Unis.

Entre elle et lui, rien n'avait jamais été sérieux sinon le plaisir de la rencontre, du jeu amoureux d'égal à égal. D'ailleurs, Talham n'ignorait pas que la dame admettait d'autres hommes de son choix dans son intimité. Mais elle était d'une discrétion exemplaire et jamais, chez elle, l'amant du jour n'avait la désagréable surprise de la rencontre malencontreuse d'un autre de ses amis. C'était une courtisane accomplie.

— Cher Alexandre, je suis pourtant très seule depuis votre dernier séjour.

— À d'autres, madame, répondit Talham qui n'était pas dupe de cette fausse solitude.

Elle le scruta attentivement, notant que sa présence l'embarrassait.

— Je remarque que tu n'as pas l'air heureux de me revoir, fit-elle, l'air déçu, en prenant un siège puisqu'il ne l'invitait pas à le faire.

Madame de Beaumont se rapprocha subrepticement du fauteuil occupé par le docteur.

— Il n'y a jamais eu de promesse entre nous, ce me semble. Notre dernière rencontre remonte à plusieurs mois déjà.

— Bien sûr. Être veuve comporte de nombreux avantages dont je ne veux pas me priver. Je prends toutes mes décisions moi-même. Je ne serai jamais plus sous la tutelle d'un père ou d'un mari, fit l'insolente. C'est ce que j'aime de toi. Tu es aussi heureux que moi d'être veuf.

Talham ne répondit pas, sachant que Lisette disait la vérité. Il avait souvent apprécié la liberté qu'offrait le célibat. Mais désormais, il y avait Marguerite. À cette pensée, une bouffée de tendresse l'envahit et il souhaita que madame de Beaumont disparaisse.

— Je viens de me marier, lui annonça-t-il d'un trait sec.

— Quoi? Je ne peux y croire! s'exclama la dame.

Un peu plus et elle avait l'air dégoûté. Elle eut un éclat de rire qui sonnait faux. «Est-ce un événement récent?»

— On ne peut plus. Mon mariage a eu lieu ce matin.

— Ce matin? Serait-ce une dame de Montréal? supputa-t-elle. Non, impossible, je l'aurais su. Il y aurait eu une rumeur, une annonce au prône paroissial. Mais alors, que fais-tu ici, seul, à siroter un whisky? Aurais-tu besoin de courage pour affronter la nouvelle madame Talham? Au fait, qui est l'heureuse élue? Une de ces veuves de la campagne?

— Une jeune demoiselle de ma paroisse.

— Une demoiselle? Vous m'étonnez de plus en plus, Alexandre! dit-elle en reprenant le vouvoiement distant. Une oie blanche. Par tous les saints! Auriez-vous, au cours d'une visite médicale, succombé à la chair tendre?

— Diantre, madame, comme vous y allez! Certes non! Il s'agit d'un code d'honneur!

— Moi, par contre, j'aime bien l'examen, rétorqua la coquette en refermant son éventail sur son cœur, ce qui signifiait, dans le langage des courtisanes, «je suis à vous».

— Ne jouez pas à la coquine avec moi, Lisette. Vous comprenez que dorénavant, nos rencontres seront chastes et publiques.

— Et qu'avez-vous fait de la nouvelle madame Talham?

— Elle dort.

— Elle dort et vous buvez un whisky! Vraiment, mon ami, je ne vous reconnais plus.

— La journée a été éprouvante pour cette petite, elle est épuisée. Le voyage de Chambly à Montréal est long, et sitôt le pied posé sur le sol de cette île fabuleuse, Papineau nous attendait et nous a entraînés dans son sillage. Cet homme est un véritable tourbillon.

Il s'arrêta en scrutant madame de Beaumont. Bien sûr, c'était ça. Elle avait appris sa venue par le notaire qui avait dû en parler à gauche et à droite, et la nouvelle était parvenue aux oreilles de Lisette, qui s'était étonnée d'avoir été tenue dans l'ignorance. Elle se doutait qu'il se trouvait ici. Talham se dit qu'il aurait pu prévoir la réaction de son ancienne maîtresse. Tout de même, elle était suffisamment indépendante qu'il n'avait pas cru nécessaire de lui faire part de son mariage. Surtout pas par écrit.

Elle lui avait plu longtemps, mais désormais, il ne voulait plus penser qu'à Marguerite. Fort à propos, Richard Dillon entra dans la pièce pour s'informer du confort de son client. Il n'émit aucun commentaire à la vue de la femme, qu'il connaissait bien.

— Un autre whisky, *Doctor*? Les chambres sont-elles à votre goût?

— *Les* chambres? remarqua sournoisement madame de Beaumont.

Alexandre la toisa. De quoi se mêlait-elle ? Dillon vint à sa rescousse.

— Madame de Beaumont, permettez. On vous mande à votre table.

Par délicatesse, Dillon préféra éloigner la dame par un prétexte plutôt que de lui intimer l'ordre de quitter les lieux interdits. Cette dernière, contrariée, mais contrainte de se retirer, remercia l'hôte et salua vivement Talham, qui s'inclina.

— Vous me voyez désolé de cet incident, Mister Dillon, dit Talham dès que madame de Beaumont se fut suffisamment éloignée.

— Ne vous en faites pas, *Doctor*, nous connaissons tous la détermination de cette dame, le rassura l'hôtelier.

— Alors, à demain.

Dillon indiqua au docteur un escalier dérobé pour monter à l'étage, permettant d'éviter toute rencontre inopportune.

En passant devant la chambre de son épouse, Talham s'arrêta et colla l'oreille sur la porte. À travers la mince porte de bois, la respiration de Marguerite lui parvint, profonde et régulière. Satisfait, il entra dans sa chambre, se débarrassa rapidement de ses vêtements et s'allongea sur le lit. Le sommeil fut long à venir.

Chapitre 11

Coups de théâtre

Le lendemain matin, Marguerite s'éveilla, les yeux boursouflés et rougis, le cerveau embrumé. Elle n'avait pas très bien dormi.

« Lit nuptial. » « Nuit de noces. » Ces mots l'obsédaient. Elle n'avait qu'une vague idée de ce que tout cela signifiait. Qu'espérait-elle d'un mari ? « Ça », cette autre chose, cette douleur extrême dont se souvenait si précisément son corps ne pouvait être que l'œuvre du démon ! Impossible que le docteur, si gentil avec elle, ne lui inflige un tel supplice ! Confuse, elle chassa ces mauvaises pensées en versant de l'eau fraîche dans le joli bol de faïence pour y tremper son mouchoir. Elle bassina ses yeux en les tamponnant plusieurs fois, se lava le visage et les mains. Ses ablutions terminées, elle entreprenait à peine sa toilette qu'on frappa à la porte.

— Marguerite, puis-je entrer ?

C'était Alexandre, son époux. Elle ne pouvait lui refuser d'entrer, mais elle était encore en chemise.

— Ce ne sera pas long, cria-t-elle vers la porte tout en cherchant du regard ses rubans pour attacher ses bas.

Voyons, où les avait-elle posés, la veille ? Après les avoir trouvés, elle laça rapidement son corset sur la chemise dans laquelle elle avait dormi, puis passa par-dessus le tout la chemisette au col de dentelle.

— Je suis bientôt prête, annonça-t-elle pour faire patienter le docteur qui attendait de l'autre côté de la porte, tandis qu'elle enfilait rapidement jupons et jupe comme si sa vie en dépendait. Pas question que son mari ne la trouve à moitié nue ! Elle ouvrit enfin à Alexandre.

— Bonjour ma chère, fit aimablement ce dernier en entrant dans la pièce, les bras chargés de sa robe qu'il déposa sur le lit. Comme tu en auras besoin ce soir, j'ai pensé qu'il faudrait l'étendre pour qu'elle se défroisse. Mais, mais, mais ? Que signifient ces yeux rougis ? interrogea-t-il en l'examinant de plus près. Mal dormi ?

Marguerite eut un léger mouvement de recul et se détourna.

— C'est bien bruyant ici, prétendit-elle pour éviter la question. Jamais j'aurais cru qu'on puisse entendre autant de vacarme la nuit !

— C'est vrai que ces fenêtres donnent sur la place où circulent nombre de voitures, convint Alexandre. Mais allons-y, dit-il d'un ton joyeux, car nous avons une nouvelle journée devant nous, une journée qui offrira quelques surprises à la nouvelle madame Talham.

— Des surprises ?

Alexandre lui répondit par un sourire énigmatique et refusa d'en dire plus.

— Tu dois avoir faim. Allons déjeuner.

Ils descendirent dans la grande salle de l'hôtel et s'installèrent à une table où on leur apporta du thé.

— Ici, on ne sert pas de chocolat, s'excusa Alexandre, sachant que Marguerite, en bonne Canadienne, aimait cette boisson au lait chaud, surtout le matin. Aimerais-tu plutôt du café ? Généralement, c'est ce que je préfère, mais le thé servi chez Dillon est le meilleur qu'on puisse trouver dans tout le Bas-Canada. Les dames de la société apprécient de plus en plus le rituel du thé de l'après-midi si cher aux Britanniques, ajouta-t-il, d'un ton amusé. Peut-être est-ce la faute de ces délicieux gâteaux qui accompagnent les thés anglais ?

— Chez nous, on sert parfois du thé à la visite, mais ma mère aussi préfère le café. Mon père n'aime ni l'un ni l'autre. Il ne boit que du rhum. Mais l'été, quand il fait chaud, il fait comme nous et boit des tasses de l'eau fraîche du puits.

— Avant de repartir pour Chambly, nous irons donc chez Cuvillier faire amples provisions de café et de cacao.

Talham commanda du café et du lait chaud à son épouse et choisit le thé pour lui-même.

— Viens.

Il l'entraîna vers une table garnie de plats de divers poissons fumés, de jambon et d'autres victuailles. Marguerite préféra plutôt une grosse tranche de pain, du beurre et de la confiture.

— Alors ? demanda Talham pendant qu'ils se restauraient. Ma belle Marguerite n'est pas curieuse ? Aucune question sur la surprise annoncée ?

— Je n'ose pas, docteur, répondit vivement Marguerite en trempant soigneusement son pain dans le café.

— Encore ce vilain « docteur » qui revient ! Il faut corriger cela au plus vite.

Marguerite le regarda d'un air gêné, mais son mari n'insista plus et dégusta son thé.

— Eh bien, puisque tu ne poses pas de questions, je t'annonce que ce soir, le docteur Talham et sa charmante épouse iront au théâtre ! Qu'en dis-tu ?

— Au théâtre ? s'exclama Marguerite, qui ne connaissait qu'une seule pièce. Avec Chimène et Rodrigue ? J'ai lu *Le Cid* avec Emmélie, ajouta-t-elle fièrement. C'était très beau et très triste.

— Je vois que la bibliothèque de Monsieur Boileau sert à instruire les jeunes filles, ironisa son mari. Je propose plutôt Molière, qui saura t'amuser. Nous irons entendre les comédiens du Théâtre de société qui jouent *Le Festin de pierre ou Dom Juan*. Hier, à ma demande, monsieur Dillon a envoyé un de ses engagés acheter des billets à l'hôtel Hamilton.

— Jouent ? Ils ne lisent donc pas ? s'étonna Marguerite.

— Au théâtre, des comédiens interprètent ou jouent la comédie.

Jusqu'à la fin du repas, Alexandre expliqua à Marguerite ce qu'était le théâtre, parlant avec passion de ce Molière qui avait si bien diverti le grand roi de France, Louis XIV. Le même à qui on avait dédié le fort Saint-Louis, à Chambly, en 1665. Marguerite se montrait une élève attentive et curieuse. Elle était bien ignorante, sa petite femme. « Ne suis-je pas à mon tour dans une comédie de Molière à tenir le rôle d'un Pygmalion ? » songea-t-il avec dérision. Mais Marguerite était si candide, si adorable lorsqu'elle fronçait les sourcils en posant ses questions. Il sourit à sa femme qui… lui retourna la politesse. Le sourire de Marguerite ébranla Alexandre. Il prenait de plus en plus plaisir à la compagnie de sa jeune épouse. Il se tut, attendri. Ils restè-rent tous les deux sans parler. Dans le silence, un ange passa.

Dehors, le soleil se faisait chaud, apportant un redoux. La neige fondait, dégageant les pavés devant le *Montreal Hotel*. Talham décida qu'ils iraient à pied plutôt que de faire la dépense d'une voiture. Ils remontèrent la rue Notre-Dame et s'arrêtèrent au numéro 36, devant une boutique surmontée d'une enseigne en bois dont les lettres peintes annonçaient : *Gibb Merchant Tailor*. Deux vitrines exposaient toutes sortes d'articles élégants nécessaires aux messieurs : chapeaux, cannes, gants et écharpes de soie étaient disposés pêle-mêle. Talham poussa la porte et fit entrer Marguerite.

— *Greetings, Doctor Talham. It's a pleasure to welcome you once again in my modest boutique*[1].

Un homme sortait de derrière un comptoir qui meublait le fond du magasin. Il était vêtu sobrement, mais il se dégageait de sa personne une telle distinction qu'on ne pouvait le prendre pour un simple commis. Il s'inclina avec circonspection devant Marguerite : « *Madam.* »

Marguerite salua distraitement, intriguée qu'elle était par le foisonnement d'objets qu'elle voyait autour d'elle. La boutique, déjà pas très grande, était surchargée d'accessoires divers qui s'entassaient çà et là : parapluies noirs, chapeaux de diverses formes, gants de soie ou de chevreaux. « Il n'y a que des articles pour les messieurs, se dit la jeune femme. Pourquoi sommes-nous ici ? »

— Monsieur Gibb, voici mon épouse, madame Talham. Il lui faut une foule de petites choses essentielles à sa condition : gants, mouchoirs, ombrelle, que sais-je ? Votre fille Margaret s'occupe-t-elle toujours des dames ?

— Mais oui ! Entrez ici.

---

1. Bien le bonjour, docteur Talham. Quel plaisir de vous accueillir à nouveau dans ma modeste boutique.

Il les fit passer derrière le comptoir. Un rideau masquait une ouverture qui menait à l'arrière-boutique.

— Oh! fit Marguerite, éblouie.

Des centaines d'aulnes de tissu : velours chatoyants, satins moirés, nankins colorés, taffetas lustrés ou serges sombres s'empilaient en un joyeux arc-en-ciel sur les tablettes, côtoyant profusion d'indiennes bigarrées, de cotons blancs, de lainages, de flanelles, de batistes, de *bombazettes** et de mousselines. Des fuseaux de fils de toutes les couleurs imaginables, des dentelles, des passementeries magnifiquement ornées, des épaulettes dorées ou argentées, des boîtes de rubans, de l'extra-fort, des galons de soies, tout cela abondait et remplissait des étagères de bois, sans compter quantité de boutons. C'était incroyable! Marguerite se mit à rêver, imaginant robes, jupes et jupons qu'elle pourrait confectionner dans ces tissus merveilleux. Talham observait sa jeune femme, amusé par son plaisir évident. Mister Gibb les conduisit vers un escalier qui aboutissait dans un cabinet, à l'étage. Sur deux grandes tables de bois, de longues règles droites étaient fixées. De gros ciseaux à tailler et un ruban à mesurer, négligemment posés sur une des tables, témoignaient de l'art du tailleur.

— Je cours chercher ma fille, dit monsieur Gibb dans un excellent français.

Il disparut par une autre porte, les laissant seuls dans la petite pièce.

Benaiah Gibb était né en Angleterre, mais son nom rappelait son origine écossaise. Mister Gibb était devenu le tailleur le plus recherché de la bonne société; une douzaine d'apprentis et de compagnons travaillaient pour lui, maniant aiguilles et ciseaux pour habiller les officiers, les riches marchands et les notables de la bourgeoisie anglaise et française de Montréal. À force de travail et de talent, l'humble artisan s'était élevé dans la société, atteignant le statut de notable comme plusieurs des illustres membres de sa clientèle. Ses affaires florissantes lui avaient permis d'acheter récemment une maison de pierres à deux étages sur la rue Saint-Jacques, un luxe que peu d'artisans pouvaient offrir à leur famille, qui vivait généralement au-dessus de la boutique ou du magasin. Gibb aspirait secrètement à un poste d'administrateur dans le milieu de la haute finance montréalaise. Il contribuait à l'édification de l'église presbytérienne St. Gabriel où il détenait une charge de marguillier.

Attendant patiemment ce jour, il étonnait ses concitoyens par ses folles extravagances. Comme ce pavillon chinois qui ornait son verger du faubourg Saint-Laurent! Son fils aîné prenait part aux affaires familiales, se chargeant des achats de tissus chez les marchands Sheppard de Londres. Le jeune homme profitait de ses séjours outre-Atlantique pour acheter à bon prix des objets d'art et des toiles qui transformaient la maison familiale de Montréal en véritable musée que Talham avait eu la chance de visiter.

Pendant ses années de célibat, le docteur était devenu un bon client de Gibb. Lui qui consacrait l'essentiel de son temps à soigner les autres éprouvait un grand plaisir à venir choisir des tissus ou discuter de l'élégance d'une coupe ou des détails de la confection. L'art du tailleur lui faisait oublier, l'espace de quelques heures, l'omniprésence brutale de la maladie et de la mort. Il avait observé chez Marguerite cette même recherche de beauté et de perfection dans le soin qu'elle apportait à la finition de ses ouvrages.

— Au théâtre, ce soir, j'aurai à mon bras mon épouse revêtue de sa belle robe bleue qu'elle a elle-même confectionnée, dit fièrement Alexandre à Marguerite en attendant le retour de Gibb. Mais je souhaite lui offrir une robe tournée à la toute dernière mode fabriquée par une couturière, tout comme le font les grandes dames. Madame Talham tiendra son rang dans la paroisse pour la plus grande joie de son mari! En discutant avec mademoiselle Gibb, qui prendra tes mesures et te suggérera des modèles pour les grandes occasions, tu apprendras une foule de petites choses qui feront de toi une personne aussi élégante que Sophie Boileau. Je veux aussi que tu achètes ce qu'il te faudra de verges d'indienne, de coton, de batiste, de mousseline, tout ce qu'il faut pour terminer ton trousseau, et aussi... pour la layette de l'enfant. Car il faut bien y penser, ajouta-t-il dans un sourire en la voyant s'effaroucher à nouveau.

Mais cela ne dura pas, Marguerite était trop captivée par la boutique.

Monsieur Gibb revint en compagnie d'une jeune femme vêtue sobrement, mais avec goût, qui avait peut-être vingt ans et qu'il présenta comme son assistante: sa fille, Margaret.

— Comme vous le savez, docteur, chacun de mes enfants participe au commerce pour apprendre le métier de leur père, dont ma fille, tout comme ses frères. D'ailleurs, pour ce qui est de la confection, c'est la plus douée, et les grandes dames de Montréal la réclament.

— Si vous voulez bien venir avec moi, madame Talham, fit Margaret en l'invitant à la suivre.

Deux heures plus tard, les Talham ressortaient de chez Gibb. Excitée par tous leurs achats, Marguerite anticipait le plaisir qu'elle aurait à travailler avec ces beaux tissus! Dans quelques semaines, la malle livrerait à Chambly une somptueuse robe de mousseline blanche brodée de coton, créée par les doigts talentueux de mademoiselle Gibb, et pour Alexandre, une nouvelle veste, des culottes et d'autres hardes dont quelques chemises. Elle souriait, la tête pleine d'idées nouvelles.

Ils reprirent Notre-Dame pour descendre Saint-Joseph jusqu'à la petite rue Capitale, parallèle à la longue rue Saint-Paul, près de la place du vieux marché. Talham s'arrêta devant une discrète maison de pierres. Il frappa à l'huis et entrouvrit la porte.

— Docteur Rowand? appela-t-il.

Un homme d'environ soixante ans, entièrement vêtu de noir, apparut à l'entrée de l'arrière-boutique.

— *Doctor Talham. How are you, my dear Alex?* Mais comment allez-vous cher collègue? reprit-il en français. Il y a longtemps qu'on vous a vu! Et vous êtes en bonne compagnie, je dirais?

En plus de pratiquer la médecine et de faire partie du bureau des examinateurs pour l'octroi de licence de médecin dans le district de Montréal, le docteur John Rowand tenait une boutique d'apothicairerie. Il parlait assez bien le français, fournissant en remèdes et instruments les médecins de la campagne qui, à l'instar de Talham, constituaient la plus grande partie de sa clientèle.

Il saluait encore les nouveaux venus lorsqu'un homme, grand et maigre à faire peur, entra à son tour dans la boutique. C'était le docteur Daniel Arnoldi, un ancien élève de Rowand.

Talham reconnut avec plaisir ce jeune médecin pour qui il avait de la sympathie. C'était un travailleur acharné et ambitieux qui n'hésitait pas à soigner les pauvres des campagnes. Talham avait appris qu'Arnoldi, après quelques années passées dans le Haut-Canada et dans la région de Trois-Rivières, venait de se fixer définitivement à Montréal.

— Docteur Arnoldi! Eh bien, si je m'attendais!

— Alors, Talham, je vous prends à fréquenter les médecins anglais maintenant? s'exclama joyeusement Arnoldi en retirant son couvre-chef.

Arnoldi se moquait gentiment du docteur Talham. Les déboires de ce dernier avec le bureau des examinateurs en 1786 étaient connus. Cette année-là, une ordonnance du gouverneur obligea tous les praticiens de la médecine, du chirurgien en passant par l'apothicaire et la sage-femme, à obtenir une licence de pratique à la suite d'un examen passé devant des bureaux d'examinateurs. Ce comité jugeait des capacités de chacun à pratiquer. Talham s'était volontiers prêté à cette formalité.

Or, sa demande de licence avait été refusée. Les examinateurs, tous des Anglais, bien entendu, lui avaient uniquement accordé la permission d'agir comme arracheur de dents et «saigneur», comme on nommait ceux qui pratiquaient les saignées, à l'instar des barbiers d'autrefois. Talham en avait été profondément humilié, lui qui n'avait jamais rien fait d'autre que de soigner les gens. Il avait été obligé de recommencer les démarches, usant cette fois de ses relations, afin de prouver qu'il était bien ce qu'il prétendait être. Il avait finalement été reçu et la licence avait été délivrée l'année suivante.

— Je croyais que vous les aviez tous maudits, leur souhaitant rien de moins que les flammes de l'enfer! lui lança Arnoldi dans un clin d'œil.

— Ne me rappelez pas ce mauvais souvenir! J'aurais bien voulu vous y voir à justifier des compétences qui pourtant étaient reconnues de tous. Et puis, vous allez me noircir devant mon épouse. Je lui raconterai ce triste épisode de ma vie un autre jour.

— Votre épouse? J'ai cru un instant que cette jolie dame était votre fille. Mes hommages, madame Talham, fit-il en s'inclinant devant Marguerite. Mes sincères félicitations pour votre mariage.

Marguerite lui adressa un vague sourire en cherchant des yeux un siège pour s'asseoir. Elle se sentait étourdie. Il régnait dans cet endroit une odeur aigre de médicaments et de formol qui la prenait à la gorge et l'indisposait.

— À mon tour de vous complimenter pour l'excellence de votre français, Arnoldi, malgré vos années dans le *Upper Canada*, l'asticota amicalement Alexandre.

— Vous vous moquez, Talham, s'exclama Arnoldi en feignant l'indignation. Et puis, vous n'aurez plus rien à craindre pour mon français puisque j'ai épousé une de nos jolies Canadiennes, une Franchère.

— Docteur…

Marguerite s'agrippa au bras de son mari. Elle était pâle, la mine défaite, s'appuyant sur le comptoir de l'apothicairerie pour ne pas tomber.

Rowand apporta rapidement une chaise juste avant que la jeune femme ne s'effondre, inconsciente, dans les bras de son mari.

— Oh! mon Dieu! Marguerite!

Rowand lui tendit un flacon de sels que Talham fit respirer à Marguerite.

— Je crois que… j'ai eu un malaise, dit-elle faiblement en revenant à elle.

— Ma pauvrette, dit doucement son mari en lui tapotant le dos de la main. Comme je suis sot! À quoi cela sert-il d'avoir comme mari un médecin s'il est incapable de prendre soin de la santé de sa propre épouse? Tout à mon bonheur de te faire découvrir la ville, j'oublie que c'est une trop grande fatigue pour toi. Je règle vite mes affaires, puis nous irons chez Delvecchio afin de nous restaurer et de prendre un peu de repos. Rowand, puis-je vous laisser ceci? dit-il en tendant un bout de papier sur lequel il avait noté les articles manquants de son apothicairerie, à Chambly. Et vous prier de faire livrer chez Dillon, avant samedi. Messieurs, je vous prie de m'excuser.

Rowand examina rapidement la liste : du bandage à « ressort » élastique, des aiguilles croches, deux boîtes de lancettes neuves, une nouvelle seringue, du sel de Glauber, de la fleur de soufre, du quinquina, de l'ipéca, de l'onguent pour la gale, des flacons de crème de tartre, un flacon de *magnesia*. La liste s'étirait et Marguerite pâlissait.

— Ne vous inquiétez pas pour votre « ordre », dit Rowand à Talham. Et faites donc prendre un peu de ce cordial à madame, ajouta-t-il en lui tendant une petite fiole. Trois gouttes suffiront, je crois.

Talham prit la fiole et remercia. La porte se referma sur eux. Une fois dehors, l'air frais redonna vite ses couleurs à Marguerite. Ils firent quelques pas et Talham poussa la porte de l'auberge de Thomas Delvecchio.

Dans la boutique, Rowand déposa la liste de Talham sur son écritoire et consulta Arnoldi d'un air entendu.

— En voilà de belles, n'est-ce pas Arnoldi ? Que dites-vous du malaise de cette jeune dame ?

— Je dis que c'est un malaise commun aux dames qui ont de l'espérance, répondit tout bonnement le docteur Arnoldi, et je m'en réjouis. Assurément, notre collègue Talham sera père dans quelques mois. Quoique je m'étonne qu'un homme de son expérience impose à son épouse un voyage à Montréal, vu son état.

— Vous avez raison. Sauf que dans l'ordre normal des choses, Talham devrait être marié depuis un mois ou deux pour que sa jeune femme soit ainsi indisposée. Figurez-vous que, quand vous êtes entré, il venait de m'annoncer que son mariage ne date que d'hier.

— Vraiment ? Peut-être finalement que ce malaise n'était qu'un accès de fatigue dû à l'air vicié de la ville, proposa simplement Arnoldi. Vous savez que le changement peut être néfaste aux gens de la campagne dont les poumons sont habitués à un air plus sain.

— Fadaises, Arnoldi ! Les mœurs dissolues de ces satanés Français, voilà la véritable raison de cet évanouissement !

Le docteur Daniel Arnoldi sursauta, surpris par la virulence de l'accusation formulée par son confrère. Le docteur Rowand manifestait sa piètre opinion des Canadiens à l'instar de plusieurs de ses compatriotes britanniques. Le commerçant faisait toujours bonne figure à sa clientèle française, mais une fois lancé dans sa diatribe préférée, il y allait de tous ses préjugés sur la faiblesse de la moralité française.

— Des séducteurs impénitents qui forcent les jeunes femmes, se confessent à leurs curés qui les obligent à réparer par le mariage, pesta-t-il. Et Talham, que je croyais différent des autres, est de la même farine. Des barbares et des ignares qui profitent de la grandeur de la civilisation britannique !

— Comme vous y allez, Rowand ! protesta Arnoldi. Talham aurait séduit cette charmante enfant ? Impossible, cet homme est d'une probité exemplaire et un excellent parti pour n'importe quelle jeune fille de bonne famille. Il semble très amoureux de sa jeune femme, bien que, de toute apparence, elle lui soit inférieure de classe.

— Que vous êtes naïf, Arnoldi ! Talham n'est qu'un imposteur. À l'époque de l'ordonnance, le bureau des examinateurs l'avait relégué chez les arracheurs de dents et les chirurgiens barbiers. Mais il est revenu à la charge en faisant intervenir le vieux Rouville, cette fripouille de juge, pour obtenir sa licence de chirurgien qui en a fait notre égal.

— N'était-ce pas justice ? répliqua Arnoldi. Talham a étudié au Collège de Rouen, l'une des meilleures facultés de médecine de France.

— Balivernes, Arnoldi, fit Rowand en balayant l'air d'un geste de la main. Je suis d'avis que la plus grande école de médecine française ne vaut pas la plus médiocre des écoles anglaises.

— C'est pourtant à Édimbourg que se trouve le meilleur collège de médecine de notre époque, ironisa le docteur Arnoldi qui tentait de garder son calme.

— L'Écosse fait partie de la Grande-Bretagne.

— Mister Rowand, les médecins français ne sont pas tous des ânes. Vous oubliez Laterrière et Blanchet.

— Pfft, répliqua Rowand, méprisant. Des diplômés d'universités américaines !

La tournure de la conversation commença à indisposer le docteur Arnoldi. Si on ne pouvait nier que les chirurgiens anglais étaient généralement d'excellents praticiens, cela ne voulait pas nécessairement dire que tous les autres, français et allemands notamment, étaient incompétents. Laterrière et Blanchet, deux médecins de Québec, l'avaient bien prouvé en allant décrocher des diplômes dans des univer-sités américaines. De plus en plus, on voyait de futurs médecins partir à l'étranger pour compléter leur appren-tissage aux États-Unis ou en Europe, puisqu'il n'y avait pas encore d'université au Canada. Les chirurgiens anglais arrivés après la Conquête avaient exigé du gouverneur la création de bureaux d'examinateurs afin de mettre un peu d'ordre dans une profession qui, il faut l'avouer, en avait bien besoin. En vérité, les anciens chirurgiens militaires ou navigants exerçaient la médecine surtout dans les cam-pagnes, rendant des services inestimables à la population. Et, comme l'avait fait Talham, ils troquaient leur titre de chirurgien pour celui de médecin. Leurs longues années de pratique attestaient de leur savoir.

— Lorsque j'étais aux Trois-Rivières, le marchand René Kimber m'a fait part de son intention d'inscrire son fils, René-Joseph, à Édimbourg. Vous verrez que nos futurs médecins suivront cet exemple dans les années qui viennent. Et puis, ajouta Arnoldi d'un ton moqueur, ils sont vos futurs clients.

— Ne mêlons pas les affaires aux choses de l'art. Je me réjouis que le bureau des examinateurs ne soit composé que de bons chirurgiens anglais. Les Français et Allemands sont tous des charlatans !

— Maître Rowand, vous dépassez la mesure ! Permettez que je vous salue ! fit Arnoldi, franchement vexé.

Il sortit en claquant la porte. Dans sa lancée, Rowand avait oublié que le père de son ancien élève était justement un de ces mercenaires allemands venus pour prêter main-forte à l'armée britannique afin de contrer l'invasion des rebelles américains.

— Que tous ces gens sont susceptibles ! Et dire que cet idiot d'Arnoldi a épousé une Canadienne alors qu'il y avait tant de bonnes Anglaises bien éduquées dans la colonie ! maugréa Rowand. *French, Scottish, German…* soupira-t-il. *What a pity that we British must suffer these foreigners, who pretend to be equals in the practice of our art*[1] !

Il rappela son commis pour lui remettre la liste de Talham et donna ses ordres. Il y en avait pour cent vingt-cinq livres et quatre sols, une somme non négligeable.

---

1. Français, Écossais, Allemands… Quelle pitié que nous, Britanniques, ayons à supporter ces étrangers, qui prétendent être nos égaux dans la pratique de la médecine !

❧

Marguerite n'avait jamais été aussi élégante! Elle portait enfin sa nouvelle robe aux couleurs de l'azur qui faisait briller ses yeux. Les cheveux relevés et ramassés dans un lourd chignon bas avec de gracieuses bouclettes qui encadraient son visage suivant les prescriptions de la demoiselle Gibb, la jeune femme produisait le plus joli effet qui soit! Au cou, retenu par un ruban de velours, le christ d'or offert par son mari; une écharpe de fine soie ivoire aux extrémités élégamment frangées glissait en un mouvement charmant sur ses épaules et ses bras.

Chez Gibb, il lui avait fallu acheter des bas de soie joliment brodés et des chaussures de satin. C'était terriblement gênant d'acheter des articles aussi intimes, mais la demoiselle Gibb avait su la mettre à l'aise. Et son mari qui avait insisté pour qu'elle choisisse une parure à la mode, un gracieux plumet de la même teinte que sa robe, tout en lui conseillant d'attendre une autre occasion avant de le piquer dans ses cheveux.

— L'invitation dans la *Gazette de Montréal* prie les femmes de se «coiffer bas et sans plumets». Tu n'aimerais pas rater ta première grande soirée à Montréal en péchant par accès de coquetterie. Mais tu pourras le porter demain, au souper des Papineau.

De toute manière, Marguerite ne tenait pas à se faire remarquer. En déambulant au bras de son mari, elle se félicitait de ne pas avoir eu cette hardiesse, terriblement intimidée par ces regards d'inconnus qui avaient l'aplomb de la détailler des pieds à la tête. Elle entendait des murmures désobligeants à propos de celles qui arboraient parfois jusqu'à deux plumets dans leur coiffure. Ces femmes ne manquaient pas d'audace!

Son époux avait fière allure ce soir-là. Il avait troqué ses vêtements noirs habituels pour un habit de soirée de velours brodé vert foncé dont les pans élégants de la veste lui battaient les mollets. Gilet assorti, chemise blanche de soie fine, cravate blanche soigneusement nouée, montre de gousset en or et canne au pommeau sculpté, tout annonçait l'homme de qualité.

Une foule bigarrée se pressait dans le grand hall de l'hôtel Hamilton qui servait de théâtre. «Bien plus de monde que la plus grande assemblée de paroissiens à l'église!» se dit Marguerite, ragaillardie par le cordial du docteur Rowand et quelques heures de repos. L'assistance se composait de messieurs tirés à quatre épingles et de belles dames dont les tenues rivalisaient d'élégance, exception faite de quelques vieilles douairières se pavanant dans les robes à larges jupes du siècle dernier, alors que la mode exigeait une jupe droite, à peine froncée à la taille, qui était haute et prise sous la poitrine. D'imposants lustres descendaient du plafond, jetant des flots de lumière chatoyante sur les bras nus des femmes qui cherchaient une place dans la grande salle où se déroulerait plus tard la pièce de théâtre. À mesure que des gens arrivaient, le brouhaha s'intensifiait. Alexandre saluait, présentant une Marguerite ébahie à des personnes de sa connaissance.

— Docteur Talham, venez par ici!

C'était le notaire Papineau qui faisait de grands signes en désignant deux places près de lui. Alexandre et Marguerite se faufilèrent pour le rejoindre.

— Ha! Ha! Voilà de quoi a l'air le papillon sorti de sa chrysalide!

Le notaire ne cachait pas son admiration.

— Madame, vous êtes un véritable plaisir pour les yeux!

Il s'inclina galamment sur la main de la jeune femme en une courbette un peu ridicule.

— Mes plus respectueux hommages !

— Bonsoir, monsieur Papineau, je suis bien heureuse de vous revoir.

— Avec quelle grâce s'exprime cette charmante personne. Asseyez-vous près de moi, dit-il en désignant les sièges libres. Je suis venu seul. Mon épouse écoute trop les curés et réprouve le théâtre. Puisque mon fils aîné est à Québec et que ma fille, vous vous en doutez, n'a pas l'autorisation de sa mère pour m'accompagner, je suis donc condamné à assister au spectacle en solitaire. Ces messieurs du clergé qui voient l'œuvre du démon partout ! Proprement ridicule ! La troupe des *Jeunes messieurs* ne comprend que… des jeunes messieurs. Diantre ! Aucune dame sur la scène ! C'est bien dommage, d'ailleurs. Molière a écrit de si beaux rôles pour ses amies comédiennes !

Marguerite écarquillait les yeux en écoutant le notaire proférer des propos irrévérencieux sur les prêtres. Même s'il arrivait à un de ses parents de manquer la messe dominicale, jamais elle n'avait entendu de leur part un mot contre le curé, ni même de la part de Monsieur Boileau.

— N'ayez crainte, chère madame, ajouta Papineau pour apaiser la jeune femme, ce que vous entendrez et ce que vous verrez ce soir n'a rien de répréhensible.

— Marguerite, je ne t'aurais jamais amenée ici si le spectacle devait être le moindrement subversif, la rassura Talham qui, de son côté, ne semblait nullement choqué par les propos de Papineau.

— Subversif ?

— Disons… inconvenant.

— Qui parle d'inconvenance ?

À la vue de son ancienne maîtresse, madame de Beaumont, Alexandre dissimula son mécontentement en grimaçant un sourire poli. Les distractions étaient trop rares à Montréal pour ne pas rencontrer Lisette à l'hôtel Hamilton. Marguerite observa attentivement cette dame qui, de toute évidence, semblait bien connaître son mari. Trois audacieux plumets ornaient sa coiffure.

— Marguerite, ma chère, voici madame de Beaumont, une vieille connaissance.

— Madame Talham, je suis enchantée de vous connaître, répondit-elle en détaillant ostensiblement Marguerite. Et vous, mon ami, dit malicieusement la perfide en taquinant le docteur du bout de son éventail, depuis quand rappelle-t-on son âge à une dame, surtout devant une si jeune femme ?

« C'est donc elle, la petite oie blanche de son beau docteur. Fi ! Quelle vilaine robe ! Alexandre, mon cher, je vous croyais avoir un meilleur goût ! se dit madame de Beaumont. »

La jalousie empreinte de mauvaise foi égarait madame de Beaumont, car Marguerite était ravissante en tout point. La courtisane refusait plutôt de voir ce bouton de fleur qui ne cherchait qu'à s'épanouir, méprisant le plaisir innocent qui se lisait dans les yeux brillants de la jeune femme, jalouse de cette gorge et de ce teint ivoire délicatement mis en valeur par la nuance parfaite de la robe. La fierté que le mari éprouvait pour sa jeune femme n'échappa pas à la veuve. « Eh bien ! murmura l'effrontée pour elle-même, voilà mon docteur qui est amoureux comme un sot ! »

— Ça y est ! annonça alors le notaire Papineau. La toile va se lever.

Madame de Beaumont regagna sa place et la représentation du *Festin de pierre ou Dom Juan* commença.

Dès les premières répliques, Marguerite fut conquise. Elle riait aux éclats aux propos de Sganarelle, le personnage qu'elle préféra d'emblée. Dom Juan lui faisait peur. S'il y avait quelques diableries dans le théâtre, il les incarnait toutes !

Elle était captivée par cette histoire fantastique. Ce Dom Juan était bien méchant ! Pauvre Dona Elvire, l'épouse trompée ! Sganarelle ne devrait pas protéger ainsi son maître. Il était bien trop malhonnête. Sganarelle entrait à nouveau sur scène, masqué et déguisé, vêtu d'un sombre manteau noir et d'un chapeau pointu. L'assistance éclata de rire.

— *C'est l'habit d'un vieux médecin, qui a été laissé en gage au lieu où je l'ai pris, et il m'en a coûté de l'argent pour l'avoir. Mais savez-vous, monsieur, que cet habit me met déjà en considération, que je suis salué des gens que je rencontre, et que l'on me vient consulter ainsi qu'un habile homme ?*

Marguerite se retint d'applaudir à cette réplique qu'elle entendait comme un compliment à son mari. Sganarelle poursuivait ses explications à Dom Juan.

— *Cinq ou six paysans et paysannes, en me voyant passer, me sont venus demander mon avis sur différentes maladies.*

— *Et quels remèdes encore leur as-tu ordonnés ?*

— *Ma foi ! Monsieur, j'en ai pris par où j'en ai pu attraper ; j'ai fait mes ordonnances à l'aventure, et ce serait une chose plaisante si les malades guérissaient, et qu'on m'en vint remercier.*

Ah ! C'était bien vrai, se disait Marguerite, se rappelant les soins du docteur Talham à ses frères et sœurs ; ses parents avaient remercié le bon Dieu de les avoir épargnés. Mais voilà que le vilain Dom Juan reprenait et osait médire des talents de son époux.

— *Et pourquoi non ? Par quelle raison n'aurais-tu pas les mêmes privilèges qu'ont tous les autres médecins ? Ils n'ont pas plus de part que toi aux guérisons des malades, et tout leur art est pure grimace. Ils ne font rien que recevoir la gloire des heureux succès, et tu peux profiter comme eux du bonheur du malade, et voir attribuer à tes remèdes tout ce qui peut venir des faveurs du hasard et des forces de la nature.*

Pourquoi Dom Juan était-il si méchant en parlant des médecins ? Et le gentil Sganarelle qui lui répondait comme si c'était vrai ! Et Talham qui riait franchement en essuyant une larme ! Marguerite le regarda, ahurie ! Voyons, on se riait de lui et pourtant, le docteur s'esclaffait. C'était à n'y rien comprendre.

— Mais ils se moquent de vous, murmura-t-elle.

Son mari lui chuchota affectueusement :

— Je t'expliquerai, ma chère petite femme qui veut me défendre.

— Chut ! fit un impatient derrière eux.

Mais à la fin de la pièce, Marguerite avait déjà oublié l'épisode cocasse des médecins. Elle était terrorisée par l'apparition du commandeur. Elle n'était pas la seule, on entendait dans la salle les cris effrayés des dames. La séance prit fin et les comédiens vinrent saluer sous les applaudissements nourris du public. Sganarelle revint sur scène en faisant une pirouette pour annoncer que la troupe de théâtre des *Jeunes messieurs* faisait une pause de vingt minutes avant d'entreprendre la suite de la représentation.

— J'ai eu si peur, dit Marguerite. Ce commandeur qui venait des enfers était effrayant.

— Tout cela n'est que comédie, la rassura Talham. Monsieur Molière souhaitait qu'à la fin de sa pièce, les spectateurs réfléchissent au bien et au mal, afin que le cœur de tous les hommes soit compatissant. Je vois qu'avec toi, il a réussi.

— Quel plaisir extrême, mes amis ! s'exclama le notaire Papineau. Quelle interprétation ! Les caractères sont soutenus d'une manière si admirable que leur mérite surpasse tous les éloges. Et votre dame qui est tout en émoi ! Quelle charmante innocence ! Une jeune femme délicieuse !

Le notaire s'inclinait galamment devant une Marguerite rose de plaisir.

— Vous ne croyez pas si bien dire, monsieur Papineau, fit une forte voix derrière eux. Mademoiselle Lareau, le titre de madame Talham vous va à merveille !

— Monsieur et madame de Rouville ! s'exclama le docteur en se retournant. Si je m'attendais à vous rencontrer ici, aujourd'hui !

Talham bafouillait comme un gamin qu'on venait de prendre *flagrante delicto* à voler des pommes !

— Pourtant, il me semblait vous l'avoir annoncé, l'autre jour ? répondit innocemment le colonel de Rouville. Nous sommes arrivés tantôt. Mon épouse souhaitait s'assurer de la bonne santé de son frère, monsieur Hervieux, et nous avons profité du beau temps pour venir passer quelques jours à la ville, en famille. Ma parole, Talham, on dirait bien que vous avez rajeuni ! ajouta-t-il en tapotant l'épaule du docteur en un geste affectueux. Quant à la nouvelle madame Talham, n'est-elle pas radieuse !

Marguerite fit une petite révérence en tremblant de tous ses membres. Il lui fallut tout son courage pour se forger un sourire contrit. Son agresseur était là, devant elle, à saluer la compagnie comme s'il ne s'était jamais rien passé, alors que la peur lui nouait le ventre. Elle se cramponna au bras de son mari.

— Mes salutations, monsieur de Rouville. Il me semble qu'il y a longtemps qu'on vous a vu à Montréal, dit monsieur Papineau en s'avançant.

— Que voulez-vous ? Après avoir guerroyé la moitié de ma vie, j'apprécie la vie calme de la campagne. Vous verrez, notaire, que l'exploitation des terres n'est pas de tout repos.

On m'a appris que vous aviez acheté récemment la seigneurie de la Petite-Nation. Installer des censitaires, faire construire des moulins, une église, tout cela requiert un travail incessant.

Marie-Anne de Rouville, qui se tenait à ses côtés, droite comme un « i » dans une robe démodée, le bec pincé, n'était pas du même avis que son mari. D'ailleurs, l'était-elle parfois ? Elle aurait bien aimé gérer les terres de son mari, persuadée qu'elle aurait réussi.

La dame de Rouville toisa Marguerite en agitant son éventail, humiliée de se trouver en présence d'une simple habitante, alors qu'on était entre gens de la bonne société. Née Hervieux, une des familles marchandes parmi les plus en vue de Montréal, madame de Rouville avait des liens de parenté avec tous ceux qui comptaient au Bas-Canada. Sa mère était une Marin Lamarque, sa grand-mère avait épousé en secondes noces un Legardeur de Repentigny et ses tantes se nommaient La Corne Saint-Luc ou Dugré Lecompte.

De surcroît, elle apprenait en public que l'unique médecin de Chambly venait tout juste de se remarier, son mari ayant simplement omis de lui faire part de cette nouvelle tout de même surprenante. L'événement devait être récent, le docteur était venu soigner un de leur domestique trois jours auparavant. Pourtant, son époux semblait parfaitement au courant, comme si cela allait de soi. Leur mésentente se traduisait ainsi, par de petites mesquineries entre eux, comme taire quelque chose qu'elle aurait dû savoir. Elle salua toutefois le notaire Papineau et le docteur Talham comme si de rien n'était.

Rouville s'employa à présenter ses enfants à monsieur Papineau.

— Notaire, vous connaissez sans doute mon fils ?

Papineau acquiesça poliment et salua Ovide de Rouville, dont la triste réputation était arrivée jusqu'à ses oreilles. Les dettes de jeu du jeune Rouville étaient malheureusement un fait notoire.

— Et voici ma fille, mademoiselle Julie de Rouville.

— Mademoiselle, mes hommages. Ravissante jeune fille, fit-il, toujours galant, puis, l'air pressé, il ajouta :

— Madame, mademoiselle, messieurs, permettez que je m'éloigne. Une affaire pressante à mentionner à mon beau-frère Viger que j'aperçois là-bas. Docteur, rappelez-vous que nous vous attendons samedi soir avec votre charmante épouse ! N'y manquez pas, sinon ma femme et ma fille me tordront le cou, assurément.

Talham voulut confirmer, mais déjà le notaire avait ramassé sa canne et avait disparu dans la foule. Il s'engagea dans une conversation mondaine avec Rouville et sa femme. Marguerite se retrouva face à face avec Julie et Ovide de Rouville.

— Madame Talham ?

Julie cachait mal son étonnement de retrouver Marguerite Lareau à Montréal, épouse du docteur Talham, alors qu'il y a quelques mois à peine, celle-ci affirmait qu'elle n'avait aucun fiancé. Elle interrogea discrètement son frère du regard. Ce dernier haussa les épaules, n'étant pas plus au courant des dernières nouvelles que sa sœur. Mais la demoiselle de Rouville retrouva rapidement la contenance d'une femme du monde.

— Mes vœux les plus sincères, madame Talham ! ajouta-t-elle gentiment dans un de ses pâles sourires.

— Vous êtes bien aimable, mademoiselle de Rouville, remercia Marguerite, qui ne s'était pas encore remise du choc que lui avait causé l'apparition des Rouville.

Elle cherchait une phrase anodine à prononcer pour poursuivre la conversation sans y arriver. La présence d'Ovide de Rouville l'insupportait. Elle aurait aimé s'évanouir comme cet après-midi, dans l'apothicairerie de ce médecin anglais, mais elle n'eut pas cette chance.

Rouville la fixait d'un air mauvais, cherchant à déceler dans l'attitude de Marguerite un indice quelconque, se demandant si l'habitante s'était confiée à son nouvel époux. Ce mariage soudain l'inquiétait. « Mais non, c'est impossible, songea-t-il. Elle n'a rien dit. Talham ne m'aurait pas salué aussi aimablement si tel avait été le cas. » Il fallait faire comprendre à la fille qu'elle avait intérêt à continuer de se taire.

— Ma sœur n'est pas très à l'aise, comme vous le voyez. C'est tellement inhabituel de trouver quelqu'un de votre classe ici, dit-il, narquois. Cendrillon, au bras d'un vieillard, persifla-t-il avec un regard insistant. Vous lui racontez vos rêves de petite fille la nuit ?

Marguerite comprit le sous-entendu et rassembla son courage pour répondre à son bourreau.

— Soyez sans crainte, monsieur de Rouville, dit-elle d'une voix blanche. Mon mari ne cherche pas à tout connaître de moi.

— Tu ne vas pas encore recommencer ? lança Julie à son frère d'un ton sévère tant pour le rabrouer que pour prendre la défense de Marguerite. Comment trouvez-vous la soirée ? demanda-t-elle à celle-ci.

— J'aime bien ça, l'assura Marguerite en se rappelant tout le plaisir qu'elle venait d'avoir avant leur arrivée.

— Votre mariage cause toute une surprise, mais vous m'en voyez heureuse pour vous, mademoiselle Lareau. Je veux dire, madame Talham. Vous êtes une cachottière. J'ai rencontré vos cousines à l'église l'autre jour et elles ne m'ont rien dit de votre mariage. Il n'y a pas eu d'annonce de bans à l'église ?

— Le docteur a fait sa demande au début de l'hiver et mes parents ont accepté, expliqua simplement Marguerite, embarrassée par la question, espérant que Julie se satisfasse de cette réponse vague.

— C'est vrai, répondit Talham qui venait d'entendre les derniers mots de la conversation et arrivait enfin à la rescousse. J'ai été attiré par la demoiselle Lareau, chez vous, à la dernière Saint-Martin, et j'ai voulu me marier avant le carême.

Marguerite remercia son époux du regard et Talham lui trouva l'air pâle et les traits tirés. « Encore une fois, j'oublie qu'elle est enceinte. Je suis impardonnable. »

— Ma chère, je crois qu'il est temps de rentrer, proposa-t-il. Nous avons eu une longue journée et tu as sans doute besoin de te reposer.

Elle approuva en silence en reprenant le bras du docteur pour ne plus le laisser.

— Marguerite n'a pas l'habitude des divertissements de la ville et demain, nous avons encore une longue journée d'obligations, s'excusa Talham.

Julie réprima un sourire malicieux. Marguerite fit une petite révérence, tandis que madame de Rouville la dévisageait. Les Talham partis, elle se retourna vivement vers son mari.

— Eh bien, mon ami ? De toute évidence, vous étiez au courant de ce mariage… récent ?

Madame de Rouville contenait avec peine sa fureur.

— Très récent, en effet. Il date d'hier matin. Je l'ai même encouragé et j'en ai été le témoin, répondit nonchalamment Rouville.

— Hier ? À un mariage dont personne ne sait rien, qui n'a même pas été annoncé au prône ! Vous y étiez, mais le fait était-il si insignifiant que vous n'avez même pas jugé bon de m'en faire part ?

Indifférent aux remarques acerbes de sa femme, Rouville ne prit même pas la peine de répondre.

— Peu me chaut le mariage d'une habitante, maugréa-t-elle entre ses dents. Mais votre attitude à mon endroit ne connaît plus de limite. Vous me mortifiez.

— Père, pourquoi avez-vous encouragé le mariage de cette paysanne ? demanda à son tour Ovide d'un ton vindicatif.

— Le bonheur de mon ami Talham me tient à cœur, répondit son père, et cette jeune fille est une épouse parfaite pour lui.

— Vous voulez rire, père. Ces Lareau ne sont que des manants prétentieux.

— Ce sont surtout d'honnêtes gens, des habitants aisés qui ne rechignent pas à l'ouvrage et de qui tu devrais prendre exemple. Sans compter que sa mère est la cousine germaine de Boileau et ainsi, celle de madame de Gannes de Falaise, par alliance.

— De la vulgaire roture, reprit son fils.

— Cela suffit ! fit sèchement le seigneur de Rouville. Jeune présomptueux ! Et je te prie de respecter mes amis.

Ovide de Rouville se renfrogna. Inutile d'insister, son père avait de l'estime pour le docteur français. Et si un jour cette sotte Marguerite racontait à son mari qui l'avait déflorée, la colère de son père serait terrible, même s'il n'étalerait pas sur la place publique un fait aussi insignifiant. L'honneur d'une paysanne ne ferait pas le poids. Seul le nom des Rouville lui importerait.

— Je vous approuve, père, répliqua alors Julie qui exprimait rarement une opinion, surtout devant sa mère. Ce mariage est excellent et il fera taire les mauvaises langues qui laissaient croire que le docteur avait un commerce avec sa domestique.

Rouville regarda sa fille, l'air surpris. Le bon sens de sa Julie l'étonna. Elle était beaucoup plus intelligente qu'il n'y paraissait. Dommage qu'elle ne fut pas un garçon ! Elle aurait pu être son héritière. Malheureusement, il ne pouvait pas défaire les lois et coutumes à son avantage.

Dans la carriole qui les ramenait au *Montreal Hotel*, Marguerite se pressait contre son mari, cherchant à oublier cette épouvantable rencontre qui l'avait prise par surprise. Il fallait qu'elle s'habitue à croiser Ovide, à l'occasion. Son mari était un ami des Rouville. Elle s'efforça de suivre les propos de Talham qui commentait *Le Festin de pierre*.

— Ma chère petite femme qui s'en prenait à ce pauvre Sganarelle déguisé en médecin.

— Mais on riait de vous et vous riiez aussi ! protesta Marguerite.

— Rire de soi est salutaire et permet de prendre conscience des limites que nous impose Dieu. Je pardonne bien volontiers à Molière, il y a au plus de cent ans qu'il a écrit cette pièce et je l'admire d'avoir eu le courage de se moquer des médecins de son époque qui se croyaient tout-puissants, trop fiers de leur savoir sans jamais vouloir se remettre en question ni chercher à connaître la vérité sur les maladies. Je l'excuse d'autant plus qu'il me permet de rire tout en me faisant réfléchir. Ce génie qui a donné au théâtre français de si belles œuvres était atteint d'une grave maladie de poitrine et il en est mort.

— Comme c'est triste, constata Marguerite, touchée à tel point qu'elle en oublia sa propre peur.

— Molière n'acceptait probablement pas sa souffrance, poursuivit Alexandre, peut-être parce qu'il croyait que son œuvre n'était pas achevée. Je ne sais pas. Il en voulait beaucoup aux médecins – certains étaient pourtant de ses amis –, impuissants qu'ils étaient à le guérir.

— Mais la maladie est la volonté de Dieu! s'exclama Marguerite.

— Je le croyais aussi, autrefois. Il y a plus de vingt ans que je soigne les malades, que je panse les blessures, que j'administre des remèdes. Il m'arrive de penser à la mort comme à une vieille amie; je lui connais tant de visages différents. Mais je n'ai aucune certitude que Dieu veut infliger tant de souffrances à Ses enfants. La volonté de Dieu réside peut-être dans la recherche des moyens qui permettront aux docteurs de soulager et de guérir.

— Alors, pourquoi les curés prêchent-ils la résignation?

— Parce qu'ils soignent les âmes. Des âmes qui sont mises à dure épreuve quand il s'agit de maladie dont l'issue est inéluctable. Je crois aussi que la science, qui ne cesse de se développer depuis un siècle, finira par donner aux docteurs en médecine les moyens de maîtriser la maladie, sans fâcher Dieu pour autant. Ce monsieur Jenner, en Angleterre, qui a trouvé une vaccine contre la petite vérole, une tueuse d'enfants qui remplit les cimetières, en est un bon exemple.

Alexandre se tut. Ces graves réflexions troublaient une âme pure, constatait-il en observant le visage de Marguerite qui s'assombrissait. La carriole eut un sursaut, la déséquilibrant. Il la retint et reprit:

— Allons, Marguerite, il faut garder espoir et chasser les mauvaises pensées de ton esprit, afin que l'enfant soit beau et en santé. Nous veillerons sur lui afin qu'aucune fièvre ne l'atteigne. Nous éloignerons de lui la maladie, je te le promets, ma chère petite.

En disant cela, sous les fourrures qui les recouvraient, il glissa doucement sa main sous le manteau de laine de sa compagne et s'arrêta sur le ventre légèrement arrondi de Marguerite, pressant doucement le doux tissu de la robe. La main de l'homme était chaude et caressante. Et Marguerite, le cœur empêtré, ébranlée par cette démonstration affectueuse qui la désarçonnait alors qu'elle ressentait encore la menace du regard glacé de Rouville, ce danger latent qui les guettait, elle et son enfant, fut bouleversée par ce geste d'une infinie tendresse. Elle comprit que désormais son époux serait son refuge. Elle n'était plus seule. En arrivant chez Dillon, elle se sentait déjà apaisée.

Arrivés à l'étage, il entra avec elle dans sa chambre, se débarrassant vivement de son manteau, de son chapeau et de sa canne pour l'aider à retirer son manteau. Alexandre dénoua le ruban de sa grande coiffe d'hiver pour la déposer sur la table. Il hésita un moment. Devait-il oser ? Les émotions de la soirée l'avaient fatiguée. Il appuya ses lèvres dans la commissure de son cou et elle s'abandonna en se blottissant contre lui. Elle le laissa faire lorsqu'il entreprit de lui retirer sa robe.

Marguerite lui apparut toute menue, si fragile au milieu de son amoncellement de jupons, la gorge tendre débordant de son corset en une irrésistible offrande. Ému par tant d'innocence, ne voulant ni la blesser ni la brusquer, Alexandre refit alors le même geste que la veille et ramena vers lui le joli menton pour embrasser lentement les lèvres douces.

Et comme la veille, le baiser troubla profondément Marguerite. La délicatesse de son mari la chavirait. Elle réalisa qu'elle désirait un autre baiser et il répondit à son souhait, lui en redonnant un nouveau, puis encore un autre, toujours plus chaud, toujours plus tendre, maîtrisant avec peine le désir brûlant qui montait en lui. Mais il entreprit plutôt de dénouer lentement le cordon d'un premier jupon, lui donnant ainsi tout le temps d'accepter son geste ou de le refuser. Elle eut un sourire confiant, et ne résista pas.

— Marguerite, ma jolie fleur! murmura-t-il en ouvrant ses bras.

Elle ne tremblait plus. Sa tête s'appuya naturellement sur l'épaule accueillante de son époux. Elle osa poser sa main sur la chemise de l'homme et la laissa glisser sur sa poitrine. Elle en ressentit un grand bien-être. Il enfouit ses doigts dans ses cheveux, puis en retira les épingles, dégageant de longues mèches qui retombaient autour de son visage en un brillant halo. « Comme elle est belle! » admira Alexandre. Ses lèvres se posèrent encore sur la délicate chair mielleuse de son cou, tandis que ses doigts caressaient lentement un bras. La jeune femme frémit sous la douceur de ces caresses inattendues. Il la prit par les épaules, le regard grave, et lui dit:

— Marguerite, je te veux pour femme. Et toi, le veux-tu?

Dans un soupir de bonheur, Marguerite murmura:

— Oui… oui… Alexandre.

Alors, le docteur Alexandre Talham allongea son épouse Marguerite sur le lit de la chambre et s'étendit à ses côtés.

Chapitre 12

Mondanités

L'invitation était arrivée la veille, sous pli cacheté, adressée à *Monsieur et Madame Alexandre Talham, Montreal Hotel.* Impressionnée, Marguerite avait longuement détaillé le billet signé du paraphe de monsieur Papineau : *Monsieur Alexandre Talham et son épouse, Madame Talham, sont priés au souper donné chez Monsieur et Madame Joseph Papineau, le samedi dix-neuf février mil huit cent trois, à sept heures du soir, en grande tenue.*

Ce simple bout de papier conférait son nouveau statut social. Elle était l'épouse d'un médecin et à ce titre, invitée à la table d'une importante famille de Montréal. Croyant ne posséder aucun de ces talents indispensables pour briller dans la bonne société, Marguerite était très nerveuse à la perspective de cette soirée. Certes, les usages de la table acquis chez les Boileau lui seraient bien utiles, mais comment trouver des sujets de conversation intéressants ou, pire encore, faire preuve d'esprit ? Elle confia ses angoisses à son époux, qui la rassura :

— Les Papineau sont des gens sans prétention. Tu verras, au bout d'une toute petite heure, tu seras tout à fait à l'aise. Tu n'as qu'à agir comme la demoiselle Rosalie ou madame Papineau et tout ira bien.

Les Papineau vivaient dans la partie est de Montréal, à l'intérieur des fortifications. Le notaire possédait de nombreux emplacements dans la ville et plusieurs terrains, ainsi qu'un verger, et sa famille habitait une belle demeure de la rue Saint-Paul. Malgré cela, il rêvait de racheter sa maison natale, rue Bonsecours, que son père avait malheureusement vendue. Joseph Papineau attendait son heure, certain qu'un jour il retrouverait le bien familial.

La porte s'ouvrit sur une domestique qui fit entrer les Talham. Le notaire les accueillit en compagnie de son épouse, madame Papineau, une ancienne demoiselle Cherrier, de Saint-Denis. C'était une femme dont le physique anguleux était l'exact reflet de son caractère austère et bigot. Elle avait un visage fin et étroit et des yeux qui jetaient des éclairs à son époux ou à un de ses enfants lorsqu'elle désapprouvait un propos ou un geste. Et comme la nature a parfois des comportements inexplicables, cette femme rigide, mais d'une grande bonté, avait une fille dont le caractère avenant tranchait radicalement sur le sien.

Une jeune fille au sourire franc et rieur venait d'apparaître au pied de l'escalier. Rosalie Papineau devait avoir dix-sept ans. Elle n'était pas à proprement parler une beauté. Mais on oubliait vite les traits ingrats de son visage, car, sous des cheveux noirs et indisciplinés, des yeux noirs pétillaient d'une vive gaieté qui faisait rapidement succomber les plus coriaces. À Montréal, personne n'ignorait que, malgré son extrême jeunesse, la fille du notaire possédait un cœur d'or, une âme généreuse et... le franc-parler typique des Papineau !

— Monsieur et madame Talham, permettez-nous de vous présenter ma fille, Rosalie. Je vous avertis, c'est un véritable moulin à paroles, ajouta le notaire en riant.

— J'aime beaucoup votre manteau, déclara tout de go la jeune fille à Marguerite en l'aidant à se dévêtir. C'est vous qui l'avez cousu ? J'adore cette passementerie. Où l'avez-vous trouvée ?

— Rosalie, plutôt que d'incommoder madame Talham avec une enquête, peux-tu conduire nos invités à la chambre de compagnie ? l'enjoignit sa mère.

La jeune fille guida Marguerite et Alexandre dans une assez grande pièce ornée de tapisseries aux murs et de riches meubles en acajou où était dressée une table pour six convives.

— Avez-vous apporté vos instruments ? demanda abruptement Rosalie au docteur. J'ai mal à la gorge depuis ce matin. Peut-être qu'une bonne saignée me soulagerait ?

— Je vous conseille plutôt d'ajouter du miel à votre thé, si vous en avez. Je suis certain que cela vous sera plus profitable, répondit Talham en souriant à Rosalie qui, décidément, avait le don de répandre la bonne humeur autour d'elle.

— Vous avez bien de la chance d'avoir un médecin pour mari, dit-elle à Marguerite. Vous serez à l'abri des malheurs apportés par la maladie.

— Espérons-le, mademoiselle Papineau, répondit le docteur d'un ton sombre en se rappelant la mort d'Appoline. J'envie plutôt la profession de votre père. Lorsqu'il établit un acte pour un client, il ne se demande pas chaque fois si celui-ci survivra au traitement !

— Ha ! Ha ! Ha ! Sauf s'il s'agit d'un testament ! s'esclaffa le notaire en posant sur la desserte une bouteille et des verres. Talham, un verre de madère ?

— Volontiers.

— Ma femme est à la cuisine à donner ses instructions. D'ailleurs, nous attendons un dernier invité avant de passer à table.

— Seriez-vous muette, madame Talham ? demanda Rosalie avec entrain à Marguerite qui, en effet, ne savait trop quoi dire.

— Rosalie, n'embarrasse pas notre invitée, qui vient d'arriver et ne nous connaît pas encore, la gronda gentiment sa mère.

— Mille excuses, fit Rosalie à Marguerite. Je parle toujours à tort et à travers et je devrais mesurer mes propos à l'exemple de mon père ou de mon cher Papineau, mon frère aîné qui est si sérieux. C'est pour cela que je l'appelle « mon cher Papineau ». Fort heureusement, nous en sommes débarrassés pour plusieurs mois. Je n'ai que des frères, expliqua-t-elle, et ils sont tous aussi détestables les uns que les autres. Mais vous ne les verrez pas. Les plus jeunes ont mangé à la cuisine et sont déjà couchés. Les autres sont au collège. Les seuls autres garçons de mon âge que je connaisse sont mes cousins. La plupart vivent à Saint-Denis. Connaissez-vous les Cherrier ? Ils m'agacent. Il n'y a que mon cousin Louis-Michel Viger qui trouve grâce à mes yeux. Celui-là, du moins, habite Montréal. D'ailleurs, on l'attend. Mais je bavarde sans arrêt et je ne vous laisse pas la chance de dire un mot.

— Je vous en prie, il n'y a pas d'offense, mademoiselle, répondit Marguerite, étourdie par ce flot de paroles qui lui rappelait la verve de son oncle Boileau. C'est vrai que je ne suis pas très bavarde. J'ai vu tant de choses merveilleuses ces deux derniers jours. Je n'avais jamais imaginé qu'elles puissent même exister !

— Alors, dites-moi tout cela en détail, dit Rosalie.

Marguerite raconta l'après-midi chez le tailleur Gibb.

— Il y avait des dizaines de boîtes empilées les unes sur les autres qui s'ouvraient comme des tiroirs et sur chacune d'elle, il était écrit un mot que je ne comprenais pas, c'était de l'anglais.

— C'est ainsi chez la plupart des marchands. On vous parle en français, on vous écrit en anglais, commenta Rosalie. Mais continuez, je vous prie, vous êtes douée pour raconter.

Marguerite poursuivit son récit.

— Chacune des boîtes contenait quelque chose de différent. J'avais l'impression d'être dans un endroit comme on en décrit dans les livres de contes. C'était merveilleux !

— Mais qu'est-ce qui vous plaît tant dans toutes ces boîtes de boutons ? demanda madame Papineau.

— Je ne croyais pas qu'il pouvait en exister autant à la fois, tous si différents. C'est toujours moi qui couds les hardes des enfants, à la maison. Et ce n'est jamais une corvée pour moi. Je ne saurais pas vous expliquer pourquoi, mais j'aime ça. J'éprouve un grand plaisir à bâtir des vêtements, même si c'est difficile de retailler dans les vieux habits ; il faut garder le meilleur, éviter les parties usées. Je crois que je vais continuer à aider ma mère pour l'habillement des enfants, ça la soulagera un brin.

— Si c'est vous qui avez bâti et cousu la jolie robe que vous portez, vous êtes en effet très douée, décréta Rosalie en admirant la tenue de la jeune femme.

— Merci du compliment !

— Eh bien, ma chère Marguerite, je vous écrirai souvent pour vous demander conseil, si vous le voulez bien.

— Oh ! Oui. Rien ne me fera plus plaisir que de vous répondre, mademoiselle Papineau.

— À la condition que vous m'appeliez Rosalie, je vous prie.

La demoiselle Papineau lui offrait son amitié ! Marguerite acquiesça avec joie. Elle était sous le charme de cette jeune fille vive et spontanée. À bien des égards, elle lui rappelait

Sophie. Mais contrairement à sa cousine, Rosalie Papineau pratiquait l'art de mettre à l'aise les gens qui l'entouraient avec une déconcertante facilité. Marguerite retrouva son insouciance d'antan, et bientôt, les deux jeunes femmes conversèrent comme si elles se connaissaient depuis toujours.

— Maintenant, Marguerite, dites-moi tout de vos amours.

Et Marguerite de raconter son histoire à Rosalie, pour la première fois sans en éprouver de l'angoisse ou de la honte.

— Eh bien, disons que le docteur Talham a eu l'extrême amabilité de bien vouloir m'épouser et j'ai accepté. Il est notre docteur à Chambly. Tout le monde dans la paroisse l'aime beaucoup. Croyez-moi, mademoiselle Rosalie, j'ai beaucoup de chance.

— Oh! J'adore cette manière charmante de dire «le docteur» en parlant de votre époux, s'exclama Rosalie, impressionnée. Je rêve aussi d'épouser un homme beaucoup plus vieux que moi. Ces messieurs qu'on dit d'âge mûr font de bons maris, proclame toujours ma tante Victoria, qui est pourtant célibataire. Elle cherche encore le meilleur parti, mais pendant ce temps, son tour de taille augmente, commenta-t-elle, moqueuse.

— Parbleu, Rosalie, intervint son père. Sois respectueuse en parlant de ta tante qui t'a instruite.

— Père, vous jurez, ce qui est très vilain, répondit la jeune fille sans sourciller. C'est vrai, j'aime beaucoup ma tante, la sœur de mon père. C'est elle qui m'a appris tout ce que je sais.

«Vous avez vraiment de la chance, poursuivit Rosalie. Mon futur mari doit avoir au moins quarante ans. Quel âge avez-vous, docteur Talham? demanda-t-elle de but en blanc.»

— Mademoiselle Papineau, j'aurais l'âge correspondant à vos désirs, répondit galamment Talham, qui s'amusait beaucoup des propos à bâtons rompus de cette jeune fille si spontanée. Mais il est trop tard. Je viens d'épouser une charmante Marguerite.

— Comme c'est gracieusement dit ! Votre épouse est bien jolie, fit Rosalie en soupirant.

— N'est-ce pas ? renchérit le docteur en regardant intensément Marguerite, qui baissa les yeux en rougissant. Et comment va votre fils, monsieur Papineau ? Votre aîné, Joseph-Louis, si je me rappelle bien, est au collège ?

— Ah ! Ce sacripant rechignait à l'enseignement des Sulpiciens, mais il a le tempérament contestataire. Il a donc fallu l'expédier à Québec pour qu'il termine ses études. Savez-vous qu'il se fait maintenant appeler Louis-Joseph ! Ça, c'est juste pour me contrarier. Ce brillant jeune homme a déjà une opinion sur tout. Et même à Québec, il cause quelques ennuis aux bons frères. Mais ne faut-il pas que jeunesse se passe ? Moi-même, en mon temps, j'ai commis quelques tours pendables qui m'auraient certainement valu le bâton. Ah ! Impérissables souvenirs du collège !

Le docteur profita de l'occasion et narra une anecdote à propos d'un battant et de cloche qu'il avait dérobé et qui avait jeté la consternation au collège de Rouen.

— Je suppose que personne ne s'est levé ce matin-là ? demanda le notaire en riant.

— C'est exactement ce qui est arrivé ! répondit Talham. Imaginez un peu la surprise du bedeau se balançant à bout de bras sur sa corde et rien d'autre que le silence pour lui répondre !

« C'était le bon temps ! » se disaient les deux hommes au moment où madame Papineau les invita à passer à table.

Maintenant qu'elle était assise à la table de ses hôtes, Marguerite convint que son mari avait raison. Elle se contentait surtout d'écouter. On l'avait placée à côté de Louis-Michel Viger, le cousin de Rosalie, un jeune homme charmant qui avait une assez bonne opinion de lui-même. Il était entré en apprentissage auprès d'un célèbre avocat de Montréal après des études au collège Saint-Raphaël de Montréal qui l'avait, prétendait-il, profondément ennuyé. La nature l'avait doté d'un physique avantageux : visage aux traits fins, chevelure ondulée et abondante. Il arborait une cravate savamment nouée avec juste ce qu'il fallait de négligence – c'est-à-dire un léger renflement au col – et de débordement de dentelles aux manches d'un élégant justaucorps cintré sur une taille fine, de couleur saumon. Cet accoutrement inusité chez un si jeune homme dénotait une personnalité originale. D'intelligence vive, le futur plaideur déployait tout son charme pour sa jolie voisine de table.

— Ainsi, madame Talham, vous êtes la cousine de mon ami René Boileau ?

Marguerite hocha silencieusement la tête. La remarque la déconcertait. Évoquer son cher cousin ici, en ce moment même, lui sembla étrange. Ces derniers jours, elle avait complètement oublié l'existence de René.

— Nous étions confrères d'étude, quoique Boileau soit un peu plus âgé que moi. Mais il témoignait beaucoup de sollicitude aux plus jeunes pensionnaires et nous protégeait de la terrible férule des régents. Il nous gâtait en nous passant en douce un morceau de pain pour compenser les maigres collations qu'on nous servait dans ce collège décrépit.

— Cela lui ressemble, approuva Marguerite. Il a toujours été très attentionné auprès de ses sœurs.

— Votre cousin semble de caractère aimable et votre plumet est charmant, fit Rosalie qui sautait du coq à l'âne.

Il va si bien avec votre robe. Ah! Comme j'aimerais en avoir un.

— Tu es trop jeune, Rosalie, observa sa mère. De toute manière, tu aurais l'air ridicule attriquée de la sorte. Ce qui va bien à l'une ne va pas nécessairement à l'autre. Les jeunes gens d'aujourd'hui sont si impétueux, poursuivit madame Papineau en se tournant vers le docteur Talham, assis à sa gauche.

Le docteur approuva benoîtement les propos de madame Papineau tout en savourant un des meilleurs bordeaux qu'il ait pu boire depuis longtemps et échappa un sourire en direction de Marguerite qui commençait à se détendre au contact amical de la jeune Rosalie.

La table était recouverte d'une belle nappe blanche damassée faite d'un tissu doux et souple, et débordait de victuailles. On servait toujours à la française chez les Papineau, et après le potage, tous les plats des services principaux avaient été posés sur la table : le saumon bouilli sauce aux huîtres, la blanquette de veau, l'oie rôtie ainsi que des légumes d'accompagnement tels que les pommes de terre, les carottes et les navets. Tout était disposé dans de la vaisselle très différente de celle que Marguerite admirait tant chez les Boileau : une porcelaine de Wedgwood très fine et richement décorée de scènes diverses colorées sur fond crème. Marguerite ignorait si son époux possédait lui aussi d'aussi beaux couverts en argent et autant de verres sur pied. Chez elle, Victoire s'était bien procuré quelques pièces d'argenterie au cours d'une vente d'inventaire après le décès d'une vague cousine, mais elle ne les utilisait que dans les grandes occasions.

Une domestique assurait le service à table. Elle déposait dans l'assiette ce que le convive choisissait de manger parmi les plats offerts, exception faite du notaire Papineau qui aimait se servir lui-même. Il invita Talham à faire de même sans se gêner, ignorant du coup le regard désapprobateur de sa femme qui indiquait combien elle déplorait les manières familières de son époux. Rosalie et Marguerite goûtèrent l'oie rôtie, servie avec une sauce onctueuse, qu'elles déclarèrent savoureuse et cuite à point, tandis que les messieurs se servirent de la blanquette de veau et du saumon bouilli. Les deux hommes débattaient politique et philosophie devant leurs épouses qui écoutaient en silence. Marguerite aurait été bien en peine de commenter l'actualité.

Rosalie était assise à un bout de la table et causait librement. La jeune fille disait tout haut ce qu'elle pensait sans y mettre un frein, ce qui agaçait prodigieusement sa mère et provoquait de nombreuses altercations entre les parents. Joseph Papineau aimait ce trait de caractère chez sa fille et ne la réprimandait mollement, pour la forme.

— Êtes-vous toujours étudiant, monsieur Viger ? demanda Marguerite.

— Peste, non ! Je suis ravi d'être sorti de ce collège. Une vraie prison ! Levé à l'aube, prières plusieurs fois par jour et une nourriture si infecte qu'elle rendait malades les plus faibles d'entre nous. Je suis maintenant en apprentissage chez un autre de nos cousins, monsieur Denis-Benjamin Viger, qui est avocat. J'espère être admis au barreau dans quelques années.

— Je déteste ces garçons qui se plaignent d'étudier, déplora Rosalie à Marguerite. Vous rendez-vous compte qu'il n'y a que quelques couvents pour instruire les jeunes filles ? Et celles qui ont la chance d'y aller y apprennent principalement la broderie, la couture et la prière. Parfois le dessin, un peu d'arithmétique et de géographie. Il paraît que les personnes du « sexe » n'ont pas suffisamment de cervelle pour apprendre le latin et la rhétorique ! Pfft ! Moi-même, je n'y suis jamais allée. Et vous ?

Marguerite secoua la tête.

— Non, j'ai eu la chance d'apprendre chez mon oncle Boileau, avec mes cousines. Parfois, ma mère me donnait des leçons d'écriture. Mais je suis la seule, chez moi, à savoir lire et écrire. Peut-être qu'avec tous les enfants, ma mère ne trouvait plus le temps pour leur apprendre.

— Pourtant, si on en croit les garçons, c'est la croix et la bannière pour suivre des études. Mes frères Louis-Joseph et Benjamin m'écrivent des horreurs sur l'« épouvantable Séminaire de Québec ». Tu devrais avoir honte de te plaindre, houspilla Rosalie à son cousin.

— À vos ordres, mon général ! déclara en riant le jeune Viger. Croyez-moi, mademoiselle, dit-il d'un ton amusé à sa voisine de table – cette dernière lui semblait si jeune qu'il en oubliait le « madame Talham » –, ma cousine n'aime parler que de choses gaies et aimables et il faut se conformer à tous ses désirs, sinon nous sommes tous bons pour la cour martiale.

— Mon insouciance me fait toujours chercher le meilleur côté des choses, répliqua Rosalie. À quoi cela sert-il de broyer du noir, je vous le demande ? Qu'en dites-vous, chère Marguerite ?

— Vous devez avoir raison, répondit Marguerite. La vie poursuit son cours selon les volontés de Dieu et nous n'y pouvons rien.

— Au diable la résignation, Marguerite ! Une jolie mariée comme vous doit être gaie et respirer le bonheur. Racontez-moi plutôt votre vie à Chambly, reprit la pétulante jeune fille. Combien avez-vous de frères et de sœurs ? Que font vos parents ?

— Oui, parlez-nous de Chambly. Je n'y suis encore jamais allé. On dit que c'est très joli par là, renchérit Viger.

Marguerite se sentait terriblement gauche au milieu de ces personnes de qualité qui étaient si aimables avec elle, malgré ses origines modestes et son accent campagnard. Sa vie d'avant était simple, elle n'avait pas d'histoires à raconter. Elle s'efforça toutefois de répondre à l'avalanche de questions anodines des deux jeunes gens.

— Mes parents sont éleveurs. Mais vous savez, poursuivit-elle vivement, comme pour s'excuser, ce sont les seuls à posséder de grands troupeaux de bêtes dans toute la région. Tous nos voisins, lorsqu'ils ont besoin d'un bœuf ou d'une vache, l'achètent chez nous, y compris ceux des chemins éloignés, dans le bas de la paroisse. Même les bouchers commandent des bêtes à mon père. Et mon oncle Joseph Lareau élève des chevaux, se hâta-t-elle de dire.

— N'ayez pas honte de vos origines, Marguerite, l'encouragea Rosalie, qui était une fine mouche et avait compris le malaise de son invitée. Au contraire, soyez-en fière, surtout lorsque la réussite vient du talent et de l'intelligence. Imaginez donc que mon grand-père Papineau, qui est aussi celui de mon cousin Viger, n'était qu'un simple tonnelier.

— Mon propre père est aussi un habile artisan, renchérit Viger. Il est forgeron.

— Et figurez-vous que notre arrière-grand-mère a été enlevée par les Indiens, ajouta Rosalie d'un ton mystérieux.

La jeune fille se mit en verve de raconter ce qui était devenu une légende familiale. Catherine Quévillon, l'épouse de l'ancêtre Samuel Papineau, dit Montigny, avait vécu plusieurs années en captivité chez les Iroquois. Aussi bien dire en esclavage... chez les sauvages. Mais la famille

Papineau voyait dans le courage de cette aïeule la source de leur ténacité et de leur détermination.

Marguerite décrivit à son tour la vie à la ferme de la Petite Rivière : la joyeuse bande de frères et sœurs, la solide Victoire et son père, un grand travailleur qui ronchonnait continuellement l'hiver, lorsque l'ouvrage venait à manquer. Elle décrivit les beautés de Chambly, puis narra les vieilles histoires de famille. Parmi ses ancêtres lointains, il y avait Madeleine Couc, fille de l'Algonquine Marie Metéouamagoukoué et femme de Maurice Ménard, interprète des langues sauvages. Les Ménard avaient parcouru le pays à travers les bois jusqu'au lac Supérieur et participé à la traite des fourrures dans le pays d'En-Haut. Son aïeule, la Métisse Marguerite, avait été l'une des premières baptisées du poste de traite de Michillimakinac. Plus tard, Marguerite Ménard était venue à Chambly avec son mari, le premier Boileau de la lignée. Elle avait été sage-femme. Les légendes familiales étaient intarissables sur ces grands-oncles et grandes-tantes, moitié Indiens, moitié Français. Et jamais Marguerite n'aurait cru un jour les révéler à un public si attentif, alors que ses cousines et elle se les rappelaient en chuchotant, à l'abri des oreilles indiscrètes, tout en en enjolivant les faits, naturellement.

Le jeune Viger l'écoutait, émerveillé.

— Je n'avais encore jamais entendu un récit aussi fabuleux. Incroyable ! L'histoire de votre famille est passionnante, elle appartient à la mythologie canadienne et illustre à merveille la farouche détermination de nos courageux ancêtres à explorer l'Amérique.

— Eh bien, fit Rosalie, moi qui croyais que nous avions la meilleure histoire de famille, me voilà comme Gros Jean qui veut en apprendre à son curé !

La jeune fille riait.

— Mon oncle Boileau, expliqua Marguerite, a déjà entrepris d'écrire toute l'histoire de notre famille.

— Bravo, approuva Louis-Michel Viger. Grâce à lui, la mémoire de nos ancêtres sera conservée. Ma cousine a raison, mademoiselle, vous avez un grand devoir : celui de la fierté de vos origines !

De l'autre côté de la table, le docteur Talham avait droit à un bref moment de répit. Laissant de côté les philosophes français et ses théories sur David Hume, cet anglais controversé dont Talham avait fait sa lecture de chevet, le notaire s'était tu pour se servir une large part du plat de veau. Heureux, Alexandre observait sa jeune épouse qui s'épanouissait tel un bouton de rose et lui adressa un sourire complice. Deux nuits plus tôt, il avait fait la conquête de son épouse, découvrant que derrière cette jeune fille blessée se cachait une femme d'une grande sensualité. Le notaire tira Talham de sa rêverie :

— Avez-vous goûté à cette blanquette ?

— Elle est excellente, fit Talham en adressant son compliment à la maîtresse de maison, toujours silencieuse. Vous nous régalez. La délicatesse de la crème, le talent de la cuisinière... Cette sauce est un régal divin. Et ce vin de Bordeaux. Fameux !

— Il vous plaît ? Alors, permettez que je vous en fasse porter une caisse à l'hôtel. Ce sera mon cadeau de noces.

Le docteur remercia chaleureusement le notaire de sa générosité.

— Monsieur Papineau, c'est une grande joie d'être reçu à votre table. Mais dites-moi, comment se fait-il que vous soyez à Montréal, et non pas à Québec, pour la session parlementaire ?

— C'est bien simple, j'ai trop de travail ici avec les *Messieurs* de Saint-Sulpice, qui me confient leurs affaires d'arpentage, ainsi que tous les autres clients de mon étude. Et puis, je vous avoue que la vie de parlementaire me pèse. Je ne me représenterai pas aux prochaines élections. De plus, je dois impérativement retourner dans la Petite-Nation dès le départ des glaces.

— Dans un pays de maringouins et de forêts, fit à l'autre bout de la table l'impertinente Rosalie. Imaginez, Marguerite, que pour atteindre cette terre sauvage, nous n'avons pas d'autre choix que de nous y rendre en canot. Mais j'adore la vie sur l'île Roussin, et j'accompagnerai père, qu'il le veuille ou non! J'aime mieux ça que d'endurer les grosses chaleurs de l'été en ville.

— En canot? s'étonna Marguerite.

Ainsi, cette jeune fille de la ville n'hésitait pas à se déplacer en canot pendant plusieurs jours! Marguerite se demanda si elle-même aurait le courage de partir aussi loin et dans des conditions aussi inconfortables, à la manière de ces fameux ancêtres qu'elle décrivait si bien l'instant d'avant. Elle s'avoua que non.

— Vous êtes bien courageuse, mademoiselle Papineau, fit-elle, admirative.

— Mais si vous le voulez, Marguerite, je vous écrirai dès nous y serons.

— Je serai très heureuse de lire vos lettres, déclara Marguerite, ravie. J'aurai l'impression de voyager, moi aussi.

— Alors, je vous enverrai de longues épîtres remplies de mes pattes de mouche, ou plutôt, de pattes de maringouins.

Rosalie rit de sa plaisanterie.

— Je suis très impressionné par la somme de toutes vos activités, monsieur Papineau, fit Talham. À votre manière, vous êtes un colosse!

— Voilà qui est bien dit, déclara le jeune Viger. C'est vrai que mon oncle est un véritable phénomène, un bourreau de travail qui ne se couche jamais avant tard dans la nuit. Arpenteur, notaire et député à Québec, il vient d'ajouter le titre de seigneur de Petite-Nation à la liste.

— Il me semble que les fonctions de seigneur et de parlementaire élu ne s'accordent guère, souligna Talham.

— Que voulez-vous dire, docteur?

— Eh bien, sur un plan purement philosophique, le seigneur est un privilégié qui vit de ses rentes, comme la noblesse d'autrefois, tandis que le député est l'élu démocratique du peuple. Comment arriveriez-vous à concilier les deux?

— J'approuve la démocratie à condition qu'on en use avec parcimonie, répliqua Joseph Papineau. Je suis un grand admirateur de notre régime britannique, et pour parler à la manière des docteurs, une bonne dose de monarchie mêlée à une bonne dose de démocratie, voilà la potion qui garantit la santé à une population. J'ai l'intention de m'occuper moi-même du développement de ma seigneurie. Un Papineau n'a pas peur de se retrousser les manches!

— À vous voir, impossible d'en douter, fit Talham. Vous êtes de la trempe des bâtisseurs. Mais je ne suis qu'en partie d'accord avec vos théories: la démocratie comporte de petits défauts, et donner le pouvoir à des gens ignorants constitue un réel danger pour la société. En France, la Révolution a été un bain de sang. De petits seigneurs de la guerre, d'un côté comme de l'autre, en ont profité pour assassiner sauvagement leurs semblables. Heureusement, le Premier Consul Bonaparte veut remettre les choses en place. Ma sœur Adélaïde, qui vit toujours au pays, m'a écrit qu'il entreprenait la réforme du code civil. On dit qu'il veut créer des lycées pour tous, des écoles de niveau supérieur aux petites écoles élémentaires.

— Vous admirez donc ce tyran qui gouverne la France, docteur Talham ?

— J'ai trop vu la misère du peuple causée par les privilèges d'une noblesse paresseuse et arrogante.

— Oui, mais Bonaparte est l'ennemi juré de l'Angleterre. Quoique… Je conçois le déséquilibre provoqué par une trop grande richesse entre les mains de quelques familles. Saprelotte, je peux vous certifier que certains membres de notre noblesse canadienne sont criblés de dettes !

Marguerite écoutait ces beaux discours de toutes ses oreilles sans trop comprendre.

— Les hommes de valeur ont l'obligation de servir la société, poursuivit le docteur. Et ceux que la naissance a privilégiés ont des devoirs envers leurs semblables.

— C'est pourquoi ils sont nommés à la Chambre. Sauf que les membres du conseil exécutif passent leur temps à défaire le travail du conseil législatif, rétorqua Papineau. J'avoue que je préfère toutefois être élu par mes pairs que nommé par le gouverneur au conseil exécutif. J'en connais quelques-uns qui ne sont bons qu'à afficher leur bonne fortune. La seule chose qu'ils savent faire, c'est de se croiser les bras.

Talham s'attaqua au saumon.

— Si je puis me permettre d'être en désaccord avec vos affirmations, intervint le jeune Viger, à mon avis, tout homme, riche ou pauvre, a le devoir impérieux d'acquérir à la fois la connaissance des sciences et des lettres, et aussi, celui de servir son pays.

— Explique-nous donc cela, monsieur mon neveu, fit le notaire qui aimait bien la polémique.

— Si le peuple est instruit, il aura l'aptitude qu'il faut pour voter sur les décisions qui engagent la nation. C'est dans l'instruction et dans la connaissance que se situe la dignité de l'homme. Nos familles n'en sont-elles pas la preuve?

— Que voulez-vous dire? demanda Talham.

— Eh bien, messieurs, vous et moi avons eu la chance de faire des études, et l'instruction nous a permis de progresser individuellement, d'atteindre la respectabilité et d'aspirer à de hautes fonctions. Instruisons nos populations et la démocratie en sera la grande gagnante.

Les deux hommes plus âgés en convinrent, sans toutefois se départir de leur scepticisme. Difficile d'imaginer qu'on puisse un jour réussir à instruire toute la population.

— Il faut ouvrir des écoles pour les enfants dans toutes les paroisses, affirma le jeune homme.

— Pour ce faire, il faudra museler ce sacré clergé, maugréa Papineau.

Ses multiples occupations ne lui avaient pas permis de participer au débat entourant la création des « Institutions royales sur l'avancement des sciences », un nom pompeux pour désigner des écoles élémentaires. Le *bill*, voté en 1801, permettait de payer le salaire d'un instituteur. Mais le clergé, qui craignait comme la peste que les institutions royales ne cachent une quelconque manœuvre de « protestantisation » de leurs ouailles, avait décrié cette nouvelle loi. À quelques exceptions près, il n'y avait pas plus d'écoles primaires dans les paroisses du Bas-Canada à ce jour que deux ans plus tôt.

Mais madame Papineau n'aimait pas qu'on critique le clergé à sa table.

— Mon ami, je vous prie, évitez de prononcer des paroles malheureuses... blasphématoires, devant nos invités.

Le jeune Viger vint à l'aide de sa tante en changeant de sujet. Il annonça simplement:

— Figurez-vous que j'ai reçu hier une lettre de mon ami René Boileau, votre cousin, madame Talham. Comme je regrette de ne pas l'avoir apportée pour vous en lire quelques passages.

— Ça, c'est bien toi, se moqua sa cousine. Mesdames et messieurs, nous aurions su les dernières nouvelles de France, et madame Talham aurait eu la joie d'entendre celles de son cousin, mais monsieur Viger a bêtement laissé la lettre chez lui. Puisque ta maison est à deux pas, cours chez toi la chercher, ordonna-t-elle en plaisantant.

— Je vous en prie, Rosalie, il ne faut pas obliger votre cousin à sortir par ce froid pour une simple lettre, plaida courageusement Marguerite en pensant le contraire.

— C'est la voix de la raison qui parle avec vous, chère madame, clama le notaire. Mon neveu peut certainement nous en faire un résumé sans courir, se mouiller et prendre froid. Inutile de risquer une échauffaison. Alors, que dit ce jeune homme qui a la bonne fortune de découvrir l'Europe ?

— Eh bien, il semble que la situation soit plus tendue que jamais entre la France et l'Angleterre. Le risque de guerre est imminent.

— Diable ! s'exclama Papineau, pas encore une autre guerre entre nos deux mères patries ! C'est proprement déchirant. Nous pouvons admirer le régime britannique, mais notre cœur reste à la France.

— Oh ! s'écria Marguerite, la main sur la bouche de peur d'avoir trop haussé la voix. Mais est-ce dangereux ? Mon cousin risque-t-il d'être pris là-bas et de ne plus revenir ? C'est si loin.

— Soyez rassurée. Boileau m'écrit qu'il reviendra par l'Angleterre. Son intention était de repartir par La Rochelle et prendre le bateau pour la Nouvelle York. Mais, craignant un blocus, il a changé d'avis. Ce qui signifie, explique-t-il, qu'il devra retraverser toute la France pour se rendre à Calais et, de là, traverser en Angleterre avant de prendre un bateau pour Québec.

— Il aura certainement deux mois de retard, calcula Talham. Il ne sera pas au pays avant octobre. Ses parents, qui espéraient son retour pour le mois d'août, seront déçus.

— Puisque nous voilà tous rassurés, permettez, ma chère, que nous sortions de table nous dégourdir les jambes, fit le notaire à son épouse, qui montra l'exemple et se leva. Nous prendrons le café en jouant aux charades. À moins que vous ne préfériez le trictrac, cher docteur.

— J'aimerais beaucoup le trictrac, mais les parties sont trop longues.

— Que diriez-vous alors d'une partie de manille avant de partir ?

— Je ne connais pas ce jeu, répondit Talham.

— C'est simple, vous verrez. Il s'agit de faire un certain nombre de levées, expliqua Viger.

Tous passèrent dans l'autre partie de la chambre de compagnie qui servait aux distractions. Familier avec les habitudes de la maison, le jeune Viger installa au centre de la pièce la table de jeu à abattant qui se trouvait le long du mur, plaça tout autour de belles chaises recouvertes d'un riche tissu fleuri et retira un jeu de cartes d'un petit tiroir de la table. Les hommes s'assirent et Viger distribua les cartes.

Marguerite s'assit sur le sofa, à l'invitation de la maîtresse de maison.

— Nous aurons bientôt du café, annonça Rosalie qui revenait de la cuisine.

— Madame Talham, parlez-nous de vos noces, demanda courtoisement madame Papineau. Un mariage avant le carême a dû attirer toute votre parenté. Les gens aiment à se réjouir avant d'entrer dans cette période de sacrifices et d'abstinence.

— On ne peut pas dire ça, madame, répondit Marguerite, embêtée par la question.

— C'est un peu ma faute, en quelque sorte, confessa faussement le docteur. Lorsque je me suis résolu à faire ma demande, le jour de l'Épiphanie, il ne restait guère de temps pour organiser une grosse noce.

Le notaire Papineau avait remarqué l'embarras des époux Talham chaque fois qu'il était question de leur mariage. Se disant qu'il finirait bien par connaître le fin mot de l'histoire, il s'empressa de tirer ses invités de ce mauvais pas.

— C'est bien Jean-Baptiste Bédard, le curé de Chambly ? Le frère de Pierre-Stanislas, l'avocat, mon collègue à la Chambre ?

— Vous ne vous trompez pas.

— Un curé dépareillé qui ne passe pas son temps à radoter, à prêchouiller pour faire peur aux bonnes femmes comme certains autres. Je connais bien l'autre frère, Joseph Bédard, l'avocat de Montréal, qui ne dit que du bien de son frère. Famille canadienne exceptionnelle, que ces Bédard. Belle réussite. Trois dans les ordres dont un sulpicien, un notaire et deux avocats.

— Et monseigneur Denault vous a accordé facilement la dispense de bans ? demanda madame Papineau qui revenait sur les détails du mariage.

— C'est bien cela.

— Alors, tout est bien qui finit bien, conclut le notaire en mettant ainsi le point final à ce sujet délicat.

Après une première partie de cartes, Marguerite retenait avec peine des bâillements intempestifs. Son mari donna le signal du départ et les Talham repartirent chez Dillon pour leur dernière nuit à Montréal. Ils arrivèrent rapidement au *Montreal Hotel*. Le docteur paya le cocher et tous deux montèrent, fourbus. Ce qui n'empêcha pas Alexandre de manifester à sa jeune épouse toute l'étendue de sa tendresse. La deuxième chambre ne servait déjà plus qu'à entreposer les bagages.

&

Anxieuse, Charlotte Troie se réchauffait auprès du feu, espérant que son maître, le docteur Talham, arriverait bientôt de Montréal. Une petite neige fine avait commencé à tomber. D'ici une heure, le temps commencerait à se gâter. « Il est temps que le docteur revienne, songeait la jeune femme, je ne sais plus quoi répondre à tous ceux qui viennent le quérir. Depuis son départ, on dirait que tout le monde tousse et mouche dans la paroisse. »

Charlotte n'aimait pas se retrouver seule dans la grande maison. L'été, elle ne s'inquiétait jamais. Mais l'hiver, avec le soir qui tombait de bonne heure, les tempêtes et le noroît, elle était craintive malgré la présence rassurante de l'engagé. Le docteur s'absentait rarement plus de trois jours, mais cette fois, il y avait bien cinq jours qu'il était parti.

Mais ce soir, ce n'était pas tant la peur qui la troublait plutôt que ce que son amie Perrine, la servante chez les Bresse, lui avait rapporté l'autre jour. Avant de partir pour Montréal, avait affirmé celle-ci avec aplomb, le docteur se serait marié !

— Voyons donc, si ça a du bon sens ce que tu me dis là, avait énergiquement protesté Charlotte.

— Je te jure, Charlotte, que c'est la vérité. Avec mademoiselle Lareau, la nièce de Monsieur Boileau. C'est sa dame qui l'a dit l'autre jour à l'heure du thé. Même que monsieur de Rouville était là. Et mademoiselle Agathe m'a tout rapporté.

— Si mon maître était marié, rétorqua Charlotte, je le saurais mieux que toi, tu ne penses pas ? Tu mens comme tu respires !

Charlotte avait décidé de ne plus jamais adresser la parole à Perrine. Mais depuis, les mensonges proférés par la servante la turlupinaient. Pourquoi le docteur lui aurait-il caché une chose aussi importante ? Et que lui arriverait-il, à elle, Charlotte Troie, s'il se remariait ? Elle avait toujours habité chez lui, depuis que madame Appoline avait signé un contrat chez un notaire pour son engagement, alors qu'elle n'avait que douze ans. L'immense chagrin qu'elle avait eu lorsque madame Appoline était morte... Elle lui avait appris à lire et à écrire, et dans son testament, sa chère maîtresse lui avait légué tous les meubles qu'il y avait dans sa chambre, et même sa belle pendule en cuivre.

Charlotte avait maintenant vingt-huit ans. Elle ne pouvait pas imaginer sa vie autrement que chez le docteur, à son service. À son âge, il commençait à être tard pour se marier. Augustin Proteau, de chez Monsieur Boileau, se posait en prétendant, mais elle et lui se disputaient continuellement. Heureusement, il n'y avait pas de meilleur maître que le docteur Talham. Du moment que son repas était servi chaud lorsqu'il rentrait de ses visites ou après ses consultations, il était content. Chez lui, elle aurait toujours sa place, ne fût-ce qu'en souvenir de madame Appoline. «Ma bonne Charlotte, disait-il souvent, si tu veux rester à mon service, tu restes. Et si tu choisissais de partir ou de te marier, je te doterais comme le ferait un bon père de famille.»

Même le docteur était trop vieux pour se marier. Les grandes révélations de Perrine n'étaient que des racontars.

Elle en était là dans ses pensées lorsqu'elle entendit le bruit d'une carriole.

— Réveille-toi, dit-elle à l'engagé, Baptiste Ménard, qui s'était endormi près du feu. Vite. Le docteur arrive.

ও

Avant leur départ de Montréal, Marguerite et Alexandre s'était rendus à la chapelle Notre-Dame-de-Bonsecours pour entendre la basse messe. Marguerite avait prié ardemment la Vierge miraculeuse. Qu'Elle protège son enfant des méchancetés de son véritable père. Et elle avait remercié Dieu de lui avoir donné un si gentil mari.

Le docteur aussi s'était plongé dans la prière. Sa foi était profonde. L'existence de Dieu était la seule explication à l'impuissance de la médecine face à la maladie : la volonté divine régentait tout du haut des cieux. Mais si Talham respectait Dieu, il se mesurait à Lui en déployant tout son savoir, espérant qu'un jour les hommes finiraient par trouver les remèdes qui sauveraient des vies. Talham avait la foi, il croyait en Dieu, mais aussi en la science des hommes. Là résidait l'espoir. Il avait demandé au Tout-Puissant de protéger Marguerite des dangers de l'accouchement. « Que la nature lui soit favorable, que Votre volonté soit faite ! »

Le temps se couvrait. Il faisait gris et il n'allait pas tarder à neiger.

— Souhaitons que la neige tombe plus tard, en fin de journée, avait dit Talham à Marguerite. Sinon, nous devrons coucher en chemin.

Le ciel l'avait entendu. La neige n'avait commencé à tomber qu'à la brunante, alors qu'ils atteignaient les abords de la Petite Rivière. Une épaisse couche recouvrait déjà la traverse de chevaux qui menait au chemin du Roi, et la carriole passa difficilement. On ne voyait plus à vingt pieds tant la neige était dense. Si le vent se mettait de la partie, la poudrerie rendrait tout déplacement impossible.

Le vent se leva au moment où la carriole s'arrêtait devant la maison du docteur, heureusement l'une des premières à l'entrée du village, à quelques arpents du carrefour. C'est à peine si on voyait le chemin, et il était impossible de distinguer le bassin de l'horizon complètement bouché. Demain, il faudrait sortir les lourdes pelles pour déblayer, faire des passages et déneiger le devant de la maison. Le docteur espéra que le temps s'emmieuterait : il devait reprendre ses visites après avoir vu le curé qui l'informerait des cas graves.

Les volets étaient fermés, mais une faible lueur filtrait à travers les interstices.

— Charlotte n'est pas couchée, constata Talham, impatient de retrouver son intérieur et ses habitudes.

Bien sûr, tout changerait avec la nouvelle maîtresse de maison qui organiserait les aîtres à sa manière. Huit années de deuil, c'était bien assez.

Fourbue, Marguerite éprouva un curieux serrement au cœur : sa nouvelle vie commençait. Elle venait de vivre les jours les plus singuliers de sa vie. De quoi serait fait demain ? Désormais, elle aurait même une servante à son service.

Talham lui ouvrit cérémonieusement et s'inclina galamment devant elle :

— Te voici chez toi, ma mignonnette.

Marguerite allait sourire à son mari lorsqu'elle aperçut, dans l'embrasure de la porte, Charlotte Troie ; la jeune femme crut que les yeux de la servante sortiraient de leurs orbites.

— Charlotte, voici ta nouvelle maîtresse, présenta le docteur en souriant.

Talham croyait, naïvement, que la servante serait heureuse d'avoir à nouveau une maîtresse et qu'elle accueillerait la nouvelle madame Talham avec des démonstrations de joie. Or, il n'en fut rien.

Charlotte éprouva un violent sentiment de trahison. C'était donc vrai! Le docteur s'était remarié sans rien lui dire.

— Bonsoir Charlotte, fit timidement Marguerite, épuisée par le voyage.

La servante jeta un regard mauvais vers l'intruse. Sans dire un mot, ni même souhaiter la bienvenue au docteur, elle retourna à sa chambre et claqua la porte.

— Sans doute l'effet de la surprise, dit Alexandre à Marguerite d'un ton rassurant. Demain, tout ira mieux. J'aide l'engagé à décharger la carriole et je reviens de suite.

Mais Marguerite sentit tout à coup qu'elle n'était pas au bout de ses peines. Elle n'avait pas l'habitude des servantes et ignorait comment s'adresser à elles. La maison était plongée dans une quasi-obscurité. Seule la lueur vacillante d'un martinet permettait de distinguer le contour des meubles. Marguerite finit par trouver de quoi s'éclairer et s'assit sur un sofa, en attendant que son mari rentre à son tour.

Chapitre 13

Le mal joli

Les derniers jours du mois d'août étaient plus chauds qu'à l'ordinaire et la canicule sévissait, sans un brin de vent pour rafraîchir les habitants de Chambly qui suaient à grosses gouttes en terminant les récoltes.

Le docteur Talham arrêta sa calèche devant la maison rouge. Sur l'une des chaises de la galerie, Monsieur Boileau s'éventait avec ce qui semblait être une lettre.

— Talham. Quel plaisir ! On ne vous voit plus.

— Vous savez bien pourquoi, mon cher Boileau. Votre épouse désapprouve mon mariage. J'ai l'impression qu'elle nous boude et Marguerite en est bien malheureuse, vous savez.

— Ne vous en faites pas trop, Talham. Vous verrez, tout s'arrangera naturellement avec l'arrivée de l'enfant.

Monsieur Boileau soupira. Malgré ses beaux discours sur les malheurs de Marguerite et l'esprit chevaleresque du docteur, madame Boileau était devenue aussi rêche et moralisatrice qu'une demoiselle Niverville à l'égard des Talham. C'était pourtant tout le contraire de sa bonne nature. Mais l'idée d'un viol sordide n'atteignait pas l'esprit de cette dame vertueuse. Marguerite n'était qu'une gourgandine et sa mère, Victoire Lareau, avait manqué à sa tâche. Elle n'avait pourtant qu'à bien surveiller sa fille! Mais au contraire, elle avait détruit tous les efforts qu'elle, Antoinette de Gannes de Falaise, avait faits, en élevant Marguerite comme une demoiselle.

Dans une si petite paroisse où tous se connaissaient, Boileau préférait cultiver l'amitié et fuyait comme la peste les chicanes de voisinage qui rendaient la vie intenable. Ce genre de situation horripilait le bourgeois, qui aimait vivre en bonne entente avec tous et il se désolait de l'attitude de sa femme.

Pourtant, tout s'était si bien arrangé, depuis les histoires de l'hiver dernier, et le ménage des Talham semblait des plus heureux. «Une de mes plus grandes réussites», se disait souvent le bourgeois, fier de son exploit. Mais il connaissait sa femme. Sa bouderie, comme disait Talham, ne durerait pas.

En attendant, à l'exemple de sa mère, Sophie refusait de revoir Marguerite. Seule Emmélie se rendait à la maison du docteur presque chaque jour, grâce à la permission de son père bravant les foudres de sa mère qui déplorait que sa fille fréquente Marguerite.

— Je tiens encore à vous remercier, mon cher Boileau, dit Talham. Je suis souvent absent et Marguerite apprécie les visites d'Emmélie. Et comme elle approche de son terme, je n'aime pas la laisser seule. La présence d'Emmélie auprès de ma femme me rassure. Voyez, ce matin je dois me rendre à une lieue d'ici, mais je pars tranquille.

— Soyez donc sans inquiétude. Ne suis-je pas également le protecteur de Marguerite? Et vous connaissez la détermination de ma fille. Vous devriez songer à la prendre comme infirmière, ajouta-t-il en riant. Je dis souvent à ma chère Falaise que notre Emmélie est animée d'un besoin viscéral de porter secours à son prochain.

— Emmélie est une jeune fille remarquable, approuva Talham.

— Changement de propos, j'ai reçu ce matin une lettre qui a eu l'heur de réjouir ma femme. Grâce à Dieu, notre fils sera de retour en octobre.

— Il y avait bien deux mois que vous n'aviez plus eu de ses nouvelles. Avec toutes ces rumeurs de guerre en Europe, entre la France et l'Angleterre…

— Il est en sûreté, en Angleterre. Il a eu des ennuis et me demande de lui faire envoyer de l'argent. Mais lisez plutôt.

Monsieur Boileau tendit la lettre au docteur Talham qui la lut avec intérêt.

Londres, le 30 juin 1803

Bien cher père,

Je viens enfin mettre un terme à vos angoisses. Vous avez certainement appris par les gazettes les derniers événements qui bouleversent l'Europe. Vous pouvez rassurer ma mère et mes sœurs qui s'inquiètent de mon sort. Je suis de retour en Angleterre sain et sauf, mais après moult aventures incroyables. Par quel miracle ai-je réussi à atteindre Londres? Je me le demande encore. J'espère que ma lettre vous trouvera tous en bonne santé et je tiens à vous rassurer sur la mienne qui est maintenant excellente. En effet, j'ai souffert d'une longue indisposition due à des fièvres intermittentes qui ont été soignées par un habile docteur français qui m'hébergeait chez lui, à Calais, peu de temps avant mon retour en Angleterre. Ma convalescence a été heureusement de courte durée puisqu'il me fallait passer le plus rapidement possible de l'autre côté de la Manche, comme je vous le raconte de suite. Tous ces événements expliquent la longue interruption dans ma correspondance.

Au moment de la déclaration de guerre, en mai dernier, j'étais déjà sur le chemin du retour. Mon but était d'atteindre Calais pour traverser en Angleterre, et de là, reprendre le bateau pour le Canada. J'avais visité le Poitou, le pays de nos ancêtres Boileau, et regagné La Rochelle. Un moment, j'ai même pensé monter à bord d'un bateau en direction des États-Unis. Mais, mal m'en pris, je voulais revoir une dernière fois les rives magnifiques de la Loire et repasser à nouveau par Paris, ville divine entre toutes. C'est en arrivant à Orléans que j'ai appris que la paix d'Amiens avait été rompue par les Britanniques. Par surcroît, ima-ginez mon désarroi lorsque j'ai su que les Anglais avaient installé un blocus continental le long des côtes françaises! Que faire? Retourner vers La Rochelle et prendre un navire vers la Nouvelle York? Pour cela, il me fallait retraverser une grande partie de la France et je n'étais même pas certain de trouver un bateau en partance pour l'Amérique. Je gagnai finalement Calais où j'ai attrapé ces fameuses fièvres. Décidément, je jouais de malchance, d'autant qu'il me fallait impérativement regagner l'Angleterre. La situation s'envenimait en terre fran-çaise et j'étais sujet britannique. Je ne voulais pas mettre en danger la bonne famille chrétienne du docteur qui m'hébergeait si généreusement.

À peine relevé de ma maladie, ce dernier me présenta à un individu peu recommandable, un genre de contrebandier qui me ferait traverser clandestinement la Manche. De nuit, bien entendu. Je n'ai jamais eu aussi peur de ma vie! La pluie inces-sante et les vents violents transformaient le bateau de pêche de l'individu en frêle esquif qui, à tout moment, menaçait de nous entraîner par le fond. J'ai bien cru vivre ma dernière heure, mais finalement, je me suis retrouvé à Douvres. Sauf que le passeur *m'avait délesté de tout ce qui me restait d'argent, ne me laissant qu'une dizaine de livres.*

J'aurai bien des choses à vous raconter, mais le temps presse et je ne veux pas manquer la malle. Cher père, faites parvenir chez le marchand Pierre Bruneau, à Québec, une lettre de change pour une somme suffisante qui réglera le prix d'un passage pour le Canada. J'ai juste de quoi pourvoir à mon logement et à mon entretien jusqu'à la fin de mon séjour ici. Si tout va bien, j'embarquerai au début du mois d'août et, si Dieu le veut, je serai à Québec vers le 15 septembre. Comme j'ai déjà noirci deux feuillets, je vous laisse pour porter prestement cette lettre afin qu'elle vous parvienne au plus tôt. Je vous régalerai de tous les détails du récit de mes aventures l'hiver prochain, en compagnie de nos bons amis. Il me tarde de tous vous serrer dans mes bras. Embrassez pour moi mes sœurs et ma mère.

Votre fils affectionné,

René Boileau, Londres

— Des nouvelles rassurantes, en effet. Madame Boileau sera heureuse. Mais, pardonnez-moi, je dois partir si je veux être de retour avant la pluie. J'ai l'impression qu'il y aura de l'orage, dit le docteur en scrutant le ciel.

Depuis l'arrivée de sa nouvelle maîtresse, en qui elle ne voyait qu'une usurpatrice, Charlotte Troie tenait bien en main les rênes de la maisonnée, n'entendant pas les laisser à «une fillette», qui avait su attendrir le cœur du bon docteur. La servante s'ingéniait à contrarier Marguerite, jouant sur l'inexpérience de la jeune femme qui n'avait jamais eu à commander des domestiques.

Dès les premières semaines, la nouvelle madame Talham eut l'idée de changer l'ordonnance de la chambre de compagnie pour égayer la maison et faire une surprise à son mari. Marguerite imaginait déjà les rideaux dans un tissu plus gai et souhaitait déplacer les meubles. Le sofa irait contre un mur plutôt qu'entre les deux fenêtres et un fauteuil judicieusement placé dissimulerait l'endroit le plus usé du beau tapis de Bruxelles. Avec ces arrangements, ce serait beaucoup plus joli. Pour ce faire, elle avait besoin de l'aide de Charlotte qui lui opposa une fin de non-recevoir.

— Il n'en est pas question, madame, avait affirmé la servante, péremptoire. Monsieur le docteur a toujours aimé ces rideaux. C'est madame Appoline qui les avait cousus et c'est elle aussi qui a choisi de placer le sofa là où il est. On ne change rien, ce sont les ordres de monsieur.

Marguerite avait rapporté l'incident à Emmélie.

— Tu te laisses mener par cette dragonne ? Je vais lui parler.

— Inutile. Je le ferai moi-même plus tard, avait répondu Marguerite qui ne voulait pas chagriner son mari avec de petits ennuis domestiques.

Même Augustin, le domestique de Monsieur Boileau, qui était encore le confident de Charlotte, n'approuvait pas le comportement de la servante.

— Ce n'est pas bien, Charlotte. Je connais la demoiselle Lareau, elle ne ferait pas de mal à une mouche. C'est ta maîtresse, mais tu profites de sa jeunesse pour prendre toute la place dans la maison. Que feras-tu lorsque l'enfant sera là ? Tu le lui enlèveras en prétextant qu'elle est trop jeune pour s'en occuper ?

Offensée par autant d'incompréhension, Charlotte avait demandé à Augustin de ne plus venir la voir, dorénavant. Depuis, elle regrettait de l'avoir ainsi renvoyé, mais elle était trop orgueilleuse pour l'implorer de revenir. La servante se sentait encore plus seule que le jour où madame Appoline, la vraie madame Talham, était morte.

∾

Emmélie et Marguerite cousaient dans l'atmosphère étouffante de la grande chambre du rez-de-chaussée de la maison du docteur Talham. Pas un souffle de vent n'entrait par les fenêtres grandes ouvertes qui donnaient sur le bassin. L'air lourd et chargé d'humidité incommodait Marguerite. Il lui semblait que l'enfant bougeait moins. Elle avait craint un moment qu'il ne soit mort, mais Alexandre l'avait rassurée. À son avis, tout cela était bien normal. Il avait quand même fait appeler la bonne femme Stébenne. La sage-femme l'avait examinée en touchant ses parties intimes, geste qui avait mortifié la jeune femme.

— Le passage est ouvert, avait dit la sage-femme au docteur. Ce ne sera plus bien long, au plus quelques jours. Préparez le nécessaire et faites-moi chercher dès que les douleurs seront rapprochées.

Chaque jour, si elle n'avait pas d'autres obligations, Emmélie arrivait avec son panier à ouvrage pour distraire Marguerite ou l'aider à accomplir une tâche quelconque. Ces derniers temps, la future mère se déplaçait difficilement, marchant à petits pas, les reins en feu. Elle dormait peu, la chaleur l'accablait et son corps douloureux ne lui donnait plus aucun répit.

Appréhendant ces fameuses douleurs que tout le monde évoquait avec une certaine terreur dans la voix, elle cousait à petits points rigoureusement égaux une robe d'enfant tandis qu'Emmélie s'appliquait à poser les rubans à la minuscule «bonnette» en coton doux qui protégerait la tête de l'enfançon. Se concentrer sur un ouvrage de couture permettait à Marguerite d'oublier momentanément l'inconfort de la canicule. Quelle géhenne l'attendait le jour où l'enfant viendrait ?

— Comment te sens-tu ? demanda Emmélie, attentive au bien-être de son amie.

— J'aime mieux ne pas y penser. J'ai mal partout. Ça a l'air drôle, ce que je vais te dire, mais je prendrais bien mon ventre pour le poser sur la commode, une fois de temps en temps. J'ai hâte d'être délivrée. Dès que je vais au village et que je croise une bonne femme, elle sort de sa besace un conte d'épouvante en voyant mon gros ventre ! Si tu savais le nombre de récits de femmes mortes au bout de leur sang ou d'enfants découpés en morceaux que j'ai entendus depuis quelque temps, tu n'en reviendrais pas !

— Ça ne t'arrivera pas, la rassura Emmélie. Nos mères ont accouché nombre de fois et malgré leurs cris d'effroi, elles sont toujours vivantes. D'autres disent aussi que c'est le « mal joli », puisque lorsque tout est fini, la douleur s'envole miraculeusement. Il ne reste plus qu'un nourrisson qui cherche à téter dans les bras de sa mère.

Emmélie pouvait comprendre l'angoisse de Marguerite. Qui ne connaissait pas une femme morte en couches ? Elle était aussi ignorante que sa cousine sur le mal d'accouchement. Mais l'heure n'était pas aux apitoiements.

— On dit que c'est un heureux présage que d'être bien grasse, dit-elle pour encourager Marguerite. C'est un signe que l'enfant sera en pleine santé. Tu verras, avança-t-elle joyeusement, en tirant l'aiguille, ce sera un gros garçon bien portant et tout blond.

— Qu'est-ce qui te fait croire que c'est un garçon ? L'enfant pourrait aussi bien être une fille.

— C'est une impression, rétorqua Emmélie, un pressentiment, comme diraient les demoiselles Niverville ou ta mère, tante Victoire. Je n'arrive pas à penser à ce petiot en fille.

— La Stébenne prédit aussi un garçon : « porter devant est signe d'un mâle », m'a-t-elle dit. Mais le docteur ne croit pas à « ces superstitions propagées par les bonnes femmes ». J'aimerais bien que ce soit un garçon, ajouta amèrement Marguerite.

Emmélie se sentait impuissante face aux craintes, justifiées, qu'entretenait son amie. Et aujourd'hui, elle devait se résoudre à lui révéler une nouvelle qui la troublerait. Elle hésitait, se disant que Marguerite n'avait pas besoin d'être perturbée davantage. Mais il fallait bien que quelqu'un lui apprenne que René revenait et Emmélie se disait qu'elle était la meilleure personne pour le faire.

— Mes parents ont reçu une lettre, dit-elle simplement en enfilant une aiguillée.

— Une lettre ?

Emmélie hésita.

— René a annoncé son retour.

Marguerite ne broncha pas. Elle resta penchée sur son ouvrage tandis que sa vue se brouillait subitement. Une grosse boule se nicha dans le creux de sa gorge. René serait bientôt là. Elle s'était refusée à songer à cette éventualité depuis des mois et redoutait plus que tout le jugement de son cousin : elle avait trahi sa promesse de l'attendre, même si c'était malgré elle.

— Marguerite, je t'en prie, dis quelque chose.

— Mais il n'y a rien à dire, Emmélie, fit Marguerite, incapable de regarder son amie.

— C'est aussi difficile pour moi. Cette nouvelle t'afflige alors que je suis folle de joie à l'idée de revoir mon cher frère. Si tu savais comme il m'a manqué ! clama Emmélie.

Marguerite releva la tête, consciente qu'elle était égoïste.

— Ma chère Emmélie, je ne t'en veux pas. Tu es gentille de m'apprendre le retour de ton frère… Je préfère que ce soit toi, ajouta-t-elle la voix étranglée, plutôt qu'Alexandre.

Elle réalisa soudainement qu'elle n'avait jamais confié ses sentiments à Emmélie. «Mais comment as-tu su?»

Emmélie regarda tendrement son amie.

— René et toi aviez une façon si particulière de vous éviter. Tous ces efforts pour ne pas vous regarder, voire, vous frôler… Au début, je croyais que vous vous détestiez jusqu'au jour où j'ai réalisé que c'était exactement le contraire, avoua-t-elle en souriant. Ne t'inquiète pas, la rassura-t-elle en devinant ses appréhensions. Je ne crois pas que Sophie ait remarqué, elle est trop occupée à penser à elle-même. Mais, ajouta-t-elle d'un ton plus grave, c'était inévitable qu'il revienne, Marguerite.

La jeune femme était bouleversée, traversée par toutes sortes d'émotions contradictoires. Puis, elle songea à l'affection d'Emmélie. Comment pourrait-elle s'en passer?

— J'ai une faveur à te demander. Je t'en prie, ne révèle jamais à René ce qui s'est passé… les circonstances de mon mariage.

Elle hésita un moment avant de poursuivre: «Je suis l'épouse du docteur Talham désormais et il ne sera plus jamais question de sentiments entre ton frère et moi, décréta finalement Marguerite.»

Émue, Emmélie se leva pour enlacer tendrement sa cousine. Elle l'admirait. Elle lui enviait cette force tranquille qui lui donnait le courage de traverser les épreuves que le ciel lui envoyait.

«Marguerite a raison. Elle doit oublier René et se consacrer à sa famille: son mari et l'enfant qui vient. Comme elle doit être reconnaissante envers le docteur!» songea la jeune fille en pensant au terrible secret de Marguerite.

Les deux femmes restèrent un moment serrées l'une contre l'autre, appréciant cette amitié qui les liait fortement.

— Donne-moi plutôt des nouvelles de ma tante Victoire, demanda enfin Emmélie en changeant carrément de sujet. Comment va-t-elle? C'est quand même particulier, ta mère qui attend aussi du nouveau!

La grossesse de Victoire – «un retour d'âge» avouait cette dernière, puisque la petite Esther avait déjà cinq ans – provoquait des sentiments mitigés chez sa fille.

— C'est ridicule et vraiment embarrassant, répondit vivement Marguerite. Imagine! Mon enfant, qui sera le neveu ou la nièce, sera plus vieux que l'enfant de ma mère, sa tante ou son oncle. Ce n'est pas normal.

— Marguerite!

Emmélie était désespérée de voir son amie s'en faire pour des futilités.

«Cela se voit souvent, dans les familles nombreuses. Il n'y a rien d'anormal là-dedans.»

— Elle ne pourra pas assister à mes couches. La sage-femme l'a dit, l'autre jour. Lorsqu'on est soi-même en mal d'enfant, ça porte malheur d'assister une femme en gésine, surtout si les couches tournent mal. L'enfant à naître risque d'être mal formé ou imbécile.

— Nous y sommes. Voilà pourquoi tu en veux à ta mère. Tu n'as pas honte, Marguerite, de la jalouser bêtement parce qu'elle aussi attend un enfant?

Mais Marguerite regimbait, elle avait besoin de confier son trop-plein de frustration.

— De plus, figure-toi qu'Alexandre s'est offert pour être le parrain, avec moi comme marraine! Et si c'est une fille, mes parents ont promis de la nommer Appoline, en l'honneur de la défunte d'Alexandre.

— Tès parents souhaitent sans doute le remercier de faire partie de leur famille, répondit Emmélie. C'est une sorte de reconnaissance, tu devrais le savoir.

Elle se rappelait vaguement la première madame Talham, la marraine de Sophie, qui venait tourmenter Marguerite au-delà de la mort dans l'éventualité d'une future petite sœur qui porterait son prénom. Très brune, avec un joli visage aux pommettes saillantes, Appoline Talham avait été une femme avenante.

Avec Charlotte, qui chantait les vertus de l'ancienne madame Talham à cœur de jour, Marguerite avait l'impression qu'elle devait se battre contre un fantôme.

Emmélie s'était bien rendu compte que la domestique profitait de la faiblesse de sa maîtresse pour mener la maison à sa guise. Charlotte interdisait farouchement l'accès à la cuisine, mais n'accomplissait aucune des autres tâches qui lui étaient dévolues. Parvenue au terme de sa grossesse, Marguerite se retrouvait obligée de faire de lourds travaux. Emmélie avait remarqué que sa chère cousine, autrefois si gaie, sombrait peu à peu dans la mélancolie.

— Tu devrais te débarrasser de Charlotte, lui suggéra-t-elle.

— Je ne peux pas faire ça, répondit Marguerite. Elle n'a nulle part où aller.

Charlotte avait déclaré la guerre à sa maîtresse, ce qui rendait Emmélie furieuse.

La semaine précédente, la jeune fille avait surpris Marguerite penchée sur les rangs de légumes. Les récoltes commencées, il fallait préparer les caveaux à légumes pour l'hiver avant d'y empiler carottes, choux, navets, oignons et pommes de terre. Les herbages cueillis au jardin servant à assaisonner les mets pendant l'hiver ou à préparer quelques potions de bonne femme pour soulager ou guérir les petits maux habituels qui venaient toujours avec la froidure devaient être suspendus pour sécher.

Partie à la recherche de Charlotte, Emmélie l'avait trouvée se prélassant sur le sofa de la grande chambre.

— Que faites-vous là, Charlotte, pendant que votre maîtresse s'occupe du potager ?

— Madame ne m'a rien demandé, rétorqua la domestique en se redressant, un brin insolente.

Emmélie l'avait semoncé sévèrement.

— Prête-la-moi quelques jours et je te jure que je la ferai travailler, cette paresseuse ! avait alors proposé Emmélie à Marguerite.

— Le docteur n'acceptera jamais. Il l'aime comme sa fille. Et puis, je me débrouille très bien toute seule.

— C'est tout de même une servante et elle doit t'obéir. Tu devrais dire à ton mari que Charlotte n'est qu'une bonne à rien.

— Il a dû le découvrir depuis longtemps ! Je ne sais pas comment lui parler.

Désemparée, Marguerite avait même demandé conseil à sa nouvelle amie, Rosalie Papineau, à qui elle écrivait régulièrement. *Je me sens incapable de tenir ma maison. La nourriture de Charlotte est insipide et elle m'interdit l'accès aux fourneaux. Comment me faire obéir ?* La demoiselle Papineau était pleine de bon sens. *Je comprends bien ce problème de domestique, nous avons une cousine qui est un peu comme vous, trop aimable et peu habituée à se faire servir,* avait répondu Rosalie. *Mais là n'est pas la question. Ma chère, vous n'avez aucune raison de douter de vous, vous êtes l'aînée d'une ribambelle d'enfants. Quelle mauvaise foi de la part de votre servante ! Vous n'avez qu'à exiger de vous faire obéir,* insistait Rosalie. *Soyez inflexible, ma chère. Votre servante vous obéira, sinon, eh bien, il vous faudra la renvoyer pour en engager une nouvelle que vous ferez à votre main.*

Rosalie proposait la même solution qu'Emmélie !

En réalité, devant une femme plus âgée qu'elle, Marguerite abdiquait, incapable de donner des ordres. Et puis, elle n'avait pas le cœur de dénoncer sa servante. Elle trouvait à Charlotte l'air triste. «Elle n'a plus de mère, se disait la jeune femme pour l'excuser. Personne ne lui a appris comment faire les choses.» Marguerite avait décidé d'attendre après la naissance de l'enfant pour essayer de conquérir les bonnes grâces de sa servante.

Pendant ce temps, le docteur Talham continuait d'avaler les plats fades préparés par la servante, s'étonnant du peu de changement dans son ordinaire. Il gardait pourtant le souvenir d'une cuisine savoureuse les quelques fois qu'il avait partagé un repas chez les Lareau. C'était le fait de Marguerite, prétendait la famille. Le docteur commençait à croire qu'on lui avait fait avaler des fables. Mais comme il ne voulait pas peiner sa jeune femme, il gardait ses remarques et Charlotte triomphait.

Préoccupé par le surcroît de travail causé par une épidémie de diarrhée dans la paroisse et l'accouchement qui approchait, le docteur ne voyait rien des problèmes domestiques qui empoisonnaient l'atmosphère de sa maison.

Emmélie avait soif et se dit que Marguerite aussi devait être déshydratée. Elle laissa son ouvrage de côté pour aller chercher à boire.

— Je vais te faire chercher un verre d'eau fraîche du puits et je demande à Charlotte de préparer du thé. J'ai apporté des petits gâteaux de notre cuisine.

Elle partit à la recherche de la servante qui avait disparu et finit par la trouver dans sa petite chambre à l'étage, étendue de tout son long sur la paillasse d'un lit à que-nouilles. La servante se releva précipitamment devant une Emmélie mécontente, le regard sévère, les deux mains posées sur les hanches.

— Que faites-vous là, Charlotte? Vous êtes épuisée?

— C'est cette chaleur écrasante, mademoiselle Boileau.

— Oui, nous avons toutes très chaud. Y a-t-il des citrons confits dans la maison?

— Euh, non, mademoiselle.

— Pourtant, je vous avais bien demandé d'en acheter chez le marchand général, l'autre jour, ce me semble?

— Mais c'est qu'il n'y en avait pas.

— J'en ai moi-même acheté pas plus tard qu'hier et le marchand m'a assuré qu'il en tenait toujours, à cette période de l'année.

— Je vous jure, mademoiselle. Ce marchand ment comme un arracheur de dents!

— Très bien, nous verrons cela un autre jour. Vous avez de jolis meubles, remarqua la jeune fille, étonnée de voir une très belle commode en érable, un charmant petit miroir et même une pendule de cuivre dans une chambre de servante.

— C'est à moi, se défendit Charlotte, offusquée. C'est l'héritage que m'a laissé madame Appoline.

— Votre première maîtresse a été très généreuse, constata Emmélie, mais ce n'est pas une raison pour négliger votre nouvelle maîtresse. Apportez-nous de l'eau fraîche du puits avec des verres propres, ordonna-t-elle.

Charlotte fit une petite révérence maladroite et quitta la pièce en vitesse.

Lorsqu'Emmélie retrouva Marguerite, celle-ci somnolait, allongée sur le sofa, son ouvrage lui tombant des mains. On entendait le tonnerre gronder dans le lointain. Charlotte entra dans la pièce avec un pichet rempli d'eau fraîche et deux gobelets de faïence.

— Merci, Charlotte. Maintenant, voyons les linges que je vous ai demandé de préparer pour la délivrance de madame.

— Je n'ai rien trouvé qui fasse l'affaire, mademoiselle, avoua Charlotte, penaude.

— Voyez-vous ça, fit Emmélie. Montrez-moi les armoires à linge.

Charlotte la conduisit à l'étage. En ouvrant les portes d'un meuble poussiéreux, Emmélie observa attentivement la servante du docteur. La coiffe était assez propre, mais le tablier n'était plus blanc depuis longtemps et cachait une robe crasseuse au col d'une saleté repoussante. Les mains étaient à l'avenant, avec des ongles noirs et mal taillés. Une odeur forte de pieds l'écœura. Comment Marguerite, toujours soigneuse, lavant régulièrement sa belle chevelure et tenant ses hardes propres, pouvait tolérer que sa maison soit aussi mal tenue? Elle examina l'armoire à linge. Il ne restait presque plus d'essuie-mains ni de serviettes propres. Elle compta une nappe, mais pas un seul drap. Elle eut un soupir d'exaspération. «Il règne ici un laisser-aller en dépit du bon sens!»

— Où est le linge? demanda-t-elle.

— Tout est dû pour la prochaine lessive.

— La prochaine lessive? Et quand avez-vous fait la grande lessive pour la dernière fois? demanda Emmélie, soupçonneuse.

— Eh bien, l'été passé.

— L'été passé ? Voulez-vous dire l'année dernière ?

La mine basse, elle répondit par un léger hochement de tête de bas en haut devant une Emmélie hors d'elle. Qu'avait donc fait Charlotte pendant l'été ? Emmélie ne comprenait pas plus sa cousine qui refusait de faire tenir sa maison correctement. Qu'avait-elle à craindre de cette misérable ?

Toute maison digne de ce nom possédait une lingerie imposante qu'on lessivait une fois ou deux par année. Chez les Boileau, une soixantaine de paires de draps bien repassés étaient rangés dans les armoires au milieu d'herbes odorantes séchées, une bonne centaine d'essuie-mains et autant de serviettes, plus une quarantaine de nappes de diverses qualités, certaines bonnes pour les jours ordinaires et d'autres pour les jours de fête.

À la fin de l'hiver, il y avait toujours des monceaux de linges à lessiver, sans compter les chemises des membres de la maisonnée, les tabliers, les jupons, les coiffes, les bonnets, les cols et nombre d'accessoires blancs. On s'empressait de tout faire bouillir dans de grandes bassines d'eau avant de faire sécher au soleil, dès l'apparition des beaux jours.

Or, rien n'avait été lavé. Pas de linge propre et Marguerite qui était à la veille d'accoucher ! Elle ne pouvait pas le croire.

— Vous n'êtes qu'une paresseuse, Charlotte ! dit sévèrement Emmélie. Vous allez immédiatement sortir les bassines et faire chauffer l'eau. J'exige que tout le linge de la maison soit lavé sans tarder. Et je vous avertis que si ce n'est pas propre à mon goût, vous allez tout reprendre.

— Mais il va pleuvoir tantôt, riposta la servante en larmoyant. Je vais me plaindre au docteur que vous me faites trop travailler !

— Faites cela, Charlotte, et j'expliquerai moi-même au docteur à quel point vous négligez votre maîtresse qui est sur le point d'accoucher. Et il n'aimera pas entendre ce que je lui raconterai à propos de la tenue de sa maison. Pour l'heure, vous allez laver le plus urgent. Il faut des draps propres pour madame. Vous allez rassembler tous les vieux linges que vous pouvez trouver, les laver et les faire sécher dans la maison, en attendant le retour du soleil. Maintenant, courez faire ce que je vous demande.

Sans demander son reste, Charlotte fila à ses bassines en pleurnichant.

Emmélie rejoignit Marguerite qui s'éveillait dans la grande chambre, suant à grosses gouttes. Elle lui versa un verre d'eau. Dehors, on entendit le tonnerre gronder à nouveau.

— Il risque d'y avoir de l'orage, nota Emmélie en tendant le gobelet à Marguerite. Je voulais faire de la limonade, mais cette fainéante de Charlotte n'a pas acheté les citrons confits, malgré mes ordres.

— Oublions Charlotte. Cette petite sieste m'a redonné des forces, dit Marguerite, qui se sentait revigorée.

Elle porta le verre à ses lèvres et savoura l'eau délicieusement fraîche. Emmélie se servit à son tour. Mais soudain, Marguerite devint livide.

— Est-ce que ça va ? demanda Emmélie, d'une voix inquiète.

Une violente nausée lui fit restituer tout le liquide qu'elle venait d'absorber. Puis, une terrible crampe lui barra le ventre. Marguerite grimaça, se plia en deux. Lorsqu'elle se releva, un liquide chaud coulait le long de ses jambes.

— Emmélie, gémit Marguerite. Oh ! Mon Dieu ! Je suis toute salie.

Emmélie paniqua intérieurement. Était-ce les premières douleurs ? Que fallait-il faire ? Envoyer prévenir le docteur. Rassembler du linge propre. « Le mieux, c'est de faire prévenir ma mère. Certes, elle saura agir à bon escient, se dit-elle. » Elle appela :

— Charlotte !

Mais comment la servante pouvait-elle l'entendre ? Elle était dehors à puiser l'eau pour remplir les bassines de lessive. Emmélie passa par la cuisine d'été et sortit de la maison en courant.

— Charlotte !

La domestique s'activait dans la cour, près du puits.

— Voyez mademoiselle, dit cérémonieusement Charlotte qui voulait regagner les bonnes grâces d'Emmélie. Je vous obéis.

— Laissez tout cela pour l'instant et trouvez une serviette propre pour votre maîtresse. Les douleurs ont commencé.

Une lueur d'affolement passa dans les yeux de Charlotte.

— Mais qu'est-ce qu'il faut faire, mademoiselle ?

Emmélie enrageait. Quelle bonne à rien à qui il fallait tout expliquer !

— Je cherche de quoi écrire. Montrez-moi l'écritoire du docteur.

— Je ne peux pas faire ça, mademoiselle, répondit la pleurnicharde. Monsieur l'interdit.

— Je lui expliquerai, Charlotte, fit Emmélie, péremptoire. C'est urgent ! Il me faut de quoi écrire un billet.

Charlotte la mena dans une petite pièce de la maison que le docteur appelait son apothicairerie. Il y avait là une armoire vitrée remplie de flacons de toutes sortes, de petites fioles en verre et des pots de faïence sur lesquels il était inscrit leur contenu : *Ipécacuana, Sel de Glauber, Magnesia, Quinquina,*

Soufre, Crème de tartre, Angélique, Camomille, et bien d'autres. Emmélie n'avait guère le temps de lire toutes les étiquettes. Une grosse seringue était posée près du mortier dont le docteur se servait pour faire ses préparations.

La bibliothèque appuyée contre un mur sans fenêtre contenait une centaine de livres dont plusieurs traités de médecine. Les yeux d'Emmélie tombèrent sur le *Traité des maladies des femmes grosses* de François Mauriceau, dont le premier tome était grand ouvert sur la petite table qui servait de bureau de travail au docteur et sur cette table, il y avait une écritoire. Emmélie choisit une plume qui semblait mieux taillée que les autres, ouvrit l'encrier, trouva un bout de papier et écrivit de sa belle écriture droite et joliment ourlée :

Mère, je crois que Marguerite va bientôt accoucher. Venez vite m'aider, je vous en prie. Il vous faudra apporter des linges chez le docteur. Beaucoup de linges. Il n'y a rien ici. Amenez Augustin et la charrette avec vous. Nous en aurons besoin pour envoyer quérir le docteur qui est absent.

Elle signa : *Emmélie* et, avec le sablier, saupoudra son message de seiche pour enlever l'excès d'encre, secoua le tout et agita le bout de papier pour faire sécher l'encre plus rapidement. Elle plia le billet et le tendit à Charlotte.

— Courez chez moi, ordonna-t-elle. Le plus vite que vous le pouvez. Donnez ce billet à ma mère et revenez au galop !

Elle n'attendit pas longtemps avant qu'une charrette s'arrête devant la maison du docteur Talham. Madame Boileau en descendit, un panier à la main dans lequel elle avait placé des ciseaux, des cordonnets, un onguent de sa fabrication et un flacon d'huile d'olive. Son domestique tira de la charrette une vieille paillasse et un grand sac de toile rempli de linges. En entra dans la maison pour aussitôt ordonner à Charlotte de trouver du vin et du vinaigre et de préparer du bouillon ou une soupe. Augustin fut envoyé à la recherche du docteur et quérir la bonne femme Stébenne. Emmélie était rassurée : sa mère prenait les choses en main. Madame Boileau examina le visage pâle et chiffonné de Marguerite :

— Comme ça, lui dit-elle affectueusement en lui tendant les bras, tu vas nous faire un bel enfant.

Le temps des inimitiés était donc passé, et Marguerite, pardonnée. L'entraide féminine reprenait ses droits : un enfant s'annonçait.

— Il faut avertir chez les Lareau, nota Emmélie.

— Dans son état, ma mère ne pourra pas venir, soutint Marguerite, chagrinée de ne pas l'avoir près d'elle pour ses premières couches.

— Mais elle doit tout de même apprendre la nouvelle le plus rapidement possible, rétorqua sa tante. Pourquoi tu n'irais pas toi-même, Emmélie ? Va à la maison et fais seller la jument de ton frère. Ça ira plus vite, tu as une chance d'arriver avant la pluie.

— Mais je veux revenir ici et assister Marguerite avec vous, dit fermement Emmélie, de crainte que sa mère ne la renvoie à la maison.

On ne laissait pas de jeunes filles assister aux accouchements.

— C'est bon, fit la dame en soupirant, ça risque de faire jaser, mais nous ne serons pas trop de deux pour assister Marguerite. Et puis, en tant que parentes, nous avons notre place auprès de l'accouchée, dit-elle en jetant un regard complice à sa fille. De toute manière, j'ai l'impression qu'il faut quelqu'un pour diriger, ici. Rassure bien ta tante Lareau.

Emmélie eut un sourire de gratitude. Elle reconnaissait là la grande bonté de sa mère qui ne pouvait garder rancune à quiconque, surtout pas à ceux qu'elle aimait. Elle allait quitter lorsque Marguerite grimaça : une nouvelle contraction.

— C'est bien ça, fit madame Boileau. Le travail commence. Ne t'inquiète pas, ma fille, Emmélie reviendra plus tard. Quant à moi, je ne te laisse plus, ma belle Marguerite.

Emmélie venait de sortir lorsque Charlotte vint annoncer qu'il n'y avait pas de lard pour le bouillon.

— Pas de lard ? s'étonna madame Boileau. Cours, ma fille, et rattrape Emmélie. Elle te mènera à notre cuisine pendant qu'on sellera son cheval. Demande à Ursule de quoi faire un bouillon. Allez, ouste ! ajouta-t-elle pour faire bouger Charlotte qui semblait figée sur place. L'arrivée d'un enfant, c'est du travail pour tout le monde !

Ainsi semoncée, la Charlotte n'eut pas le choix de courir sur le chemin. Elle eut du mal à rejoindre Emmélie qui marchait d'un pas vif.

— Mademoiselle Emmélie, fit-elle, essoufflée. C'est votre mère qui m'envoie à votre cuisine chercher un morceau de lard pour le bouillon.

— Il te faudrait aussi quelques bons morceaux de viande. Suis-moi.

Elles atteignirent rapidement la maison des Boileau, hors d'haleine. Emmélie laissa Charlotte à la cuisine.

— Tu n'as qu'à bien faire tout ce que te recommanderas Ursule, notre cuisinière, et ensuite, tu retournes immédiatement chez le docteur.

Monsieur Boileau, qui était sur le qui-vive, vint rejoindre Emmélie.

— Comme ça, il demande à venir au monde, ce petit ?

— Oui, père. Mère s'occupe de tout. Je file chez ma tante Lareau.

— Je t'accompagne. Viens, nous devons seller les bêtes nous-mêmes, puisqu'Augustin est parti.

Monsieur Boileau se frottait les mains, heureux de toute cette activité qui annonçait une nouvelle naissance au sein du clan. Les nombreux deuils qui avaient assombri sa famille n'avaient jamais altéré sa nature optimiste. À ses yeux, Dieu choisissait la survivance des êtres forts. Ainsi, la naissance demeurait un événement attendu dans la joie, mais avec ce qu'il fallait de résignation, advenant la mort du nouveau-né, si fréquente.

Mais l'heure n'était pas aux épanchements de toute nature. Il fallait faire vite. Bonne cavalière, Emmélie savait seller un cheval. Elle s'approcha de Princesse, la jument préférée de son frère René. En apercevant la selle, la jument manifesta sa bonne humeur. Elle manquait d'exercice depuis le départ de son maître. Pour sa part, son père possédait un splendide cheval, un vif étalon noir qui répondait au nom pompeux de Majesté.

— Tout doux, mon vieux, fit le bourgeois en caressant le museau de son cheval.

Le garçon d'écurie aida Emmélie à sangler la jument et à la sortir du bâtiment, puis il fit de ses mains un marchepied pour aider la jeune fille à monter en selle.

— Allons-y, fit Emmélie.

Le père et la fille allaient sortir de la cour lorsque la jolie tête de Sophie apparut à l'une des lucarnes de l'étage.

— Où allez-vous si prestement? cria Sophie.

— Marguerite va accoucher, nous partons avertir sa mère! Prépare-toi, tu iras remplacer tante Victoire auprès des enfants si elle veut venir, lui répondit sa sœur qui venait d'avoir cette bonne idée.

— Jamais de la vie !

— Suffit, mademoiselle Sophie ! hurla son père. Si ta tante a besoin de toi, tu iras. Nous serons de retour dans moins d'une heure. Allons, dit-il en se tournant vers Emmélie, un peu de charité chrétienne ne fera pas de tort à ta sœur. Partons.

Et il lança sa monture au galop sur le chemin de la Petite Rivière, suivi par sa fille. Le temps lourd et gris annonçait l'approche imminente d'un orage.

॰

Victoire, la petite Esther et la jeune Marie dans ses jupes, ne fut pas surprise de les voir arriver.

— C'est Marguerite ? demanda-t-elle simplement.

— Ma chère Victoire, clama monsieur Boileau en embrassant joyeusement sa cousine, réjouissez-vous, dans quelques heures, vous serez grand-mère pour la première fois.

— Tout va bien, tante Victoire, la rassura Emmélie. Mère est avec Marguerite et ne partira que lorsque tout sera terminé.

— Quand je pense que je ne peux même pas y aller. Les plus vieux sont aux champs, puis Marie est encore trop jeune pour s'occuper de la maisonnée. On a besoin des garçons pour garder le troupeau avant de rentrer les bêtes à l'étable pour faire le train. C'est dans ce temps-là que Marguerite me manque gros. Je pouvais me fier à elle n'importe quand !

— Nous avons tout arrangé, ma bonne Victoire, affirma Monsieur Boileau. Sophie viendra prendre la relève. Avec l'aide de vos grands gars et de Marie, je suis sûr qu'elle pourra être utile.

Incrédule, Victoire regarda son cousin. Il ne parlait pas sérieusement. Que viendrait faire ici la capricieuse Sophie?

— J'aurais plus confiance avec Emmélie.

— Ma tante, dit gentiment Emmélie, j'ai promis à Marguerite de rester près d'elle. Elle est bien seule, vous savez que la Charlotte est une incapable.

— Voyons donc! Tu parles d'une drôle d'affaire. C'est moi qui devrais accoucher ma fille, comme ça c'est toujours fait dans ma famille, de mère en fille, avança Victoire, consternée.

— Ne vous inquiétez pas, ma tante, nous avons fait quérir la bonne femme Stébenne et…

— Pas la Stébenne? fit Boileau en se tournant vers sa fille, l'air stupéfait.

— Mon gendre a fait appeler la Stébenne! s'exclama à son tour Victoire. Si ça a du bon sens!

L'animosité de Victoire et de Boileau envers cette femme venait d'une vieille querelle, un héritage familial vieux de trois générations. Autrefois, deux lignées de sages-femmes se partageaient la besogne d'accoucher les femmes de la paroisse. Madeleine Stébenne, fille de Madeleine Robert, appartenait à une première lignée qui accouchait les femmes du bas de la paroisse et de la Pointe-Olivier. La deuxième était issue de Marguerite Ménard, la propre grand-mère de Victoire et de Monsieur Boileau. Celle qu'on avait appelée la «bonne femme Boileau» était sage-femme au village.

La Boileau avait su s'imposer en son temps, malgré ses ascendances algonquines, car on manquait cruellement de sages-femmes. Elle avait enseigné son art à sa fille et Madeleine Boileau, la mère de Victoire, avait aussi porté secours aux voisines. Mais quand une nouvelle sage-femme s'était installée au village, plus personne n'avait fait appeler les «sauvagesses».

Victoire, n'avait pas oublié l'outrage fait à sa mère. À tel point qu'après la mort de cette dernière, la fière Victoire s'était débrouillée seule : pas de sage-femme, pas de médecin. Lorsque son temps venait, elle faisait déguerpir la marmaille et accouchait sans aide, comme une chatte. Dans le village, il s'en trouvait pour dire : « comme une sauvage ». La voisine Tétrault était venue pour les relevailles, sans plus.

En apprenant que la Stébenne seconderait sa fille, Victoire prit une décision. Son instinct lui ordonnait de se rendre au village sans tarder.

— Mon grand fils Noël me conduira au village et, par la suite, il ramènera votre Sophie chez nous.

— Je cours au champ prévenir, dit son cousin Boileau en remontant en selle. Emmélie, retourne à la maison. Que ta sœur prépare son paquet. Mieux vaut prévoir qu'elle passera la nuit ici.

Il lança sa bête au galop et Emmélie repartit, non sans avoir rassuré sa tante sur l'état de Marguerite. Lorsqu'elle l'avait laissée, elle n'avait eu que deux contractions. Madame Boileau assurait que pour le premier, c'était toujours long.

— On va tout de même faire vite, répondit Victoire. Les femmes de notre famille accouchent facilement.

— Je repars, ma tante, on se voit tantôt. Ne vous fatiguez pas trop. Allez, Princesse, on y va.

Jupe au vent, Emmélie repartit au grand galop en examinant le ciel. Elle serait de retour chez les Talham avant la pluie.

❧

Une heure plus tard, Victoire déposait son modeste ballot dans les mains de Charlotte. Madame Boileau faisait marcher Marguerite dans la pièce, entre les douleurs.

— Mère, comme je suis heureuse que vous soyez là.

— Sûr, ma fille, que je suis là ! Je ne suis pas assez sans-cœur pour abandonner ma fille à ses premières couches.

— Vous n'avez pas peur pour le vôtre ? demanda madame Boileau en s'approchant de Victoire. On dit qu'il ne faut pas d'émotions fortes à une femme enceinte. Sinon, son enfant risque d'être marqué !

— Du radotage de bonne femme ! répondit promptement Victoire.

Elle se rattrapa en voyant l'air offusqué de madame Boileau, et lui dit d'un ton plus doux :

— Je veux dire... Rappelez-vous, ma cousine, les durs moments que vous avez passés avec un enfant dans le ventre lorsque votre petite Lucille a été malade. Ça n'a pas empêché votre Sophie d'être belle comme le jour.

— Vous êtes pleine de bon sens, madame Lareau, répondit madame Boileau, radoucie. Occupons-nous plutôt de Marguerite.

— As-tu préparé des langes, ma fille ?

— Oui, mère. Les plus beaux langes qu'on a jamais vus. Je les ai coupés dans de la belle flanelle bien douce que j'ai achetée à Montréal l'hiver passé. J'en ai fait pour le vôtre également, puis deux belles petites jaquettes jaunes, ajouta-t-elle en grimaçant.

Une nouvelle contraction s'annonçait. Victoire posa la main sur le ventre de sa fille.

— Respire bien, souffle, comme ça. Quand ça sera passé, je vais t'examiner.

Marguerite regarda sa mère, ébahie :

— Vous n'allez pas faire ça ?

— Quand t'es venue au monde, c'est ta grand-mère Sachet qui m'a aidée. Je fais pour toi ce qu'elle a fait pour moi. Rien de plus. Nous allons te déshabiller, sauf pour ta chemise que tu vas garder, naturellement.

Devant sa fille en mal d'enfant, Victoire prenait les choses en mains. Complaisante, madame Boileau la laissa faire et se préoccupa des détails :

— Emmélie, trouve une chemise propre pour notre accouchée.

Celle-ci retrouva Charlotte affairée à la cuisine.

— Je cherche les chemises propres de ta maîtresse.

— Y en a pas, mademoiselle. Vous le savez bien, je devais faire la lessive, puis vous m'avez fait tout arrêter, puis là qu'il commence à pleuvoir, je ne peux plus rien faire.

« C'est bien vrai », se dit Emmélie, hésitant entre le désespoir et le découragement tout en jetant un œil par la fenêtre. Et la sage-femme qui tardait ! Soudain, un bruit se fit entendre dans la cour. Le docteur rentrait enfin. Emmélie courut à sa rencontre. Talham se réjouit qu'Emmélie soit toujours chez lui

— Mademoiselle Boileau. Comment va ma femme ?

— Vous n'avez pas croisé Augustin ?

— Non, j'arrive de chez Gaboriau du chemin Sainte-Thérèse. Pourquoi ?

— C'est commencé, annonça la jeune fille.

— Le travail ? Depuis quand ? Souffre-t-elle ?

— Depuis deux heures environ. Ma tante Victoire l'examine en ce moment. Ma mère est là aussi.

— Et la sage-femme ?

— On a envoyé Augustin la quérir. C'est pourquoi j'ai besoin de vous, docteur. Ne dételez pas tout de suite, nous devons aller chez nous.

— Mais je veux d'abord voir Marguerite ! Ah ! Charlotte, fit-il en voyant la servante qui allait chercher de l'eau. Comment va madame ?

— Je… Bien monsieur, je crois, bien.

— Comment ça, « je crois » ? Mademoiselle Boileau, laissez-moi passer pour aller voir ma femme.

— Docteur, il manque de chemises propres et Marguerite en a besoin. La pluie commence et si on attend trop, le chemin sera plus boueux. Il faut faire vite.

— Des chemises propres ? Mais que signifie tout ce charabia ? fit Talham, abasourdi.

— Allons docteur, fit Emmélie, impatiente, nous perdons du temps.

Dépassé par les événements, Talham obtempéra. Il reprit les rênes et Emmélie monta à ses côtés.

— Allons-y, vous me raconterez tout ça en chemin, grommela-t-il. Mais je vous jure que nous serons de retour dans moins d'un quart d'heure.

❧

Pendant qu'Emmélie était à la veille d'apprendre les rudiments du métier de sage-femme, Sophie maugréait intérieurement, assise auprès de son cousin Noël Lareau, se préoccupant de ne pas abîmer sa robe dans la vieille charrette. Le frère de Marguerite avait pour difficile mission de la ramener à la ferme. Le visage écarlate comme s'il venait de se frotter au savon du pays, le jeune homme resta silencieux tout le long du chemin tant la présence de sa belle cousine à ses côtés l'intimidait. Celle-ci ne semblait pas souhaiter faire la conversation non plus. Les premières gouttes de cette pluie qui s'annonçait depuis le début de l'après-dîner commencèrent à tomber lorsque la vieille maison fut en vue. Il était temps. Une seconde plus tard, elle tombait dru. Sophie se précipita hors de la charrette. Que venait-elle faire ici?

Elle connaissait peu la famille de Victoire et François Lareau, contrairement à sa sœur, et avait horreur de la campagne. L'été, Emmélie venait volontiers à la ferme et levait la fourche pour remplir des charretées de foin en riant avec ses cousins Lareau. Elle aimait la beauté des champs blonds, respirant avec bonheur l'odeur chaude de l'herbe fraîchement coupée. Au grand dam de sa mère, la jeune fille revenait hâlée comme une habitante, le visage rougi par le soleil malgré son chapeau de paille. Sophie jugeait que sa sœur avait vraiment de drôles d'idées!

— Il y a du pain frais et un ragoût qui mijote dans l'âtre, pour le souper, expliqua François à une Sophie au visage fermé, tenant son paquet bien serré contre elle, se drapant dans une fausse dignité, outragée d'être dans cette cour boueuse.

La jeune Marie sortait de la maison, traînant par la main une petite Esther morveuse. Marie la moucha avec son tablier. Sophie eut un mouvement de dégoût.

— Je suis capable de m'occuper de la soupe toute seule, déclara la fillette en arborant un air de défi, sans même saluer.

Le visage renfrogné de Marie la fit sourire. «En voilà une autre qui est furieuse», se dit Sophie qui décida de faire contre mauvaise fortune bon cœur.

Frustrée qu'on ait si peu confiance en elle – après tout, elle avait presque dix ans – Marie avait décidé d'ignorer cette prétentieuse qui venait du village. Mais elle ne pouvait s'empêcher d'admirer la jolie robe fleurie, de même que l'ombrelle et le beau chapeau assortis. Avec ses allures de princesse, cette cousine-là était encore plus jolie que sa sœur Marguerite, toute déformée avec son gros ventre.

Le regard flatteur de la fillette n'échappa pas à Sophie et comme, la coquetterie l'emportait par-dessus tout, chez elle, elle décida de prendre son mal en patience.

— Tu aimes ma robe ? demanda la « princesse » en tournoyant devant Marie.

Cette dernière fit oui de la tête.

— Allons, on va bien s'amuser toutes les deux. J'ai de beaux rubans dans mon panier. Il y en a sûrement un pour ton chapeau. Qu'en dis-tu ?

Marie opina à nouveau, en souriant cette fois. Elle décida d'aimer la demoiselle.

« Après tout, se dit Sophie, radoucie, servir du ragoût n'a rien de bien sorcier et la petite me donnera un coup de main. »

— Je compte sur toi pour m'aider. Il faudra que tu m'expliques pour que ta mère soit contente lorsqu'elle reviendra.

— Bon, d'accord, finit par dire Marie.

La pluie commençait à tomber avec vigueur et toutes deux entrèrent dans la maison. Une odeur invitante chatouillait les narines. Sophie huma :

— Hum, ça sent bon.

Marie désigna le chaudron suspendu à la crémaillère de l'âtre. Sophie retira ses gants, dénoua son paquet pour en retirer un tablier propre. Elle tendit les bras à la petite Esther qui pleurnichait.

— Au travail, déclara Sophie. Les autres vont rentrer bientôt.

— Marie ! hurla alors une voix venant du cabinet.

— C'est Mémé Lareau, expliqua Marie.

« C'est vrai, se souvint Sophie. Il y a aussi la vieille grincheuse ! » Fermement décidée à ne pas s'en laisser imposer par quiconque, elle prit son courage à deux mains et entra dans la petite chambre qui empestait le rance, suivie de Marie.

— Bonjour, Mémé Lareau, salua-t-elle poliment en restant dans l'embrasure de la porte.

— Approche-toi et parle plus fort, je suis à moitié sourde ! Qu'est-ce qu'une Boileau vient faire dans nos affaires ?

— Mémé, intervint la fillette, la demoiselle vient nous aider. Mère est au village, partie chez Marguerite à cause des « sauvages » qui arrivent.

Sophie ne put s'empêcher de sourire à cette métaphore qu'on servait toujours aux enfants. Les « sauvages » avaient la réputation d'apporter les nouveaux-nés. Elle se demanda combien de temps elle-même avait cru en cette fable lorsque la mémé rouspéta :

— Balivernes ! Ta sœur va accoucher.

Choquée, Sophie répliqua :

— Mémé Lareau, il ne faut pas parler de ces choses-là, voyons ! Surtout devant les enfants. C'est indécent.

La vieille ne répondit pas, mais toisa la jeune fille, l'observant avec l'intérêt d'un chat qui guettait sa proie.

— T'es une bien belle créature. T'as l'air pas mal plus fière que ta sœur.

— Ça me fait plaisir d'aider ma tante Victoire, rétorqua stoïquement Sophie.

— La fille de mon sacripant de neveu vient se salir les mains chez nous, poursuivit la vieille.

— Votre neveu ? Vous parlez de mon père ? demanda Sophie, étonnée.

— Mais oui, ton père. Je suis la cousine germaine de ton grand-père, Pierre Boileau. Mon père et ton arrière-grand-mère, Marguerite Ménard, étaient frère et sœur.

— Vous êtes la fille d'Antoine Ménard, le voyageur des pays d'En-Haut ? s'exclama la jeune fille qui n'avait jamais fait le rapprochement.

— Je viens de te le dire, s'impatienta la vieille.

Elle examina attentivement Sophie.

— Tourne-toi un peu.

Ahurie, Sophie s'exécuta.

— C'est bien ça, la même allure. On ne t'a jamais dit que tu ressembles à ton aïeule Marguerite ? Faut dire que ton père était bien jeune lorsqu'elle est morte et qu'elle-même était déjà très vieille. C'était en soixante-trois. Elle avait bien dans les quatre-vingts ans, mais on n'a jamais su son âge. Ton père ne l'a pas assez connue pour voir la ressemblance.

— Je lui ressemble ?

— Parbleu ! Le même air de défi dans le regard. Ça avait du front tout le tour de la tête, ma tante Marguerite. Une femme des bois qui pouvait marcher des lieues même à son grand âge, qui se déplaçait en canot comme un homme ! Bon, c'est bien beau tout ça, mais moi, j'ai faim. Marie, ordonna-t-elle, apporte-moi ma soupane.

Un peu plus tard, lorsque François et ses fils rentrèrent, trempés et fourbus, le pain était sur la table. La demoiselle Boileau, revêtue d'un élégant tablier festonné, Marie et Esther dans ses jupes, était prête à servir la tablée, mais obligea tout le monde à frotter énergiquement mains et visages avec son mouchoir avant de passer à table.

— Sacrédié ! s'exclama François Lareau lorsque Sophie l'informa discrètement des dernières nouvelles concernant Marguerite.

Le visage buriné de l'habitant s'éclaira d'un sourire. Il allait être le grand-père de l'enfant du docteur Talham, et la demoiselle Sophie Boileau servait la soupe chez lui. C'était le monde à l'envers ! Il eut un soupir de bonheur à la pensée de la venue de son petit-fils.

Sophie souriait en versant le ragoût dans les assiettes, avant de prendre place avec eux à la table pour partager leur repas. Elle s'amusait beaucoup à jouer momentanément à la mère d'une famille nombreuse. Elle aussi, un jour, se marierait et aurait une grande tablée d'enfants rieurs.

La pluie tambourinait bruyamment sur les carreaux. Talham et Emmélie avaient rapporté les fameuses chemises propres – en fait, celles d'Emmélie – enroulées rapidement dans un vieux châle.

Madame Boileau avait fait installer le « lit de misère » près de l'âtre de la grande chambre où brûlait un feu chargé de tenir chaude l'eau d'un chaudron suspendu à la crémaillère. Augustin avait déposé la vieille paillasse, garnie de vieux draps et d'oreillers, sur une planche soutenue par des tréteaux. Sur une table, où madame Boileau avait déposé le contenu de son panier, il y avait un bassin de faïence et une aiguière à une anse. À l'étage, Charlotte préparait le lit de la chambre conjugale avec des draps propres et frais rapportés par Emmélie. Plus tard, lorsque tout serait terminé, on y coucherait la nouvelle mère.

Talham posa sa main sur le front de Marguerite en l'examinant affectueusement. Il prit machinalement son pouls, plus pour se donner une contenance que par un réflexe purement médical. Il faisait des efforts prodigieux pour rester stoïque. Des images de femmes mortes défilaient dans sa tête. Le docteur avait rarement assisté à la fin heureuse. Lorsqu'une sage-femme appelait un chirurgien à un accouchement, c'était que tout allait de mal en pis, et souvent, la mère et l'enfant ne survivaient pas. Il se rassura en se disant que les circonstances étaient différentes. Marguerite était forte et en santé.

— Tout ira bien, ma mie, dit-il à Marguerite en lui serrant la main, tant pour la rassurer que pour calmer sa propre angoisse.

Il retira sa jaquette et sa cravate, pour ne garder que son gilet déboutonné et sa chemise dont il retroussa vigoureusement les manches. Il interrogea du regard madame Boileau.

— Elle va bien, déclara la dame au docteur.

— Le passage est ouvert à presque deux pouces, expliqua Victoire. Ça va assez vite.

— Que fait donc la sage-femme ? demanda impatiemment Talham.

— Elle prend son temps, je suppose, répondit sa belle-mère d'un ton brusque. C'est bien dans les manières de la Stébenne. Faut dire qu'habituellement, pour un premier, ça prend plus de temps que ça, et là, je dirais que d'ici au plus trois heures, vous y serez.

En effet, les douleurs se rapprochaient et s'intensifiaient. Marguerite avait l'impression qu'elle ne s'appartenait plus. Une vague immense envahissait son corps. Elle ne sortait plus du lit. Elle se redressait pour s'asseoir, ou s'allongeait, sans jamais trouver une position confortable. Cinq longues heures s'étaient écoulées depuis la première contraction. Elle avait chaud, mais serrait les dents pour s'empêcher de crier. Par moments, Victoire lui frottait doucement le dos. Elle-même présentait des signes d'épuisement. Lourde de l'enfant qu'elle portait, elle luttait contre la fatigue, mais ne voulait pas abandonner sa fille qui affrontait pour la première fois l'enfantement. Elle songea avec appréhension que son tour viendrait d'ici trois mois. « Ce sera la dernière fois, se promit-elle. Si je survis à l'enfantement, ce sera le dernier. Le curé aura pas besoin de le savoir. »

— Tu peux crier. Gêne-toi pas, ça soulage du mal, dit-elle à sa fille pour la réconforter. Et si ton mari te dérange, on va l'envoyer prendre un verre de rhum au cabaret, plaisanta-t-elle.

Puis, elle se tourna vers le docteur avec un sourire rassurant. « Faut pas vous inquiéter, mon gendre. Je suis capable de mettre mon petit-fils au monde. »

Marguerite offrit un pâle sourire à sa mère, heureuse que celle-ci soit près d'elle.

Madame Boileau allait et venait dans la pièce. Elle guettait fébrilement l'arrivée de la sage-femme en repoussant nerveusement le rideau devant la fenêtre. Le soir tombait, la pluie augmentait d'intensité et d'immenses éclairs striaient le ciel assombri, pendant que le tonnerre éclatait avec fracas au-dessus du bassin. Emmélie assistait son amie du mieux qu'elle le pouvait, lui épongeant le front avec un linge qu'elle mouillait dans l'eau fraîche, lui donnant quelques gouttes d'eau à boire lorsque la future mère en réclamait. Ébranlée par la souffrance de sa chère Marguerite, Emmélie se sentait terriblement impuissante.

— Continue de lui frotter le dos, Emmélie, comme je le fais, lui dit Victoire. Je vais m'asseoir un peu dans le fauteuil.

— Laissez. C'est une tâche qui me convient, s'interposa le docteur.

— Vous n'êtes pas censé être là, vous, fit sévèrement Victoire. Vous verrez, la Stébenne va vous envoyer ailleurs. Les hommes ont pas d'affaire dans une chambre d'accouchée.

— Personne ne me fera sortir d'ici, protesta Talham. Je reste avec ma femme, ajouta-t-il doucement en regardant sa Marguerite.

— Vous vous en irez au moment de la délivrance, répliqua fermement madame Boileau dans un sourire bienveillant. Un mari ne doit pas voir sa femme dans ces moments-là.

— Allons donc, je suis docteur.

— Vous êtes d'abord le mari, reprit la brave dame.

Une violente contraction saisit Marguerite. Longue. La pire de toutes. Elle cria, serra les dents et gémit. Au même moment, il y eut un bruit de tonnerre assourdissant et la porte s'ouvrit. C'était la bonne femme Stébenne, complètement trempée, qui arrivait enfin.

— Mes respects, docteur Talham. Où est-elle?

Elle entra plus avant dans la pièce, aperçut le lit et la jeune accouchée. Elle observa attentivement Marguerite, déposa un panier sur une table et s'approcha du lit.

— La moitié du chemin est déjà fait, déclara alors Victoire.

Surprise, la Stébenne se retourna vivement, car elle n'avait pas encore remarqué la présence de cette dernière.

— Victoire *Sachette*! T'as quand même pas examiné ta propre fille alors que tu savais que j'arrivais! s'exclama Madeleine Stébenne, les deux mains sur les hanches en signe de protestation.

La femme ne se laissait pas impressionner par quiconque. Grande et costaude, elle en imposait.

— Ça se fait pas. Docteur, vous avez laissé faire ça? Et vous aussi, la grande madame? demanda-t-elle en désignant du menton madame Boileau.

375

— Vous n'arriviez pas, madame Stébenne, répondit simplement madame Boileau pour ne pas attiser la fureur de la sage-femme qui installait son autorité dans la chambre de l'accouchée.

— Ça suffit comme ça, déclara le docteur d'un ton ferme.

— À part de ça, qu'est-ce que va dire monsieur le curé quand il apprendra que la jeune demoiselle a assisté à des couches ? continua la sage-femme en désignant Emmélie auprès de Marguerite. Tout ça, c'est sur moi que ça va retomber. C'est assez pour que le curé m'interdise de travailler.

— Calmez-vous, madame Stébenne, personne ne mettra en doute votre moralité, ni moi ni le curé, répliqua le docteur. Par bonheur, la demoiselle Boileau était ici au bon moment, sinon ma femme aurait été bien mal prise.

Un gémissement douloureux rappela tout le monde à l'ordre et la sage-femme s'affaira auprès de Marguerite.

Madame Boileau fit signe à sa fille d'approcher.

— Nous allons réciter l'oraison à la Sainte Vierge pour celles qui sont en travail d'enfant.

Emmélie acquiesça, comprenant à demi-mot qu'une prière calmerait les esprits échauffés. Mère et fille se mirent à genoux, pendant que Victoire se levait du fauteuil et s'approchait du lit pour éponger le front de sa fille mais, surtout, pour surveiller le travail de la sage-femme. Emmélie répéta la prière :

«Mère du Saint des Saints, qui avez approché de plus près ses divines perfections, qui avez fait voir en tous vos déportements que vous étiez véritablement Mère d'un tel fils, obtenez s'il vous plaît, au nom des Grâces qu'il vous a communiquées, et de la gloire à laquelle il vous a élevée pour cette union de vos volontés aux siennes, que je puisse souffrir avec patience les douleurs qui m'accablent, et être promptement délivrée de tant de maux ; ayez compassion de mes peines, je ne puis plus résister sans votre assistance. *Amen.* »

— *Amen*, répondirent en chœur les femmes.

— *Amen*, dit Talham qui ne connaissait pas cette prière.

— T'inquiète pas, une prière, ça n'a jamais fait pas de mal à personne, dit Victoire à sa fille. Et toi, Madeleine Stébenne, lave tes mains crasseuses avant de toucher à ma fille. Tiens, ajouta-t-elle en lui tendant un essuie-main, il y a de l'eau chaude.

La sage-femme obéit sans riposter. Qui savait si bientôt la fière Victoire n'aurait pas besoin de ses services ? Un petit à son âge, c'était risqué, et ça, Victoire Lareau le savait.

Pendant qu'elle examinait Marguerite, les doigts enduits d'huile d'olive, la porte s'ouvrit à nouveau et Monsieur Boileau entra, dégoulinant de la tête aux pieds, l'eau ruisselant de son chapeau.

— Coudon, fit la sage-femme, contrariée, on se croirait au cabaret !

— Je ne pouvais plus attendre, s'excusa le bourgeois. Je me disais que je pourrais peut-être donner un coup de main et si, par le plus grand des malheurs, il fallait ondoyer, je serais là, puisque le rituel interdit au père de le faire.

— Y aura pas besoin d'ondoyeur, répondit brusquement la sage-femme.

Les accoucheuses agréées par leur communauté avaient le pouvoir exceptionnel de baptiser les enfants qu'elles mettaient au monde. Mais seulement si elles craignaient pour la vie de l'enfant. Mais si un homme d'autorité était présent, c'était lui qui avait préséance. Visiblement, Monsieur Boileau souhaitait obtenir cet honneur si une difficulté survenait.

Mais Madeleine Stébenne connaissait bien son métier d'accoucheuse. « Les hommes ont rien à faire autour d'une accouchée si la Stébenne est là, se vantait-elle. Ni le chirurgien ni le curé!»

Les habitants du village la surnommaient «la colonelle», mais ils la respectaient, car plus d'une fois, elle était venue à bout d'une naissance difficile et avait sauvé l'enfant. La faveur qu'elle faisait à Talham de l'aider à assister sa femme en couches ferait le tour du village, c'était certain.

— L'enfant est bien vivant et tout ira bien. C'est tout juste si la petite a besoin de moi pour accoucher. Y a pas de tourments à y avoir, ma petiote, dit-elle en s'adressant doucement à Marguerite, toi et moi, on va y arriver. Quand je te dirai de pousser, tu pousseras. Tu peux crier tout ton soûl, c'est pas moi qui t'en empêcherai.

Une fois cela dit, la sage-femme organisa son monde en prévision du grand moment:

— Vous, le sieur Boileau, vous allez monter avec la future grand-mère dans la chambre de compagnie et lui faire servir un petit remontant. Il doit bien y avoir une servante dans cette maison?

Charlotte, qui en effet avait disparu, ne bougeait plus de la cuisine. La Stébenne lui faisait peur!

— Ne t'inquiète pas pour ta fille, Victoire *Sachette*, je m'en occupe comme si c'était la mienne. Je sais bien que je peux pas te demander d'aller te coucher, mais va t'asseoir plus loin, t'es aussi pâle qu'un drap qu'on vient de lessiver.

Victoire était au bord de l'abattement, mais elle préféra demeurer auprès de sa fille. Boileau lui tira une chaise, près du lit, tandis que lui s'installait en retrait. «Dès que l'enfant sera arrivé, se disait-il, j'irai porter la nouvelle au parrain, Rouville, et à la marraine, la femme du notaire Leguay, sans oublier le curé, naturellement. Comme ça, on pourra baptiser l'enfant demain matin de bonne heure.»

La sage-femme poursuivait sa distribution de rôles :

— Vous, le mari, vous allez vous placer derrière votre femme et vous passerez vos bras sous les siens afin de la tenir solidement assise pendant qu'elle forcera.

Elle regarda ensuite Emmélie :

— La jeune fille maintiendra une jambe et vous, la grande madame, dit-elle en désignant madame Boileau, vous agrippez l'autre. C'est bien ça. Maintenant, on rapproche l'accouchée du bord du lit. Avance comme pour t'asseoir, presque debout, expliqua-t-elle à Marguerite.

Marguerite tremblait autant de chaud que de froid. Sa chemise, trempée de sueur, lui collait à la peau et la douleur ne lui laissait plus aucun répit. Mais elle reprit courage, sentant le dénouement proche.

Lorsqu'elle fut prête, la sage-femme remonta légèrement la chemise qui couvrait la jeune femme et posa sa main sur son ventre.

— Ça y est ma belle. Vas-y, pousse ! Allez, pousse fort !

Marguerite poussa en criant.

— C'est bien. J'aperçois sa petite tête. Vas-y, ordonna la sage-femme. Pousse, pousse encore !

— Pousse ! cria Emmélie.

— Vas-y ! l'encouragèrent Victoire et madame Boileau.

— C'est bien, ma mignonne, disait doucement Talham à son épouse tout en la maintenant fermement.

Trois poussées plus tard, un grand coup de tonnerre salua l'entrée dans le monde de Melchior Alexandre Talham. Le nouveau-né vagissait dans les mains de la Stébenne tandis que dehors, la pluie s'acharnait, transformant les chemins en une mer de boue. La sage-femme essuya grossièrement l'enfançon avant de le présenter à sa mère. Talham, plus ému qu'il ne l'aurait cru, retint difficilement ses larmes, soulagé. Marguerite s'en était bien tirée et l'enfant était vigoureux.

— Ton fils est beau comme le jour, ma mie, dit-il à sa femme après que la Stébenne eut coupé et noué le cordon.

— Ton petit est né coiffé, déclara la sage-femme en essuyant délicatement la tête de l'enfantelet. On dit que ça porte chance.

Elle soupesa l'enfant. «Je dirais qu'il pèse un bon gros huit livres. Étonnant pour un petit six mois, ajouta-t-elle avec un clin d'œil.»

Elle tendit le léger fardeau à Talham.

— Prenez donc soin de votre fils, docteur, pendant que nous, les femmes, on s'occupe de la délivre.

Et elle déposa l'enfançon dans les bras de Talham.

— Mon fils, répéta-t-il.

Il contempla la petite chose vagissante, étreint par une curieuse émotion. À cause de cet enfant, il était devenu l'époux de Marguerite.

Puisque la sage-femme prétendait que l'enfant était gaillard, il resta indifférent aux pleurs du paquet hurlant qu'il tenait maladroitement. Il pensa surtout aux suites de la délivrance de Marguerite, s'inquiétant maintenant des fièvres meurtrières dont souffraient parfois les nouvelles accouchées.

La sage-femme exigea ensuite qu'Emmélie et Monsieur Boileau se retirent.

— Jeune fille, vous avez plus d'affaire icitte. Quant à vous, dit-elle en désignant le bourgeois, vous pouvez être rassuré. Cet enfant-là est assez fort pour attendre le baptême jusqu'à demain matin, mais lui faites pas voir la lumière avant qu'il reçoive l'eau bénite, sinon, le diable pourra prendre possession de son âme.

Boileau ignora les dernières paroles de la bonne femme – les superstitions choquaient habituellement son

esprit scientifique –, trop heureux de quitter la pièce surchauffée. Il entraîna sa fille à l'étage.

— Montons à la chambre de compagnie. Talham doit
bien avoir du bon porto caché dans ses armoires.

Mais Emmélie, singulièrement émue par cette naissance
à laquelle elle venait d'assister, contemplait le nouveau-né,
s'émerveillant qu'il soit si petit.

— La naissance est un miracle du bon Dieu, dit simplement son père, qui voyait l'émotion de sa fille. Allez, suis-
moi avant que cette sacrée bonne femme ne se remette à
morigéner.

— Vous avez raison, père, comme toujours, répondit la
jeune fille se ressaisissant. Je vous suis.

Pendant ce temps, la sage-femme et madame Boileau
s'affairaient avec compétence, écartant Victoire qu'elles
obligèrent à se rasseoir. L'arrière-faix s'expulsa facilement.
La sage-femme s'occupa de faire disparaître les sanies dans
l'âtre et brûla les linges, trop souillés pour être récupérés.
Ensuite, madame Boileau entreprit de faire la toilette de
l'accouchée.

— Réjouissez-vous, madame Lareau, dit-elle en s'adressant à Victoire tout en passant à Marguerite une chemise
fraîche, vous voilà grand-mère.

La dame démêla les longs cheveux de l'accouchée avant
de les natter et de lui faire mettre un bonnet propre.
Marguerite se laissa aller au plaisir de se faire dorloter et
d'être l'objet de tant de soins de la part de sa tante.

Une fois son épouse rafraîchie, Talham déposa dans les
bras de sa mère le nourrisson qui pleurait énergiquement.
Marguerite examina longuement les traits de son fil. À qui
ressemble-t-il ? se demanda-t-elle avec une certaine angoisse.
L'enfant était magnifique, malgré sa petite peau toute
chiffonnée. Victoire avait interdit à la bonne femme

Stébenne de refaçonner la tête de l'enfant comme le faisaient les sages-femmes croyant bien faire.

— Il te ressemble, pareil à toi, le jour de ta naissance,
dit-elle à sa fille. Regarde, il a ton petit nez. Présente ton
téton, lui conseilla-t-elle, émue. Entendez-moi ce gaillard
qui réclame son dû ! Tu verras, il va le téter comme s'il
n'avait fait que ça depuis toujours.

— Faut pas le faire boire tout de suite, prévint alors la
Stébenne. Les humeurs chaudes de la délivre et celles,
froides, du sang se mêlent au lait et donnent un mauvais
goût. Ça porte malheur.

— Encore des radotages de bonne femme, déclara Victoire
en consultant son gendre du regard.

Ce dernier approuva :

— Le lait des premières heures est le meilleur, ajouta le
docteur. C'est ce que disent les grands docteurs d'aujourd'hui,
la mère Stébenne.

— Je me demande bien qu'est-ce qu'ils peuvent connaître
aux nourrissons, ces grands savants-là, grommela la sage-
femme en poursuivant sa besogne tandis que Marguerite
suivait le conseil de sa mère et tendait un sein au petit
Melchior, qui se mit à téter vigoureusement.

— Tu vois, dit Victoire à Madeleine Stébenne, d'un air
de défi, c'est aussi simple que ça.

— Toi, rétorqua la sage-femme d'un ton bourru, va te
reposer avant que je sois obligée de faire un autre accouchement prestement. Dans ton cas, ça risquerait de mal
tourner.

— Elle a raison, fit le docteur. Madame Lareau, vous en
avez trop fait, vous devez être exténuée. Vous avez droit au
repos et il n'est pas question que vous retourniez chez vous
ce soir. Je vous fais préparer un lit par Charlotte. D'ailleurs,
comme il vous faudra revenir ici demain matin pour le

baptême de votre premier petit-fils, vous serez déjà sur place, ajouta-t-il joyeusement. Ne vous inquiétez pas, votre cousin Boileau fera prévenir chez vous.

Madame Boileau approuva du chef. Moulue, Victoire se laissa entraîner à l'étage et s'effondra dans l'un des deux fauteuils de la chambre de compagnie. Emmélie en profita pour verser à sa tante un petit verre de vin de madère.

— Tenez ma tante, prenez ça. Je vais vous trouver quelque chose pour que vous allongiez vos jambes. Ce n'est pas le moment pour vous de tomber malade.

— Merci, chère Emmélie, répondit faiblement Victoire en prenant le verre que sa nièce lui tendait. Tu es bien charitable.

En bas, l'inépuisable madame Boileau donnait des ordres pour qu'on sorte dehors la paillasse qui avait servi de lit de misère. Demain, on la brûlerait. Le docteur, aidé de Monsieur Boileau et de Charlotte qu'on avait fait sortir de sa cuisine, maintenait fermement la jeune femme pour l'aider à monter à sa chambre. Une fois l'accouchée installée dans un lit propre et frais, madame Boileau lui fit apporter un peu de bouillon pour la réconforter.

— Marguerite, prends-en quelques cuillerées, lui conseilla sa cousine en lui présentant un bol fumant. Ça va te fortifier.

De son côté, sa tâche étant enfin terminée, la sage-femme accepta bien volontiers un bol de soupe et un verre de madère que madame Boileau lui fit porter. Avant de repartir, la Stébenne s'approcha de Victoire :

— Fais pas ça toute seule, cette fois-ci, lui recommanda-t-elle d'une voix paisible qui contrastait avec le ton autoritaire dont elle usait habituellement. Laisse de côté ta tête de cochon et promets-moi de me faire appeler.

Le regard plein de bienveillance de Madeleine Stébenne à Victoire disait clairement qu'il était temps de mettre de côté les vieilles disputes. L'orgueilleuse Victoire céda et acquiesça d'un signe de tête. La Stébenne parlait d'or.

Une fois Marguerite bien installée dans son lit d'accouchée, Monsieur Boileau interpella le docteur.

— La pluie a cessé. Remettons-nous de ces émotions en allant annoncer l'heureux événement au parrain. La cave de Rouville vaut le détour, croyez-moi.

— Pourquoi pas, ami Boileau ? fit Talham. Tout à coup, il avait envie de proclamer sa joie d'être père à la face du monde.

L'orage passé, l'air du soir embaumait, exhalant les riches odeurs de la fin de l'été. Les deux hommes montèrent dans la berline de Boileau et partirent en direction du faubourg.

— En passant, nous préviendrons le curé qu'il aura à baptiser demain matin.

༄

Rouville les accueillit avec de grandes démonstrations de joie. Les circonstances particulières entourant le mariage des Talham et la venue de cet enfant dont il s'était déclaré le parrain le rendaient particulièrement heureux, sans qu'il puisse trop savoir pourquoi. Il construisait des projets d'avenir pour le petit Melchior qui irait au collège ; lui-même y veillerait.

— Parlez-moi d'un costaud, un garçon de huit livres ! s'exclama-t-il fièrement en levant les bras au ciel, lorsque ses deux visiteurs impromptus lui apprirent la nouvelle. Talham, mon ami, félicitations. Vous transmettrez tous mes vœux à la mère. Diable, huit livres ! J'en ferai un colonel !

Il invita ses amis pour une santé en l'honneur de son filleul.

∾

Le lendemain, après la courte cérémonie de baptême à l'église, les visites se succédèrent chez les Talham. Le grand-père, François Lareau, avec les jeunes oncles et tantes du nouveau-né, Sophie et sa petite sœur, Zoé, Françoise Bresse, en compagnie de son mari et de ses deux jeunes sœurs, Clémence et Agathe, de même les demoiselles de Niverville et leur frère, le chevalier Antoine de Niverville, tous venaient pour admirer l'enfançon et offrir leurs meilleurs vœux aux parents, tout en calculant mentalement le nombre de mois entre février et août. Un aussi gros poupon ! Hé ! Hé !

Geneviève Cherrier, l'épouse du notaire Leguay, avait porté l'enfant sur les fonts baptismaux et son mari, le notaire, avait assisté à la cérémonie. Les dames de Rouville vinrent faire un tour dans la matinée. Ovide était à Montréal et ne viendrait pas.

Plus tard, ce fut Marie-Josèphe Bédard à se présenter, accompagnée de son frère, le curé. Elle offrit à Marguerite quelques charmants morceaux de layette qu'elle avait confectionnés pour l'enfant qu'elle contempla d'un air attendri. Monsieur Boileau s'agitait comme s'il était le maître de maison. Pendant ce temps, aux côtés du père, le parrain accueillait fièrement les visiteurs en s'extasiant de la vigueur de son filleul. Comme le voulait la coutume, c'était lui qui régalait. Hier au soir, il avait réveillé sa cuisinière afin qu'elle prépare quelques rôtis et pâtés qu'il prévoyait apporter pour la fête et, depuis le matin, il servait à qui un verre de rhum, à qui un bon vin de bordeaux, aussi heureux que si Melchior Talham eût été son propre petit-fils. Jamais parrain ne fut aussi fier.

À l'étage, la mère et la grand-mère se reposaient entre les visites, avec pour garde-malade la jeune Emmélie qui faisait la navette d'un étage à l'autre, saluant la compagnie, remontant apporter aux deux femmes quelques rafraîchissements. Victoire songeait à la naissance si particulière de son premier petit-fils, tout en profitant de ces moments privilégiés avec sa fille. Désormais, ils seraient encore plus rares. Sa fille était devenue mère, et bientôt, elle aurait aussi un petit accroché au sein.

Après l'orage, le calme était revenu à Chambly et les esprits s'étaient apaisés. Le temps fraîchissait et tous appréciaient l'agréable pureté de l'air après ces journées de chaleur torride.

De fait, il n'y avait plus rien à redire sur la naissance de Melchior Alexandre Talham, le fils premier-né de Marguerite Lareau et du docteur Talham.

Chapitre 14

Le retour

— Les vents d'automne nous sont favorables. Cette traversée a été l'une des plus tranquilles que j'ai connues, affirmait sans vergogne James Hutchins, capitaine du *Hope*, le navire anglais qui ramenait René Boileau vers les siens.

Le bateau, chargé d'une cargaison de vin, de rhum, de brandy et de diverses marchandises sèches, avait essuyé quelques orages. Parfois, de violentes bourrasques couchaient le bâtiment sur son flanc, et dans un bruit effroyable, on entendait craquer l'armature du bateau et claquer sauvagement la voilure. Mais ce temps mauvais n'impressionnait guère le vieux bourlingueur, contrairement à ses passagers qui, peu habitués à la traversée nord-atlantique, souffraient horriblement du mal de mer lorsqu'ils n'étaient pas hantés par l'approche de leur fin. Le passager Boileau crut plus d'une fois que les flots gris et glacés l'engloutiraient à jamais. Enfin, les affres de la navigation et la boule d'angoisse qui s'était installée dans l'estomac de plusieurs passagers, tout cela se dissipait petit à petit puisque le capitaine venait d'annoncer une excellente nouvelle : avant la fin de la journée, on toucherait les côtes de Terre-Neuve.

Accoudé à la dunette, les yeux perdus dans le sillage du navire, René Boileau revoyait en pensée son village natal, la chère maison rouge et sa famille qu'il reverrait dans quelques semaines. La joie de retrouver ses vieux parents ! Et que dire de ses adorables sœurs dont le babillage incessant lui avait tant manqué. La petite Zoé aura certainement grandi ! Reconnaîtra-t-elle son grand frère qu'elle n'a pas vu depuis un an ? Elle était encore d'un âge si tendre lorsqu'il était parti. Il lui rapportait une jolie robe d'enfant à la mode française, toute mignonne avec son bonnet à frisons assorti, ainsi qu'une poupée de cire – un jouet introuvable au Bas-Canada – si charmante avec tous ses petits accessoires. René imaginait que les deux grandes s'amuseraient autant que leur petite sœur à coudre des toilettes pour la poupée, à la catiner comme aimaient le faire les jeunes filles, parfois jusqu'à la veille de leur premier bal.

Le jeune homme entendait déjà les cris de ravissement de sa sœur cadette, la coquette Sophie, lorsqu'elle déballerait la jolie capote qu'il avait choisie pour elle dans une boutique parisienne. « Et puis, se disait-il en imaginant le déferlement de questions qui l'attendait, elle me harcèlera jusqu'à ce que je lui révèle tous les détails sur la mode de Paris, des coiffures des dames jusqu'à la couleur exacte des tissus et des rubans des robes, sans oublier la description des beaux attelages du boulevard des Italiens. » Quant à la très sérieuse Emmélie, elle-même ne ménagerait pas les exclamations en découvrant les belles éditions reliées en cuir qu'il lui destinait : les œuvres des philosophes Voltaire et Rousseau, ainsi que les *Lettres* de madame de Sévigné. Un vieil exemplaire des *Fables* de Lafontaine, recouvert d'un vélin d'une finesse remarquable, comblerait les goûts de son père. Pour sa mère, il avait rempli une malle de belles dentelles et de fines toiles françaises. Finalement, il rapportait pour sa gouverne tous les livres de droit de monsieur Ferrière concernant la Coutume de Paris et une édition récente du *Traité de l'orthographe* de Pierre Restaut. Tout en anticipant ces plaisirs, René faisait rouler entre ses doigts un petit objet enfoui au fond de sa poche, rêvant de voir des éclats de bonheur illuminer les yeux dorés de Marguerite, sa cousine bien-aimée.

Un cri d'oiseau interrompit sa mélancolie. Enfin ! Au loin se dessinaient les côtes escarpées de Terre-Neuve ; des marins jetaient des lignes à l'eau et en retiraient des morues. De la nourriture fraîche ! Un régal qui ferait oublier l'insipide cuisine qu'on leur servait sur le bateau depuis quelques semaines. À la surprise générale, le temps était extraordinairement clair pour cette région réputée brumeuse et dangereuse. Il fut finalement décidé qu'on ferait escale dans la baie des Trépassés.

— Alors, monsieur Boileau, heureux de bientôt vous dégourdir les jambes ?

À cette voix légèrement teintée d'accent anglais, René reconnut Mister Blythe, un Britannique d'une trentaine d'années qui venait de monter sur le pont. Commis principal de Pierre Brehaut, marchand de Québec, il revenait d'une mission en Angleterre. Son patron l'avait envoyé à la recherche d'associés londoniens afin de développer des relations de commerce et de faciliter l'importation de marchandises diverses pour son magasin de la basse ville. René Boileau s'était lié d'amitié avec cet homme avenant qui, malgré une calvitie prononcée et une grosse tête ronde d'où émergeaient des yeux verts globuleux, offrait au regard un visage franc et si souriant qu'on ne voyait plus la laideur de ses traits. Boileau appréciait chaque jour ce compagnon de voyage qui s'exprimait dans un excellent français. Après avoir passé plusieurs semaines à n'entendre que de l'anglais, il éprouvait un réel plaisir à renouer avec les accents rugueux du Bas-Canada, si différents du français des Parisiens.

— J'ai des fourmis dans les jambes, répondit joyeusement le jeune homme en saluant le marchand qui grelottait malgré son grand manteau doublé de fourrure. Même si ce lieu porte un nom qui donne des sueurs froides, nous serons tous heureux de nous dégourdir sur la terre ferme. En attendant ce moment béni, marchons un peu pour nous réchauffer : on gèle, ce matin !

— Ce satané vent ! marmonna Blythe. J'en suis au point où je préférerais monter dix fois de suite la rude côte de la Montagne, à Québec, plutôt que d'endurer encore ces rafales continuelles !

— Mais nous nous plaindrions bien davantage s'il n'y en avait pas, répliqua Boileau. La traversée a été rapide et il faut nous en souhaiter autant afin d'arriver à bon port.

— Vous êtes un philosophe, monsieur Boileau, ironisa aimablement Blythe, mais vous avez raison. Vivement les hauteurs de Québec ! Alors, marchons. Marchons et… endurons !

En riant, les deux hommes se mirent à arpenter le pont. D'autres passagers bravaient aussi le vent plutôt que de rester enfermer dans leurs cabines. Ils croisèrent Lady Johnson, la femme de Sir John, seigneur de Monnoir, bien emmitouflée. Elle ramenait sa famille au pays. Son père lui avait appris les projets de Sir John Johnson, se souvint René. Il construirait une vaste demeure en pierres à Pointe-Olivier, sur une terre qu'il possédait à l'embouchure de la rivière des Hurons. En saluant avec beaucoup d'égards la dame – son mari aurait certainement besoin d'un notaire de la région pour ses affaires –, le couvre-chef de feutre de castor de Boileau faillit s'envoler. Ce dernier regrettait ne pas avoir apporté dans ses bagages un de ces bonnets de laine si communs au pays. Sa longue chevelure brune, qui autrefois lui gardait le cou au chaud, avait été sacrifiée aux impératifs de la mode masculine européenne. Une moitié de visage cachée dans une écharpe de laine, il s'emmitouflait du mieux qu'il le pouvait dans son nouveau manteau acheté à Londres, d'une parfaite élégance, mais bien trop mince pour un voyage comme celui-ci.

— Vous avez passé une année entière en Europe, me disiez-vous l'autre jour ? fit Blythe.

— J'ai visité l'Angleterre, mais la région de Londres surtout. Par contre, j'ai parcouru une grande partie de la France et j'ai séjourné à Paris plusieurs semaines. Pour nous, la France et l'Angleterre sont des pays… comment dirais-je, presque mythiques !

Cette réflexion fit sourire Blythe pendant que Boileau poursuivait la description de ses impressions. L'Angleterre l'avait fasciné avec ses grandes institutions, ses vertes campagnes et ses ports grouillants. Il s'y était senti curieusement à l'aise, presque chez lui, même s'il avait trouvé les Londoniens plutôt distants. Mais dès qu'il avait posé le pied en France, une émotion profonde l'avait secoué, indicible, inexplicable. C'était le pays de ses ancêtres. Le premier Boileau, son arrière-grand-père, s'était embarqué à La Rochelle un siècle et demi auparavant. Les Parisiens s'étaient révélés bien aimables pour donner une direction au pauvre étranger canadien égaré dans le dédale de leurs rues innombrables et leurs boulevards bien entretenus, malgré une carte de Paris dont il avait fait l'emplette dès son arrivée dans la capitale française. La vie européenne lui était parue parfois bien étrange.

— Chambly m'apparaît maintenant comme un modeste havre civilisé au cœur d'une région encore sauvage lorsque je repense à tous ces vieux monuments que j'ai pu voir, toujours debout, malgré les saccages de la Révolution. Les vieux pays d'Europe sont si étonnants. On se perd dans les grandes villes. Chez nous, nul besoin d'une carte ou d'un plan pour se déplacer à Montréal ou à Québec !

Outre ces différences, avait-il également noté dans son journal de voyage, partout, les gens se ressemblaient. Les parades et le spectacle charmant de la foule et des jolies femmes dans leurs belles toilettes – qui étaient là pour être vues – évoquaient à s'y méprendre les coquettes de la belle société des villes canadiennes.

— Mais après un aussi long voyage, vous devez être impatient de retourner chez vous ?

— Certes, monsieur Blythe, j'ai bien hâte de trouver ma famille en bonne santé, mais aussi d'ouvrir mon étude de notaire à Chambly. Vous savez que dès mon arrivée à Québec, j'ai l'intention de faire ma demande de pratique et j'espère même obtenir une commission élargie.

— Une commission élargie, dites-vous ?

— Oui, qui me permettra d'exercer partout dans le Bas-Canada. Nous, les Canadiens, pratiquons toujours le nota-riat à la mode française, suivant l'ancienne Coutume de Paris. Mais pendant mon séjour en Angleterre, j'ai perfec-tionné la langue tout en m'imprégnant de l'esprit des lois anglaises. Je peux facilement rédiger des actes dans la langue de nos deux nations.

— Et pour un jeune homme aussi accompli que vous, aucune charmante fiancée qui attend le retour de son cavalier en soupirant ? suggéra Blythe, espiègle. Intelligent, habile, belle prestance, physique avantageux et bonne famille, vous êtes certainement la coqueluche des jeunes filles de chez vous !

— Heu ! fit René après une courte hésitation, car cette question pourtant banale l'embarrassait au plus haut point. J'ai quelques espoirs, mais je suis encore bien jeune pour me marier, dit-il vivement, comme pour s'excuser. J'aurai à peine vingt-cinq ans en janvier prochain.

— C'est vrai que vous avez encore le temps, tout comme moi d'ailleurs, fit Blythe, sans insister plus avant.

Les deux hommes se contentèrent d'observer l'horizon et la côte de Terre-Neuve qui se dessinait au loin.

La remarque anodine du commis marchand ramena Boileau vers celle dont le prénom était gravé au plus profond de ses pensées. « Ma douce Marguerite », songea-t-il. L'éloignement, plutôt que d'atténuer ses sentiments comme l'avait souhaité son père, les avait fait grandir. Il avait pensé à Marguerite chaque jour. Il l'imagina, auréolée de ses beaux cheveux dorés, telles les belles Vénitiennes de la Renaissance, ses yeux délicieux et son sourire éblouissant. Comme elle lui avait manqué ! Il se rappela ce jour de juillet et la promesse de Marguerite. Il lui tardait de la revoir et de la serrer dans ses bras. Cette fois, il l'embrasserait longuement.

Il espérait qu'après cette année d'absence, son père fléchirait. De toute façon, il saurait le convaincre, car aucune autre union ne le satisferait jamais. Ses parents finiraient par comprendre, puisqu'ils ne souhaitaient que son bonheur. Bien sûr, Marguerite et lui étaient cousins au deuxième degré et ces unions étaient proscrites par l'Église. Mais en sachant bien s'y prendre, ils finiraient par persuader les autorités religieuses de leur accorder la dispense nécessaire pour se marier. Ils ne seraient pas les premiers.

Marguerite ! Elle était si différente des autres jeunes filles qu'il connaissait, ces filles des négociants de la rivière Chambly ou de la noblesse militaire, celles que ses parents voulaient le voir épouser afin de conclure une bonne alliance de terres et d'argent. Mais toutes ces demoiselles le rebutaient ; il les trouvait superficielles et maniérées. Sa Marguerite avait acquis dans sa famille l'éducation nécessaire pour être l'épouse d'un notaire de campagne, mais elle portait en elle ses origines terriennes. Il aimait sa nature heureuse et tranquille, une sorte d'équilibre entre Sophie, trop fantasque à son goût, et Emmélie, qui était parfois si sérieuse.

Après une année entière sans même l'apercevoir, il avait surtout réalisé qu'elle lui était aussi nécessaire que l'air que le corps respire pour rester en vie. Marguerite était si vivante ! Privé d'elle, il n'était plus qu'un pauvre hère attendant patiemment son dernier jour. Dans ses rêves, il la voyait assise près d'une fontaine, qui repoussait une mèche de ses cheveux indisciplinés sous son bonnet, tout en lui souriant. Son amour pour elle était inscrit à tout jamais au tréfonds de son âme.

∾

Le lendemain, les deux hommes se retrouvèrent à nouveau sur le pont. René était impatient d'arriver enfin à Québec.

— Heureusement que vous êtes natif du Bas-Canada, monsieur Boileau, sinon le gouverneur Milnes vous retournait en France, lança Blythe.

— Que voulez-vous dire, au juste ? demanda Boileau, étonné par cette curieuse remarque.

— Que cette guerre, qui s'esquisse à peine en Europe, provoque déjà des remous jusqu'en Amérique.

— Dois-je en conclure que j'ai une tête de conspirateur ?
ironisa Boileau. On se méfiait de moi en France parce que
j'arrivais d'Angleterre. Une fois de retour en Angleterre,
j'ai failli être arrêté comme espion français et vous semblez
me dire qu'en arrivant chez moi, dans mon pays natal, on
me soupçonnera de je ne sais quel méfait ?

— Holà, ami Boileau ! Ne vous emportez pas ainsi. Nous
sommes presque en guerre, en effet, et il court une forte
rumeur que le petit Corse aurait envoyé des espions chez
nous, et de surcroît, parmi les Canadiens.

Le jeune homme haussa les épaules en signe de dénéga-
tion. Il était certain que Bonaparte avait assez à faire pour
achever sa conquête de l'Europe, surtout avec les Anglais
dans les pattes, et qu'il n'avait aucunement l'intention
d'étendre son empire en Amérique. Mais Blythe, comme
tous les Anglais, voyait chez le Premier Consul un ogre à
l'appétit insatiable. Surtout que les Américains étaient
désormais alliés de la France !

— Mais de là à lancer à partir des États-Unis des espions
dans nos populations... À l'époque de leur guerre d'Indépendance, cela ne leur avait guère réussi.

— De nombreux Canadiens sont passés du côté de
l'ennemi pendant ces années-là, affirma Blythe. Mais vous
êtes trop jeune pour vous en rappeler.

— J'en ai tout de même entendu largement parler,
rétorqua René, vexé.

Parfois, la supériorité britannique de Blythe l'agaçait.
« Dans ma propre famille, continua-t-il, des cousins de mon
père étaient des républicains enragés. Mais ce sont des
choses du passé, poursuivit-il en frottant vigoureusement
ses oreilles rougies par le froid pour les réchauffer. Depuis
ce temps-là, les Canadiens ont largement démontré leur
loyauté envers l'Angleterre. »

— Pourtant, l'interrompit brusquement le marchand, les incendies qui ont causé tant de dommages à Montréal l'été dernier seraient l'œuvre de cette racaille subversive ! L'incendie de Montréal de 1803 passera à l'histoire comme étant un incendie criminel.

Interloqué par ces accusations, Boileau regarda son compagnon :

— Vous êtes certain de ce que vous avancez ? Dans une de ses lettres, mon père m'a décrit le terrible incendie qui a fait rage à Montréal en juin dernier. Le vieux collège des Sulpiciens, où j'ai passé mes années d'études, détruit par les flammes, en plus de deux églises et de nombreuses maisons. Mais il ne disait rien à propos d'incendies criminels.

— Bien sûr, répondit Blythe, les autorités n'ont jamais pu prouver que ces bandits étaient à la solde de l'ennemi. Mais peu de temps avant mon départ pour l'Angleterre, une ordonnance du gouverneur Milnes exigeait que tous les sujets français quittent le pays.

— Tous les sujets français ? s'exclama Boileau. C'est proprement incroyable ! On aurait obligé des Français à refaire leurs bagages ?

— Tout dépend. Seulement ceux entrés au pays après le premier jour de mai 1792.

— Vous me rassurez. Un ami de ma famille, le docteur Alexandre Talham, de Chambly, est arrivé au Canada quelques années auparavant.

— N'empêche, poursuivit Blythe, que des rumeurs affirment que Jérôme Bonaparte a l'intention d'aller à Albany pour communiquer avec les Français du Canada.

— Vous voulez parler du jeune frère de Napoléon ?

— Exactement.

— N'est-il pas un peu jeune pour fomenter une révolte ? dit Boileau. De toute façon, si les Bostonnais n'ont pas réussi à soulever les Canadiens, les Français y arriveront encore moins. Et puis, ils ne disposent pas des ressources nécessaires.

— Vous avez sans doute raison, approuva distraitement Blythe.

Il espérait bien sûr que le calme soit revenu au Bas-Canada. Les rumeurs de guerre empoisonnaient l'atmosphère dans la ville de Québec et les blocus continentaux rendaient le commerce difficile. Rien de bon pour les affaires !

C'est à peine si le jeune homme profitait du paysage dont les beautés avaient été célébrées par de nombreux voyageurs auparavant. Le bateau avait pénétré dans le golfe du Saint-Laurent. À environ deux cents milles en aval de Québec, un pilote du nom de Le Clair monta à bord. Le fleuve pouvait être traître à qui ne connaissait pas ses courants contraires et ses récifs cachés, avait appris à Boileau ce vieux loup de mer plutôt sympathique avec qui le jeune homme apprenait les dangers de la « mer », comme on appelait encore le Saint-Laurent à cette hauteur. Le Clair venait de Pointe-au-Père, près de Rimouski, un joli village propre et coquet avec ses petites maisons blanches et ses champs clôturés qu'on pouvait observer du bateau. D'ailleurs, les rives étaient parsemées de ces maisons de ferme entourées de leurs terres cultivées, formant un charmant contraste avec la forêt qu'on apercevait dans le lointain. À la mi-septembre, le paysage commençait à se parer somptueusement de ses ocres mouchetés de rouge et d'or, scènes incomparables dont la magnificence éblouissait toujours les habitants du pays, chaque automne qui revenait. De nombreuses îles aux diverses formes coupaient la monotonie du cours du grand fleuve. Certaines d'entre elles étaient toutes rondes, particulièrement dans la région du Kamouraska où on avait l'impression que les pièces d'un jeu de dames s'étaient éparpillées sur l'eau, mais d'autres étaient de forme oblongue et d'une grande étendue. Comme Anticosti, fantastique vaisseau amiral de l'estuaire, ou les îles aux Coudres et d'Orléans, vaillantes estafettes annonçant qu'on était enfin arrivé sans encombre à Québec.

❧

Le *Hope* était à la veille d'accoster, au grand soulagement de tous les passagers réunis sur le pont pour admirer les impressionnantes chutes de la rivière Montmorency, situées à l'est de la ville de Québec.

— On les dit les plus hautes du continent, déclara Blythe.

Boileau et son compagnon contemplèrent les flots neigeux qui s'engouffraient dans la muraille, devant les rives de Beauport. Derrière s'étendait une masse de montagnes recouvertes de forêts. L'effet était saisissant.

Québec ! Sous les auspices du vieux château Saint-Louis qui dominait les hauteurs de la ville, le *Hope* accosta au quai Macniders, du nom d'un marchand anglais de la basse ville. Les passagers, quelque peu désorientés par les semaines de navigation en haute mer, se trouvaient happés par l'activité grouillante qui régnait au port. Québec était en effet la ville portuaire la plus importante du pays, la porte d'entrée du Canada. De nombreux bâtiments mouillaient au large, en attente d'être chargés ou déchargés, tandis que d'autres étaient amarrés à l'un des nombreux quais. Six autres bateaux étaient déjà arrivés ce jour-là. Marins et engagés s'affairaient sous l'œil des badauds qui observaient les manœuvres de départ ou d'arrivée. Certains étaient là pour accueillir un membre de leur famille ou une connaissance.

Des soldats – «plus nombreux que dans mon souvenir», constata Boileau – arpentaient les quais, l'air aux aguets, en petites patrouilles.

— Enfin, nous y sommes! s'exclama Blythe, vacillant sur ses jambes qui semblaient chercher leur équilibre comme si le tangage du navire subsistait. Avez-vous un logement, ami Boileau?

— Je vous remercie, Mister Blythe. Mon père, qui a gardé de nombreuses relations à Québec, a annoncé mon arrivée à monsieur Bruneau, qui demeure dans la basse-ville. Sa famille m'offrira l'hospitalité pendant mon séjour dans votre bonne ville de Québec. Je n'y resterai que quelques jours, car j'ai l'intention de repartir le plus rapidement possible.

Le branle-bas d'accostage commençait. Les deux hommes convinrent de partager une dernière fois un souper dans un des meilleurs établissements de la ville avant de se dire définitivement adieu.

À peine débarqué, René s'inquiéta de l'état de ses bagages. Le déchargement du bateau prendrait quelques jours, et à voir toute l'agitation qui régnait sur les quais, il craignait qu'on égare ses précieuses affaires. Après s'être renseigné sur la suite des opérations concernant le *Hope*, il se dirigea vers la place du Marché, où se trouvait la demeure de la famille Bruneau. Les rues étaient encombrées de charretiers. L'un d'eux passa brusquement devant lui, risquant de le renverser. Il l'évita de justesse en sautant de côté, puis aperçut enfin une jolie église aux dimensions modestes, Notre-Dame-de-la-Victoire, nommée ainsi pour rappeler qu'en 1690, Québec avait tenu le siège des Anglais jusqu'à ce que ceux-ci s'avouent vaincus. «Vivement un bon lit!» pensa-t-il en s'approchant de la maison du marchand de fourrures Pierre Bruneau.

Une dame à la physionomie avenante et à la quarantaine plantureuse l'accueillit joyeusement :

— Vous êtes sans doute René Boileau, fit-elle en le serrant chaleureusement dans ses bras.

Le jeune homme reçut cette étreinte maternelle avec joie, ravivant son désir d'être bientôt à Chambly.

Madame Bruneau lui plut instantanément. Les boudins qui s'agitaient sous la coiffe en mousseline de cette énergique personne rappelèrent au jeune homme le souvenir de sa propre mère et la hâte qu'il avait de la revoir. Mère de neuf enfants, Marie-Anne Bruneau était dotée d'un grand sens de l'organisation. En plus d'élever sa famille avec l'aide de quelques domestiques, elle se tenait plus souvent derrière le comptoir du magasin familial qu'à ses fourneaux et répondait aimablement à la clientèle, mesurant elle-même les aulnes de *bombazette* ou de flanelle et suggérant l'achat d'un mouchoir en vantant la qualité ou la finesse de la soie. Et le soir, c'était encore elle qui repassait les additions dans les lourds livres reliés et recouverts de vélin qui servaient à tenir le registre des comptes. Elle suggérait habilement à son mari les achats à faire et à quel moment les créances étaient dues. Monsieur Bruneau, un homme fort occupé puisqu'il venait d'être nommé capitaine de milice, lui laissait de plus en plus la direction du magasin, s'intéressant passionnément à la politique et rêvant de devenir député. Un choix avisé. Si Pierre Bruneau était fils de marchand, c'était son épouse, une Robitaille, la véritable commerçante du ménage.

L'arrivée du visiteur créa un léger tumulte dans la maisonnée. Une fillette d'environ huit ans salua le jeune homme d'une petite révérence digne d'une vraie fille de bonne famille. Boileau eut un regard attendri, la petite Julie Bruneau lui rappelant ses sœurs.

— Mon frère René-Olivier étudie au séminaire pour être prêtre, annonça-t-elle à leur invité, le soir, au cours du souper.

À titre de fille aînée, elle avait obtenu la permission spéciale de prendre place à la table des grands. Les autres enfants Bruneau mangeaient avec les domestiques, à la cuisine, exception faite de son frère Pierre-Xavier, l'aîné des garçons.

— Vous féliciterez votre frère séminariste, mademoiselle Bruneau, répondit cérémonieusement le jeune homme, qui s'amusait du ton sérieux de la fillette assise en face de lui.

Assis à sa droite, Pierre-Xavier, qui n'avait que seize ans, était déjà sorti du collège. Inutile qu'il fasse d'aussi longues études que son frère cadet puisqu'il devait prendre la relève du commerce familial ; il travaillait déjà au magasin. René l'observa discrètement. Plutôt effacé et timide, il semblait avoir peu de dispositions pour le genre de profession à laquelle on le destinait.

— Vous a-t-on déjà dit à quel point vous ressemblez à votre père ? lui demanda son hôte, monsieur Bruneau.

René Boileau fit oui en souriant.

— Souvent. On dit que j'ai son allure et ses manières, quoique je sois plus réservé de nature. D'ailleurs, c'est une des raisons qui m'a amené à choisir le notariat. C'est une profession qui s'exerce dans la discrétion.

— Il est vrai que votre père a beaucoup de panache. Il savait cultiver ses relations, du temps qu'il était député à Québec. Vous a-t-il déjà raconté le jour où il a été invité à la table du prince Édouard ?

René Boileau acquiesça à nouveau. Son père avait raconté moult fois ce fameux dîner, à Québec, auquel assistait aussi madame de Saint-Laurent, la bonne amie de Son Altesse Royale.

— Ce récit fait désormais partie de nos légendes familiales, répondit avec humour le jeune homme. Mon père connaissait bien les deux princes d'Angleterre. Figurez-vous que l'autre prince d'Angleterre, William Henry, s'était arrêté chez nous, à Chambly, lorsque je n'étais qu'un enfant.

— Mais il aimait tout autant parler politique, ajouta madame Bruneau. Assis exactement à cette place, à cette table, il pouvait discuter toute la nuit avec mon mari.

— Ce n'est pas étonnant, répondit René. Mon père adore discourir.

Puis, changeant poliment de sujet, il demanda :

— Savez-vous quand part la prochaine malle pour Trois-Rivières et Montréal, que j'annonce mon arrivée à mes chers parents ?

Madame Bruneau se leva et se dirigea vers le vieux buffet en pin à deux corps qui se trouvait dans la pièce, ouvrit l'un des quatre tiroirs pour en tirer un livre, l'*Almanach de Québec*.

— Voyons voir, fit-elle en consultant cet ouvrage si utile. Page cent quarante-deux : *la poste pour Montréal part de Québec tous les lundis et jeudis à quatre heures de l'après-midi*, lut-elle. Ce qui veut dire que la poste du lundi arrive à Montréal le mercredi matin et celle du jeudi, le samedi matin.

༄

Le lendemain, René Boileau se rendit d'abord au port. Le *Hope* avait été déchargé. Il récupéra ses bagages et prit des arrangements. Des caisses furent expédiées à Montréal où il pourrait facilement les reprendre et les faire suivre à Chambly, une fois arrivé là-bas. Puis il réserva une place dans une calèche de la poste qui partait le surlendemain. Même s'il lui fallait supporter pendant deux longues journées les cahots des routes, fort mauvaises dans ce pays, surtout à ce temps-là de l'année, et s'arrêter toutes les trois lieues pour prendre des chevaux frais, il préférait une calèche bringue-balante à une goélette. Il savait qu'il n'aurait guère le choix que de prendre un bateau à partir de Trois-Rivières pour se rendre à Montréal, mais entre-temps, il aurait le loisir d'oublier un peu l'inconfortable roulis d'une embarcation, quelle qu'elle fût. Il passa ensuite déposer sa demande de commission de notaire auprès des autorités et fit quelques visites de politesse à certaines connaissances de son père, ce qui l'occupa le reste de la journée. Finalement, il retourna chez les Bruneau et annonça son départ prochain.

— Accepteriez-vous de la compagnie ? lui demanda madame Bruneau. Notre fils aîné se rend chez ma sœur de Trois-Rivières, l'épouse du marchand René Kimber, afin d'y compléter son apprentissage dans le commerce.

— Je ferai bien volontiers route avec votre fils ; il est toujours plus plaisant de voyager en compagnie. N'ayez crainte, ajouta-t-il en devinant ce que madame Bruneau souhaitait, je ne le quitterai que lorsqu'il sera entre bonnes mains.

Les deux jeunes hommes préparèrent leurs bagages et quittèrent Québec le surlendemain.

∽

Le docteur Talham essuya la lancette ensanglantée dans une serviette que lui tendait Emmélie. La jeune fille lui avait servi d'assistante en maintenant la bassine destinée à recevoir le sang de madame Boileau pendant la saignée. Elle finissait de bander la main de sa mère.

— Voilà, ma chère petite maman, dit Emmélie d'un ton compatissant. Maintenant, vous devez vous reposer et dormir. J'accompagne le docteur et je reviens.

Madame Boileau gémit faiblement, à demi consciente, les yeux fermés.

— Dans une heure, vous lui donnerez quelques cuillérées de bouillon, prescrit le médecin. Mais évitez de surcharger l'estomac. Vous pourrez répéter aux heures, si elle a faim, mais j'en doute.

— Cette toux est épouvantable. On dirait qu'elle va cracher ses entrailles.

— Oui, je crains une infection des poumons, c'est pourquoi la saignée était nécessaire pour retirer le sang contaminé. Elle devrait reprendre du mieux d'ici un jour ou deux.

— Notre pauvre mère alitée. Et dire que mon frère doit arriver d'un jour à l'autre, soupira Emmélie.

— Mais c'est une très bonne nouvelle ! Pour quand l'attendez-vous ?

— Il a écrit de Québec. Avant de revenir définitivement à la maison, il passera quelques jours à Montréal faire le plein de plumes, de rames de papier et de divers effets pour son étude. Nous sommes tous si impatients de le revoir. C'était la première fois que nous étions séparés si longtemps, vous savez.

— Je partage votre impatience et je ne manquerai pas d'apprendre la nouvelle à Marguerite. Le retour de votre frère est attendu par tout le monde à Chambly. Il aura tant de choses merveilleuses à nous raconter !

Emmélie alla déposer le récipient à la cuisine pendant que Talham rangeait ses instruments. Elle le raccompagna à la porte.

— Ayez confiance, mademoiselle Boileau. Vous verrez que le retour imminent de votre frère hâtera la guérison de votre mère. Encouragez-la dans ce sens.

— Que Dieu vous entende, docteur Talham, souhaita Emmélie.

Mais une fois arrivé sur le pas de la porte, le docteur hésita.

— Ma chère Emmélie, je vais peut-être vous étonner, mais le vieil homme que je suis a besoin d'un bon conseil.

Emmélie sourit au docteur.

— Vous n'êtes pas un vieil homme, docteur Talham. On dirait même que vous avez rajeuni depuis votre mariage. Dites-moi ce que je peux faire pour vous.

La jeune fille était intriguée. Qu'est-ce qui tracassait à ce point le docteur Talham qu'il veuille ainsi se confier à elle ?

— Je ne sais pas trop comment vous dire cela, fit le médecin, visiblement embarrassé. J'ai l'impression de trahir ma chère Marguerite. Mais, voici. Je ne sais pas trop ce qui se passe sous mon propre toit. Marguerite est une toute nouvelle mère et l'essentiel de son temps est consacré à l'enfant. C'est bien normal, je ne le conteste pas. Mais on dirait que tout ce qui touche à la cuisine et aux soins du ménage ne l'intéresse plus. C'est à croire que sa mère ne lui a rien appris. Marguerite dispose même d'une servante pour l'aider dans ses tâches, et pourtant, notre maison ressemble à un véritable capharnaüm.

— Je ne sais trop quoi vous répondre, docteur.

— Pourtant, vous venez souvent chez nous et vous avez dû remarquer à quel point tout est sens dessus dessous, protesta Talham.

— Eh bien, puisque vous m'en parlez, oui, j'ai remarqué.

— Avez-vous une explication ? Je vous en prie, Emmélie, aidez Marguerite.

— À mon avis, Marguerite n'a pas besoin d'aide pour tenir sa maison. Elle est tout à fait capable de bien le faire, j'en suis persuadée.

— Alors pourquoi vivons-nous dans un tel désordre ? Ça commence à devenir gênant.

Emmélie était dans ses petits souliers. Que dire ? La vérité ne ferait pas plaisir au docteur.

— En avez-vous parlé à Marguerite ?

— Vous comprenez, j'ai peur de la peiner en lui faisant des remarques désobligeantes.

— C'est drôle, ça. Marguerite aussi a peur de vous chagriner.

— Comment peut-elle craindre de me chagriner alors qu'elle fait tout pour que cela arrive ? C'est insensé.

« Quel embrouillamini ! » se dit Emmélie, prise au piège.

— C'est à cause de Charlotte, lança la jeune fille.

— Mais non, Emmélie, vous vous trompez. Vous pensez bien que j'en ai glissé un mot à Charlotte. Elle non plus ne comprend pas l'indolence de sa nouvelle maîtresse.

« La belle hypocrite ! » pensa Emmélie. Elle réfléchit un moment.

— Ce que je veux dire, c'est que Marguerite n'a pas été habituée à donner des ordres. Elle n'arrive pas à prendre sa place comme maîtresse de maison parce qu'elle ne veut rien déranger de ce qui était autrefois. Je vous assure, docteur, que Marguerite est pleine de bonne volonté, mais elle ne sait pas comment s'y prendre.

— Pourtant, Charlotte m'assure qu'elle n'attend que les ordres de madame Talham. Si vous pouviez parler à Marguerite, ma chère Emmélie, je vous en serais reconnaissant.

Le docteur la laissa pantoise, ne sachant trop quoi faire. Elle partit à la recherche de Sophie et l'assigna au chevet de leur mère. Puis, elle attrapa son chapeau et sortit.

Marguerite langeait Melchior avant de le déposer dans son ber lorsqu'Emmélie frappa à la porte et entra sans façon.

— Ça ne sert à rien d'attendre que Charlotte vienne ouvrir, n'est-ce pas ? lança-t-elle. Tu es bien cernée, ma pauvrette. Celui-là, cependant, a vraiment bonne mine. Comme il a grossi depuis un mois !

— Je dois me lever la nuit pour nourrir cette petite bête vorace, répondit Marguerite en souriant tendrement au poupon. Et le jour, j'essaie de rattraper le temps perdu pendant qu'il dort. Il y a encore de la lessive et je ne sais combien de travaux à terminer avant l'hiver. Nous sommes déjà en octobre. C'est désespérant.

— C'est pour ça, tes mains rougies ? constata Emmélie en examinant les mains gercées de son amie. Et ta servante, toujours aussi paresseuse ?

— Tu le sais bien, répondit Marguerite, piteuse.

— Attends-tu que je révèle tout au docteur ? Il sort de chez nous et m'a posé plein de questions sur l'ordonnance de ta maison.

— Qu'est-ce que tu lui as dit ?

Marguerite n'aimait pas du tout le fait que le docteur s'inquiète à ce point. Elle n'avait toujours pas trouvé le moyen de se faire obéir de Charlotte.

— Que tu étais terrorisée par ta servante.

— Tu n'as pas dit ça ?

— Mais non, sotte, je t'aime trop pour cela, mais il faut que le petit manège de Charlotte cesse, insista Emmélie. Tu ne peux plus continuer ainsi, tu n'y arrives pas.

— J'essaie de compenser, mais je ne peux pas tout faire et avec ces malades qui viennent consulter le docteur dans son apothicairerie, j'ai encore plus de travail. Tu as raison, entre le petit et tout le reste, je me sens dépassée, ajouta-t-elle en réprimant son envie de pleurer.

— Comment faire pour prendre Charlotte à son propre jeu ? se demanda Emmélie à voix haute. En attendant, allons faire du thé et chercher du bois. On gèle ici.

Marguerite jeta un châle sur ses épaules et sortit. L'appentis qui abritait le petit bois pour les poêles de la maison était vide. Elle se dirigea vers le hangar afin de trouver une hache.

Emmélie, elle, partit en direction de la cuisine. Il n'y avait pas d'eau chaude ni sur le poêle, ni dans l'âtre. Elle entreprit de trouver un récipient quelconque pour faire chauffer de l'eau. Aucune casserole accrochée au-dessus de l'âtre, mais des ustensiles étaient jetés pêle-mêle dans la boîte à bois à côté du foyer. Elle écarta la bassinoire en cuivre, brassa les casseroles et, dans tout ce tintamarre, elle n'entendit pas le docteur qui entrait, l'air parfaitement ahuri de trouver la demoiselle Boileau affairée dans sa cuisine.

— Diable! Mais voulez-vous me dire ce que vous faites là!

— Oh! Docteur, je ne vous avais pas entendu. Je cherche de quoi faire bouillir de l'eau, puis une théière et des tasses propres, le sucre et le thé. Pouvez-vous m'aider?

— Mais où est passée Charlotte? Et Marguerite?

— De Charlotte, point. Mais Marguerite est sortie chercher du bois.

— Du bois? Décidément, rien ne tourne rond dans cette maison, s'exclama le docteur, exaspéré. Je reviens pour chercher le remède des demoiselles de Niverville que j'ai oublié et je trouve une révolution dans ma maison. Cette fois, Marguerite va m'entendre.

De mauvaise humeur, il sortit dans la cour, mais ne vit personne. Quelqu'un coupait du bois dans le hangar. «Au moins, l'engagé fait son travail», songea-t-il. Sauf que dans la pénombre du bâtiment, c'était la silhouette d'une femme qu'on voyait manier la hache. Où donc était l'engagé qui laissait la pauvre Charlotte fendre le bois?

Furieux, Talham partit à la recherche de Baptiste Ménard. C'est dans la grange qu'il le trouva, en train de conter fleurette à Charlotte qui riait bêtement.

— Que faites-vous là ? hurla-t-il.

Les deux coupables se retournèrent d'un seul mouvement. Jamais on n'avait entendu le docteur crier aussi fort. Il était rouge de colère, le visage congestionné à tel point que Charlotte craignit la crise d'apoplexie !

— Toi, Baptiste, va t'occuper du bois. L'appentis est vide et il reste des dizaines de cordes à placer afin que tout sèche bien pour l'année prochaine.

La mine basse, l'engagé s'enfuit sans demander son reste, heureux de s'en tirer à si bon compte, du moins pour l'instant.

— Et toi, Charlotte, comment se fait-il que la demoiselle Boileau soit obligée de faire elle-même le thé alors qu'elle vient nous visiter ?

— Mais docteur, j'ignorais que la demoiselle était à la maison !

Les cris du docteur avaient alerté Marguerite et Emmélie qui accouraient. Alexandre regarda sa femme, puis Charlotte, et d'un ton sans réplique, demanda :

— Marguerite, c'était toi qui fendais le bois dans le hangar ?

— Oui, fit-elle, l'air contrit, comme si elle était coupable de quelque crime innommable.

— Ce n'est pas un travail pour toi. Tu es la femme d'un médecin, ma femme !

— Mais Alexandre, il faut bien que ce travail se fasse, rétorqua Marguerite.

— Nous avons du personnel, ma chère, fit-il d'un ton déplaisant.

Marguerite n'avait jamais vu son mari en colère et son attitude la paralysait. Voyant que son amie était sur le point d'éclater en sanglots devant la domestique, Emmélie intervint.

— Docteur, vous m'avez demandé ce matin d'aider Marguerite. Eh bien, je peux répondre à vos interrogations puisque Charlotte m'en fournit l'occasion. Depuis les premiers jours de votre mariage, votre domestique lui tient tête à en refusant systématiquement de lui obéir. Marguerite doit tout faire elle-même et en plus, elle protège cette paresseuse en ne se plaignant jamais.

— Que voulez-vous insinuer, mademoiselle Boileau?

Et Emmélie de relater quelques exemples au docteur.

— Marguerite, pourquoi ne m'as-tu pas confié tes ennuis? demanda-t-il à son épouse, quelque peu radouci par les révélations d'Emmélie.

— C'était un peu de ma faute. Voyez-vous, Alexandre, je n'ai pas le tour de donner des ordres, avoua-t-elle.

— Mais c'est absurde! Charlotte, ne t'ai-je pas enjoint, dès les débuts, d'obéir à ta nouvelle maîtresse?

— Monsieur, rechigna le domestique en se mouchant, c'est qu'elle voulait tout changer dans la maison de madame Appoline.

— Comment ça, « elle »? Depuis quand désignes-tu ta maîtresse de manière aussi grossière? Alors, Charlotte? Réponds!

La colère le reprenait. Charlotte mentait et dissimulait dans l'espoir de dénigrer Marguerite. C'était parfaitement puéril, il le voyait bien, mais il ne pouvait pardonner à la servante d'avoir rendu la vie pénible à Marguerite, alors qu'il souhaitait tout le contraire pour elle. Il s'en voulait finalement d'avoir été aussi aveugle.

Hors de lui, le docteur prit sur-le-champ une horrible décision.

— Je ne veux plus te voir, Charlotte. Je te chasse. Tu as huit jours pour partir. Après tout ce que nous avons fait pour toi, madame Appoline et moi, c'est comme ça que tu me remercies ? En semant la pagaille dans ma maison ?

Pendant que le docteur parlait, le visage de la pauvre Charlotte se défaisait. Marguerite s'interposa.

— Ne faites pas ça, je vous en prie. Où ira-t-elle ? Avec l'hiver qui arrive, ce serait trop cruel. Je vous en prie, Alexandre, revenez sur votre décision. Demain, vous le regretterez amèrement.

Mais les supplications de Marguerite ne réussirent pas à fléchir la colère de Talham.

※

Le lendemain, l'atmosphère de la maison pesait aussi lourd qu'un jour d'orage. Charlotte s'était enfermée dans sa chambrette et Marguerite réfléchissait. Elle n'était pas d'accord avec la décision de son mari. Chasser Charlotte, c'était la condamner à coup sûr à la misère et cela, elle ne voulait nullement en être la responsable, et encore moins en être la cause. Charlotte serait forcée de quitter Chambly à jamais. Tout le village jaserait et ils seraient nombreux à penser que le docteur s'était débarrassé de sa servante parce qu'elle s'était laissée séduire par un beau parleur. C'était toujours pour cette raison qu'on chassait les servantes.

Plus elle réfléchissait, plus Marguerite trouvait cette situation stupide, intolérable. Voyons ! Alexandre avait accepté de l'épouser alors qu'elle était enceinte d'un autre, notamment pour sauver sa réputation et voilà qu'il allait obliger Charlotte à subir l'opprobre. Tout cela n'avait aucun sens.

Marguerite en était là dans ses réflexions lorsque Charlotte survint et se jeta à ses pieds en lui saisissant les genoux.

— Madame, je vous en supplie, hoqueta-t-elle en l'implorant. Je ne recommencerai plus.

La servante avait le visage déformée par les larmes. Elle avait dû pleurer toute la nuit.

Marguerite avait déjà pris sa décision. Elle contempla la pauvre Charlotte et imagina à quel point celle-ci devait regretter sa bêtise des derniers mois. Quel mauvais calcul ! Elle avait pitié de la pauvre fille.

— Je verrai ce que je peux faire, répondit-elle simplement. Maintenant, cours vaquer à tes occupations habituelles.

Le regard de Charlotte exprima une reconnaissance éternelle.

Lorsque le docteur Talham revint à la maison, le soir, il retrouva une Marguerite bien déterminée à lui faire changer d'avis.

— Alexandre, je ne peux accepter votre décision concernant Charlotte. Cela ne vous ressemble guère de jeter à la rue une femme qui vous a servi avec fidélité depuis presque vingt ans.

Alexandre contempla sa femme avec admiration, ému par sa générosité. Il était aussi heureux qu'elle lui en fasse la demande. Depuis le matin, il était tiraillé. Il savait bien qui avait agi avec précipitation, il s'en voulait. Mais en même temps, il était trop orgueilleux pour revenir sur sa décision. Il réfléchit un moment avant de se rendre aux arguments de Marguerite. Finalement, il lui demanda d'appeler Charlotte :

— C'est à la demande de ta maîtresse, Charlotte, que j'accepte de te garder, dit-il d'une voix grave en la fixant d'un regard implacable. Ne l'oublie jamais. Va, maintenant, tu dois avoir du travail.

La domestique éclata en sanglots. Elle n'avait jamais eu aussi peur de sa vie.

— Merci madame, dit-elle en saisissant les mains de Marguerite. Je vous promets de tout faire pour vous satis-faire, désormais.

— Allons Charlotte, fit Marguerite, bouleversée par la scène pathétique. Relève-toi. Je suis certaine que nous nous entendrons très bien.

Quelques jours plus tard, René Boileau toquait à la porte d'une maison de la rue Bonsecours, à Montréal, où il était assuré de trouver l'hospitalité la plus chaleureuse.

« Vieux frère, quelle joie de te revoir ! » répéta encore Louis-Michel Viger en posant la main sur l'épaule de Boileau, tandis que les deux jeunes gens sortaient de table et s'installaient pour un porto, assis confortablement auprès du feu, appréciant le plaisir de leurs retrouvailles. Malgré leur différence d'âge – Viger n'avait que dix-huit ans – les deux hommes s'étaient liés d'amitié pendant les dernières années de collège de Boileau. Pensionnaire solitaire, ce dernier avait pris sous sa coupe le jeune garçon dont il admirait l'intelligence et la famille Viger invitait régulière-ment René lors des congés de fin de semaine. Des liens solides s'étaient tissés entre les deux étudiants. Lorsque Boileau avait quitté le collège, ils avaient poursuivi une correspondance assidue. Les lettres d'impressions de voyage de Boileau, fourmillant de détails sur la France et l'Angleterre, avaient fait rêver le collégien Viger qui les relisait avidement.

— Montréal et Québec doivent te sembler à peine plus grands qu'un pauvre hameau, à comparer aux villes d'Europe?

— C'est vrai. Paris et Londres, avec leurs monuments, leurs jardins, leurs boulevards sont des endroits sublimes. Le château du baron de Longueuil n'est qu'une humble masure comparé à certains châteaux des campagnes françaises. Et je ne te parle pas des châteaux de la Loire!

— Juste à voir tes vêtements, je me fais l'impression d'un pauvre paysan, dit Viger en désignant le coude de sa vieille veste rapiécée, tout en admirant les vêtements élégants et bien coupés de son ami. Un tailleur anglais, sans doute?

— Oui, mais je n'ai pas pu en profiter autant que j'aurais voulu. La traversée de la Manche m'a enlevé toute ma fortune.

— C'est ce que tu racontais dans ta dernière lettre?

— Malgré tout, pendant les dernières semaines, crois-moi, j'aurais donné tout l'or du monde pour me retrouver chez moi, dans mon village du Bas-Canada. Les Anglais n'entendent absolument pas la différence entre un Canadien et un Français. Pour eux, je ne pouvais être qu'un espion et j'ai bien failli visiter les prisons britanniques. Heureusement, j'ai pu donner comme référence monsieur Sheppard, qui entretient des relations d'affaires avec de nombreux marchands d'ici et qui connaît mon père de réputation.

— Il fallait bien que ce séjour idyllique comporte quelques aventures que tu pourras raconter à tes petits-enfants, blagua Viger. Mais admettons sans rire que peu d'entre nous peuvent se vanter d'avoir voyagé dans les vieux pays. Mon père s'est ruiné pour m'offrir mes études au collège et un tel voyage n'est pas à la portée de ma bourse.

Le jeune homme se leva pour jeter une bûche dans le foyer.

— Alors, tu n'es pas trop déçu de retourner à Chambly?

— Ce voyage a été fabuleux. Mais c'est certainement le seul que je ferai de toute ma vie. Peut-être un jour irais-je aux États-Unis, mais plus jamais de l'autre côté de l'océan, assurément.

Viger entreprit de resservir son hôte.

— Figure-toi que l'hiver dernier, j'ai fait la connaissance d'une de tes cousines!

— Une de mes cousines? fit Boileau, étonné. Tu te trompes sans doute.

— Cette jeune dame parlait pourtant de toi avec beaucoup d'affection, ajouta Viger en faisant tournoyer nonchalamment son verre à la lueur d'une flamme.

— Je ne vois pas de qui tu veux parler, fit Boileau, faussement indifférent.

— J'ajouterais même que depuis son séjour à Montréal, cette jeune personne correspond régulièrement avec ma cousine Rosalie.

— Rosalie? Tu veux dire la jeune sœur de Papineau? Tu te trompes certainement, Viger, aucune de mes cousines ne pourrait intéresser la demoiselle Papineau. Ce sont de braves campagnardes sans intérêt.

— Pas celle-là. Je ne peux pas croire que ne l'aies oubliée. Elle est trop jolie pour cela. Justement, Rosalie m'a appris la semaine dernière la naissance d'un gros garçon… arrivé, selon elle, après à peine six mois de mariage.

René eut soudain l'intuition qu'il ne voulait plus entendre la suite. Même si Viger n'avait nommé personne, tous ses sens avaient déjà compris.

— Il s'agit de la jeune madame Talham, fit Louis-Michel, sans savoir qu'il torturait son ami. La femme du médecin.

— Talham? Marié?

— Oui, et visiblement très amoureux de sa femme et, ma foi, je le comprends. Elle a des yeux, hum, des yeux beaux à faire damner un saint!

— Son prénom, demanda Boileau d'une voix étranglée. Quel est son prénom?

— Je ne sais plus, hésita Louis-Michel. Madeleine, je crois. Non, ce n'est pas Madeleine.

Viger fouillait vainement sa mémoire.

— Marguerite? suggéra Boileau dans un murmure.

— C'est bien ça, confirma Viger en tuant net l'espoir fou de Boileau.

René se leva péniblement, comme foudroyé. Il appuya son front sur le rebord du manteau de la cheminée. Il avait envie de hurler de rage. Il ressentit une immense déchirure, puis un désespoir incommensurable. Ébahi, Viger observait son ami, subitement accablé par une nouvelle somme toute banale, surpris d'avoir causé un tel maelström d'émotions.

— Ton secret, comprit-il, soudainement navré. C'était elle?

Pour toute réponse, René enfouit son visage dans ses mains, effondré.

∿

Françoise Bresse fit interruption dans la petite étude de René Boileau – un cabinet situé au rez-de-chaussée de la maison familiale – sans y être invitée. Très élégante, elle portait une ravissante capote bleue, qui faisait ressortir à merveille ses yeux noirs, assortie à un spencer qu'elle exhibait fièrement, œuvre des doigts de fée de la femme du docteur Talham. Depuis quelque temps, en effet, Marguerite prenait parfois des commandes, avec l'approbation complaisante de son mari. Ce dernier n'aimait pas tellement voir sa femme coudre pour d'autres dames – elle était l'épouse du docteur, après tout ! –, mais cela faisait tellement plaisir à Marguerite d'avoir cette occupation qu'il y avait consenti, à la condition qu'elle se limite à faire un ouvrage de temps en temps pour un cercle restreint d'intimes.

— Madame Bresse, quelle surprise ! fit le notaire. Mais asseyez-vous. Votre mari n'est pas avec vous ? s'étonna René lorsqu'il constata que Françoise était seule.

— Emmélie m'a dit que je vous trouverais ici, fit la dame en jetant un regard circulaire dans la petite pièce.

Outre la bibliothèque qui contenait une centaine d'ouvrages, elle remarqua la magnifique écritoire en bois d'acajou posée sur la table de travail du notaire, un souvenir de voyage.

— Que puis-je faire pour vous ? demanda-t-il, dissimulant sa curiosité derrière un ton impersonnel.

La présence d'une femme chez un notaire était exceptionnelle, à moins qu'il ne s'agisse d'une veuve. Une femme venait avec son mari lorsque ce dernier avait besoin d'elle pour une signature sur certains contrats, comme l'exigeait la Coutume de Paris. Sinon, elle se présentait avec son père et, bien souvent, avec toute sa famille au moment de la signature du contrat de mariage. Que pouvait donc vouloir madame Bresse ?

— Mon mari m'a demandé de venir vous voir. Une simple affaire de signature.

Le notaire fouilla un instant dans sa mémoire.

— Ah, oui ! Je me rappelle, avoua René. Comment ai-je pu oublier ? Vous m'en voyez désolé.

Il se retourna vers un meuble fermé à clé qui se trouvait derrière lui et en retira un document.

— Voilà. Mais j'avoue que cet accroc à la procédure m'embête, madame Bresse, la réprimanda gentiment le notaire. Vous auriez dû être présente à la lecture de l'acte, au moment où toutes les parties y étaient. Heureusement que l'acheteur n'y voit aucun inconvénient et qu'il a une totale confiance en votre mari. Bon, reprit-il, ces choses étant dites, je vous en fait la lecture.

— Je sais tout cela, notaire Boileau. Et inutile de vous ennuyer à relire ce que vous avez déjà lu plus d'une fois. Comme cet acheteur, j'ai pleinement confiance en mon mari qui m'a déjà tout expliqué. Je vais simplement signer.

— Puisque c'est ainsi.

Le notaire l'invita à prendre place devant l'écritoire en lui tendant une plume bien taillée. Françoise la trempa dans l'encre et s'exécuta.

— C'est fait. Je note que vous ferez un excellent notaire, ajouta-t-elle, condescendante.

Elle se leva et s'apprêta à repartir. Au moment de franchir la porte, elle se retourna.

— Monsieur Boileau, vous avez décliné mes dernières invitations. Je m'en désole. J'en suis même vexée.

— Veuillez alors accepter toutes mes excuses, dit le notaire. Je m'en veux de vous décevoir à ce point. Mais voyez-vous, je commence dans la profession et je m'applique pour contenter mes clients. Le notaire Leguay ne pratique plus ici, ce qui fait que je suis débordé et…

Françoise interrompit le notaire.

— Je comprends bien, monsieur Boileau. Mais il vous faut de la distraction. Votre mère m'en parlait l'autre jour. Vous ne sortez pas. Et lorsqu'il y a du monde chez vous, vous vous repliez dans votre cabinet. Elle s'inquiète, vous savez? Il y a de quoi.

— Vous vous préoccupez de ma santé? demanda le notaire, narquois.

— Eh bien… hésita Françoise, nous savons tous que vous vivez des moments difficiles depuis votre retour.

— Des moments difficiles? Que voulez-vous dire?

— Nous croyons tous que avez été très affecté en apprenant le mariage de Marguerite Lareau avec le docteur Talham.

— Rassurez-vous, madame, je l'avais appris avant de revenir à Chambly, répondit le notaire, troublé.

Que voulait donc Françoise Bresse? Le torturer?

— Vraiment? Vous saviez, bien sûr, qu'elle attendait un enfant le jour de son mariage?

— Madame Bresse, fit-il d'une voix qui contenait difficilement le tremblement qui l'agitait, je vous remercie de votre visite. Laissez-moi, je vous prie, ajouta-t-il en lui lançant un regard noir. J'ai du travail.

Après son départ, René ouvrit un petit tiroir de sa table de travail pour en sortir une petite pochette de velours noir. Il hésita, puis se décida à faire rouler dans le creux de sa main l'objet qu'elle contenait. La pierre bleue jeta ses éclats brillants et le cœur de René se serra. Il se souvint avec quelle fièvre il l'avait achetée à Paris. La pierre lui plaisait. Il la voyait déjà au doigt de Marguerite ou pendue à son cou. Elle symbolisait la fidélité, lui avait spécifié le vieux joaillier. Il rangea le saphir dans la pochette et referma le tiroir sur ses espoirs éteints.

Emmélie, qui avait vu madame Bresse sortir de l'étude de son frère, mit le nez dans l'embrasure de la porte. René était debout devant la fenêtre, l'air furieux, croisant et décroisant systématiquement ses longs doigts tachés d'encre en regardant dans le lointain. Il sursauta.

— Ah! C'est toi, dit-il.

L'expression de son visage alerta Emmélie. Qu'avait donc pu dire Françoise pour mettre son frère dans un tel état ?

— René, que voulait madame Bresse ?

— Elle est venue m'annoncer que Marguerite s'est mariée grosse. Il lui semblait impératif que je connaisse ce détail, ajouta-t-il d'une voix sardonique qui fit frissonner Emmélie.

Du drame de Marguerite, il n'en avait rien su, sinon quelques rumeurs disant qu'elle s'était mariée « pleine d'espérance ». Et sa famille s'était bien gardée de lui en révéler tous les détails. Il n'en parlait jamais, n'avait posé aucune question et personne n'abordait ce sujet devenu tabou.

— René, il ne faut pas en vouloir à Marguerite, commença Emmélie.

— Tous ces racontars à propos de madame Talham et de son mari m'importent peu, lança-t-il violemment. Elle n'a jamais rien été de plus pour moi qu'une simple cousine, ajouta-t-il d'une voix brisée.

Françoise Bresse s'était amusée à retourner le fer dans la plaie, se dit Emmélie, désolée pour son frère.

— Ne crois pas tout ce qu'on dit. Marguerite n'a rien à se reprocher.

— Que m'importe, fit-il en attrapant au vol sa canne et son chapeau. Maintenant, excuse-moi, mais je dois sortir.

— Rien n'est de sa faute, René ! s'écria Emmélie.

Ses mots se perdirent en vain dans un claquement de porte.

La jeune fille soupira. L'amour, c'était donc si compliqué ? Elle connaissait son frère. Il marcherait pendant des heures. C'était sa manière à lui de contrer la douleur absurde qui lui étreignait le cœur.

Par la fenêtre, elle le vit arpenter avec rage l'allée d'ormes, puis bifurquer sur le chemin du Roi en direction du fort. Triste, elle jeta à son frère un dernier regard, puis referma la porte de l'étude derrière elle.

DEUXIÈME PARTIE

Madame Talham
1806-1810

Chapitre 15

Complot

Dans les îles Richelieu, la journée s'annonçait belle au lever du jour. Le soleil jouait dans le vert tendre des jeunes feuilles des arbres et le temps fleurait bon l'approche de l'été, en ce premier jour de juin 1806. Ovide de Rouville avait logé dans une petite auberge des environs de la ville de Sorel – que certains nommaient aussi le bourg William-Henry en l'honneur du duc de Kent qui y avait séjourné, plusieurs années auparavant. Tôt le matin, il avait emprunté un bac qui l'avait mené sur la rive est de la rivière Chambly. De là, il s'était mis en route pour Pointe-Olivier, dernière étape d'un voyage de deux semaines qui l'avait d'abord mené à Québec. Marie-Anne de Rouville, sa mère, l'avait enjoint d'aller présenter ses amitiés à son parent, le juge Pierre De Bonne, qui vivait des jours difficiles, constamment houspillé par ses ennemis politiques. Il avait transmis les salutations de son père, le colonel de Rouville, à ses vieilles connaissances de la capitale. Au retour, Ovide s'était arrêté quelques jours à Trois-Rivières, chez des cousins éloignés de la famille Hertel.

À partir de Québec, le jeune homme avait fait le voyage avec la voiture de la malle poste. Arrivé à Trois-Rivières, n'en pouvant plus de se faire bringuebaler sur un chemin défoncé par une diligence tape-cul, il s'était embarqué sur une petite goélette en direction de Sorel. Le voyage était plus long, mais ô combien plus reposant. Les vents avaient été favorables et l'embarcation avait traversé le lac Saint-Pierre sans incident avant de mouiller pour la nuit à l'entrée de ces fameuses îles luxuriantes situées au cœur d'une multitude de chenaux. Ovide avait finalement récupéré sa monture, laissée en pension chez un aubergiste fiable, pour ensuite longer le chemin qui suivait la rivière Chambly. Il avait traversé les villages de Saint-Ours, de Saint-Denis et de Saint-Charles. À Saint-Hilaire, il aurait bien voulu faire une halte prolongée, mais on l'attendait à Pointe-Olivier.

Niché au pied de l'imposante montagne du même nom, le petit village de Saint-Hilaire était en quelque sorte le chef-lieu de la seigneurie de Rouville, dont il hériterait un jour. Dans toute la région, c'était l'endroit qu'il préférait entre tous. Sa famille possédait cette petite seigneurie depuis quatre générations ; elle constituait le plus important des fiefs de l'apanage familial, et pourtant, aucun des seigneurs n'avait daigné y vivre. Aux yeux d'Ovide, c'était presque un crime. À vingt-trois ans, le futur seigneur de Rouville entendait bien réparer ce tort. Il ferait construire un manoir dont la magnificence dépasserait celle de tous les manoirs existants dans le Bas-Canada, y compris le château Saint-Louis de Québec. Il avait déjà choisi l'endroit, sur les hauteurs d'un promontoire, et rêvait d'une splendide bâtisse aux lignes palladiennes se mirant dans les eaux de la rivière Chambly.

Son père, Melchior de Rouville, avait donné un terrain aux villageois de Saint-Hilaire sur lequel se dressait un modeste presbytère-chapelle. Lorsque son tour viendrait, Ovide ferait bâtir une église digne de ce nom. Il améliorerait le rendement des moulins et développerait les terres. Saint-Hilaire damerait le pion à Chambly, qui représentait tout ce qu'il détestait : la maudite famille Boileau et ses acolytes Bresse, Bédard et Talham. Et surtout, Marguerite Talham, dont la beauté l'attirait comme un aimant attire le fer. La vue de cette femme provoquait chez lui des sentiments violents. Elle le savait, la diablesse, avec sa longue tresse effrontée qui tombait sur sa croupe et ses regards affolés. Elle baissait les yeux dès qu'elle l'apercevait, pour mieux le tenter. La belle gueuse avait gardé le silence, se moquant allègrement de son vieux mari. Un jour, il la prendrait encore et lui ferait payer cher ses provocations.

Il prenait tout son temps, profitant de la journée chaude et ensoleillée comme un ultime moment de liberté avant de réintégrer le giron familial, puisqu'il était de retour à Chambly, définitivement. Enfin, en attendant de vivre un jour dans sa seigneurie, il louait une petite maison, voisine du manoir familial, dans le faubourg Saint-Jean-Baptiste.

À vrai dire, c'était sa mère qui avait tout manigancé, à sa façon.

— Saviez-vous que la maison de la veuve Anderson est à louer? avait annoncé un jour madame de Rouville à son mari.

— Vous voulez parler de cette petite maison en bois derrière chez nous? Je l'ignorais.

— Peu importe, avait répliqué brusquement son épouse. Elle conviendrait fort bien à Ovide. Il pourrait conserver l'indépendance nécessaire à sa condition de jeune homme de bonne famille. La maison a besoin d'être meublée et le loyer est de cinquante livres par an. Votre fils souhaite revenir vivre à Chambly.

— Vous croyez? s'était étonné Rouville, dubitatif. Est-ce réellement son désir ou est-ce plutôt le vôtre?

— Si je me rappelle, vous souhaitiez ne plus le voir sous notre toit? Je vous offre une solution convenable.

Rouville avait répondu par un regard chargé de ressentiment. L'avenir de leur seul fils provoquait toujours les pires disputes. Le seigneur avait renoncé à ce qu'Ovide se forge le caractère en acceptant une charge civile, pourtant si facile à obtenir lorsqu'on appartenait à la noblesse. Son fils unique le décevait. Mais l'avoir à l'œil était peut-être un bon moyen pour qu'il finisse par s'amender. Entre-temps, le colonel de Rouville décida de revoir ses dispositions successorales pour retarder le plus longtemps possible la jouissance de l'apanage familial à son fils et tout confier à son épouse. Entre les mains d'Ovide, craignait-il, tout serait rapidement dilapidé. Malgré la froideur de leurs rapports conjugaux, il était persuadé que madame de Rouville saurait gérer le patrimoine des Rouville pour le mieux.

Ignorant tout des humeurs testamentaires de son père, l'héritier Rouville arriva en vue de Pointe-Olivier. Le cœur du village s'élevait sur le coteau d'une pointe de terre qui s'avançait en contrebas dans la rivière. Ovide aperçut au loin le clocher de la belle église de La-Conception-de-la-Pointe-Olivier, surmonté d'une croix de fer et d'un coq orgueilleux, qui se dressait fièrement au milieu de ce coteau. L'église faisait l'orgueil des villageois avec ses deux chapelles et son tabernacle doré. Un vieux presbytère-chapelle faisait face à l'église, de l'autre côté du chemin du Roi. Le curé Robitaille y habitait avec ses parents. Près de l'église se trouvait la plus importante maison du village; elle appartenait au marchand Pierre Brunet. Les autres voisins s'appelaient Davignon, Vigeant ou Ostiguy, autant de noms d'illustres familles pionnières de la région. Plus loin, au sud de l'église, la rivière des Hurons se jetait dans le bassin de Chambly. Près de son embouchure se dressait un manoir de pierres tout neuf, appartenant à Sir John Johnson, en tout point conforme dans ses formes et ses dispositions à Johnson Hall, une prestigieuse demeure que cette famille de loyalistes avait abandonnée dans la région de la rivière Mohawk, dans l'État de New York. Depuis son exil au Canada, le baronnet John Johnson était devenu le surintendant des Affaires indiennes.

Sir John était surtout l'ennemi juré de Rouville depuis la bataille de fort Stanwix, en 1777, où les deux hommes avaient combattu côte à côte, mais en se détestant. L'Américain avait acheté des héritiers de la famille de Ramezay une seigneurie voisine des fiefs des Rouville, celle de Sainte-Marie. Avec son « manoir », Johnson narguait les Rouville sur leur propre fief, allant jusqu'à exploiter des moulins de la rivière des Hurons. C'était faire un impardonnable pied de nez à l'autorité seigneuriale de Melchior de Rouville. Sans compter qu'à Pointe-Olivier, John *junior* terrorisait les femmes du village. Récemment, il avait séduit sa servante de seize ans, Catherine Shank. Sir John fermait les yeux. Il habitait rarement son manoir de Pointe-Olivier, vivant surtout à Montréal et sur les routes menant à ses nombreux domaines. Les crimes du jeune Johnson jetaient la disgrâce sur la région, et le père payait discrètement les pensions pour l'éducation des bâtards de son fils.

À Pointe-Olivier, l'homme d'affaires des Johnson était le notaire Médard Pétrimoulx. Avant de partir pour Québec, ce dernier avait fait parvenir à Ovide un étrange message.

Étant donné les nombreuses occupations de votre père, le colonel de Rouville, j'ai pensé demander votre aide pour démêler l'écheveau successoral de votre famille, lui avait-il écrit. *Auriez-vous quelques heures à me consacrer ? Je pourrai, en échange, vous rendre certainement quelques services.*

Intrigué par cette invitation sibylline, Ovide avait annoncé sa visite. Pourquoi Pétrimoulx s'intéressait-il aux affaires de sa famille ? Il est vrai que la plupart de ses clients, des habitants de Pointe-Olivier, étaient aussi les censitaires de son père. Mais Melchior de Rouville se méfiait du notaire de Pointe-Olivier à qui il trouvait la mine d'un carnassier guettant sa proie, répétant à qui voulait l'entendre qu'il ne ferait jamais appel à ce faux jeton et confiait toutes ses affaires au notaire Boileau de Chambly. Malgré la réputation douteuse du notaire de Pointe-Olivier, Ovide était curieux de connaître les motifs de cette invitation.

Pétrimoulx habitait à l'opposé de la demeure des Johnson, au nord de l'église, donc à l'entrée du village lorsqu'on arrivait du côté de Saint-Hilaire.

Après une chevauchée de plusieurs heures, Ovide fut heureux d'attacher son cheval devant une maison en bois pièce sur pièce. Cherchant son mouchoir, il épongea son front dégoulinant de sueur avant d'enfiler sa veste qu'il avait enlevée pour être plus à l'aise, puis toqua à la porte. Au bout d'un moment, une femme maigre et sèche, au visage résolument fermé, vint lui ouvrir.

— Oui ? fit-elle du bout des lèvres.

— Votre maître est-il à la maison ?

— Vous parlez sans doute de mon mari, répondit madame Pétrimoulx, vexée.

Ovide se confondit en excuses.

— Je n'avais jamais eu l'honneur de vous être présenté, madame Pétrimoulx, fit-il en tentant de baiser la main de la dame, qu'elle s'empressa de retirer.

Ursule Pétrimoulx détestait tous ces gens qui débarquaient chez elle à toute heure. C'était un trait de caractère plutôt malencontreux pour une épouse de notaire, et malheureusement, il n'améliorait guère son humeur.

— En effet, je ne vous connais pas.

Ovide déclina son nom qui n'impressionna pas plus la dame. « Pas commode, la bonne femme Pétrimoulx », constata le jeune homme. La rumeur faisant état de la mésentente du ménage du notaire s'avérait. Leurs disputes dépassaient trop souvent des murs de leur maison pour que personne, à Pointe-Olivier, n'ignore les déboires conjugaux du ménage. Madame ne se gênait guère pour laisser voir la petite estime dans laquelle elle tenait son mari et lui, par conséquent, avait parfois la main prompte.

— Mon mari est occupé avec notre engagé. Il ne peut vous recevoir.

Ovide insista.

— Si vous aviez l'obligeance de simplement l'avertir de ma présence à votre porte, chère madame, je ne le retiendrai pas longtemps.

Sans répondre, madame Pétrimoulx lui referma la porte au nez. Stupéfait, Ovide resta un moment à contempler le heurtoir de bronze à tête de lion qui ornait la porte. Il hésita. Attendre un moment ou rebrousser chemin ? Il allait remonter en selle lorsqu'il entendit la voix essoufflée du notaire.

— Monsieur de Rouville, attendez !

Le notaire, chapeau de paille sur la tête, sabots de bois aux pieds et vêtu simplement d'une culotte et d'une chemise, à l'habitant, secoua ses mains pleines de terre.

— Vous me surprenez pendant mes travaux de jardinage, s'excusa-t-il. Vous avez fait bon voyage à Québec ? Si vous voulez bien vous donner la peine d'entrer, je vous reviens dans une meilleure tenue.

Une demi-heure plus tard, Ovide de Rouville faisait lentement tourner un verre en cristal fin afin d'admirer la robe d'un porto millésimé que venait de lui servir son hôte. Il le huma longuement, en amateur.

Pétrimoulx était bien décidé à flatter le jeune Rouville pour l'attirer dans ses griffes, sachant que celui-ci y trouverait largement son compte. La plupart des habitants de Pointe-Olivier étaient clients à son étude. Rien n'échappait au notaire, détenteur de tous les secrets importants, et si Rouville père lui tenait la dragée haute, c'était une grave erreur que le fils saurait éviter en choisissant de s'allier au seul notaire du village. Pétrimoulx savait que le vieux militaire détestait les embarras administratifs et négligeait la gestion de ses terres; le jour viendrait où il faudrait bien remettre de l'ordre dans tout ce fatras. Et ce jour-là, l'héritier des fiefs Rouville serait heureux de l'avoir de son côté.

— Eh bien, notaire! Vous savez choyer vos invités, commenta Ovide de Rouville en dégustant le vin à petites gorgées.

— Je pourrai volontiers vous en procurer quelques-unes, avança son hôte de sa voix doucereuse en désignant la bouteille de porto. On n'en trouve pas de cette qualité à Montréal. Il faut le faire venir des États-Unis... discrètement.

— Lorsque l'occasion se présentera, je vous en serai redevable.

Pétrimoulx fit un signe de tête indiquant que Rouville pouvait compter sur lui. Il laissa s'installer le silence avec nonchalance, un temps suffisant pour apprécier l'onctueuse boisson. Quelques questions somme toute anodines vinrent ensuite sur la fameuse succession Rouville qui servait de prétexte à la rencontre. En quelle année son grand-père, René-Ovide, avait-il acheté la seigneurie de Rouville de son frère? Les fiefs de Chambly-Est étaient-ils compris dans la transaction? Comment envisageait-il le développement de sa future seigneurie?

— Songez à la prospérité qui s'annonce bientôt pour Pointe-Olivier, lança Pétrimoulx, qui en voyait déjà les signes annonciateurs: le nombre d'habitants augmentait, les terres cultivables se développaient et les moulins donnaient un bon rendement.

On avait commencé à défricher les riches terres de Monnoir, la seigneurie voisine qui appartenait à Sir John Johnson, l'influent loyaliste. Ces terres étaient en quelque sorte le prolongement de tous ces fiefs que possédaient les Rouville dans la partie de la seigneurie de Chambly-Est. C'était sans doute la raison pour laquelle Sir John avait choisi de construire à Pointe-Olivier son manoir tout neuf. Ce dernier avait la réputation d'avoir du flair et de savoir lire l'avenir qu'apporterait le progrès. N'affirmait-on pas que Johnson possédait plus de propriétés que quiconque dans les deux Canada réunis?

En disant cela, le notaire Pétrimoulx savait très bien qu'il tournait peut-être une épine dans le cœur d'un Rouville.

— Étonnant, tout de même, que deux grands hommes qui ont combattu ensemble pendant la guerre contre les Bostonnais soient si... différents.

— Ces vieilles disputes ne concernent pas les jeunes générations, répondit Rouville pour clore ce chapitre qu'il ne souhaitait pas aborder.

— Vous faites bien de raisonner ainsi, monsieur de Rouville. Bientôt, les blés et fourrages qu'on cultivera dans Monnoir afflueront sur les quais de Pointe-Olivier avant de prendre la direction de Québec ou des États-Unis. Espérons qu'un jour le gouvernement creusera un chenal dans la rivière Chambly pour améliorer la navigation, et surtout, qu'on se décidera à percer ce canal de Chambly dont on parle depuis toujours.

— Tous ces développements sont inévitables, c'est le progrès! approuva Ovide, qui se demandait où Pétrimoulx voulait en venir.

— C'est une grande chance d'être jeune alors que nous en sommes aux premiers balbutiements d'un siècle rempli de promesses. Vous avez certainement entendu parler de ces nouveaux bateaux mus par la vapeur qui ne sont plus à la merci des vents. Il ne tardera guère qu'on en construise au Bas-Canada. En rappelant aux autorités la fidélité de votre famille qui a toujours bien servi Sa Majesté, vous obtiendriez facilement que le tracé du futur canal passe sur vos fiefs, plutôt que d'avantager la seigneurie de monsieur Christie. Après tout, les Rouville sont de vieille et noble souche canadienne dont on ne compte plus les états de service.

«Ce notaire n'est pas bête», se disait Ovide à mesure que le rusé renard lançait ses réflexions d'un ton négligent, comme si elles surgissaient spontanément, à mesure qu'il parlait. «Mon père devrait en faire son procureur, comme l'a fait Sir John, plutôt que d'employer le fils Boileau qui doit le berner», se dit le jeune homme en accusant gratuitement le notaire de Chambly.

— Malheureusement, les négociants de Chambly sont les plus forts, prononça Ovide avec aigreur, ce sont eux qui détiennent les clés du commerce de la région.

Il détestait évoquer ces petits négociants qui comptaient leurs pièces d'argent, entassant portugaises, aigles américains, bonnes livres anglaises et vieux louis français dans de petits sacs de cuir pour les empiler ensuite dans leurs coffres ou un tiroir de bahut. Il aurait bien voulu les chasser de ses pensées tout en se laissant aller au plaisir de la dégustation. Ce porto était tout simplement délectable.

— Oui, admit Pétrimoulx. Mais les clés peuvent changer de mains.

— Que voulez-vous dire ?

— Eh bien, ces messieurs Boileau et Bresse qui ont des accointances politiques avec les Papineau et le Parti canadien de Pierre-Stanislas Bédard, le frère du curé de Chambly, pourraient un jour s'en repentir. Ce Bédard fait tout pour s'attirer les foudres du gouverneur à Québec. Sans compter qu'il ne se gêne pas pour dénigrer monsieur de Bonne, un parent de votre mère, ce me semble ?

Ovide acquiesça. Il avait rencontré le juge de Bonne à Québec, et celui-ci ne décolérait pas depuis que Bédard et sa clique l'avaient obligé à retirer sa candidature à l'élection de 1804.

— Imaginez un moment qu'il arrive à Chambly un accident. Un malheur si terrible qui ferait s'écrouler toutes les ambitions de ses marchands ?

— Un malheur de quel genre ? fit Ovide, qui ne voyait pas du tout où le notaire voulait en venir.

Au lieu d'aller directement au but, Pétrimoulx préféra emprunter un chemin escarpé pour donner le temps à Ovide de tirer lui-même ses propres conclusions.

— Vous savez que chez nos voisins d'en face, les habitants du fief Jacob, le mécontentement se fait de plus en plus sentir, lança prudemment le notaire.

— Ah, bon ? fit Ovide. J'ignore tout de ce mécontentement.

Il observa son hôte. C'était un bizarre de personnage à l'allure ténébreuse, presque terrifiante. Le notaire Médard Pétrimoulx tenait sans doute de son grand-père, un capitaine au long cours qui s'était fait marchand à Québec, avec ses cheveux longs et noirs qu'il attachait simplement d'un ruban, à l'ancienne mode, sans bourse de cheveux pour les retenir. Il évoquait ces horribles boucaniers aux visages ornés d'une affreuse moustache qu'on voyait dans la célèbre *Histoire des aventuriers flibustiers* brandissant une longue dague dangereusement pointue. Au contraire de ses contemporains – et sans doute pour forcer cette vive impression – il arborait une fine moustache dont il aimait en étirer les pointes en réfléchissant. Sa taille dégingandée supportait mal la rudesse des chaises droites et les vêtements serrés. Aussitôt le dernier client sorti de son étude, le notaire dénouait machinalement sa cravate pour se mettre à l'aise. Assis confortablement dans un fauteuil, ses longues jambes allongées et nonchalamment croisées, il avait laissé ses habits crottés de jardinier et avait enfilé une veste de velours vert qui laissait voir une chemise blanche au col ouvert. Ce laisser-aller plut tout de suite à Rouville, lui qui avait tant souffert et qui souffrait encore des manies d'officier de son père, chez qui la discipline militaire s'érigeait en vertu. Ovide se demanda sur quelle mer agitée ce forban l'entraînait, car pour l'instant, son raisonnement lui semblait aussi biscornu qu'un discours des demoiselles de Niverville.

— Les habitants du fief Jacob doivent parcourir des lieues pour obtenir les services de la religion. Ils appartiennent à la paroisse de Chambly, mais sont plus près de Belœil, en distance. Ces pauvres gens rêvent d'avoir leur propre paroisse avec une église rapprochée de leurs habitations, expliqua le notaire. Comment réagiraient ces paroissiens si un grand malheur arrivait subitement à l'église de messire Bédard ?

Ovide examina cette éventualité. L'église était l'âme d'un village. Qu'arriverait-il en effet à Chambly si son église subissait de graves dommages ? Pour la réparer ou la reconstruire, il fallait obtenir le double consentement de

Monseigneur l'évêque et du gouverneur. Et si un malheur survenait à Chambly, les habitants du fief Jacob, bien manœuvrés, pourraient profiter de ce désarroi pour revendiquer cette paroisse qui leur tenait à cœur.

— J'avoue ne jamais avoir envisagé la situation sous cet angle, fit innocemment le jeune homme qui voyait déjà partir des quais de Pointe-Olivier des bateaux chargés de marchandises – bois, blé, fourrages, victuailles – pendant que Chambly périclitait en se débattant dans des problèmes sans fin.

Il jongla un moment avec l'idée de Pétrimoulx en buvant une autre gorgée de ce vin qui, décidément, était excellent, et s'enfonça dans son fauteuil, mais attendit avant de se commettre.

« Diantre, se dit le notaire *in petto* en tentant de déchiffrer les pensées de son visiteur. Il est plus malin que je ne le croyais. » Son regard de corbeau cherchait celui du jeune homme pour y déceler une trace de ruse ou de méfiance, mais celui-ci se dérobait habilement.

Les années passant, Ovide avait pris du coffre et de la rouerie. Ses petits yeux noirs et enfoncés de fouine rappelaient, à ceux qui l'avaient connu, son grand-père, René-Ovide de Rouville, le juge retors et honni. Pétrimoulx l'avait bien jaugé. Le jeune Rouville serait un allié qui pouvait se révéler intéressant.

— Nous serions en effet tous navrés si un tel accident arrivait à l'église de Chambly, avança Ovide de Rouville en tendant son verre vide à Pétrimoulx.

Ce dernier s'empressa de le resservir et les deux hommes trinquèrent en silence.

Le tavernier et hôtelier Jonathan Bunker se targuait de juger un homme d'un seul coup d'œil, talent indispensable pour quelqu'un qui exerçait comme lui le métier de cabaretier et d'aubergiste. L'Américain était propriétaire d'un bout de terrain attenant au quai le plus achalandé de la région, sur lequel se trouvait une maison suffisamment grande pour servir à la fois de résidence à la famille Bunker et de commerce. C'est là qu'il avait installé sa taverne et son hôtellerie. L'endroit était fréquenté par des étrangers de passage et des soldats, mais aussi par des habitants et des notables, et Bunker tenait à préserver une réputation honorable à son établissement. Il ne tolérait aucun écart de conduite chez lui, ce qui lui valait le respect du capitaine de milice Toussaint Ferrière et même celui du commandant du fort. Ses clients savaient qu'il n'hésiterait pas à recourir aux forces de l'ordre à la moindre incartade – si courante dans ce genre d'établissement – et se pliaient assez facilement aux exigences de l'hôtelier. Ainsi, monsieur Bunker avait réussi en peu de temps à s'attirer la considération de tous.

C'est pourquoi l'individu qui venait d'entrer lui déplut d'emblée. L'inconnu portait une chemise mal rapiécée sur un vieux justaucorps déchiré et un pistolet glissé dans une ceinture de laine rouge.

— Vous ! lança fermement Bunker en apercevant l'arme. Vous allez devoir me laisser votre pistolet si vous voulez boire ou manger ici.

L'homme sortit son arme et la remit au tavernier, faisant apparaître trois chicots noirs dans un mauvais sourire. Puis, il commanda un pichet de bière.

Seul client dans l'établissement à cette heure-là, Ovide de Rouville fit un signe de la tête à l'homme qui vint le rejoindre à sa table. Rouville soignait ses relations avec

Bunker, qui tolérait sa présence chez lui, pas plus. Il lui était déjà arrivé de quitter prestement les lieux à la demande du propriétaire. Bunker se promit d'avoir l'œil sur cette table. C'était facile à cette époque de l'année, les habitants étaient aux champs à terminer la saison des semailles et sa taverne était vide, exception faite de quelques habitués.

— Monsieur de Rouville, je préfère que votre invité ne s'attarde pas trop sous mon toit, décréta l'hôtelier.

Même un insolent comme Ovide de Rouville n'aurait pas osé contrarier Jonathan Bunker. Il souhaitait surtout que Bunker oublie vite le visage de Shank, l'homme venu le rejoindre.

— Sortons, fit-il finalement en jetant quelques pièces sur la table. Vous finirez votre pichet tout à l'heure.

L'homme lui lança un regard mécontent, mais obtempéra après avoir fait signe à Bunker qu'il reviendrait.

Une fois dehors, Ovide tendit discrètement une bourse à l'homme.

— Vous savez ce que vous avez à faire. Ne laissez pas de traces et évitez de vous faire prendre. Je n'irai pas vous sauver. Il y a le dixième de la somme convenue. Le reste suivra après.

L'homme acquiesça discrètement et Ovide quitta rapidement les lieux. Il ne tenait pas à ce qu'on le surprenne en compagnie d'un pendard.

«Espérons que ce Shank saura se faire discret», pensa Ovide. Il avait bien choisi son moment, le village était désert. Il reprit son cheval en direction du faubourg et rentra chez lui.

Pour l'instant, il ne restait plus qu'à attendre. Il lui fallait disparaître. Un séjour de quelques jours à Montréal devenait impératif.

Chapitre 16

L'incendie

Le village de Chambly baignait dans une douce quiétude et l'air embaumait encore des parfums printaniers transportés par une brise légère. Marguerite Talham terminait le désherbage de la haie de framboisiers et de gadelliers qui longeait le côté sud de son jardin tout en le protégeant du vent. Pour le reste, une petite clôture de planchettes qui attendaient toujours d'être peintes entourait le grand potager où la jeune femme cultivait les légumes essentiels à l'alimentation de la famille Talham : oignons, poireaux, choux, choux-fleurs, concombres, fèves, betteraves, pois, courges, légumes racines et laitues variées. Les radis seraient bientôt prêts à être récoltés et la famille s'était déjà régalée d'asperges.

Malgré ces aliments frais, la monotonie des repas affectait l'humeur de son mari. Ils se composaient invariablement d'un bout de lard agrémenté des légumes de l'année précédente qu'il restait au caveau, passablement ratatinés, et surtout, de pommes de terre que le docteur refusait d'avaler. « De la nourriture de pourceau ! » maugréait-il en bon Français lorsque son épouse lui servait ce tubercule que les Canadiens avaient appris à apprécier sous l'influence des Anglais. Quant aux poireaux et aux oignons, moins flétris que les autres racines, leur seule odeur donnait la nausée à Marguerite.

Car la jeune femme était de nouveau enceinte. Comme elle n'en était qu'aux premiers mois, sa grossesse demeurait discrète et n'entravait pas ses mouvements.

Pieds nus dans ses vieux sabots, Marguerite retira son chapeau de paille et sa coiffe pour offrir son visage à ce vent caressant qu'elle savoura pleinement, récompense bien méritée après une fructueuse journée de jardinage. Elle replaça jupe et jupon qu'elle avait retroussés à l'intérieur des cordons de son tablier afin de travailler plus à l'aise. « D'ici trois semaines, songea-t-elle avec un brin de gourmandise, ce sera enfin le temps des fraises. » Elle jeta un regard orgueilleux sur ses plants de fraisiers généreusement fleuris, imaginant à l'avance un bol de petits fruits rouges délicieusement recouverts de crème fraîche.

Habituée depuis l'enfance à entretenir un potager, Marguerite trouvait toujours du plaisir à cette tâche. Le moment venu, elle s'accroupissait au milieu de la grande parcelle de terre bien retournée, le plus souvent pieds nus, vaquant efficacement à dessiner les carrés de légumes ou à désherber celui des herbes vivaces qui se pointaient dès que la neige avait fondu. Sa nature généreuse s'épanouissait au contact de la terre meuble et fraîche du printemps qu'elle prenait à pleines mains, sans même se donner la peine de mettre des gants.

Comme le sol était particulièrement glaiseux dans cette partie du bassin de Chambly, Marguerite avait fait venir par pleines charretées de la belle terre grasse provenant de la ferme familiale du chemin de la Petite Rivière. Son mari, le docteur Talham, avait suggéré d'amender la terre avec plusieurs brouettées de fumier de cheval, une pratique que les cultivateurs canadiens ne connaissaient plus. Les terres vierges de ce pays neuf étaient si fertiles qu'il suffisait de les retourner et de semer pour avoir une abondante récolte. Comme Marguerite veillait jalousement sur les cultures de son jardin, qui faisait sa fierté, elle avait suivi les conseils de son mari et les résultats ne s'étaient pas fait attendre. L'été dernier, elle avait même partagé des surplus avec toute sa famille. Victoire Lareau avait accueilli avec bonheur cette manne providentielle qui l'avait aidée à nourrir sa famille nombreuse pendant le long hiver. « Cette année, si le temps y met du sien, ma récolte sera encore meilleure », se dit Marguerite en chassant un merle qui cherchait son repas de vers de terre entre les semailles. Déjà, on voyait poindre de minuscules pousses vertes là où elle s'était empressée de semer des épinards et diverses verdures à la fin des premiers gels, dès que l'engagé avait retourné la terre.

— Dans quelques jours, nous aurons suffisamment de verdures et d'herbes fraîches pour nous faire des salades à la crème, fit-elle remarquer à Charlotte qui était à genoux sur une planche au milieu du potager.

Celle-ci profita de l'aparté pour se redresser péniblement et retira son chapeau de paille pour s'éventer.

— Il fait trop chaud, madame ! se plaignit-elle.

Marguerite sourit à cette remarque. Dès qu'il s'agissait de fournir un effort, Charlotte regimbait.

— Allons Charlotte, l'exhorta-t-elle d'un ton conciliant. L'été n'est pas encore là et tu te plains déjà. Si ça continue comme ça, tu ne survivras pas aux grosses chaleurs. Je devrais commencer dès aujourd'hui à me chercher une nouvelle servante, ajouta-t-elle pour la taquiner. Justement, la semaine dernière, la veuve Robert, du fief Jacob, m'a proposé les services d'une de ses filles.

Au regard furibond de sa servante, Marguerite se mit à rire.

— Tu sais bien que tu nous quitteras uniquement si tu te maries. Encore un petit effort, nous avons bientôt terminé. Courage !

Marguerite s'était finalement habituée à sa servante et avait repris en main le train de la maison, même si Charlotte n'avait pas changé de caractère. Elle manquait de cœur au ventre, toujours à s'apitoyer sur sa santé ou à chercher un prétexte pour ne pas travailler. Un membre s'engourdissait mystérieusement ou des changements d'humeur soudains perturbaient son système : elle était de constitution délicate, il n'y avait aucune autre explication. Indéniablement, le fait d'avoir grandi auprès d'un médecin la rendait très experte à détecter le moindre petit bobo.

Préoccupée par ses maux imaginaires, Charlotte ne s'était toujours pas aperçue du changement d'état de sa maîtresse. Elle se lamentait donc pendant que Marguerite, travaillant d'arrache-pied depuis le matin, mettait à profit les quelques heures de liberté où elle n'avait pas le petit Melchior dans ses jupes. Ses amies et cousines Emmélie et Sophie Boileau avaient enlevé la redoutable petite tornade blonde pour une promenade en calèche. Elles se rendaient chez les Rouville, où la visite du garçonnet ferait plaisir au colonel, qui ne se lassait jamais de la présence de son filleul.

À presque trois ans, Melchior Talham était un enfant gracieux et souriant, et très conscient du charme qu'il exerçait auprès des adultes, particulièrement de ses tantes Boileau qui s'étaient entichées du petit garçon, s'émerveillant de la moindre prouesse du bambin. Même ses parents n'arrivaient pas à le gronder lorsqu'il faisait une bêtise. Le docteur pouvait bien hausser la voix, mais les pitreries de l'enfant le charmaient et il devenait impossible de le réprimander. Lorsqu'il pleurait, Marguerite le serrait dans ses bras pour le consoler, puis le laissait aller rapidement et Melchior courait se réfugier auprès de Charlotte où il trouvait toute l'affection du monde. Lorsqu'il s'agissait de prodiguer des soins au petit, cette fainéante s'exécutait avec grâce. Elle avait langé le nourrisson, puis, plus tard, l'avait habillé, mouché et dorloté, tout comme la Marguerite d'autrefois avait pris plaisir à choyer ses frères et sœurs en secondant sa mère. Madame Talham pouvait donc se consacrer à ses devoirs de maîtresse de maison et d'épouse de médecin sans s'inquiéter du petit : recevoir les dames de la paroisse pour le thé, organiser des soupers pour les relations de son mari et faire des visites. Pendant ce temps-là, Charlotte cajolait le petit Melchior ; elle adorait l'enfant, qui le lui rendait bien.

Marguerite appréciait doublement cette belle journée, respirant à pleins poumons. La jeune femme eut une pensée affectueuse pour son mari qui lui offrait une existence au-delà de toute promesse et se réjouit de sa nouvelle grossesse. Ce serait un garçon, elle en était persuadée. Le fils d'Alexandre rétablirait l'équilibre. Mais quel équilibre ? Deux fils de pères différents ? Marguerite chassa vite cette pensée. L'enfant qu'elle portait remplacerait le petit Joseph, né deux ans auparavant, mais mort aussitôt en succombant à une crise de diarrhée à l'âge d'un mois.

Contrairement aux deux grossesses précédentes, vécues dans l'appréhension de la mort, cette fois-ci, la jeune femme débordait d'une énergie inattendue qui lui donnait le goût de l'action. Elle jardinait avec une ardeur qui lui donnait de belles couleurs et ses yeux pétillaient à nouveau.

— Je n'en peux plus, se lamenta encore Charlotte. Voyez, madame, comme je sue à grosses gouttes. Si je continue comme ça, je vais prendre du mal et je ne serai plus bonne à rien. L'angélus du soir sonnera tantôt et vous avez invité les demoiselles à souper avec nous.

— Tu fais bien de me le rappeler, Charlotte, approuva Marguerite. Le soleil est encore haut, mais nous avons suffisamment travaillé pour aujourd'hui.

Elle se massa machinalement le dos avec un soupir de contentement ; ses semis étaient terminés.

— Le docteur aussi reviendra bientôt de ses visites, ajouta-t-elle en replaçant des mèches rebelles sous son bonnet. Il doit passer chez madame Bresse. Mais ce ne sera pas très long : une dent à extirper.

∾

Lorsque Marguerite annonça à son mari qu'elle attendait un autre enfant, Alexandre accueillit la nouvelle avec un débordement de joie. En la scrutant du regard attentif de l'homme de l'Art, mais aussi affectueux du mari, il constata que Marguerite avait une mine radieuse et offrait tous les espoirs d'une grossesse réussie. Il en eut l'intuition soudaine et proposa d'emblée :

— Offrons à ton cousin René Boileau d'être parrain de l'enfant !

Marguerite accusa le coup. L'enthousiasme de son mari la laissait perplexe.

— Ce serait une manière de signifier notre reconnaissance à ton oncle à qui nous devons tout, poursuivit Alexandre, qui aimait de plus en plus cette idée, puisque Monsieur Boileau était l'artisan de son bonheur.

— Certes, mais pourquoi ne pas choisir plutôt mon oncle pour parrain ? s'objecta Marguerite.

— Je connais ton oncle. Il apprécie au plus haut point les honneurs et sera d'accord que nous choisissions son fils.

— Oui, mais nous ne voyons jamais René, fit-elle vivement.

— On dirait que tu n'es pas d'accord. Pourtant, tu as été élevée avec lui et ses sœurs.

— Pardonnez-moi, Alexandre, dit-elle pour excuser son mouvement d'humeur. Je suis sans doute affectée par cette nouvelle grossesse, avait-elle conclu, à court d'arguments.

Que pouvait-elle ajouter de plus ? Que René la détestait ? Qu'elle n'éprouvait plus le plaisir d'autrefois à se retrouver dans la maison rouge lorsqu'ils étaient invités chez les Boileau ? Et que René n'accompagnait jamais ses parents ou ses sœurs chez les Talham ? Non. Alexandre refusait de voir la mesquinerie chez les autres. En cela, il était aussi naïf qu'un petit enfant. Ce soir-là, Marguerite s'était endormie en se disant qu'elle n'avait guère le choix des parrains de ses enfants.

En laissant à l'homme engagé le soin de ranger les outils de jardinage, Marguerite demanda de puiser suffisamment d'eau fraîche afin de la faire reposer dans un des grands barils qui servaient aussi à recueillir l'eau de pluie. Tôt le lendemain matin, Charlotte ou elle-même arroserait abondamment le potager. Puis, elle se dirigea vers la maison et entra par la porte de la remise, qui servait de cuisine d'été. Elle s'effondra dans une vieille bergère qu'on avait placée là pour la durée de la saison chaude et demeura un moment sans bouger, heureuse, mais épuisée : tout son corps lui faisait mal.

Soudain, la cloche de l'église se fit entendre.

— Ma foi du bon Dieu, madame ! s'exclama Charlotte qui rentrait. C'est trop de bonne heure pour l'angélus ! Le bedeau a l'esprit dérangé ou bien il sort du cabaret, je dirais.

Tout aussi intriguée, Marguerite se releva d'un bond.

— Ce n'est pas l'angélus, Charlotte. C'est le tocsin!

— Le tocsin? Je ne peux pas croire, madame! Pas le tocsin!

En effet, c'était bien l'alarme du feu qui résonnait dans tout le village. Puis, étrangement, la cloche cessa brusquement, dans un drôle de silence qui fut immédiatement suivi de bruits de chevaux au galop et de charrettes passant à tout rompre sur le chemin où retentissaient des cris affolés.

Marguerite sortit précipitamment sur la galerie devant la maison. Elle entendit le voisin Lynch qui hurlait:

— Hardi! Tous à l'église! Tous à l'église!

— Viens! dit Marguerite à Charlotte. Allons voir ce qui se passe. Courons vite à l'église!

Les deux femmes reprirent leur chapeau et sortirent, suivant tous ceux qui, alertés par la cloche, accouraient.

∾

Il devait être vers les quatre heures de l'après-dîner de ce 6 juin magnifique, lorsque le docteur Joseph-Alexandre Talham arrêta sa calèche devant la maison du négociant Joseph Bresse. La veille au soir, madame Bresse lui avait fait parvenir un message l'enjoignant de venir la délivrer d'une grande douleur à une dent.

Venez, je vous prie, je suis au désespoir. Je souffre depuis trois jours.

Talham avait fait répondre qu'il passerait le lendemain, sitôt ses visites de la campagne terminées.

Perrine, la servante des Bresse, lui ouvrit, l'air atterré.

— Monsieur le docteur, enfin ! Ma pauvre maîtresse souffre le martyre. Elle est là-haut.

— Laissez, ma brave Perrine, je connais le chemin, dit aimablement Talham à la servante qui s'empressait de le précéder dans l'escalier. Allez plutôt chercher des guenilles propres. J'aurai aussi besoin d'eau fraîche.

À l'étage, Françoise Bresse gémissait dans son lit, la tête enturbannée dans un bout de vieux drap qui maintenait la pression sur le côté malade. Elle tendit un bras suppliant au nouvel arrivé.

— Docteur, gémit-elle faiblement, vous voilà.

La pauvre pouvait à peine ouvrir la bouche.

— Eh bien, madame Bresse, vous me semblez dans un bien mauvais état. Voyons voir cela.

Le docteur se débarrassa de sa veste et retroussa ses manches.

— Ouvrez grand la bouche, ordonna-t-il en s'asseyant sur le bord du lit.

Françoise s'exécuta, les yeux pleins d'eau tant la douleur était vive.

— Hum ! Un bien vilain abcès, constata le médecin. Il me faudra d'abord inciser pour vider. Ensuite, je vous enlèverai cette dent. Elle ne vous fera plus souffrir, c'est promis.

La servante arriva avec les guenilles, un grand pichet d'eau, un verre et un bol de faïence. Talham lui demanda de rester pour l'aider. Il fouilla dans une vieille trousse en cuir usé et en ressortit un petit instrument qui se terminait par une lame, ainsi qu'un davier, une grosse pince dont un des manches de la poignée était recourbé. À la vue des instruments de chirurgie, la servante, pourtant une femme imposante à la forte carrure, eut un cri d'effroi.

— Ce n'est pas le moment d'avoir une faiblesse, Perrine. J'ai besoin de votre aide. Placez-vous derrière votre maîtresse, de manière à la maintenir fermement, ordonna-t-il pendant qu'il façonnait rapidement une compresse.

Il s'installa lui-même devant la malade, lui ouvrit la bouche et la maintint fermement en incisant vivement à l'aide du bistouri. Il vida l'abcès en appliquant la compresse. Puis, saisissant la dent avec la pince, il commença l'extraction. Sa patiente gémissait sourdement, mais demeura courageuse tout au long de l'opération, agrippant un des montants du lit tandis que des larmes de douleur inondaient ses pauvres joues amaigries. Finalement, le médecin exhiba une molaire sanguinolente.

— Voici la coupable, ma chère. Tout est fini. La douleur ira en s'amenuisant, expliqua-t-il tout en épongeant délicatement la plaie.

Il tendit un verre d'eau à la pauvre Françoise.

— Rincez-vous la bouche.

Elle s'exécuta au-dessus du bassin que lui tendait sa servante, pendant que le docteur sortait une fiole d'une petite armoire portative en bois à plusieurs compartiments. Il reprit le verre des mains de Françoise et le remplit à moitié d'eau dans laquelle il versa quelques gouttes du flacon.

— Buvez, cela vous soulagera. Vous verrez que demain, vous serez enfin du monde pour vous et vos amis, ajouta-t-il pour l'égayer.

— Merci, docteur, réussit enfin à dire Françoise en s'allongeant, bien appuyée sur le traversin et les oreillers.

Talham refit une compresse puis rangea ses instruments. Il observa sa patiente, posa sa main sur son front et examina ses yeux pour y déceler des traces de fièvre.

— Alors, ça va mieux ?

Elle hocha péniblement la tête.

— Je vais laisser à votre servante le contenu de ce flacon. Mais attention, fit-il sévèrement à Perrine en guise d'avertissement, pas plus de trois gouttes, trois fois par jour. Et lorsque le flacon sera vide, ajouta-t-il à l'intention de Françoise, je vous promets que vous serez de nouveau sur pied.

Françoise eut un regard de reconnaissance vers le docteur. Elle se souleva péniblement de ses oreillers et lui fit signe de s'approcher le plus possible et de tendre l'oreille. Malgré son grand état de faiblesse, elle voulait savoir si la dernière nouvelle était vraie.

— On m'a dit que madame Talham avait de l'espérance, souffla-t-elle d'une voix si basse que le docteur dut s'approcher encore plus près.

L'irrépressible curiosité de Françoise, plus forte que la pire des rages de dents, arracha un sourire au docteur.

— « On » ne vous a pas menti, ma chère madame Bresse. Mais dites-moi, qui se cache derrière ce « on » ? La nouvelle est si récente qu'un peu plus et vous l'auriez apprise avant Marguerite elle-même !

Françoise se sentait trop mal en point pour relever la boutade. Elle se contenta de dire que sa servante avait rencontré la demoiselle Bédard au marché.

— Voyez-vous ça ! fit-il joyeusement. La demoiselle Bédard ! C'est vrai qu'elle sera dans les honneurs. Marguerite lui a demandé d'être la marraine. La sœur de notre curé a pris l'habitude de nous combler de ses nombreuses petites attentions. C'est une personne charitable pleine d'amabilité.

Abrutie par le laudanum qui commençait à faire effet, Françoise opina, le bonnet de coton de travers.

— Et avez-vous choisi son compère ? demanda-t-elle en ramassant ses dernières forces.

— Ce sera le jeune Boileau, notre notaire. Qu'en dites-vous ? Ce compérage pourrait être le présage d'une heureuse union, ajouta-t-il, amusé par l'idée d'un mariage entre René Boileau et Marie-Josèphe Bédard.

Le docteur ignorait évidemment tout des visées de madame Bresse qui, en pensée, avait déjà marié le notaire avec une de ses sœurs.

Derrière ce badinage mondain, Alexandre Talham dissimulait à peine le bonheur qui l'habitait depuis qu'il savait Marguerite enceinte à nouveau. Son épouse resplendissait, fredonnant toute la journée, et la maison baignait à nouveau dans une atmosphère bienheureuse. Un instant, il apparut au docteur qu'il était un homme heureux.

— Il a accepté ? demanda Françoise, la bouche rendue pâteuse par le médicament.

— Le notaire ? Mais oui, bien entendu qu'il a accepté, répondit prestement le docteur. J'arrive de chez lui. Mais maintenant, il vous faut dormir, chère madame Bresse. C'est encore le meilleur remède pour se rétablir.

Françoise obéit en fermant les yeux. Malgré les vapeurs qui envahissaient peu à peu son esprit, elle ne put s'empêcher de penser que le docteur Talham était décidément un grand naïf, sinon il n'aurait jamais demandé au notaire Boileau d'être le parrain de son enfant. Les regards insistants que ce dernier avait pour madame Talham n'avaient pas échappé à l'œil averti de la dame. Le notaire semblait si amoureux qu'à cette seule pensée, Françoise tressaillit. Elle ne pouvait oublier le regard désespéré de René Boileau lorsqu'elle lui avait révélé les dessous du mariage de Marguerite Lareau.

Elle allait sombrer dans un sommeil profond lorsque quelque chose d'anormal lui fit entrouvrir une dernière fois ses paupières alourdies par la drogue.

— Vous ne trouvez pas qu'il y a une drôle d'odeur ? demanda-t-elle faiblement. Ce doit être encore la Perrine qui a fait brûler quelque chose à la cuisine, murmura-t-elle en s'endormant finalement, tandis que la cloche de l'église retentissait.

∽

Assis à sa table de travail, René Boileau contemplait son trébuchet. L'instrument, une petite pesée servant à déterminer le poids de la monnaie, conférait du prestige à sa profession – du moins, c'était ce qu'il croyait lorsqu'il pesait les pièces d'argent devant ses clients. Distrait, l'homme de loi cherchait à se concentrer pour terminer avant le souper les copies de deux expéditions d'un accord fastidieux sur l'entretien d'un fossé commun entre le forgeron James Wait et son voisin Jean-Baptiste Vincelet. L'acte comportait de nombreux petits détails qui lui paraissaient insignifiants. Mais comme il avait promis aux deux parties qu'on signerait demain, il fallait que les copies soient prêtes.

Depuis trois ans, René Boileau s'était taillé une belle réputation comme notaire du district de Montréal. Il était le seul à pratiquer au village de Chambly et son collègue le plus proche, Médard Pétrimoulx, venait d'installer son étude à Pointe-Olivier et soulagerait le notaire de Chambly. Boileau croulait sous le travail comme le prouvait les actes de toute nature qui s'empilaient sur son bureau : vente, testament, transaction financière, inventaire, contrat, il lui fallait tout rédiger puis retranscrire en plusieurs exemplaires. Comme il n'avait pas encore les moyens d'entretenir un clerc notaire, il faisait tout lui-même. Si un testament ne nécessitait qu'une seule copie, une transaction ou un accord en exigeait plusieurs, au moins deux, comme c'était le cas aujourd'hui. Son regard découragé s'arrêta sur la pile de notes qui attendaient d'être inscrites dans des actes en bonne et due forme. Il soupira. Il était temps qu'il embauche un assistant qui ferait chez lui son apprentissage.

Incapable de fixer son attention sur son travail, le jeune homme saisit un petit canif à manche d'ivoire posé sur l'écritoire et entreprit de tailler minutieusement ses plumes. Cette petite besogne lui permettait ordinairement de retrouver sa concentration. Mais ce jour-là, cette tâche routinière ne lui procurait pas la détente habituelle.

Pourtant, la journée avait bien commencé. Toute la matinée, sa plume avait glissé rapidement sur les grandes feuilles de papier qu'il pliait en deux pour obtenir les quatre feuillets habituels d'un acte notarié, et le travail avançait bien.

Durant l'après-dîner, la visite inopinée du docteur Talham à son étude, le visage illuminé d'un sourire béat, avait mis un terme à cette agréable quiétude.

René ne supportait pas la vue de Talham qui le menait directement à Marguerite.

Marguerite! Il aurait voulu la détester, la haïr de toutes ses forces et ne plus jamais la voir. Mais le pouvait-il vraiment? Un examen attentif des replis de son âme lui révélait qu'en dépit de la forfaiture de la jeune femme, il tressaillait dès qu'il l'apercevait. Et dans une société aussi petite que celle de Chambly, il était quasi impossible de ne pas se croiser. Les réunions de toutes sortes étaient fréquentes: au village, c'était la principale distraction. Tous étaient parents, amis ou voisins, les uns des autres. Pire! Les Talham comptaient parmi les habitués de la famille Boileau. Sans oublier l'affection qu'Emmélie, sa sœur préférée, portait à la jeune femme. Heureusement, il pouvait invoquer les exigences de son travail pour échapper à certaines mondanités, et lorsque cela s'avérait impossible, il affichait une froideur distante que la plupart des gens prenaient pour cette réserve contenue propre aux membres de sa profession.

Seule Emmélie connaissait les sentiments de son frère. Elle imaginait sa souffrance et, tout en le plaignant, cherchait à le distraire de ses sombres pensées. «Marie-Josèphe Bédard est bien avenante», lui faisait-elle remarquer si l'occasion s'y prêtait. Elle aimait la douce et rieuse sœur du curé qu'elle aurait chérie comme une sœur si son frère avait jeté son dévolu sur elle. Mais, malgré les années qui avaient passé, aucune jeune fille n'avait fait frémir le ténébreux René Boileau.

Étonnamment, le docteur ne s'était jamais rendu compte que le notaire lui battait froid. Alexandre Talham vivait dans un univers clos fait de gens à soulager et à guérir, entrecoupé par des épisodes de bonheur familial. Marguerite affrontait seule l'indifférence glaciale de son cousin. Chaque fois qu'ils se rencontraient, il la dardait d'un regard noir voulant lui rappeler sa trahison pour ensuite l'ignorer totalement. Marguerite encaissait le coup, dissimulant bravement son désarroi dans des sourires aimables, chantant avec cœur ou dansant avec les autres lorsque les soirées s'animaient. Aux yeux de tous, René s'acharnait à camoufler leurs blessures.

Malgré tous ces sentiments contradictoires, en voyant le docteur assis devant lui sur le bout d'une chaise de son cabinet, tordant son chapeau entre ses mains jusqu'à le rendre informe, Boileau avait eu envie de rire tant Talham était pitoyable, embarrassé comme un communiant, hésitant et toussotant bêtement.

— Mon épouse et moi serions honorés, balbutia ce dernier, si vous acceptiez d'être…

Le docteur cherchait désespérément ses mots. Il toussota, puis lança d'un trait :

— Nous vous prions instamment, mon épouse et moi, d'être le parrain de notre futur enfant. Voilà ! C'est dit !

Tout à sa joie, Talham ne remarqua pas l'ombre qui glissa sur le visage du notaire et le silence sombre qui suivit ne dura que l'espace d'une seconde.

— C'est un grand honneur que vous me faites là, s'était ressaisi le notaire, coincé dans un intolérable dilemme.

Refuser serait une offense. René tenta une échappatoire.

— Et vos beaux-parents ? Vous risquez fort de les vexer. Selon la coutume, c'est à eux que reviennent les honneurs.

Dans sa hâte de voir le docteur repasser la porte, il cherchait l'argument imparable.

— Mais ils l'ont déjà été ! Sauf que la mort prématurée de leur petit filleul Joseph a profondément marqué ma belle-mère, fit tristement Talham. Vous la connaissez ! Elle a parfois d'étranges lubies et s'est mis dans la tête qu'elle y était pour quelque chose.

— Ma tante Victoire est persuadée d'avoir porté malheur à l'enfant, expliqua Boileau qui connaissait les vieux tabous qui avaient toujours cours dans les campagnes. Des relents d'anciennes croyances. Pour elle, lorsque la volonté divine prend le pas sur la nature, c'est qu'il y a malédiction.

— Oui, c'est bien ce qu'elle m'a confié, répondit Talham, mais j'avoue que je ne saisis toujours pas comment une femme aussi sensée que ma belle-mère puisse croire à de telles absurdités. Même si je partage entièrement son désarroi face à la mort des enfants.

Le petit discours du docteur rappela à René les souffrances de sa propre mère qu'il connaissait bien : il était l'aîné de tous les enfants Boileau. Entre lui et sa sœur Emmélie, cinq enfants étaient morts. Celui de Marguerite aussi pouvait bien ne pas survivre.

— Que pense madame Talham de ce compérage ? demanda-t-il.

— Ma chère petite femme est d'accord, le rassura Talham.

Boileau eut l'impression qu'on l'attachait au poteau de torture. Son instinct lui soufflait de refuser.

— Je ferais un très mauvais parrain, je suis très occupé et n'ai guère de temps pour prendre de grandes obligations.

— Mais que dites-vous là ! Si vous continuez, je finirai par croire que vous cherchez à vous désister. Justement, cela vous donnera une occasion de venir nous visiter plus souvent, ajouta le docteur avec bonhomie.

Il sourit simplement au notaire qui n'avait pas le choix d'accepter. Sinon, il offenserait et le docteur et sa famille par un refus inexplicable.

— Mais arrêtez donc de vous faire tirer l'oreille et acceptez, voyons ! insista Talham. Votre commère sera la sœur de notre curé, la demoiselle Bédard.

— Dans ce cas… finit par dire le notaire avec une fausse joie. Si la demoiselle Bédard est la marraine, je ne peux faire autrement que d'accepter.

Et sans se douter des remous qu'il provoquait dans le cœur de celui qu'il considérait avec affection – il était le fils d'un de ses meilleurs amis –, le docteur Talham était reparti en lui secouant vigoureusement la main, le remerciant chaleureusement de son amitié.

∽

Le notaire taillait minutieusement sa dernière plume lorsque se fit entendre la cloche par coups brefs et successifs. Il sortit précipitamment de son étude et tomba sur ses parents qui revenaient justement de l'église. Le son de la cloche s'arrêta aussi rapidement qu'il avait commencé.

— Ma foi, s'écria Monsieur Boileau. Ai-je rêvé? C'est bien le tocsin qu'on vient d'entendre?

— Venez père, fit vivement son fils en lui prenant le bras, allons voir ce qui se passe.

Ils franchirent rapidement l'allée d'ormes jusqu'au chemin où une charrette passa en trombe devant eux, en direction de l'église. Essoufflée et le visage rougi par l'effort, madame Boileau les avait suivis, encombrée par ses jupes et sa taille.

Monsieur Boileau ne se trompait pas.

— Pardieu! L'église! Vite, cours à l'écurie, ordonna-t-il à son fils. Il faut le plus de seaux possible, des pelles, des cordes, des haches. Ma chère, dit-il en se tournant vers sa femme d'un air affolé, envoyez Augustin en vitesse avertir chez Rouville et, avec lui, quérir la garnison au fort. Il n'ont sans doute pas entendu le tocsin là-bas. Qu'il insiste pour que nos filles et les enfants demeurent au manoir tant que nous n'en saurons pas plus sur l'ampleur du désastre. Vite!

Le village était en proie à une atmosphère de panique. Des chevaux hennissaient et les chiens jappaient. De partout, des gens criaient:

— Au feu, à l'église!

En passant, Boileau apostropha le docteur Talham qui sortait de chez Bresse.

— Venez, hurla-t-il. Il y a le feu à l'église!

Les deux hommes atteignirent le parvis de l'église où s'étaient rassemblés nombre de villageois. Le feu était pris dans le clocher. Encombré d'une hache, de seaux en cuir et de cordes de chanvre, René rejoignit son père et Talham. Le curé Bédard, affolé, encore vêtu de ses vêtements de cérémonie, s'agitait, la tête comme une girouette, cherchant des yeux son bedeau tout en contemplant le clocher.

— Diantre, curé, que s'est-il passé? demanda Boileau, atterré. Il y a à peine une demi-heure, nous étions à prier dans l'église. Rien ne laissait présager un malheur.

— Je ne sais pas, répondit le curé qui haletait en parlant. Le feu a pris dans le clocher. Il a surgi de nulle part! Dieu seul sait comment! Dès qu'il s'en est aperçu, mon bedeau a sonné l'alarme, mais les flammes avaient déjà rongé la corde et la cloche s'est tue. Doux Jésus! Regardez! s'écriat-il en désignant le clocher. Voilà que ça reprend… Mon Dieu! Mon Dieu, ayez pitié de nous! fit-il en implorant le ciel.

— Ferrière a été averti? s'informa Talham.

— Le capitaine de milice est déjà là, confirma le curé. Pourvu qu'il réussisse à arrêter ce feu!

— Je rejoins les sauveteurs, déclara René en se précipitant en direction de l'incendie.

Autour de l'église, les secours s'organisaient. Les hommes du voisinage arrivaient les uns après les autres, jetant des échelles sur les murs, rassemblant le plus possible de seaux, de cordes et de crochets aptes à décrocher les chevrons en flammes. Des seaux remplis d'eau circulaient de main en main; les hommes, et même les femmes, formaient une longue chaîne humaine qui commençait au quai de pierres, dans le contrebas du bassin, et qui se rendait jusqu'à l'intérieur de l'église. D'autres volontaires montaient au clocher pour tenter d'éteindre le brasier. Mais très tôt, ces derniers durent renoncer et les flammes gagnaient d'intensité. Au fur et à mesure que les villageois affluaient, la chaîne s'allongeait.

René Boileau déposa son attirail de seaux et de cordes au quai pour se joindre aux autres. Le cabaretier Lynch, le forgeron Wait et le marchand David Lukin, tous voisins immédiats de l'église, ainsi que leurs engagés et domestiques, étaient arrivés les premiers. La nouvelle de l'incendie s'était vite propagée. On accourait de partout, du village et des chemins de la campagne environnante, pour prêter main-forte, et l'ardeur redoublait.

Au milieu de la cohue, un homme d'environ quarante-cinq ans, d'une taille plus élevée que la moyenne, dirigeait les opérations avec diligence. Le haut de sa poitrine était orné d'une curieuse petite plaque de métal de forme ovale, retenue par une chaîne. Ce hausse-col appartenait à Toussaint Ferrière, le capitaine de milice de la paroisse, heureux de voir apparaître sur les lieux du sinistre le charpentier Proteau et ses apprentis, chargés de haches et d'outils. Les charpentiers et les menuisiers étaient réputés les plus compétents pour arrêter les flammes.

— Enfin vous voilà, s'exclama Ferrière d'un air soulagé. Allez prestement jeter un coup d'œil à l'intérieur de l'église pour voir ce qu'on peut sauver. Je vous y rejoins dès que notre curé, qui prend des risques inconsidérés, sera en lieu sûr.

Les flammes commençaient à descendre le long de la façade et messire Bédard refusait de bouger, malgré les supplications de Monsieur Boileau qui le tirait par le bras.

— Je ne vais pas rester les bras croisés à attendre que mon église brûle ! se défendait le curé.

Le capitaine fit évacuer la foule qui grossissait, l'éloignant le plus loin possible du brasier qui s'intensifiait, enjoignant aux femmes et aux enfants de rentrer chez eux. Il fallait dégager la place pour ne pas gêner le travail des hommes.

Toussaint Ferrière était un homme d'un naturel paisible qui était apprécié par les villageois, même des plus récalcitrants, et avait droit au respect de tous. Le capitaine n'avait pas son pareil pour organiser une corvée tout en tenant compte des disponibilités de chacun. Les habitants étaient assurés de ne pas être dérangés au milieu de leurs récoltes à moins d'une raison extraordinaire. C'était pourquoi il se faisait obéir si facilement. Mais cette fois-ci, la foule des curieux qui grossissait se contenta de se ranger de part et d'autre du chemin du Roi, contemplant l'horrible spectacle. Tous les villageois étaient complètement bouleversés.

Pourtant, pas plus tard qu'hier, ils avaient prié avec ferveur pendant la procession annuelle de la Fête-Dieu. Qu'avaient-ils fait pour déclencher ainsi la fureur divine ? Leur église brûlait ! L'incendie s'était déclaré sans raison apparente, en plein jour, sous le ciel bleu d'une journée sans orage.

Mais la foule était toutefois plus disciplinée que le curé qui, pour l'instant, ne voulait pas quitter les lieux.

— Le Saint Sacrement qui est toujours exposé dans l'église... Et le trésor ! hurlait le curé, paniqué. Venez avec moi, Monsieur Boileau. Il nous faut sauver le trésor !

— Qu'allez-vous faire là, messire Bédard ? s'interposa le capitaine de milice d'un ton sévère. Allez vous mettre à l'abri immédiatement. La paroisse aura encore besoin de vous, même si elle perd son église.

— Le trésor, capitaine, fit Monsieur Boileau à voix basse. Il faut impérativement aller chercher le trésor de la paroisse qui est à l'intérieur de la sacristie.

— Parbleu ! s'écria le capitaine. Mais vous êtes fou ! C'est bien trop dangereux.

Ferrière jeta un regard rapide aux alentours. L'expédition projetée était bien hasardeuse, mais encore possible. Le trésor de la paroisse contenait des merveilles d'orfèvrerie ancienne. Il fallait faire une tentative pour les sauver.

— C'est bon. Mais attendez-moi ici, ordonna-t-il, j'irai avec vous. Je dois voir Proteau.

Laissant là les deux hommes, Ferrière repartit en courant retrouver le charpentier. Monsieur Boileau examina le curé :

— Diantre, retirez vite vos beaux habits avant qu'ils ne soient gâchés par la fumée et l'eau.

L'homme de Dieu obéit et roula en boule la riche chasuble, l'aube de fine batiste et l'étole, ne gardant que sa soutane, et donna le tout au bedeau apeuré qui venait chercher ses ordres.

— Allez, bedeau, portez-moi ça au presbytère en vitesse, et voyez si le marguillier en charge a été prévenu. Sinon, faites-le envoyer chercher. Allons, ouste, au galop, dit vivement le curé en faisant un geste de la main qui eut pour effet de secouer le petit homme qui fila vers le presbytère sans demander son reste.

À grandes enjambées, Ferrière avait rejoint le charpentier. Le feu allait gagner le toit. Les deux hommes estimèrent qu'on pouvait encore sauver la sacristie du désastre, mais il fallait faire vite. Proteau rassembla immédiatement un petit groupe d'hommes qu'il entraîna dans le chœur de l'église et leur donna des instructions pour réussir à circonscrire le feu avant que les flammes n'atteignent la sacristie. Tous s'attaquèrent avec acharnement, à coup de hache, aux beaux murs crème et or qu'on avait repeint quelques années auparavant. Plusieurs d'entre eux avaient les larmes aux yeux et ce n'était pas seulement à cause de la fumée.

— Allons-y maintenant, dit alors le capitaine Ferrière en revenant au curé et à Monsieur Boileau. Il faut faire vite.

Les trois hommes entrèrent par la petite porte sur le côté de la sacristie. Le curé fouilla dans une des poches cachées sous sa soutane pour en retirer une petite clé et se dirigea vivement vers une armoire qu'il ouvrit. Malgré l'urgence de la situation, il en retira délicatement tous les objets qui s'y trouvaient un à un : un calice, un ciboire, les deux petites burettes, une aiguière à baptême et son goupillon, un magnifique encensoir ciselé par un artisan du siècle dernier. Le capitaine et Monsieur Boileau emportèrent pêle-mêle les objets précieux. Le curé retourna dans l'église et se précipita vers le chœur.

— Quel insensé ! s'exclama le capitaine.

Le grondement des flammes s'intensifiait. Messire Bédard ressortit rapidement de l'église, toussant et crachant, mais tenant fermement son butin, brandissant le Saint Sacrement. Le trésor sacré était sauvé !

— Portez tout cela au presbytère, hurla le capitaine de milice en confiant les objets à deux de ses miliciens. Monsieur Boileau, pour l'amour du saint ciel, occupez-vous de notre curé. Je ne veux plus le voir approcher du brasier.

— Allons, curé, l'enjoignit le notable, inutile que vous restiez ici.

— Non, s'entêta messire Bédard. Il n'est pas question que j'abandonne mon église. Nous allons prier.

— Je veux bien, répliqua Boileau, mais plus loin.

Messire Bédard, brandissant l'ostensoir au bout de ses bras, s'écarta de Boileau pour se diriger vers un groupe de femmes qui priaient déjà avec ferveur. C'était connu, les prières au Saint Sacrement avaient le pouvoir d'arrêter le feu.

— Prions, mes sœurs, prions, mes frères, pour conjurer le mauvais sort qui s'acharne sur notre église.

En présence de leur pasteur, la ferveur redoubla. Voyant que le curé reprenait ses sens, Boileau retourna auprès des hommes qui s'activaient toujours à faire remonter l'eau à l'église. Il empoigna un seau et se joignit à la chaîne. Les premiers arrivés commençaient déjà à s'épuiser et les plus costauds se relayaient entre eux, les uns puisaient l'eau du bassin, les autres arrosaient. Tout en participant à la corvée, le bourgeois les encourageait :

— Hardi, les gars ! Un seau après l'autre.

Pendant que Monsieur Boileau s'époumonait, le docteur Talham s'enquit des blessés.

— Quelques hommes, semble-t-il, l'informa le notaire. On les a amenés au presbytère et des femmes s'en occupent. Seigneur ! Regardez, le feu se propage par le toit. Il faut avertir ceux qui sont à l'intérieur.

René Boileau sortit du rang en courant pour se précipiter dans le brasier. Au même instant s'éleva un cri suppliant :

— René, non ! cria Marguerite.

Le docteur Talham se retourna. Stupéfait de voir Marguerite qui s'avançait avec Charlotte dans son sillage, il les rattrapa.

— Que fais-tu ici ? dit-il d'un ton furieux.

— Alexandre ! s'écria-t-elle en se retournant vers son mari. Vous êtes là, grand Dieu !

Elle se précipita dans ses bras en pleurant.

— Notre église, gémit-elle, c'est trop affreux !

— Allons, toutes les deux, ne restez pas là, ordonna-t-il d'un ton brusque, inquiet de les voir si près du feu.

Les villageois s'étaient massés de part et d'autre du chemin du Roi. Des femmes et des enfants priaient avec le curé tandis que les hommes de la paroisse livraient un combat acharné contre l'incendie qui ravageait leur temple, qui avec un seau, qui avec une hache. En regardant vers le village, Talham aperçut une petite troupe qui arrivait au pas de course. C'était les soldats de la garnison qui arrivaient enfin pour prêter main-forte.

— Ce n'est pas trop tôt, grommela le docteur. Allons, ma belle, viens, fit-il en entraînant sa femme.

— *Stay back, sir*, ordonnèrent deux soldats en bloquant le chemin à Talham, Marguerite et Charlotte.

— Mais laissez-moi passer, bande de niochons, s'obstina Talham. Je suis médecin. *I'm a doctor.*

— *Sorry, Doctor*, fit l'officier de service. *I did not recognize you, but these women must stay here.*

— Très bien, répondit le docteur d'un air fâché. Marguerite, Charlotte, allez rejoindre les dames Boileau.

Joseph Bresse et le colonel de Rouville arrivaient derrière les soldats. Au même moment, le notaire Boileau, le capitaine de milice et une dizaine d'hommes sortaient enfin de l'église par la porte de côté, toussant et crachant à rendre l'âme. S'arrêtant un moment pour respirer, le notaire se redressa. Malgré la fumée, il aperçut Marguerite dans les bras de Talham. L'espace d'un instant, il crut recevoir un coup de poignard droit au cœur. Il détourna brusquement la tête. Le capitaine criait des ordres et faisait signe aux soldats de s'approcher.

— Nous avons encore une chance de sauver la sacristie.

— Je vais les aider, dit promptement Boileau.

— Laissez, monsieur le notaire, lui enjoignit le capitaine de milice. Allez plutôt délivrer notre bon docteur des bras de son imprudente épouse. Les blessés ont besoin de lui. Sans compter notre curé. Je crains pour ses nerfs.

Boileau se résigna.

— J'y cours.

Il rattrapa Talham, Marguerite et Charlotte.

— Docteur, je m'occupe de ces dames, je vais les confier à ma mère. On vous mande au presbytère.

— Merci notaire, fit le docteur, soulagé, avant de disparaître parmi les sauveteurs en direction du presbytère.

— Allons-y, fit rudement Boileau.

Mais Bresse s'interposa. Il venait d'apprendre que sa femme était toujours inconsciente dans leur maison. Il s'accrocha à Marguerite, la suppliant d'aller aux nouvelles.

— Madame Talham, il faut sortir Françoise et notre servante de la maison.

— Nous allons justement dans cette direction, fit le notaire.

— Je m'occuperai de madame Bresse et de sa servante, assura Marguerite.

Le notaire agrippa les deux femmes.

— Suivez-moi ! Vous ne pouvez plus retourner chez vous. Il faut attendre la fin de l'incendie.

Le colonel de Rouville approchait.

— Votre petit garçon est avec les demoiselles Boileau et ma fille, cria-t-il à l'intention de Marguerite avant de courir vers les lieux du sinistre.

— Colonel de Rouville, lui cria de loin le capitaine Ferrière en faisant de grands signes. Par ici !

Rouville s'approcha du capitaine de milice qui le gratifia d'un salut militaire.

— Je n'ai jamais été aussi heureux de vous voir. Je vous confie les hommes qui tentent de circonscrire le brasier de ce côté. Moi, j'irai de l'autre. Voyez, le feu gagne le toit à une vitesse effroyable. Nous avons toujours espoir de sauver la sacristie, mais il nous faut de l'eau en abondance de ce côté. Faites vite !

Habitué à commander des hommes, Rouville n'avait pas besoin de plus d'instructions et gagna l'endroit que Ferrière lui avait désigné. Il remarqua, parmi les sauveteurs, Antoine, chevalier de Niverville. Le fils de l'ancien seigneur de Chambly n'allait pas laisser flamber l'église paroissiale sans rien faire. Rouville avisa les soldats qui retenaient la foule et leur intima de remplacer les hommes épuisés, puis, empoignant un seau, il joignit ses efforts aux autres.

❧

Boileau soutenait les deux femmes sans dire un mot, sans même se rendre compte qu'il serrait Marguerite si fort qu'elle en avait l'épaule meurtrie.

— Merci, monsieur le notaire, lui dit Charlotte, reconnaissante et ravie d'être ainsi enlacée par le gentil notaire Boileau. La chaleur ici sera bientôt insupportable.

— Oui, répondit le notaire d'une voix étrange, ça devient intenable.

Marguerite avançait sans rien dire, tête baissée. Elle avait hâte de retrouver le petit Melchior et de le serrer dans ses bras pour s'assurer que tout allait bien. Et en même temps, elle était profondément troublée. C'était la première fois qu'ils étaient ainsi, René et elle, l'un contre l'autre, et elle tremblait tellement, lui sembla-t-il, que c'était pour cela qu'il la serrait si fort.

« Surtout, ne pas le regarder, se disait-elle. Surtout, ne pas voir ses yeux ! » La violence de ses propres sentiments la surprenait. C'était comme si un intrus s'emparait de son cœur sans permission, comme si l'amour reprenait ses droits.

Ces quelques secondes lui semblèrent une éternité. Le notaire abandonna Marguerite et Charlotte auprès de sa mère. Et ce fut plus fort que lui, il la regarda furtivement

467

dans les yeux. Elle soutint ce regard, avec une force qui l'étonnait elle-même et réussit à articuler « Merci, monsieur ».

— Madame Talham, dit-il rudement en guise de salut avant de repartir en courant.

— Mère ! fit alors une petite voix.

Son petit Melchior accourait pour se réfugier dans son giron et elle l'embrassa de joie. « Le feu brûle l'église ! Où est père ? » pleurnicha-t-il.

Malgré les recommandantions de leur père, Emmélie et Sophie étaient revenues de chez les Rouville, en compagnie de Julie et de Melchior. Marguerite avisa Emmélie.

— Il faut aller chez Bresse. Le docteur a donné un puissant médicament à madame Bresse qui dormirait sans pouvoir se réveiller.

— Voilà pourquoi elle n'est pas encore ici, fit Sophie, railleuse.

— Ce n'est pas le moment de se moquer, la rabroua Emmélie. Charlotte, occupez-vous des enfants. Marguerite et Sophie, venez avec moi. Nous allons secourir madame Bresse.

Marguerite abandonna Melchior à Charlotte et elle emboîta le pas à ses cousines.

En entrant chez les Bresse, les jeunes filles entendirent des sanglots provenant de la cuisine. C'était Perrine, la servante, qui se tenait debout devant l'âtre en pleurant.

Emmélie se précipita vers elle.

— Venez Perrine, il faut sortir de la maison !

— Je ne peux pas abandonner ma maîtresse, répondit la servante en hoquetant. Elle ne veut pas se réveiller. Le docteur l'a peut-être tuée, ajouta-t-elle en pleurnichant. Oh ! madame Talham, vous êtes là. Je ne voulais pas dire ça, se confondit-elle en s'excusant.

— Mais non, fit Emmélie que la réflexion de la servante amusait malgré la gravité du moment, mais le remède qu'il lui a donné est très fort. Je monte pour tenter de la réveiller. Vous, Perrine, vous allez rejoindre ma mère, madame Boileau. Et soyez sans inquiétude, madame Talham n'est pas du tout fâchée, n'est-ce pas Marguerite?

Celle-ci acquiesça en souriant. Sans même prendre le temps d'ôter son tablier, Perrine sortit.

Les jeunes filles gravirent rapidement l'escalier qui menait à l'étage. Françoise Bresse, mollement enfoncée au milieu des oreillers et des draps de son lit à colonnes, dormait profondément, comme l'indiquaient ses ronflements sonores. Emmélie n'hésita pas et la secoua vivement. Mais Françoise ne bougea pas.

— Qu'allons-nous faire? soupira Emmélie. Impossible de la réveiller.

— Il ne semble pas y avoir de fumée dans la maison, constata Sophie.

— Pas encore, dit Marguerite, mais ça ne saurait tarder. La maison est trop près de l'église et si le vent s'en mêle, elle sera rapidement enfumée.

Emmélie chercha une solution, mais c'est Marguerite qui eut l'idée.

— À nous trois, nous sommes assez fortes pour la descendre. Si elle ne se réveille pas, nous l'allongerons sur un sofa. Comme ça, s'il y a urgence, ce sera plus facile de venir la chercher. Il suffira de venir lui jeter un petit coup d'œil de temps en temps, à tour de rôle.

— Bonne idée, fit Sophie.

— Allons-y, dit Emmélie en tentant de soulever Françoise d'un côté.

— Pas comme ça, dit Marguerite. De cette manière, tu n'arriveras à rien. Sophie, place-toi de l'autre côté, et soulevez-la en même temps. Moi, je vais lui saisir les jambes et les tourner pour qu'on puisse la sortir du lit.

Aussitôt dit, aussitôt fait. Elles parvinrent à la mettre debout, mais Françoise était aussi molle qu'un tas de chiffons. Marguerite lui saisit les jambes et toutes les trois, elles l'empoignèrent fermement et réussirent à la soulever. Malgré l'ampleur de la manœuvre, la femme inerte aurait aussi bien pu être morte : elle ne remua pas un cil.

— Eh bien ! constata Sophie, étonnée, elle n'est pas grosse, mais elle est lourde.

Elles unirent leurs efforts pour la sortir de la chambre et la mener jusqu'à l'escalier. Marguerite s'arrêta un moment, souleva un pan de sa jupe à la ceinture pour se donner de l'aisance dans ses mouvements, et s'installa à reculons pour descendre. Tranquillement, marche par marche, les jeunes femmes réussirent à descendre madame Bresse dans l'escalier étroit. Elles la transportèrent dans la chambre de compagnie pour la coucher sur un sofa.

— Ouf ! s'exclama Sophie. Voilà qui est fait. J'avais peur que Marguerite ne déboule l'escalier, et nous en même temps qu'elle.

— Tu avais oublié à quel point je suis forte, lui rappela Marguerite en souriant.

— C'est vrai, j'avais oublié, répliqua Sophie en lui rendant son sourire.

— C'est bon, rétorqua Emmélie, heureuse de voir que ces deux-là se réconciliaient, il ne nous est rien arrivé de fâcheux.

Mais le déplacement avait réussi à faire sortir Françoise Bresse de sa torpeur.

— Que se passe-t-il, demanda-t-elle d'une voix très faible en tentant d'ouvrir les yeux.

— Madame Bresse, s'exclama alors Emmélie en la secouant. Réveillez-vous !

— Pourquoi crier ainsi ?

— C'est moi, Emmélie Boileau. Je suis avec Sophie et madame Talham. Il faut sortir de votre maison au plus vite avant qu'elle ne s'enfume.

— Madame Bresse, intervint Marguerite. Notre église brûle et il vous faut sortir de la maison. Êtes-vous capable de vous tenir debout ?

— Mes sœurs, fit faiblement Françoise qui commençait à se réveiller. Clémence et Agathe, où sont-elles ?

— N'ayez crainte, la rassura Sophie. Elles sont avec ma mère et la demoiselle de Rouville. Allons, venez maintenant, nous allons vous aider à sortir de la maison.

Françoise gémit. Sa mâchoire était douloureuse. Les jeunes filles sortirent ensuite un fauteuil de la maison et y installèrent la pauvre madame Bresse engourdie par le laudanum. Toujours coiffée de son bonnet de nuit, Françoise trouva la force de s'exclamer :

— Dire que j'ai failli manquer l'événement le plus important qu'il y ait eu à Chambly depuis des années à cause d'une simple dent !

— Vous voilà aux premières loges, répondit Sophie, railleuse.

Mais Françoise s'était rendormie.

— Viens Marguerite, dit alors Emmélie, allons plus avant voir si nous pouvons nous rendre utiles.

— Je ne bouge plus d'ici, répondit la jeune femme. J'ai assez fait d'efforts pour aujourd'hui, ajouta-t-elle d'un ton mystérieux.

Étonnée par cette curieuse réponse, Emmélie l'interrogea du regard.

— J'ai de l'espérance, lui révéla Marguerite à voix basse.

— Oh, madame! s'exclama Charlotte qui approchait pour retrouver sa maîtresse et avait tout entendu. C'est moi qui irai avec la demoiselle et vous, vous resterez ici, bien tranquille.

Emmélie se mit à rire.

— Marguerite a bien de la chance de t'avoir comme servante. Viens avec moi.

La servante rougit de plaisir en entendant le compliment d'Emmélie. Même si celle-ci l'avait grondée, autrefois, elle l'aimait bien. Cette demoiselle-là, se disait-elle, savait rester aimable lorsqu'elle donnait des ordres et vous souriait toujours si elle vous croisait, comme si vous étiez une personne importante, contrairement à d'autres bourgeoises qui vous considéraient autant qu'un buffet. Elle s'attacha aux pas d'Emmélie et la suivit.

❧

Emmélie et Charlotte se dirigèrent vers le presbytère. Elles retrouvèrent Marie-Josèphe Bédard, qui avait déjà organisé les secours d'urgence. Ceux qui semblaient blessés plus sérieusement étaient assis ou allongés à même le sol. Les autres attendaient debout leur tour d'être examiné. Emmélie comprit tout de suite ce qu'il fallait faire pour aider. Elle demanda à Charlotte d'aller puiser de l'eau fraîche au bassin pour baigner les yeux échauffés. Marie-Josèphe pansait les petites blessures tandis que le docteur examinait les cas urgents.

Talham apprécia le travail des jeunes filles qui faisaient preuve d'initiative et de sang-froid. Il s'enquit auprès de la demoiselle Boileau de Marguerite et de madame Bresse. Emmélie le rassura. Talham examina les blessés un à un, tout en parlant à la sœur du curé.

— Je crains les conséquences d'un choc nerveux pour notre curé, lui confia-t-il.

— Mon frère est fort et tiendra bon, répondit Marie-Josèphe en toussant. Mais j'ai peur qu'il ne s'épuise aujourd'hui, alors qu'il aura besoin de toutes ses forces demain et probablement dans les jours à venir.

Dehors, l'incendie s'intensifiait. La fumée commençait à envahir le presbytère. Le docteur et Emmélie toussaient.

— Il faudra songer à évacuer cette maison, constata-t-il.

— Je vais examiner les blessés. À première vue, la plupart de ceux qui sont ici peuvent marcher. Mesdemoiselles, vous devez sortir, ordonna Talham,

— Pas question de partir sans vous, dit Emmélie.

— Je suis d'accord, ajouta Marie-Josèphe.

— Voici ce que nous allons faire, mes braves demoiselles, dit le docteur. Nous allons installer notre infirmerie chez moi. Charlotte va nous précéder. Je veux que tu puises de l'eau fraîche en grande quantité, le plus que tu pourras, fit-il à l'intention de la servante. Fais-en chauffer une partie, qui servira à nettoyer les plaies. Ensuite, trouve de la charpie propre. Les demoiselles iront bientôt te rejoindre.

— Alors, jeunes filles, pressons.

❧

De son côté, madame Boileau organisait le ravitaillement.

— As-tu vu mon père? demanda Sophie à Marguerite.

— Mon oncle est avec monsieur de Rouville, aux dernières nouvelles.

— Et le notaire? s'informa discrètement Julie de Rouville. On m'a dit qu'il s'était précipité dans l'église en flammes.

— Il ne lui est rien arrivé, répondit vivement Marguerite. Il se dirigeait vers le presbytère la dernière fois que je l'ai vu.

— Mesdames, mesdemoiselles, les interpella alors madame Boileau. Ne perdons pas courage, malgré notre chagrin, et allons préparer de quoi restaurer nos braves. Ils ont besoin de boire et de manger.

Melchior se mit à pleurer.

— Moi, je veux ma maison, pleurnichait l'enfant. Je veux pas qu'elle brûle.

— Mais non, mon petiot, le rassura Marguerite en le câlinant. Mais vois, là-bas, c'est ton parrain, ajouta-t-elle en désignant de Rouville, au loin. Il aide le capitaine de milice. Tu verras, tous ces hommes sont extrêmement braves et arrêteront le feu.

Elle se tourna vers madame Boileau :

— Ma tante, avec Sophie, je vais aider à préparer de quoi restaurer les hommes. Puisque pour le moment, on ne peut plus aller nulle part, aussi bien se rendre utile.

— Je prendrai soin des enfants, offrit gentiment la demoiselle de Rouville.

Elle tendit les bras à Melchior qui s'y réfugia. Julie était toujours gentille avec lui.

— Voilà une excellente idée, approuva madame Boileau en lui confiant Zoé.

Avec un groupe de femmes, Marguerite et Sophie étaient déjà en direction de la maison rouge. Madame Boileau donnait des ordres : réunir le plus de pichets, de verres et de tasses possible et puiser de l'eau afin de remplir un petit baril. On plaça le tout dans une charrette conduite par Sophie et Marguerite. Elles installèrent une table de fortune afin de distribuer de l'eau fraîche. Puis, madame Boileau fit tuer quelques poulets de son poulailler que des femmes du village entreprirent de plumer. L'une d'elles les enfila sur une broche et un peu plus tard, une bonne odeur s'éleva dans la cuisine des Boileau. Affairée à préparer de la nourriture, les femmes oubliaient les peurs et le chagrin. Madame Boileau inspecta les armoires de la cuisine et découvrit un jambon fumé, des pains, du vin, du rhum. Elle fit apporter tout ce qu'elle trouva de nourriture. De son côté, madame de Rouville donna des ordres identiques pour qu'on remplisse une charrette avec des victuailles du manoir à transporter au bassin, près du quartier général improvisé.

Tous étaient touchés par le drame encore inexpliqué retrouvant cette vieille solidarité qui les liait depuis toujours, s'entraidant et se réconfortant.

C'est ainsi qu'au bout d'heures interminables, l'ardeur des hommes et les prières des femmes de Chambly vinrent finalement à bout du brasier. Lorsque la noirceur s'installa, vers les huit heures du soir, l'incendie semblait maîtrisé. De la belle église Saint-Joseph qui surplombait le bassin et faisait la fierté des gens de Chambly, il ne restait plus que des ruines fumantes. Tous les efforts déployés n'avaient pu sauver la sacristie qui avait fini par brûler, elle aussi, mais ses murs de pierres restaient bien droits, miraculeusement intacts, tel un phare rappelant qu'il fallait avoir le courage de continuer.

Ce soir-là, même les pires mécréants de Chambly étaient retournés chez eux le cœur rempli de tristesse en songeant à leur paroisse dépourvue d'église. Le cœur du village était orphelin, et tandis que les braises s'éteignaient lentement, l'âme de Chambly s'envolait vers le ciel en fines volutes.

Chez Boileau se tenait un conseil de guerre. Le feu semblait éteint, on ne comptait aucune victime et, finalement, tous les blessés étaient rentrés chez eux. Ferrière et Rouville avaient réuni quelques volontaires et le commandant du fort avait prêté quelques hommes pour former une garde, craignant les voleurs ou les vandales, et par-dessus tout, la terrible possibilité que le feu renaisse de braises mal éteintes.

Madame Boileau avait fait servir une copieuse collation et de quoi boire à tous ces hommes harassés de fatigue. Outre Monsieur Boileau et son fils, le notaire, il y avait là le capitaine de milice Ferrière, monsieur de Rouville, Antoine, chevalier de Niverville, fils de l'ancien seigneur et frère des demoiselles, et Toussaint Barsalou, le marguillier en charge. Le curé, terriblement défait, était effondré sur le sofa. Madame Boileau avait insisté et offert l'hospitalité à messire Bédard et à sa sœur. Le presbytère avait été épargné par l'incendie, mais il était passablement enfumé et inhabitable pour ce soir. Trop bouleversé pour protester, messire Bédard ne s'était d'ailleurs pas fait prier.

Le capitaine de milice rejoindrait la garde plus tard, après la petite réunion.

— J'irai avec vous, proclama Rouville que cette aventure ragaillardissait.

— C'est pas de refus, mon colonel, nous ne serons pas trop de deux, et votre grande expérience est la bienvenue.

— Quel désastre ! l'interrompit le curé d'une voix éteinte.

— Oui, renchérit Monsieur Boileau. C'est une épouvantable calamité !

— Allons, mes amis, fit monsieur de Rouville, essayons d'envisager les choses autrement.

— Avec tout le respect que je vous dois, colonel de Rouville, je ne vois rien de bon dans cette catastrophe, rétorqua messire Bédard.

— Malgré notre infortune, nous avons tout de même réussi à préserver une partie de la sacristie, le presbytère est sauvé et le cimetière n'a pas trop souffert, expliqua le capitaine Ferrière.

Il exposait ce bilan tout en essuyant avec son mouchoir la suie qui lui noircissait le visage.

— Et comme nous sommes au début de l'été, ajouta le notaire, nous avons plusieurs mois devant nous pour reconstruire avant l'hiver.

— Mais oui, renchérit de Niverville. C'est bien ce que je disais, nous avons suffisamment de temps pour reconstruire.

Antoine, chevalier de Niverville, réfléchissait difficilement par lui-même. Il était réputé pour son art de s'approprier les bonnes idées des autres. Si le propos de l'un échappait à l'autre, Niverville, immanquablement suspendu à toutes les lèvres, allait le répéter. Mais on tolérait ce drôle de personnage. Son père, mort à l'âge vénérable de quatre-vingt-douze ans en 1800, avait été un homme respecté de tous, surtout parce qu'il avait été le dernier seigneur français de Chambly.

— Nous verrons cela demain, dit alors Monsieur Boileau, la nuit porte conseil et je suis certain que notre bon docteur nous recommande vivement d'aller tous nous coucher.

— C'est exactement ce que j'allais suggérer, répondit Talham, qui n'arrivait plus à réprimer ses bâillements.

— Mais revenez tous demain, leur intima le curé. Car nous aurons fort à faire.

Le conseil était sage. On prit congé afin de regagner sa demeure pour profiter des quelques heures de sommeil qu'il restait avant le lever du jour.

Revenus au campement improvisé près du site de l'incendie, Ferrière et Rouville examinaient les ruines.

— Quel désastre, soupira Ferrière, le capitaine de milice.

— Pensez-vous la même chose que moi ? demanda Rouville.

— Je le crois, surtout en regard de ceci. Voyez ce que nous avons retrouvé dans le clocher avant qu'il ne s'embrase, fit Ferrière en tendant une pièce de métal noircie, cabossée et à moitié fondue.

Rouville examina attentivement l'objet.

— On dirait bien une lanterne sourde, dit-il.

— C'est bien cela, confirma le capitaine de milice. Pourtant, ce type de lanterne de métal est fait pour protéger la flamme du vent. Il faut les allumer en ouvrant une petite porte et elles laissent passer des filets de lumière par de minuscules interstices.

— Au fait, capitaine, s'impatienta Rouville.

— Je crois qu'une main a ouvert la fameuse petite porte et a fourni suffisamment de brindilles sèches ou autre combustible pour faire un feu de camp dans le clocher. La corde devait être déjà passablement rongée lorsque le bedeau a sonné l'alarme. Et voyez le résultat, ajouta-t-il en donnant un coup de pied dans les débris.

— On m'a dit, en effet, qu'on avait entendu seulement quelques coups. Au faubourg, nous n'avons rien entendu. Il faut ouvrir une enquête.

— J'en ai bien l'intention, déclara le capitaine de milice. Quoi qu'en pense notre bon curé, le feu n'est pas arrivé comme ça, en plein jour. La main de l'homme était à l'œuvre.

~

Marguerite était revenue tard chez elle, avec le petit Melchior dans les bras, épuisée comme tous l'étaient au village après cette journée infernale. Sa demeure avait été vidée de tous les blessés amenés quelques heures auparavant par le docteur afin de mieux les soigner.

Heureuse de retrouver sa maison, elle eut toutefois du mal à s'endormir. Dès que le sommeil commençait à la gagner, elle revoyait René se précipiter dans l'église en flammes. Et ce moment fugitif où il l'avait maintenue fermement. Elle se rappelait précisément la chaleur de son corps. Elle la ressentait encore vivement, comme si le bras de René l'enlaçait toujours. Et pourtant, elle portait en son sein le fils d'Alexandre et, la veille encore, elle se réjouissait profondément de donner un enfant à son mari qui lui témoignait tout l'amour du monde. Ce dernier n'était toujours pas rentré. Elle ferma les yeux.

Dans le faubourg Saint-Jean-Baptiste, Julie de Rouville s'était endormie en pensant à la terreur qui l'avait saisie au récit du courage du notaire s'élançant dans les flammes. Dans son cauchemar, elle pleurait à chaudes larmes tandis que le capitaine de milice annonçait qu'on avait retrouvé René Boileau mort dans les ruines de l'église. L'inconfort de l'oreiller, trempé de larmes, la réveilla. «René.» Elle murmura son prénom. Peut-être qu'un jour, il la regarderait autrement, de ce regard ardent qu'il avait pour sa cousine, madame Talham, et qu'elle n'avait pas manqué de remarquer. Ce regard, elle le souhaitait dirigé vers elle afin qu'il voie la femme amoureuse qu'elle pouvait être. Julie ne put se rendormir. Personne ne connaissait son secret et elle n'avait personne à qui le confier.

Ce n'était pas le souvenir de l'incendie qui empêchait le notaire Boileau de s'endormir. La cruelle vision de Marguerite dans les bras de Talham s'imposait sans cesse dans son esprit, alors qu'il ne voulait se rappeler de la douceur du corps bien-aimé blotti au creux de son bras. Malgré tous ses efforts, l'image de Marguerite l'obsédait. Il lui était inutile de se battre contre lui-même, car sans le savoir, elle détenait une part de son âme. « De toute manière, je serai le parrain d'un petit Talham, aussi bien m'y faire tout de suite », conclut-il en s'endormant, finalement.

Enfin chez lui, allongé auprès de sa chère Marguerite, le docteur Talham cherchait le sommeil. Quelque chose le turlupinait. Il avait beau reprendre en détail les événements de la journée, il n'arrivait pas à retrouver ce qui le dérangeait. « Ça me reviendra plus tard », se dit-il en se tournant sur le côté pour enlacer son épouse endormie. Il déposa un léger baiser sur la belle épaule découverte par la chemise qui avait glissé, enfouit son visage dans la lourde tresse qui dépassait du bonnet de nuit, puis ferma les yeux en se blottissant tout contre le corps chaud de Marguerite.

Et pendant que tous, tant bien que mal, cherchaient à trouver ou une explication ou le sommeil, hantés qu'ils étaient par la vision terrifiante des ruines encore fumantes, le curé Bédard laissa libre cours à ses larmes, pleurant son église détruite. Il songea aux efforts héroïques de ses paroissiens pour la sauver, ce qui le consola quelque peu. « Il me faudra les féliciter pour leur courage, se dit-il pour noyer son chagrin. Car, nous en aurons bien besoin pour reconstruire une nouvelle église. »

« Une nouvelle église ! Oui, bien sûr, il faudra reconstruire l'église », se répéta le curé. Cette idée le réconforta à tel point qu'il y vit clairement l'expression de la volonté de Dieu. Il se redressa dans le lit pour mieux réfléchir. Le feu n'avait-il pas surgi subitement dans le clocher, une belle journée d'été, sans orage ni rien pour amener un tel fléau ? C'était bien un signe qu'il y avait là un message du Seigneur. Dans sa divine sagesse, Dieu exigeait une nouvelle demeure plus spacieuse ; une église somptueuse avec de belles colonnades, des arches très hautes et un superbe ciel étoilé comme savaient si bien les peindre les artistes canadiens. Il manderait à Chambly les Quévillon et les Baillairgé. Le divin maître réclamait la plus belle église du Bas-Canada, ici, dans le décor sublime de Chambly. Et c'était lui, Jean-Baptiste Bédard, qu'Il désignait pour guider son troupeau et attirer toutes les brebis égarées autour de cette nouvelle église à bâtir. « Demain, se dit humblement le curé, les mains jointes, demain, il nous faudra nous retrousser les manches, tous ensemble. Ah ! Merci, Seigneur, de me montrer le chemin. »

Mais malgré la ferveur de ses prières, et si sage et avisé qu'il fût, jamais le curé Bédard n'aurait pu prédire ce qui l'attendait. Si le Seigneur mesurait son amour à l'aulne des épreuves qu'Il envoyait à ses pasteurs, Jean-Baptiste Bédard figurait certainement sur la liste de ses favoris.

Chapitre 17

Le diable s'en mêle

Le soleil venait à peine de se lever lorsque le notaire Boileau arrêta sa calèche devant la maison ancestrale de la famille Robert qui avait été une des premières à s'installer du côté du fief Jacob, sur le chemin qui menait à Belœil.

— Enfin, vous voilà ! l'accueillit amicalement un homme qui s'avançait vers lui pendant que René descendait de la calèche et déchargeait un coffre en bois qui contenait son écritoire de voyage.

La vieille Madeleine Robert venait finalement de mourir. Son fils, Charles, un homme qui paraissait plus vieux que ses quarante ans avec son visage buriné par le soleil et les travaux des champs, s'était occupé d'elle jusqu'à la fin, puisqu'il était l'aîné. À ce titre, la ferme familiale lui revenait, mais il fallait quand même établir la part d'héritage de chacun. René Boileau faisait partie de la parenté éloignée des Robert et pour les questions légales, ces derniers lui faisaient entièrement confiance.

Les funérailles de la veuve Robert avaient été célébrées la veille dans le triste bâtiment gris qui tenait lieu d'église, désormais.

Immédiatement après l'incendie, le curé de Chambly avait réussi à rassembler toutes les bonnes volontés et les paroissiens s'étaient prêtés de bonne grâce à la corvée de nettoyage, en plein cœur de l'été. Trois semaines après le sinistre, messire Bédard écrivait fièrement à son évêque que la *sacristie avait été rétablie telle qu'elle était. Nous avons construit dans le corps de l'église incendiée une espère de hangar d'une cinquantaine de pieds, lequel communique à la sacristie par une grande porte qu'on a ouverte dans le rond-point de l'église.*

Aucun des hommes de la famille Robert n'avaient participé à cette grande corvée, puisqu'ils faisaient partie d'un groupe de paroissiens réclamant le déplacement de l'église de Chambly de leur côté. Ces dissidents avaient si bien embrouillé les cartes auprès de l'évêque Plessis que celui-ci n'avait toujours pas donné l'autorisation de reconstruire l'église.

— Suivez-moi, mon cousin, invita Charles Robert tout en faisant signe à un des gamins qui accouraient de prendre le cheval du notaire pour le mener au frais, à l'écurie. Il y a longtemps qu'on ne vous a vu dans la région.

En se frottant les mains pour les réchauffer – il avait oublié de mettre ses gants et le froid d'octobre avait gelé ses doigts – le notaire ne put s'empêcher d'asticoter Robert.

— On me dit qu'un autre notaire brasse de grosses affaires de ce côté-ci de la paroisse, depuis quelques semaines.

Le visage de Robert se rembrunit.

— Ainsi, c'est donc vrai ? s'exclama René. Tous les habitants du fief Jacob se sont mis ensemble pour nuire à la reconstruction de l'église ?

— On vous a menti, notaire Boileau. Puisqu'il faut une nouvelle église à Chambly, les habitants du bas de la paroisse demandent tout simplement que l'évêque ouvre une nouvelle paroisse entre Chambly et Belœil. Comprenez. Les enfants doivent parcourir trois lieues pour entendre le catéchisme ! Et puis, le cimetière actuel de la paroisse est insuffisant. La population de Chambly ne cesse de grandir, se défendit l'habitant.

— Voyons, Charles. Ce n'est pas sérieux. Combien de familles vivent dans le fief Jacob ? Environ soixante ? Soixante-dix ? Vous n'êtes pas assez nombreux pour payer une église, un presbytère et un cimetière. Je comprends que vos terres et vos habitations soient éloignées de l'église, mais c'est la même situation à Sainte-Thérèse, et pourtant, les habitants ne réclament pas le déplacement de l'église de leur côté !

— Mais il n'a jamais été question de déplacer l'église ! s'indigna Charles Robert comme si on venait de l'accuser d'un quelconque méfait.

« Il paraît sincère ! » constata René. Tout à coup, tout s'éclaircit dans son esprit. Le marchand Brunet, de Pointe-Olivier, ainsi que le notaire Pétrimoulx avaient fait signer des requêtes à l'évêque en abusant de la bonne foi des habitants du fief Jacob. Aucun d'entre eux ne savait lire. En s'y prenant habilement, on pouvait leur faire signer n'importe quoi. Les deux notables de Pointe-Olivier, qu'on savait responsable de la rédaction des requêtes à monseigneur Plessis réclamant le déplacement de l'église Saint-Joseph, avaient jeté la consternation au village de Chambly.

— Pourtant, la dernière requête parvenue à monseigneur Plessis réclame le déplacement de l'église de Chambly dans le fief Jacob. Et vous avez apposé votre croix sur ce document. Inutile de nier, je l'ai vue. C'est à vous qu'on a menti, Charles. Racontez-moi comment tout cela s'est passé, fit le notaire en croisant ses longs doigts tachés d'encre.

Charles Robert narra comment, l'été dernier, le gros marchand de Pointe-Olivier, Pierre Brunet, et le notaire Pétrimoulx avaient expliqué le contenu des requêtes et obtenu les croix de tous les habitants sur les documents.

— Ils se sont servis de vous d'une manière abominable, déclara René d'un air dégoûté. Si l'église de Chambly est déplacée, c'est la mort de notre village, vous vous en doutez. N'avez-vous pas trouvé étrange que ce soit des gens de Pointe-Olivier qui se préoccupent subitement de vos intérêts ?

L'habitant était catastrophé.

— Mais que faire, René ? Est-il trop tard pour changer les choses ?

— Je ne sais pas, Charles. Mais vous pourriez peut-être vous racheter en signant aussi la nouvelle requête que je prépare pour les villageois à l'intention de Monseigneur l'évêque de Québec, demandant à ce que l'église soit reconstruite sur l'ancien emplacement. Et incitez vos voisins à faire de même.

— Je le ferai volontiers. Ça ne cause pas de problèmes pour moi, assura Charles. Mais je ne peux rien dire pour les autres. Ils sont plusieurs à avoir leurs affaires chez Pétrimoulx.

— J'ai comme l'impression que l'honnêteté n'est pas la principale qualité de mon confrère.

— Et les autres ont de la famille à Pointe-Olivier.

— Le diable lui-même s'en serait mêlé que ça n'irait pas plus mal à Chambly ces jours-ci, mon cher Charles. Allez, laissons-là ces disputes et commençons. Nous avons beaucoup de travail. Il faut estimer chacun des objets de la maison, faire l'évaluation des terres, de la récolte, des bêtes, et ensuite, faire le partage. Nous en avons pour des heures, voire pour plusieurs jours.

∾

— Votre Grandeur, je vous en prie, gardez votre calme avant d'avoir un accès de bile ! Cette histoire d'église incendiée à Chambly finira par vous faire mourir !

Celui qui pouvait se permettre de s'adresser aussi familièrement au nouvel évêque de Québec, monseigneur Joseph-Octave Plessis, était Bernard-Claude Panet, curé de Rivière-Ouelle. Une solide amitié liait les deux hommes malgré les dix années qui les séparaient. Messire Panet, qui était l'aîné de monseigneur Plessis, bénéficiait aussi de la grande estime de l'évêque qui en avait fait son coadjuteur, son assistant en quelque sorte. Il faut dire que l'immense diocèse de Québec englobait encore toutes les paroisses catholiques romaines de l'Amérique du Nord, tant au Canada qu'aux États-Unis.

— Si je vous ai fait sortir de votre chère paroisse en plein cœur de l'automne, alors que les chemins sont si embourbés, ce n'est certes pas pour veiller sur mes humeurs, maugréa Plessis qui arpentait rageusement le petit salon du Séminaire de Québec où il avait ses appartements. Pour cela, il y a suffisamment de chirurgiens et autres charlatans en ce pays !

— Je comprends qu'il y a de quoi être inquiet, rétorqua Panet en ignorant les grognements épiscopaux. Les démêlés du curé Jean-Baptiste Bédard de Saint-Joseph avec ses paroissiens belliqueux jettent le trouble dans toute la rivière Chambly, de Saint-Denis à Pointe-Olivier.

— Vous comprenez pourquoi j'ai besoin de votre abondante sagesse, Panet. Dans cette affaire de Chambly, c'est à croire que le diable lui-même tient les rênes !

L'incendie qui avait ravagé l'église paroissiale de Saint-Joseph-de-Chambly causait encore plus d'ennuis que prévu.

Pleins d'espoir, le curé et les notables avaient rédigé une requête à l'évêque Plessis pour autoriser la reconstruction de l'église, assurés que Monseigneur accorderait immédiatement la permission et que les travaux pourraient être entrepris dès la fin des récoltes.

Mais il n'en fut rien.

Dans le fief Jacob, la partie de la seigneurie de Chambly qui touchait à Belœil, les habitants s'étaient regroupés et avaient envoyé leur propre requête à Monseigneur, le priant de considérer le déplacement de l'église sur leurs terres. Ce document, rédigé par le notaire Médard Pétrimoulx de Pointe-Olivier, avait comme témoin Pierre Brunet, le marchand le plus important de ce village. Cette requête avait semé la confusion dans l'esprit de l'évêque.

Depuis trois jours, la sainte fureur de Monseigneur ébranlait les murs du Séminaire de Québec tout comme les plis de son double menton. Sa colère faisait poindre autour de lui de petits nuages blancs qui s'échappaient de ses cheveux noirs et poudrés, tandis que messire Panet craignait la crise d'apoplexie chez ce tempérament sanguin. La dernière lettre de Jean-Baptiste Bédard, curé de Chambly, était la cause des émois épiscopaux.

La nature avait certainement prévu que Joseph-Octave Plessis serait un jour l'évêque de Québec et qu'il aurait à livrer des batailles épiques puisqu'elle l'avait doté d'une forte carrure et d'une bonne tête au front large qui pouvait aisément abriter les innombrables préoccupations d'un évêque. Pourtant, ces jours-ci, Monseigneur ne savait plus à quel saint se vouer pour régler le sort de Chambly. Il tendit à son visiteur la lettre brève qui avait déclenché l'épiscopal courroux.

— Lisez vous-même ce que vient de m'écrire l'insolent curé de Chambly!

Le coadjuteur lut à haute voix une lettre datée du 8 octobre :

— *Oserais-je demander à Votre Grandeur si elle a reçu une Requête de la paroisse Saint-Joseph demandant à rebâtir une nouvelle église à la place de la vieille incendiée et une lettre de ma part ; et dans la supposition que vous auriez reçu l'une et l'autre ; ce qui vous y a déplu si fort que vous n'avez pas daigné y faire réponse. Toute la paroisse est dans l'attente d'une réponse de Votre Grandeur, elle la désire et la trouverait même nécessaire en ce moment, parce qu'elle la mettrait en pouvoir de faire des préparatifs pour bâtir. Je vous supplie donc de nous honorer d'une réponse et de me croire avec le plus profond respect, Monseigneur, votre très humble* etc.

Déployant ses longs doigts avant de les joindre dans une attitude méditative, Panet réfléchissait. Il imaginait le désespoir de son confrère. Jean-Baptiste Bédard, pasteur attentif au bien-être de ses ouailles, profondément imprégné des Saintes Écritures et prêtre obéissant à ses supérieurs, était aux prises avec une rébellion dans sa paroisse pendant que son évêque mettait en doute sa parole. Que de mortifications exigeait parfois le service de Dieu !

— Si vous me permettez, Votre Grandeur, je comprends son impatience. Voilà plus de trois mois que son église a brûlé et il n'a toujours pas obtenu votre permission de reconstruire.

— Mais le ton irrévérencieux de cette lettre, Panet !

L'évêque répétait en suffocant les passages choquants : « *dans la supposition que… vous n'avez pas daigné y faire réponse…* Vous voyez bien que Bédard cherche à me provoquer. »

— J'ai de la difficulté à prêter à Jean-Baptiste Bédard des intentions de provocation à l'endroit de Monseigneur, ou de quiconque, d'ailleurs, avoua le coadjuteur.

— Pourtant, cela ne m'étonnerait guère, rétorqua sèchement Plessis. L'irrévérence doit être un trait de famille chez les Bédard ! Voyez comment se comportent son frère et son Parti canadien !

Messire Panet comprenait que cette dispute de clocher pouvait menacer le fragile équilibre du clergé catholique canadien. En réalité, l'évêque du plus grand diocèse d'Amérique du Nord ne disposait d'aucun statut légal. Il avait fallu user de diplomatie et négocier longuement avec la Couronne afin qu'elle approuve le choix des autorités religieuses – un choix éclairé, s'il en était – et qu'elle entérine la nomination du nouvel évêque de Québec et de son coadjuteur. Cette nomination devait passer par Londres, et cela, monseigneur Plessis ne pouvait pas se permettre de l'oublier.

Or, le curé de Chambly était le frère de Pierre-Stanislas Bédard, le chef du Parti canadien à la Chambre d'assemblée, celui qui dénonçait publiquement les agissements du gouvernement en l'accusant de favoriser les marchands anglais. Derrière Bédard se rangeait toute la classe bourgeoise canadienne qui s'affirmait de plus en plus devant le gouvernement colonial. Ce qui n'aidait guère son clergé. Ces bourgeois étaient les mêmes qui soutenaient Jean-Baptiste Bédard à Chambly.

Messire Panet était bien placé pour savoir que Bédard n'était pour rien dans les hauts faits de son frère Pierre-Stanislas ; son propre frère, Jean-Antoine Panet, avait été le premier orateur de la Chambre et faisait encore beaucoup trop parler de lui pour la tranquillité d'esprit du coadjuteur. Les considérations politiques ne devraient pas affecter la construction d'une nouvelle église à Chambly et l'intégrité de son curé.

— Vous savez bien que Bédard a plus de goût pour la prière que pour la bagarre, plaida messire Panet. C'est un homme doué, doté d'un tempérament conciliant comme il s'en fait peu. Vous-même affirmez à tout venant que c'est l'un de vos meilleurs pasteurs : habile au prône comme au confessionnal, rappela-t-il à son supérieur en croisant ses longs doigts maigres comme s'il entrait dans une profonde méditation.

— La peste soit de tous ces Bédard ! s'exclama monseigneur Plessis, excédé.

Le regard furibond de l'évêque n'ébranla pas messire Panet. Contrairement à l'évêque qui était tout en rondeur, le curé de Rivière-Ouelle était un homme grand dont le corps efflanqué appréciait à sa juste valeur le fauteuil bien rembourré dans lequel il était assis. Ses yeux, au regard empreint de bonté et de l'amour de son prochain, creusaient son visage émacié qui respirait la charité chrétienne. Son sens aigu de la justice saisissait la gravité de la situation. Il adopta une attitude de prière, attendant patiemment que Monseigneur reprenne ses esprits.

Le prélat était dépassé par les événements et sa décision devait être le fruit d'une réflexion mûrie. Panet avait la certitude que si l'évêque donnait raison aux paroissiens rebelles, il le regretterait amèrement. Il préféra poursuivre subtilement sa plaidoirie en faveur du curé Bédard qu'il imaginait malheureux comme les pierres de son église détruite. Mais il fallait agir avec doigté.

— Quelle abominable chicane qui veut anéantir une de nos vieilles paroisses ! Deux requêtes de la part des paroissiens du fief Jacob, m'avez-vous dit, arrivées coup sur coup, reprit Panet comme s'il réfléchissait à voix haute. La première demande à Votre Grandeur de créer une nouvelle paroisse. C'est compréhensible et légitime si ces habitants disposent des ressources nécessaires pour construire une église, un presbytère et un cimetière. Avant même que vous n'ayez le temps d'y réfléchir, deux jours plus tard arrive une deuxième requête suggérant de déplacer le site de l'église à leur avantage. Pendant ce temps, comme si un mauvais génie s'amusait à vous compliquer la vie, vous recevez une troisième requête, celle-là venant des villageois et des autres habitants de Chambly qui insistent pour conserver l'emplacement original et reconstruire au même endroit que l'église incendiée, et plus grande. Je ne doute pas que la maison de Dieu à Chambly doive pouvoir accueillir tous ses habitants dont le nombre ne cesse de croître. Ce pauvre Bédard ne doit plus savoir où donner de la tête!

— Et moi donc! se plaignit l'évêque. J'y perds mon latin. Mais avouez que les requêtes des habitants du fief Jacob sont troublantes. Ces pauvres gens habitent très loin du village, ajouta-t-il en tirant avec impatience sur sa soutane.

— Si je peux me permettre de faire remarquer à Votre Grandeur, loin de déplorer la perte de leur église, les habitants du fief Jacob vous écrivent que l'incendie arrive à point pour qu'ils puissent améliorer leur sort! Cela est quelque peu prétentieux, et surtout... très égoïste. Utiliser à leurs fins un aussi triste événement pour vous forcer la main, c'est indigne!

— Les villageois usent d'arguments identiques pour demander une église plus coûteuse!

Le visage de l'évêque s'assombrit.

— Il est certain que la création d'une nouvelle paroisse aurait été la meilleure solution, reprit le coadjuteur Panet, impassible.

— Vous savez bien que c'est impossible! répliqua l'évêque, découragé. Déjà, une paroisse sur trois n'a même pas de curé. Et que dire des vicaires? C'est la pénurie! Ouvrir une nouvelle paroisse avec si peu d'habitants? C'est impensable. Je me demande surtout, avança Monseigneur en se lissant le menton, si Bédard n'a pas agi trop promptement et irrité ainsi une partie de ses paroissiens.

— Peut-être Votre Grandeur a-t-elle raison, fit Panet, dubitatif. Les arguments des dissidents me semblent, comment dire, exagérés? Par exemple…

Panet attira vers lui une très grande feuille de papier comportant près de soixante-dix noms marqués d'une croix.

«… ils soutiennent que la fatigue de la route est dangereuse et rend leurs enfants malades lorsque ceux-ci se rendent au village pour y recevoir leur instruction chrétienne. C'est toucher là un point sensible, sachant à quel point le nouvel évêque de Québec cherche à augmenter la connaissance du catéchisme chez les habitants, poursuivit-il, trouvant cet argument fort habile, persuadé que quelqu'un leur soufflait les arguments.»

«Des intérêts autres se cachent derrière ces requêtes», se dit-il.

«Que l'église soit située à plus d'une lieue de certaines habitations est chose courante dans nos paroisses», remarqua encore le curé de Rivière-Ouelle.

— Mais certains d'entre eux habiteraient jusqu'à trois lieues de l'église! déplora Monseigneur. De toute évidence, ils souffrent de ne pas assister souvent à la sainte messe.

— Le curé de Chambly répond à cela que si on déplace l'église de leur côté, ce sont les habitants de l'autre extrémité de la paroisse qui seront alors éloignés de l'église et, dans certains cas, de bien plus de trois lieues. D'ailleurs, voyez la carte qu'il a lui-même dessinée pour mieux vous informer. Il a raison. L'emplacement actuel apparaît le meilleur.

— Vous prenez le parti de Bédard, Panet, fit l'évêque en fronçant les sourcils.

— Il le faut, puisqu'il n'est pas là pour se défendre, rétorqua calmement le coadjuteur sans se laisser désarçonner par le ton sévère de Plessis.

Il poursuivit la lecture des documents.

— Vous ne craignez pas qu'en donnant raison aux rebelles, vous risquiez d'amoindrir l'autorité du curé de Chambly auprès de ses paroissiens ?

— Ce qui ne serait pas nouveau, grogna Monseigneur. Cette paroisse a toujours été une fille difficile.

— Justement, Monseigneur, il semble que depuis l'arrivée de Jean-Baptiste Bédard à Chambly, la paroisse compte beaucoup moins de mécréants.

Dans ses prières, monseigneur Plessis demandait chaque jour à Dieu de l'éclairer en lui envoyant une lumière, la plus petite fut-elle, pour l'aider à régler cette petite guerre qui perturbait la bonne marche de son diocèse. Tant que la question de l'église de Chambly ne serait pas réglée, elle empêcherait Monseigneur de se pencher avec toute l'attention requise sur les autres misères des paroisses du Bas-Canada. Il fallait créer de nouveaux séminaires pour former des prêtres. Les populations avaient grand besoin d'évangélisation pour retrouver une saine moralité. Sans compter que les pasteurs, débordés, sollicitaient constamment son soutien et l'inondaient d'une correspondance volumineuse, réclamant de précieux conseils sur les rituels, la confession, les affaires de mœurs et les mille et un soucis qui constituaient leur quotidien. Si bien que plusieurs finissaient par céder à la pression continuelle de leur charge pastorale. Les plus âgés, ne pouvant prendre leur retraite faute de relève, mouraient de vieillesse ou de maladies à leur cure ; d'autres cherchaient refuge dans l'alcool ou, pire, dans les bras d'une femme. Monseigneur encourageait, conseillait sans relâche ou sévissait, lorsqu'il le fallait, auprès de ces prêtres affaiblis, mais toujours dans un esprit de mansuétude et de charité chrétienne. Tout cela demandait une énergie incommensurable. Et comme s'il n'en avait pas suffisamment plein les bras, les notables prenaient un malin plaisir à contester, ou pire, à ignorer leurs pasteurs, sapant l'autorité morale des prêtres.

L'évêque poursuivait sa marche effrénée dans son cabinet, arpentant à tout rompre le beau plancher de bois ciré. « S'il ne modère pas ses transports, il risque de faire une mauvaise chute en glissant », songea messire Panet qui l'observait. Il garda pour lui cette réflexion qui ne pourrait améliorer l'humeur de Monseigneur. D'ailleurs, il le sentait, Plessis était sur le point de lui confier ce qui le tracassait réellement.

— Voyez-vous, Panet, dit l'évêque en s'asseyant enfin, c'est la troisième requête qui me dérange. Celle qui vient des villageois et que Bédard a endossée. Ces bourgeois ont l'outrecuidance « d'exiger » la reconstruction de l'église à son ancienne place et son agrandissement, par-dessus le marché ! Des irrévérencieux ! Des mécréants !

Imperturbable, le curé de Rivière-Ouelle ne releva pas l'indignation de Sa Grandeur.

— La requête des villageois est signée par un plus grand nombre, compta-t-il en examinant attentivement les documents posés sur le beau secrétaire en acajou de Monseigneur. Comme c'est étrange ! Certains d'entre eux ont signé les trois requêtes. N'est-ce pas... contradictoire ?

Monseigneur Plessis se leva d'un bond et reprit vivement son va-et-vient, la mine soucieuse.

— Cela ne change rien au fait que Jean-Baptiste Bédard se laisse influencer par cette petite bourgeoisie de Chambly qui veut gouverner son curé à sa guise, prononça gravement Plessis. Voyez, fit-il en pointant du doigt les signatures sur la requête, ils sont tous là. Rouville a validé cette requête. Je les connais, ces «nobles» canadiens. Toujours à quémander les faveurs «payantes» du gouvernement, mais bons derniers à soutenir leur clergé! Je me méfie, Panet! Je me méfie de ce que me dit ce document.

L'évêque fulminait. Il se voyait entouré d'ennemis!

— Peut-être avez-vous raison, approuva doucement Panet afin que l'évêque se calme.

— Il se trame quelque chose dans la rivière Chambly, avança Plessis. Je le sens. Ils sont tous de connivence.

Cette dernière réflexion fit sursauter messire Panet.

— De connivence? Tous? Que voulez-vous dire exactement?

— Ces gens de la rivière Chambly, d'un village à l'autre; ils se connaissent, se parlent et s'influencent. Ce monsieur au drôle de nom, Talham, est aussi le docteur qui porte ses médecines et soins à Saint-Hilaire, dans la seigneurie de Rouville. Cet autre-là, Boileau, était membre du Parlement avec les Viger et Papineau, qui sont comme par hasard les beaux-frères de messire Cherrier, le curé de Saint-Denis.

— François Cherrier, le grand vicaire?

— Alors, à qui puis-je me fier? clama Monseigneur. Je reste sur mes gardes, à tel point que j'hésite à l'envoyer enquêter là-bas. Je vous le dis, Panet, le diable lui-même serait de la partie que ça ne m'étonnerait pas!

— Cela dit, vos craintes sont fondées. Il importe surtout de prendre la bonne décision. L'église Saint-Joseph doit être reconstruite sur le meilleur site possible, pour le plus grand bien de tous les paroissiens de Chambly.

«Et sans que la dispute se rende aux oreilles du gouverneur Thomas Dunn, se dit Panet.»

— Voilà enfin des paroles sensées, messire Panet, fit l'évêque. Quel est votre conseil?

— Puisque vous me le permettez, répondit messire Panet avec déférence, Votre Grandeur doit mander messire Cherrier pour une enquête. Cette charge lui appartient. Que Cherrier se rende sur place et recueille les témoignages afin de vous donner les *commodo* et les *incommodo* desdits emplacements. Si vous ne procédiez pas de cette manière, on dira encore pis que pendre sur l'évêque de Québec. En attendant, messire Bédard devra se contenter de son hangar-église, dans sa sacristie. Attendre quelques mois n'est pas la fin du monde.

— Vous êtes la sagesse même, Panet, et je n'en attendais pas moins de vous, conclut Monseigneur, radouci. Faites appeler mon secrétaire que j'écrive immédiatement à Cherrier et à Bédard.

L'évêque dicta ses lettres et retrouva momentanément sa tranquillité d'esprit. Ce qui lui permit de faire servir un excellent thé de sa réserve personnelle et des gâteaux, à la manière anglaise. Les deux hommes s'entretinrent à tête reposée de la pertinence d'un voyage de Monseigneur à Rome. Puis, ils laissèrent là les soucis du diocèse et entamèrent une partie d'échecs.

༄

Une luxueuse berline se dirigeait vers le presbytère Saint-Joseph, creusant deux profondes ornières boueuses sur le chemin du Roi. À travers la vitre de la portière de la voiture fermée, Monsieur Boileau considérait l'espèce de hangar construit à la hâte avec des planches de fortune à l'intérieur des ruines de l'église incendiée. Autour, des amoncellements de pierres noircies attendaient qu'on les nettoie afin de resservir à nouveau. Le cœur chaviré, le bourgeois détourna les yeux de ce tableau lugubre. Il se signa, tristement. Ce spectacle désolant finirait par devenir la honte de Chambly. Les nouvelles de Québec tardaient et plus le temps passait, moins l'évêque semblait pressé d'autoriser la reconstruction avant l'hiver. D'ailleurs, il était déjà trop tard pour entreprendre quoi que ce soit. Octobre était triste et la situation, désespérante.

« Monseigneur finira par entendre raison et donner les autorisations nécessaires », se répétait le bourgeois. Le silence obstiné de l'évêque demeurait incompréhensible. Déplacer l'église était tout simplement impensable. Pourtant, rien ne laissait présager qu'il y aurait une nouvelle église là où s'élevait autrefois le temple érigé par les générations précédentes. Le cœur amer, il évoqua ses parents, oncles, tantes ou cousins qui reposaient tous au cimetière ou sous les ruines – car ils avaient été nombreux à mériter l'honneur d'attendre le Jugement dernier ensevelis sous leur église. Le sommeil des anciens pionniers en serait à jamais bouleversé si l'église n'était pas reconstruite au même endroit.

La berline s'arrêta devant le presbytère et Monsieur Boileau en descendit.

— Retourne à la maison, ordonna-t-il à Augustin Proteau, à la fois son domestique et son cocher. J'ignore à quel moment se terminera notre petite réunion.

— Enfin, vous voici ! s'exclama le curé à la vue de son paroissien. Dites donc, vous avez la mine bien sombre.

Monsieur Boileau retira son chapeau en grommelant.

— À vrai dire, rien ne va plus. L'été a été exécrable et mon verger me donne beaucoup de soucis. Même les abeilles sont toutes à l'envers, avec pour résultat la pire récolte de miel depuis des années.

— Nous ne sommes pas prêts d'oublier l'été 1806, approuva gravement messire Bédard.

— Je pensais à votre vénérable prédécesseur, le bon curé Maynard, enterré dans le chœur de l'église. Le pauvre ! Il doit se retourner dans sa tombe, à l'heure qu'il est. Lui qui avait été si généreux à l'égard de ces gens qui, aujourd'hui, cherchent à mettre le trouble dans la paroisse. Il leur avait accordé bien des privilèges, justement pour compenser cet éloignement dont ils se plaignent tant.

Le curé regarda par-dessus l'épaule de Boileau.

— Je ne vois pas votre fils, s'inquiéta-t-il.

— N'ayez crainte, curé. Il est retenu par une affaire urgente, mais il m'a promis d'être ici dans la demi-heure. Commençons la réunion sans attendre.

Boileau salua les autres hommes réunis autour du poêle dans la grande chambre du presbytère qui servait de salle de réunion aux habitants. Des volutes de fumée s'échappaient des pipes des marchands Joseph Bresse et David Lukin. Le docteur Talham feuilletait distraitement *L'École du jardin potager* qui traînait sur une petite table parmi quelques autres livres. Le curé laissait à la disposition des habitants des ouvrages utiles comme *La Couronne de la vie chrétienne*, *L'Instruction des jeunes filles chrétiennes*, de même qu'une de ses lectures préférées lorsqu'il voulait se détendre, *Le Petit Carême*, écrit par Jean-Baptiste Massillon à l'intention de Louis XIV enfant. Ceux qui avaient la chance d'avoir quelque instruction pouvaient ainsi faire la lecture aux autres. Le curé avait caressé un temps l'idée d'ouvrir une école primaire de l'Institution royale – qui payait le salaire d'un instituteur–, mais il n'avait pas eu le temps. Il offrait des leçons de lecture et d'écriture à quelques enfants doués qu'il repérait au catéchisme du dimanche, mais ces enfants-là avaient déjà dix ans. À part les fils et les filles de bourgeois qu'on instruisait à la maison avant de les envoyer dans les couvents et les collèges, il n'y avait pas d'instruction publique à Chambly. Lorsqu'on savait signer son nom, c'était déjà beaucoup.

À l'exemple de Boileau, les messieurs Rouville et Niverville, ainsi que Ferrière, le capitaine de milice, affichaient une mine aussi dévastée que les lieux consacrés de la paroisse.

— Notre marguillier en charge n'est pas là ? s'étonna Rouville.

— Il n'y a plus de marguillier en charge pour le moment, lui apprit Joseph Bresse, qui avait eu l'initiative de convoquer les hommes afin de soutenir le curé et de trouver une stratégie d'action.

— Toussaint Barsalou s'est placé du côté des rebelles. Le conseil de la fabrique a désigné Augustin Papineau pour le remplacer, mais il a aussitôt démissionné pour cause de maladie.

— Une maladie qui s'attrape dans le fief Jacob, railla Rouville.

— Quel est le motif de cette convocation ? demanda Antoine de Niverville en agitant ses manchettes de fines dentelles.

Le chevalier de Niverville, dernier rejeton de la dynastie des anciens seigneurs français, se voyait investi d'une mission : son devoir était de veiller sur la seigneurie de ses ancêtres, tout en profitant de l'attelage de son voisin Rouville pour se rendre au presbytère.

— Bonne question, l'approuva ce dernier. Avez-vous des nouvelles à nous communiquer, messire Bédard ? À votre air, je dirais que s'il y en a, elles n'ont rien de réjouissant.

— Malheureusement, les échos que je reçois de Québec sont de mauvais augure. Les dissidents ont réussi à ébranler Monseigneur.

Les mines déconfites qui accueillirent cette dernière information en disaient long sur l'atmosphère déprimante qui régnait dans le village de Chambly depuis la fin de l'été.

— J'ai bien envie de lever la cavalerie pour les charger, lança le colonel de Rouville, furieux.

— Je vous suivrais volontiers, fit vivement Joseph Bresse, qui était pourtant un homme mesuré. Comment peut-on être aussi borné ?

— C'est à croire que certains souhaitent la ruine de Chambly, lança David Lukin, qui possédait un magasin, dans lequel il entreposait diverses marchandises pour son négoce, et un quai de déchargement près de l'église.

Le beau-frère du chevalier, époux de Louise de Niverville, donnait rarement son opinion dans les assemblées de paroissiens. Il avait renoncé à sa religion et épousé une catholique. Ses enfants avaient été baptisés dans cette religion – il lui arrivait même de fréquenter l'église –, mais il ne reniait pas ses aïeux de qui il tenait ses talents de négociant. Si l'église était déplacée, tout le commerce à Chambly en souffrirait, assurément.

Le curé lança un regard interrogateur à Lukin.

— Monsieur le curé, j'ai l'impression que vos paroissiens dissidents sont manipulés par des envieux. Je ne peux m'empêcher de songer que les marchands de Pointe-Olivier auraient tout intérêt à ce que l'église de la paroisse Saint-Joseph-de-Chambly soit déplacée… dans le bois, précisa-t-il ironiquement.

— C'est vrai ! ajouta monsieur Bresse. Là où se trouve l'église bat le cœur du village. Elle est la place publique. Autour d'elle se greffent les boutiques d'artisans et de marchands.

— J'ai fait ma petite enquête, ajouta le notaire Boileau, qui venait d'arriver et s'approchait du poêle pour se sécher. Votre hypothèse expliquerait pourquoi mon confrère de Pointe-Olivier et le marchand Brunet s'en sont mêlés.

Les regards se dirigèrent vers le notaire Boileau.

— L'été dernier, poursuivit-il, le cheval du fils Brunet a eu besoin de s'abreuver devant chaque chaumière du fief Jacob, à ce qu'on m'a rapporté. Curieux, n'est-ce pas? Chaque fois, l'habitant était invité à apposer sa croix sur un document. Facile de les trouver chez eux en juillet, entre les semences et les récoltes.

— C'est vrai, ajouta Boileau père.

— Mais le notaire Pétrimoulx a vite compris que la demande d'ériger une nouvelle paroisse était d'avance vouée à l'échec, précisa le notaire Boileau, que l'hypocrisie de son confrère indignait. Il a donc rapidement rédigé une seconde requête, mais cette fois, en suggérant de reconstruire l'église dans le fief Jacob. Sauf qu'il a oublié d'avertir certains d'entre eux de la teneur de cette nouvelle requête.

— Imaginez la tête de l'évêque qui reçoit des requêtes les unes par derrière les autres, s'exclama Lukin.

Silencieusement, tous soupesèrent la menace qui planait. Des gens de Pointe-Olivier s'employaient à nuire à Chambly de la manière la plus vile.

Le capitaine de milice Toussaint Ferrière ne disait mot. Son épouse était la fille du marchand Pierre Brunet. Son beau-père était âgé. Ferrière se doutait que c'était surtout son beau-frère qui manigançait.

— Ma position est délicate, fit-il, embarrassé. Mais je vous assure qu'à Pointe-Olivier, la manœuvre qui consiste à faire pression auprès de l'évêque pour déplacer l'église de Chambly dans un lieu écarté ne fait pas l'unanimité.

— Soyez rassuré, capitaine, que nous ne mettons pas votre bonne foi en doute, dit le curé en se levant de sa chaise. Tout comme celle de mon confrère Robitaille, curé chez nos voisins d'en face, qui garde ses distances, malgré son amitié avec le vieux Brunet, ajouta-t-il en faisant les cent pas dans la salle.

Malgré tout, le capitaine de milice comprenait les doléances des habitants du fief Jacob. Il avait la douloureuse impression de se trouver entre l'arbre et l'écorce.

— À la décharge des habitants du fief Jacob, les jours de mauvais temps, le village est à l'autre bout du monde.

À sa grande surprise, le docteur l'approuva sur ce point.

— Je suis comme vous, il m'arrive très souvent d'aller d'un bout à l'autre de la seigneurie dans ma pratique.

— Mais qu'on choisisse un emplacement ou un autre, il restera toujours des terres en bordure de la seigneurie qui seront éloignées de son centre, ajouta sèchement le notaire, ulcéré par tant d'infamie.

Il se rappelait sa visite à Charles Robert. Les habitants avaient été bassement manipulés.

Ferrière opina distraitement en jetant les cendres de sa pipe dans le poêle. Il avait d'autres sujets de préoccupation. La santé de son épouse l'inquiétait. Enceinte à quarante-cinq ans, madame Ferrière était, ces derniers jours, dans un grand état de faiblesse.

De son côté, le curé Bédard ne décolérait plus devant tant d'absurdité.

— Moi aussi, je me rends au fief Jacob, comme je vais à la Petite Rivière ou à Sainte-Thérèse, presque chaque jour. Je m'y rends pour visiter les familles pauvres ou donner la communion aux malades, entendre leur confession et, bien sûr, administrer les derniers sacrements aux mourants. Croyez-moi, personne n'excuse le curé s'il retarde parce qu'il fait trop mauvais et qu'il est à six lieues de là où on le réclame. Au contraire! Une âme charitable s'empresse de se plaindre à l'évêque pour m'accuser de négliger mon ministère.

C'était quasi comique de voir le curé, la soutane virevol-tante, parcourir de long en large la salle des habitants, prêt à ruer dans les brancards.

— Pourquoi aller mettre l'église derrière une île à bois, dans un des endroits des plus laids et même des plus mal-sains, quand elle est déjà dans l'un des plus beaux sites de tout le Canada !

Tout ce trouble, fulminait le curé, alors qu'il suffisait seulement que l'évêque autorise la reconstruction de l'église à son emplacement original.

Il l'imaginait, sa nouvelle église, avec ses propor-tions harmonieuses et un clocher à double lanterne, aussi belle que celle que l'abbé Conefroy venait de construire à Boucherville. Il se proposait déjà d'utiliser les mêmes plans, de faire appel aux meilleurs entrepreneurs et aux plus grands artisans. Et cette œuvre à la gloire de Dieu ne se réaliserait pas parce que quelques querelleurs ne voyaient pas plus loin que le bout de leur nez ? Rien que d'y penser, Jean-Baptiste Bédard suffoquait d'indignation !

— Dites-nous, Ferrière. Vous avez examiné les débris et interrogé le bedeau. Quels sont les résultats de votre enquête ? demanda alors le colonel de Rouville.

— Eh bien, Nicolas Demers a cru – j'insiste sur ce mot, car là, notre bedeau n'est pas certain – avoir vu un inconnu sortir de l'église. Vous vous rappelez que c'était juste après l'heure du Salut.

— Ce qui prouve que c'est une main criminelle qui a allumé le feu, conclut le notaire Boileau. Je vais poursuivre l'enquête de mon côté, si vous le permettez, Ferrière.

« Pétrimoulx a-t-il l'âme suffisamment vile pour être derrière cette main criminelle ? se demanda le notaire. Car il est certain qu'on a soudoyé un gueux quelconque pour ce faire. »

— Qu'est-ce que nous apportera de plus la découverte de ce forban ? demanda messire Bédard. Le mal est fait. L'évêque ne nous donnera pas l'autorisation de construire pour autant.

— J'irai à Québec faire entendre raison à cet évêque de carnaval, rugit alors Rouville en se levant d'un bond, comme s'il s'apprêtait à charger. Diable ! Le nom des Rouville doit avoir encore quelque influence ?

— Je suis d'accord, approuva évidemment de Niverville, l'air parfaitement indigné. Rappelez-lui les nobles familles qui vivent ici.

— Je ne crois pas que ce soit une bonne stratégie, rétorqua le curé. Notre évêque se méfie de la noblesse canadienne, d'autant que celle-ci ne nourrit guère son clergé en fournissant des ecclésiastiques, ajouta-t-il d'un ton sévère. Et comme, malheureusement, Monseigneur tient des comptes serrés sur la provenance de ses nouveaux effectifs, mieux vaut, pour l'instant, invoquer des arguments relevant du bon sens. Par exemple, lui faire valoir qu'il risque de déplacer le cœur de toute une paroisse pour plaire à une poignée de mécontents.

Les deux nobles personnages se renfrognèrent, mais le curé Bédard connaissait bien les sentiments de Joseph-Octave Plessis ; inutile d'en rajouter.

— Alors, messire Bédard ? demanda le docteur. Selon vous, quelle est la meilleure action à entreprendre avant qu'il ne soit trop tard ?

— Monseigneur a demandé à messire Cherrier, de Saint-Denis, le soin de faire une enquête. C'est bien là la seule bonne nouvelle, répondit le curé.

Monsieur Boileau sursauta.

— Messire Cherrier ? Mais on m'avait dit qu'il était très malade.

— Ce qui explique sans doute pourquoi il n'est pas encore venu à Chambly. Avec un automne aussi misérable, les voyages en canot entre Saint-Denis et Chambly sont difficiles pour un homme malade et âgé.

— Certes, notre grand vicaire doit bien avoir plus de soixante ans, calcula l'ancien député. Un de ses frères, Benjamin Cherrier, était mon collègue à l'Assemblée. Je pourrais peut-être faire une visite à Saint-Denis, rencontrer le grand vicaire en évoquant de bons souvenirs de cette époque, tout en tentant de lui expliquer la situation ?

— Père, intervint le notaire, évitons ce genre d'intervention. Laissons plutôt la partie adverse commettre cette erreur. Si nous écrivions discrètement à messire Cherrier afin de lui expliquer notre difficile position ? Il connaît bien Chambly et comprendra rapidement que l'emplacement suggéré par les autres est insensé.

— J'approuve, fit promptement le marchand Bresse que tous ces bavardages impatientaient. Agissons ! Écrivons au grand vicaire.

David Lukin approuva.

— Je dirais même qu'il serait plus habile si cette lettre était signée uniquement par notre curé. Entre confrères, rien de plus normal. Et puis, nous savons tous que messire Bédard a un don inné pour les lettres, ajouta-t-il, mi-taquin, mi-sérieux, pour alléger l'atmosphère.

— Mon beau-frère a raison, soutint de Niverville. Notre curé a une fort belle main d'écriture.

— Monsieur Lukin voulait dire qu'il s'exprimait bien par écrit, grogna Rouville que la sottise du chevalier exaspérait parfois.

— Et pour ne pas effaroucher le curé de Saint-Denis, envoyons un messager qui s'y rend souvent pour ses propres affaires, ajouta le docteur Talham. Je me chargerais bien

volontiers de cette mission, j'ai coutume d'y passer régulièrement pour visiter quelques patients. Mais ces jours-ci, je
ne veux pas m'éloigner de mon épouse ; elle approche de
son terme.

— Et nous envions tous votre bonheur, s'exclama Joseph
Bresse.

Son caractère enjoué se réjouissait toujours de la félicité
des autres. «Ma femme m'a dit qu'elle avait vu récemment
madame Talham qui semblait très en forme malgré l'avancement de sa maladie», ajouta-t-il.

— Ma femme n'est pas malade, rétorqua gentiment le
docteur, elle est enceinte et vous avez raison, elle se porte
fort bien.

— Elle a pour elle la vigueur de sa jeunesse, ne put
s'empêcher de dire Ferrière d'un ton morne. À son âge,
mon épouse s'épuise rapidement.

— Si vous le souhaitez, je passerai la voir, offrit discrètement Talham que le pessimisme du capitaine de milice
inquiétait.

Le curé les ramena tous à la raison principale de la
réunion.

— J'approuve votre idée, docteur. Déléguons un marguillier à mon collègue Cherrier pour ne pas l'effaroucher.
Ces maudites requêtes ont provoqué suffisamment de
malheur !

— Curé ! Quels écarts de langage ! le taquina Monsieur
Boileau en souriant.

— Ah ! Pardonnez-moi, messieurs, se confondit Bédard.
Mais le grand saint Augustin lui-même en perdrait son
latin ! Si vous saviez, mes amis, à quel point mes pensées
manquent à la charité chrétienne, ces jours-ci.

Sa franchise inquiéta les membres de l'assemblée plus
qu'elle ne les fit sourire. Ils prirent congé.

Tandis qu'il s'installait pour rédiger le plaidoyer qu'il destinait au grand vicaire François Cherrier, Jean-Baptiste Bédard songea au mal. L'esprit de Satan était partout, contaminant n'importe quel cœur. La froideur du notaire envers le bon docteur Talham ne lui avait pas échappé. Un incendiaire avait souhaité la destruction de l'église de Chambly et les marchands de Pointe-Olivier y cherchaient leur profit! Étaient-ils complices du criminel inconnu? Il se rappela en frissonnant les méfaits du fils Rouville et ce que madame Talham lui avait confié un jour. Selon toute apparence, le colonel et le docteur continuaient d'ignorer la vérité. Lui-même était impuissant face au Mal...

L'injustice qui frappait son église provoquait chez lui des sentiments jusqu'alors inconnus. Conscient qu'il devait se battre, tous les coups étaient désormais permis. Ses paroles dépassaient la mesure et il ne s'encombrait pas de culpabilité. En faisant son examen de conscience, Jean-Baptiste Bédard constatait avec effroi que lui-même n'était pas à l'abri du Mal et commença à rédiger sa lettre.

∾

En sortant du presbytère, le docteur offrit au capitaine de le raccompagner chez lui.

— Venez, Ferrière, je vous raccompagne. Je vous sens préoccupé par l'état de votre épouse.

— Vous êtes trop aimable, docteur Talham, mais je ne sais pas si ma femme acceptera de vous recevoir, dit le capitaine de milice.

— On ne sait jamais, déclara Talham, tout en sachant qu'il y avait peu de chance que madame Ferrière accepte.

La pudeur des femmes tolérait mal la visite médicale

intime. Mais l'état de madame Ferrière le préoccupait, tout comme le désespoir qui se lisait sur le visage de son époux.

À la brunante, un vent du nord-ouest s'était levé, soulevant en vagues l'eau du bassin qui avait pris la teinte grise des jours mornes, accompagné d'une petite pluie froide qui gelait les mains de Talham. Il resserra tant bien que mal son manteau de laine bleu foncé, semblable à celui des habitants, tout en tenant de l'autre les rênes du cheval qui tirait péniblement sa calèche.

Assis à ses côtés, Toussaint Ferrière était perdu dans des pensées qui suivaient le même cours que les chemins étroits et embourbés, indifférent aux intempéries. En passant devant le fort, ils virent que même les soldats de la garnison s'étaient réfugiés à l'intérieur des murs d'où provenaient des bruits sourds. Les hommes préparaient leur ordinaire pour le repas du soir.

Au bout d'un moment, le capitaine Ferrière sortit de son mutisme.

— Hier, nous avons eu la visite de la sage-femme. La bonne femme Stébenne est inquiète. Cette naissance me fait peur, docteur ! J'appréhende le pire, ajouta-t-il, les yeux brillants de larmes.

Jamais depuis le premier jour de son mariage, célébré vingt ans auparavant, Ferrière n'avait regretté d'avoir approché sa Louise. Mais il avait négligé les avertissements de la sage-femme après le dernier accouchement de son épouse. «Les femmes de quarante ans ont le ventre las et leurs humeurs en sont lourdement affectées», avait dit la Stébenne en espérant que le mari la comprenne à demi-mot. Le curé n'aimait pas que la sage-femme tienne des propos de ce genre. Le capitaine était un homme sage et réfléchi, mais était encore trop jeune pour ignorer la vigoureuse sève qui montait en lui, certains soirs, lorsqu'il s'allongeait auprès de sa femme. Maintenant, il était pétri de remords, coupable d'avoir cédé à ses appétits. Et si Louise mourait ?

— Ces jours-ci, je n'arrive plus à accomplir convenablement mes devoirs de capitaine, avoua-t-il humblement. Même le sort de l'église me laisse froid.

— C'est plutôt celui de votre femme qui vous préoccupe, c'est compréhensible, répondit simplement Talham, compatissant.

« Si la Stébenne s'inquiète, c'est qu'elle a de bonnes raisons », pensa-t-il. Malgré ses côtés brusques, la sage-femme connaissait son métier. Depuis qu'il l'avait vue à l'œuvre, il avait pleinement confiance en son savoir-faire. Ses propres compétences en la matière se limitaient à un cas tragique où il avait dû sortir un enfant mort de la matrice de la mère. Il repoussa ce souvenir effroyable.

En arrivant chez Ferrière, les deux hommes croisèrent la Stébenne qui sortait. « C'est mauvais signe », se dit Talham.

— Comment va-t-elle ? demanda le capitaine anxieux.

— Elle doit rester couchée, ordonna sans détour la bonne femme.

Ferrière se précipita dans l'escalier, abandonnant Talham, sans même un mot d'excuse. La Stébenne toisa le médecin d'un air narquois.

— Alors docteur, vous croyez faire mieux que moi ?

— Ça va si mal que ça ? s'informa-t-il sans se formaliser du ton impertinent de la femme.

— Je le dis comme je le pense, fit doctement la Stébenne. Cette femme qui est là-haut n'aurait pas dû avoir un autre enfant.

— C'est vrai, mère Stébenne, admit le médecin. Mais vous savez comme moi que la nature et la volonté divine ne se laissent pas si facilement gouverner.

— Allons docteur, marmonna la sage-femme, il y a des manières d'éviter les enfants. Elles ne sont pas infaillibles, mais… Changement d'à propos. Elle est faible, n'allez pas la déranger, dit-elle en désignant l'escalier de la tête. Que pourriez-vous faire de plus pour elle ? Rappelez donc au capitaine de me faire appeler à la première douleur, sans attendre. Je me sauve.

Talham la retint par un bras.

— Avant de partir, sage-femme, promettez que si vous avez besoin d'aide, vous me ferez mander de toute urgence. Qui sait si à deux nous ne pourrons pas éviter le pire ? Mais pour tout vous dire, j'espère sincèrement ne pas vous revoir avant le jour de l'accouchement de ma propre femme.

La sage-femme se sauva sans un mot. Ferrière descendait l'escalier.

— Venez, docteur Talham. Ma femme se repose, mais elle vous recevra.

Le médecin s'approcha et poussa les courtines du lit. Il ne reconnut pas madame Ferrière. Ses cheveux étaient gris et rares, comme ceux d'une vieille femme, alors que le dernier souvenir qu'il en avait était celui d'une femme encore jeune. Elle semblait minuscule, malgré sa grossesse, perdue au milieu du matelas et des oreillers. En apercevant le médecin, elle sourit faiblement en lui tendant la main.

— Docteur, vous êtes bien aimable de vous être dérangé par ce temps.

— Madame Ferrière, c'est le moins qu'on puisse faire pour de vieux amis. Je me range aux conseils de la sage-femme. Vous avez surtout besoin de repos. Lorsque vous en aurez la force, faites quelques pas dans la chambre. Vous verrez, un exercice léger agira comme un fortifiant. Je vais laisser un peu de camomille à votre mari. Vous la ferez préparer en simple infusion.

— Je sais bien que c'est pour rassurer mon mari que vous êtes ici. Je ne saurais trop vous remercier, docteur.

— Soyez sans inquiétude, madame Ferrière, je m'occupe aussi de lui.

Il quitta la pièce et rejoignit le capitaine qui l'attendait en bas. Ce dernier saisit la main de Talham et la secoua longuement comme si le docteur venait d'accomplir un miracle.

— Capitaine, je n'ai fait que mon devoir. Surtout, n'hésitez pas à m'appeler si vous croyez que je peux vous aider. Je vous souhaite le bonsoir.

Talham voulut remettre son chapeau de castor trempé, puis y renonça. Son capot bleu comportait un capuchon qu'il remonta, puis il sortit pour se rassoir dans sa calèche.

L'état de madame Ferrière lui apparaissait plus inquiétant qu'il ne l'avait laissé paraître devant le capitaine de milice. La sage-femme avait raison : la dame inspirait les pires craintes. Une fois de plus, Talham mesura son impuissance. Pourquoi n'y avait-il rien à faire ? Son cœur se serra à la pensée de Marguerite. Certes, son épouse était jeune et forte, mais comment faire fi de la mort, cette menace diffuse rôdant autour des futures mères, les jeunes comme les plus âgées ? Alors que justement, la naissance était la vie.

— Hue da, la belle ! fit-il à sa jument grise en secouant vivement les rênes. À la maison !

Chapitre 18

L'espérance des femmes

Au retour, Talham traversa le village plongé dans la noirceur d'une nuit sans lune éclairée par les seules lueurs qu'on voyait à l'intérieur des maisons. Habitué à sortir à toute heure du jour ou de la nuit, il avait toujours avec lui une lanterne tempête qui lui permettait de voir le chemin. Avec ce temps, il n'y avait pas un chat dehors. La noirceur recouvrait le silence d'un sombre linceul. «C'est l'heure de l'angélus, et aucune cloche pour l'annoncer. C'est sinistre.»

Il dételat son cheval et l'engagé Jean-Baptiste Ménard apparut pour s'occuper de la bête. Le docteur aperçut la charrette des Lareau, bien à l'abri dans la grange. «Nous avons de la visite», se dit-il. La compagnie de ses beaux-parents arrivait à point nommé et lui changerait les idées. Alexandre s'était pris d'affection pour la famille de Marguerite, devenue la sienne depuis son mariage.

Une bonne odeur l'accueillit. Il trouva François et Victoire fumant chacun paisiblement leur pipe, confortablement installés dans la chambre de compagnie tout en devisant tranquillement avec Marguerite tandis que deux enfants s'amusaient près d'eux.

À trois ans, Melchior portait déjà une culotte que sa mère lui avait cousue, plus pratique que les robes dont on affublait habituellement les enfants, fille ou garçon. À peine plus âgé que sa petite tante, Appoline Lareau, il jouait avec un cheval de bois, cadeau de son parrain, Melchior de Rouville. La fillette, dont les jolies boucles châtaines débordaient de son béguin, le couvait de regards alanguis, et parfois, le garçonnet lui cédait la place en baisant sa menotte potelée comme il avait vu son père le faire à des dames, sous les yeux émerveillés de Charlotte.

Les enfants s'adoraient. Désormais, impossible pour Victoire et François de se rendre chez les Talham sans que la petite ne fasse partie du voyage ; Appoline ne l'aurait pas toléré et les parents ne refusaient rien à la petite dernière, que son père appelait sa « jolie princesse ». La minuscule enfant savait pertinemment qu'elle occupait une place privilégiée dans le cœur de ses parents.

François Lareau chérissait comme un trésor le souvenir de ce qui s'était passé ce fameux 16 février 1803, le jour du mariage de Marguerite, précisément. Souvent, lorsqu'il était seul, à l'étable ou aux champs, il se remémorait chaque geste et les soupirs discrets de Victoire qui ne voulait pas que les enfants entendent. Sa femme, forte comme le chêne qu'aucun vent ne faisait fléchir, avait rarement eu besoin de réconfort autant que ce soir-là. L'angoisse des jours précédant le mariage et le bonheur de voir Marguerite bien mariée, toutes ces émotions l'avaient profondément bouleversée. Dans le creux de leur lit, Victoire s'était blottie contre son mari, qui l'avait prise dans ses bras. François l'avait sentie fragile, et plus belle que jamais. Il l'avait longuement caressée, plus qu'à l'habitude, prenant tout son temps, embrassant ardemment la chair tendre et mûrie, comme si c'était la première fois. Il avait doucement glissé ses doigts dans la chevelure brune, éparse sur le traversin. Victoire avait murmuré quelques mots, il avait répondu qu'il l'aimait, qu'elle était sa force. L'automne suivant était survenue la naissance inattendue de la petite Appoline après vingt-trois ans de mariage, fruit suprême de ce merveilleux moment d'abandon.

Cette petite Lareau ne manquait pas de caractère, mais ce tempérament s'adonnait bien avec celui de sa mère qui, en vieillissant, s'était radoucie. Les enfants étaient presque tous élevés. Noël, l'aîné des garçons, célibataire, vivait toujours à la ferme pour aider son père. Godefroi était au collège, Marie s'était mariée et les autres n'allaient pas tarder à quitter le foyer.

Les Lareau étaient venus aux nouvelles. La reconstruction de l'église incendiée préoccupait au plus haut point François, qui avait déjà été marguillier en charge de la paroisse.

— Désolé de vous déranger, docteur, s'excusa-t-il comme de coutume.

La présence de son gendre l'intimidait toujours.

— Au contraire! le rassura Talham en se rapprochant du poêle pour se réchauffer. Votre visite arrive à point nommé et me fait plaisir autant qu'à ma petite femme, telle que je la connais.

Marguerite lui répondit par un sourire radieux.

— Hum! Ça sent bon! Bien entendu, nous vous gardons à souper.

— Tout est décidé! approuva Marguerite. J'ai déjà fait le nécessaire et nous n'attendions plus que vous pour passer à table, Alexandre. Les enfants ont soupé à la cuisine avec Charlotte. Comme ça, nous serons tranquilles.

Marguerite avait fait mariner un bon morceau de viande dans du cidre avec quelques herbes, avant de le faire cuire lentement dans la braisière. Une bonne heure avant de servir, elle avait ajouté au bouillon des légumes frais et une nouvelle poignée d'herbes. À la dernière minute, suivant les instructions de sa maîtresse, Charlotte y avait versé une belle lampée de crème fraîche.

Ils prirent place autour de la table dans un joyeux brouhaha de chaises pendant que la servante apportait le plat fumant, avec une grosse miche de pain et une motte de beurre. Le tout était arrosé d'un cidre frais, la boisson favorite d'Alexandre. Une tourte aux pommes couronnait ce repas comme le docteur les aimait, simples mais réconfortants après une longue journée.

— Ta cuisine me rappelle celle que nous servait ma mère dans notre maison de Fauville, dit-il en avalant avec contentement sa dernière bouchée.

— Faut dire que Marguerite a de qui tenir, approuva François, rassasié, en désignant Victoire.

Marguerite et sa mère échangèrent un sourire complice. Cela se passait toujours ainsi. François entrait chez les Talham en triturant son chapeau, puis, au fur et à mesure que le repas avançait, il finissait par se dégêner. À la différence de François, Victoire était très à l'aise avec son gendre de docteur, et ce dernier éprouvait une grande affection pour cette femme qui ne manquait jamais de l'étonner. À bien des égards, madame Lareau était une femme dépareillée.

Marguerite savourait le plaisir de ces réunions improvisées. À vingt ans, la jeune madame Talham avait pris de l'assurance. Elle était la mère d'un bambin de trois ans et attendait un deuxième enfant. Rien ne lui plaisait plus que ces soirées à quatre. Les conversations, parfois très sérieuses et si différentes des échanges à bâtons rompus qu'elle avait avec ses cousines, lui confirmaient son statut d'adulte vis-à-vis de ses parents. Son mari la traitait en égale, tout en lui prodiguant une tendresse inépuisable qui la touchait profondément. En réalité, Alexandre Talham était amoureux fou de sa femme, sa «jolie fleur» comme il l'appelait dans l'intimité, et ne cherchait pas à le cacher.

Les Lareau n'avaient jamais eu à se plaindre du drôle de mariage de leur fille. «Marguerite semble heureuse», se réjouissait Victoire en les observant.

— Racontez-nous plutôt comment ça s'est passé au presbytère, demanda François, impatient d'en savoir plus.

L'ancien marguillier avait lui-même dirigé les travaux d'une nouvelle sacristie, il y avait une dizaine d'années de cela. Il se désolait doublement de la perte de l'église, comme s'il portait sa part de responsabilité dans cette tragédie. Évidemment, il n'en était rien, comme se tuait à le lui répéter Victoire. Le feu avait pris dans le clocher, pas dans la sacristie!

Talham confirma qu'on ne pourrait reconstruire de sitôt.

— Je ne pourrais même pas vous dire pourquoi, mais j'ai un mauvais pressentiment, soupira-t-il. C'est incompréhensible.

— Lorsque quelque chose commence de travers, commenta Victoire, on dirait que tout ce qui suit prend le même chemin.

— Comme vous avez raison, madame Lareau, approuva Talham. Et pour ajouter à notre malheur, figurez-vous que la politique s'en mêle. L'atmosphère belliqueuse qui règne à Québec depuis quelque temps désespère notre pauvre curé.

— Sainte bénite! s'exclama Victoire. Mais pourquoi? Québec est tellement loin de Chambly!

— Le curé a appris que son frère, Pierre-Stanislas Bédard, l'avocat qui siège à la Chambre législative, vient d'imprimer un journal qu'il appelle *Le Canadien*.

— Notre curé devrait être fier ! s'exclama spontanément son beau-père. C'est un bien beau nom ça, *Le Canadien*. Sacrédié, si je savais lire, je m'abonnerais à cette gazette-là.

— Il faut répondre à ce vilain journal anglais, ajouta Victoire, qui se rappelait les propos insultants d'un journal de Québec concernant les Canadiens.

— Le *Quebec Mercury*, se rappela François d'un ton aigre-doux, qui disait qu'il était temps que cette province devienne anglaise !

Ce mépris l'avait profondément choqué. C'était un homme de cœur qui était loin d'être sot. Il aurait pu se vanter d'être l'un des plus riches habitants de la paroisse, si seulement cette idée lui était venue à l'esprit. Mais Lareau restait modeste, aimant simplement le travail bien fait.

— C'est vrai que c'est un beau nom. Digne et fier, comme le peuple qui le porte, approuva le docteur.

— J'espère que *Le Canadien* nous défendra, s'enflamma l'habitant.

— C'est bien l'intention de Pierre-Stanislas Bédard, confirma Talham, et de son associé, le docteur François Blanchet. Ils sont faits pour s'entendre. Vous savez que Blanchet a étudié la médecine et la chimie au *Columbia College* de New York ! Avec Bédard, qui a toujours préféré les sciences et les problèmes d'algèbre à sa profession d'avocat, voilà deux savants pour plaider notre cause !

Le docteur était admiratif.

— Mais attendez, j'ai ici le premier numéro de ce journal. Je vais vous en lire un extrait. Vous verrez que c'est exactement le but de Bédard que de répondre au *Mercury*. Voyons.

Ah ! Voici, dit-il en dépliant une feuille de journal pliée en deux, ce qui faisait quatre pages.

« *Il n'y a pas bien longtemps qu'on les avait flétris par de noires insinuations, dans un papier publié en anglais, sans avoir eu la liberté d'y insérer un mot de réponse. Si les Canadiens ne méritent pas ces insinuations, la liberté de presse, à laquelle ils ont droit aussi, leur offre le moyen de venger la loyauté de leur caractère, et de défier l'envie du parti qui leur est opposé, de venir au grand jour avec les preuves de ses avancées.* »

— Bien dit, s'écria Lareau qui avait écouté avec attention. Bravo à Bédard ! Le Parti anglais n'a qu'à bien se tenir. Désormais, le Parti canadien lui répondra avec les mêmes armes.

— Mais je ne comprends toujours pas pourquoi l'opinion de ces messieurs empêche la reconstruction de l'église ? demanda Marguerite en réprimant un bâillement.

— C'est bien simple ! s'emporta son père. Le Bédard de Québec irrite les Anglais et le gouverneur, et ça dérange l'évêque. Rien de bon pour aider messire Bédard, qui se débat comme un diable dans l'eau bénite pour que l'église soit reconstruite là où la majorité des paroissiens le souhaitent.

— Et la situation actuelle risque de s'envenimer, poursuivit Talham. Depuis la querelle des prisons de l'année dernière, les tensions entre les marchands anglais et les Canadiens ne cessent de s'accroître.

— Une querelle des prisons ? s'étonna Marguerite.

— Sacrédié ! C'est encore la faute à ces maudits marchands anglais, s'emporta François Lareau.

Marguerite remarqua que son père, au tempérament si doux, se fâchait souvent lorsqu'on parlait de politique. Elle ne se trompait pas. Les habitants du Bas-Canada s'intéressaient de plus en plus aux affaires publiques, sachant que leurs représentants défendaient leurs intérêts à Québec depuis le premier Parlement de 1792.

— Le gouverneur avait décidé qu'il fallait une prison à Québec et une autre à Montréal, expliqua le docteur. Mais il fallait bien payer leur construction et on ne s'entendait pas sur la manière. Pour financer ces fameuses prisons, les marchands anglais préconisaient une taxe foncière qui aurait pesé lourd sur les habitants tandis que les Canadiens proposaient de taxer les produits importés par les marchands anglais.

— Et qui a gagné la bataille?

— Les députés canadiens ont voté en faveur du projet de taxation sur les importations, mais les marchands anglais ont tout fait pour faire désavouer l'acte.

— Grâce à Dieu, ils n'ont pas réussi! s'exclama Victoire. Les habitants ont déjà bien assez à payer et à donner. Quand je pense à toutes les corvées de chemin, en plus de l'église qu'il faudra bien rebâtir un jour ou l'autre. C'est dur pour les familles de la paroisse.

— Et comme monseigneur Plessis, qui est à Québec, tient à conserver ses bonnes relations avec les autorités anglaises, les tensions actuelles lui font peur. C'est lui qui autorisera les dépenses pour la construction de l'église de Chambly, la paroisse du frère de Pierre-Stanislas Bédard.

Marguerite n'en revenait pas. Ce qui, en apparence, semblait si simple à régler, était aussi emmêlé qu'une pelote de laine dans les pattes d'un chat.

— Notre évêque serait contre nous? Ce n'est pas bien charitable de sa part.

— Je ne pense pas qu'il soit contre nous, reprit Talham, mais dans ce contexte, disons qu'il n'a pas les coudées franches.

— En plus que messire Bédard réclame une église plus grande. Mais je lui donne entièrement raison sur ce point, ajouta Lareau. L'ancienne église devenait trop petite pour le nombre de paroissiens.

Le docteur opina.

— Toutes ces raisons suffisent sans doute à expliquer pourquoi Monseigneur de Québec prête une oreille si attentive aux habitants du fief Jacob, alors qu'en temps normal, il aurait vite rejeté leur requête du revers de la main.

— Voyons donc ! s'exclama à son tour Victoire. C'est contre le bon sens.

— C'est bien vrai, soupira son mari. Et lorsque l'évêque finira par se décider, il faudra que la fabrique entreprenne une série de démarches compliquées. Les commissaires devront à leur tour approuver la dépense. Une fois toutes les autorisations accordées, il faudra établir la répartition des habitants pour déterminer quel montant chaque propriétaire devra fournir pour la construction. Et comme il y en a toujours qui protestent ou essayent de payer moins que les autres, la chicane est loin d'être terminée.

— Ensuite, ajouta le docteur, l'assemblée des habitants élira les syndics qui recevront les propositions des entrepreneurs. Et plus tard, des artisans s'affaireront à meubler et à décorer la nouvelle église.

— Nous en avons pour plusieurs années, ajouta son beau-père. En attendant, espérons que ce monsieur Dunn, qui administre la province en attendant le nouveau gouverneur de Londres, résistera aux pressions des marchands anglais.

— Et que nous obtiendrons un peu plus d'argent pour notre blé, ajouta Victoire.

— Par chance, reprit François, les habitants s'en tirent assez bien ces dernières années. J'en connais plusieurs dans la paroisse qui font plus d'avoine, d'orge et de pois que par les années passées. Sacrédié, y en a même qui cultivent du sarrasin ! Et nous autres, les Lareau, on a notre élevage. Les affaires vont assez bien, conclut le paysan en tirant sur sa pipe pour exprimer son contentement.

— En tout cas, ça ne m'étonnerait pas d'apprendre que de mauvaises gens s'acharnent à compliquer notre affaire d'église, fit Victoire, songeuse, en réfléchissant aux hésitations de l'évêque. Moi, j'ai toujours pensé que le feu n'était pas arrivé par hasard dans le clocher.

Le docteur considéra Victoire. Sa belle-mère était pleine de bon sens et la plupart du temps, ses intuitions s'avéraient justes. Certains allaient jusqu'à dire qu'elle avait une sorte de don de divination, mais son gendre avait remarqué qu'elle savait surtout se servir de son intelligence. Victoire n'avait jamais fait partie de la catégorie des bavards.

— C'est l'impression que ça donne, approuva Talham sans en dire plus, car les notables avaient décidé de tenir secrets leurs soupçons d'incendie criminel pour ne pas provoquer plus de tensions qu'il y en avait.

— Moi, fit Marguerite en étouffant un bâillement non dissimulé, tout ce chantier à venir m'épuise. Je monte me coucher.

La conversation des hommes s'était prolongée tard. Charlotte était montée depuis longtemps et avait couché les enfants. Avant de se mettre au lit, la servante avait sorti des draps propres et préparé une paillasse à l'intention de la mère de sa maîtresse. Madame Lareau aimait bien rester au village quand l'occasion se présentait. Cela se passait toujours ainsi lorsque le souper finissait tard. Depuis la mort de la vieille mémé Lareau, Victoire pouvait se permettre de s'absenter une journée. En séjournant chez sa fille, elle renouait avec les souvenirs de sa prime jeunesse : le bruit des charrettes et des chevaux sur le chemin du Roi, les cris des marchands et le son de l'angélus qui ponctuaient la vie villageoise. Elle retrouvait cette atmosphère dont elle avait la nostalgie, même après tant d'années passées sur le chemin de la Petite Rivière.

Lorsque le temps se fut calmé, son mari repartit à la ferme. Il lui fallait être sur place pour faire le train du matin. Le lendemain, un des garçons Lareau viendrait reprendre sa mère et la petite Appoline pour les ramener chez elles.

❧

Tôt le lendemain, on frappa à la porte des Talham. Charlotte alla répondre.

— Une lettre pour vous, docteur, annonça-t-elle en tendant un billet plié en deux à son maître.

Ce dernier le lut rapidement, fronça les sourcils et le replia soigneusement avant de le mettre dans la poche de sa veste.

— Madame Ferrière ? s'informa Marguerite, plus inquiète que jamais.

— Non, il s'agit de tout autre chose, répondit vaguement son mari, sans plus.

Un timide soleil avait chassé le temps maussade de la veille pour éclairer la cuisine des Talham. Victoire, Marguerite et le docteur prenaient leur déjeuner avec Charlotte et les enfants. Le feu de l'âtre réchauffait la pièce et chassait l'humidité sournoise des matins d'automne. Depuis le lever du jour, d'impressionnants vols de bernaches sauvages traversaient le ciel, cacardant bruyamment. À l'époque de la migration, au printemps comme à l'automne, elles étaient des milliers à faire halte pour la nuit sur le bassin de Chambly après s'être gavées dans les champs des

523

alentours. Ces beaux oiseaux brunâtres au long cou noir et aux joues blanches formant une mentonnière dessinaient d'immenses taches foncées sur la nappe d'eau. Tout à coup, on les voyait tournoyer longuement, comme pour chercher leur direction, et s'élever brusquement, formant de vastes « V » dans le ciel en s'envolant vers une mystérieuse destination.

« C'est leur manière de danser le menuet », disait Marguerite à Melchior, qui s'accoudait à la fenêtre pour ne rien manquer du magnifique spectacle des grands oiseaux qui survolaient de si près la maison des Talham qu'on pouvait facilement observer leur ventre dodu.

— En somme, se désolait Marguerite en tirant machinalement sur les plis de son tablier qui ne cachait plus son gros ventre, notre nouveau-né sera baptisé dans cette bâtisse laide et froide qui nous sert maintenant d'église.

— Mais il y a pire, crois-moi, lui répondit tristement son mari en repensant à madame Ferrière.

Victoire, qui faisait griller du pain sur le poêle, se retourna, intrigué par le ton de son gendre.

— Madame Ferrière ne va pas bien, n'est-ce pas ? demanda-t-elle.

La veille, en rentrant, le docteur avait vaguement mentionné sa visite chez les Ferrière.

— On ne peut rien vous cacher, répondit évasivement Talham.

— Qu'y a-t-il avec madame Ferrière ? interrogea Marguerite en servant du lait chaud aux enfants pour qu'ils trempent leur pain grillé.

— Il ne faut pas parler de ces choses-là, madame, fit vivement Charlotte qui, comme tout le monde au village, avait entendu parler des souffrances de la dame en mal d'enfant. Les malheurs des autres, c'est pas bon pour vous et pour celui-là, ajouta-t-elle en désignant le ventre de sa maîtresse.

Charlotte savait bien qu'il fallait éviter les drames ou les récits effrayants à une femme grosse. La domestique de madame Boileau, Perrine, l'en avait avertie : « C'est ainsi que naissent les monstres. »

— Voyons donc ! Faut pas croire les fables des commères sur les femmes grosses. Juste des balivernes ! s'exclama Victoire qui se doutait des sornettes que colportaient les servantes.

Elle se tourna vers son gendre qui terminait son déjeuner.

— Dites-nous donc la vérité ! Sinon, on n'a pas fini d'entendre des fadaises. Madame Ferrière est proche de son terme ?

— J'ai croisé la Stébenne, avoua Talham. Elle appréhende le pire.

— Oh ! s'exclama Charlotte en se signant vivement.

— À son âge, murmura Victoire.

Alertée par le ton grave que prenait tout à coup la conversation, Marguerite se planta devant son mari, l'obligeant à la regarder.

— Alexandre, qu'arrivera-t-il à la femme du capitaine Ferrière ?

— Je ne sais trop, admit-il. Elle est très faible et doit garder le lit. Mais cela augure mal.

— Les femmes de mon âge ne devraient plus avoir d'enfants, déclara Victoire qui avait plus de quarante ans. Elles sont trop vieilles.

Entre Esther et Appoline, sa dernière-née, il y avait au moins cinq ans de différence. Et que dire de la naissance d'Appoline ? Accident ou retour d'âge ? Alexandre jeta un regard interrogateur en direction de sa belle-mère. Victoire connaissait-elle les manières de s'y prendre pour empêcher la famille, comme le lui avait affirmé un jour la Stébenne ?

— Sois confiante, tu n'as aucune crainte à avoir, poursuivait Victoire qui voulait rassurer sa fille. Notre sang est bon. Aucune femme de notre famille n'est morte en couches. Ma mère devait avoir à peu près l'âge de madame Ferrière lorsqu'elle m'a mise au monde. Et comme tu le sais, elle est morte de son grand âge, tout comme sa mère avant elle.

Marguerite sourit à l'évocation de sa chère grand-mère Sachet. Elle reprit l'ouvrage délaissé la veille, une jupe qu'elle avait retaillée dans une de ses robes usées pour sa sœur Marie, et enfila une aiguillée.

La petite Marie, songea Marguerite, qui avait épousé Étienne Larocque l'été dernier dans l'affreux hangar qui servait d'église. Déjà ! D'ici un an, elle aussi serait mère.

— Pauvre madame Ferrière, soupira-t-elle. Je la plains sincèrement. Je vais prier pour elle.

— Prie aussi ta grand-mère Sachet, lui conseilla sa mère, et notre aïeule, la sage-femme Marguerite Ménard. Elles veilleront sur toi le jour de la naissance de ton fils.

Marguerite considéra Victoire en mettant un dernier point à la jupe.

— Mon fils ? Mère, vous parlez comme si vous aviez le don de double vue.

— J'en ai la certitude, c'est tout.

Charlotte, qui vaquait autour de la table, écarquilla les yeux en se signant discrètement et se retourna pour attiser le feu dans l'âtre. Elle n'avait rien perdu de la conversation. Madame Lareau, avec ses divinations, lui faisait peur.

Talham, qui finissait son déjeuner, observa sa belle-mère. Victoire était une véritable énigme. Parfois, cette femme sensée tenait d'étranges propos, lançant des prédictions ou invoquant ses ancêtres, comme elle venait de le faire.

«Autrefois, on l'aurait brûlée comme sorcière», pensa-t-il. Il la savait plutôt tiède en matière de religion, pieuse du bout des lèvres.

Comme les déclarations de madame Lareau le dérangeaient autant qu'elles perturbaient sa servante, il tenta d'atténuer ses propos.

— Vous avez de ces intuitions, madame Lareau. Et parfois, elles s'avèrent.

— Ma mère disait que c'était un don transmis par Madeleine Couc, notre ancêtre algonquine. Mais vous avez sans doute raison, se reprit-elle vivement en voyant l'air sceptique de son gendre, ce ne sont que des intuitions sans importance.

Le docteur se leva de table. Melchior, grimpé sur une chaise, criait:

— Père! Il y a une vilaine femme à la porte!

— Là, là, hurla à son tour Appoline en imitant le garçonnet.

Elle désignait la fenêtre qui donnait sur le côté de l'écurie.

Une femme dont le visage disparaissait dans les creux du capuchon de son manteau frappait. C'était la Stébenne. Charlotte ouvrit et la sage-femme entra, restant sur le pas de la porte avec ses chaussures boueuses. Les enfants coururent se réfugier dans les jupes de Charlotte, qui n'était guère plus rassurée qu'eux. La mère Stébenne l'effrayait.

— Docteur, on vient de m'appeler chez Ferrière. Sa femme serait au plus mal.

— Entrez donc, la bonne femme, dit Talham. Je vais chercher mon coffre. Marguerite, demande à Baptiste d'atteler.

Talham se rendit rapidement dans l'apothicairerie et en ressortit avec un coffret en acajou qui pouvait contenir tous ses instruments, espérant toutefois ne pas avoir à s'en servir. Il vérifia le contenu de sa petite armoire portative de remèdes remplie de flacons de poudre. Pendant ce temps, l'engagé avait attelé la calèche. Il sortit avec la Stébenne, laissant là Marguerite et Victoire. Le nez écrasé sur un carreau, les enfants agitèrent leur menotte en guise d'au revoir.

❦

Victoire et Appoline étaient reparties. Noël, le frère de Marguerite, était venu les reprendre dans la matinée. Charlotte, frileuse, avait allumé presque tous les feux de la maison. Octobre était froid, et Alexandre n'était toujours pas revenu. Marguerite relisait une lettre de Rosalie Papineau.

À Madame Alexandre Talham, Chambly.
Ma chère Marguerite, vos lettres sont devenues aussi rares que vos visites, à tel point que si je veux vous voir, je devrais prendre les grands moyens! Je songe à passer par Chambly la prochaine fois que je rendrai visite à ma parenté de Saint-Denis. Ce sera un long voyage, mais au moins, j'aurai le plaisir de serrer le petit Melchior dans mes bras. C'est un petit bonhomme si charmant, on a envie de le croquer! Je vous souhaite d'être une nouvelle accouchée heureuse avec un enfant bien gras et plein de santé. Pour lui porter chance, voici un modèle de bonnet que m'a donné une amie. Il faut prendre la mesure de la tête de l'enfant, faire six pointes qui se joignent sur le dessus et terminer par un bouton. Chaque pointe est garnie d'un petit cordonnet de soie et, autour du chapeau, il y a une petite bande, large d'un pouce, de la même étoffe que le chapeau. Il ne reste qu'à faire une cocarde sur le côté, pour l'agrémenter. Charmant, n'est-ce pas? Je

termine ici. Mon cousin Viger se rend à Chambly chez le notaire Boileau et veut bien se charger d'être mon messager. Je le soupçonne de prendre plaisir à saluer la jolie madame Talham de Chambly. Je vous laisse pour un devoir de société: on m'attend pour le thé.

Distribuez tous mes compliments à mes connaissances de Chambly. R.P.

Marguerite souriait. Au-delà des mots, elle entendait la voix joyeuse de Rosalie, toujours affairée à mille et une occupations. En apportant la lettre, le messager de mademoiselle Papineau, Louis-Michel Viger, aimable comme toujours, avait accepté avec grâce l'invitation à prendre le thé, ce qui avait permis à Marguerite de sortir sa jolie théière de porcelaine. Et Charlotte, devenue la servante la plus empressée du monde, n'avait perdu aucune occasion d'admirer le «beau monsieur Viger» en venant offrir des gâteaux, trois fois plutôt qu'une, avec force de révérences, ce qui avait fait sourire Emmélie lorsque Marguerite le lui avait raconté.

La lettre accompagnait un paquet dans lequel elle avait trouvé deux aulnes de belle flanelle et un petit hochet. Elle s'installa à la table de l'apothicairerie, devant l'écritoire, et en retira un feuillet pas trop grand. Elle trempa une plume dans l'encrier. Si Marguerite avait la chance de savoir écrire, elle utilisait rarement ce talent. Mais les missives de la demoiselle Papineau étaient si amusantes qu'elle s'efforçait de lui répondre. Elle s'appliqua, formant des lettres maladroites, mais bien lisibles. «Mademoiselle Papineau n'est pas du genre à se formaliser», se disait-elle, sachant que cette dernière appréciait tout autant qu'elle leurs échanges épistolaires. Elle se promit d'être plus fidèle, ce qui lui permettrait d'exercer plus souvent sa main d'écriture.

Chambly, ce 28 octobre, 1806

Chère Mademoiselle Papineau,

C'est toujours avec grand plaisir que je reçois de vos nouvelles. J'en profite pour vous écrire aujourd'hui, je me suis bien installée pour ce faire et comme je bouge de plus en plus difficilement, je resterai en place tant que je n'aurai pas terminé ma lettre. Votre enthousiasme à mon endroit m'encourage. Mon mari est parti aider la sage-femme ; il s'agit de madame Ferrière, la femme du capitaine de milice, une dame de Chambly dont les couches s'annoncent difficiles. Je suis effrayée à la pensée de cette pauvre femme qui souffre abominablement. Dans mon cas, d'ici deux ou trois semaines, tout sera terminé et dans les meilleures conditions, je l'espère ardemment. Je prie pour cela.

Mes cousines Boileau se portent fort bien. Emmélie garde un bon souvenir de son dernier séjour à Montréal et vous envoie ses meilleures amitiés. C'est ce qu'elle m'a dit lorsque je lui ai fait lire votre dernière lettre. Sophie en ferait certainement de même si elle savait que je suis à vous écrire. Je vous promets de vous tenir au courant des dernières nouvelles, dès que j'aurai terminé ma maladie. La flanelle jaune est très jolie, j'en tirerai certainement une jaquette et je suivrai les indications pour le chapeau. Cela fera un petit ensemble coquet. Merci.

Monsieur Talham me fait dire de transmettre ses salutations à votre père. Et moi, je fais de même avec vous dans l'espoir que vous m'écriviez encore.

Marguerite Lareau Talham

Marguerite relut sa lettre avec fierté. Elle avait bien orthographié le mot « enthousiasme » et se trouvait satisfaite de sa calligraphie. Bien sûr, elle n'aurait jamais une main aussi élégante que celle d'Emmélie, dont l'écriture légèrement penchée était si gracieusement ourlée, mais le résultat était fort acceptable.

Elle saupoudra un peu de poudre de seiche, attendit un moment et remit le surplus de poudre dans le sablier. Puis, elle plia soigneusement la lettre et y apposa un cachet de cire rouge, avec le sceau gravé *J.A.T.* appartenant à son mari. Ce dernier apporterait la lettre au magasin de David Lukin ; le commis du marchand se rendait régulièrement à Montréal.

∾

Alexandre revint tard dans la nuit. Il avait passé la journée à travailler avec la sage-femme Stébenne. Une odeur âcre de sueur et de sang empestait l'étouffante chambre de l'accouchée. La naissance s'était déroulé dans des conditions difficiles. En proie aux pires angoisses, Ferrière entrait constamment dans la chambre, malgré l'interdit de la sage-femme. Des voisines étaient venues apporter leur aide et leur prétendu savoir, provoquant la colère de la Stébenne, épuisée par les longues heures au chevet de madame Ferrière. Tous ces curieux exacerbaient l'humeur du capitaine. Finalement, l'enfant vint au monde, un garçon en pleine santé qu'on prénomma Pierre. Mais l'état de la mère restait inquiétant. Talham avait refusé la saignée, malgré les demandes insistantes du capitaine qui croyait qu'on devait évacuer les mauvaises humeurs du corps de sa femme.

— Je pourrais vous citer plusieurs noms d'accoucheurs célèbres, comme Mauquest de La Motte, qui renoncent à saigner une femme accouchée. La saignée ne pourra qu'affaiblir votre épouse davantage. Lorsqu'elle reprendra du mieux, faites-moi appeler.

— Elle est bien faible, ajouta la sage-femme. Trouvez une nourrice à l'enfant. Je reviendrai demain.

531

❧

Malgré son impatience à connaître le sort de madame Ferrière, Marguerite n'aurait jamais osé réveiller son mari qui dormirait tard, à moins qu'on ne le fît appeler. Alexandre avait la faculté de s'endormir sur-le-champ, mais aussi de se réveiller au moindre toc à la porte, habitué de se faire appeler à toute heure au chevet d'un malade. Il se levait rapidement, réveillait seulement l'engagé qui dormait dans la cuisine pour qu'il selle son cheval, le temps de rapides ablutions. Il arrivait aussi qu'il monte en croupe, lorsqu'on venait le chercher à cheval, n'emportant alors que quelques instruments et remèdes dans sa vieille trousse en cuir. Mais lorsqu'il dormait tard le matin, Marguerite et Charlotte évitaient de faire du bruit, se confinant à la cuisine, marchant sur la pointe des pieds s'il fallait se déplacer. Même le petit Melchior, qui était un enfant grouillant, avait ordre de se tenir tranquille lorsque le docteur revenait d'une nuit blanche.

Charlotte était partie de bonne heure au marché et en était revenue avec les dernières nouvelles, l'air épouvanté.

— On dit que la femme du capitaine de milice est au plus mal, madame.

— Elle n'est pas morte? demanda Marguerite à voix basse.

— Grand Dieu, madame! répondit Charlotte en se signant vivement. Pas encore.

Au même moment, le docteur fit irruption dans la cuisine.

— Que se passe-t-il, Charlotte?

— Oh! rien, monsieur!

La servante entreprit de ranger les commissions dans le placard qui donnait sur le mur le plus froid de la maison.

— Je vous sers du café, dit Marguerite en observant Alexandre.

Elle souhaitait être seule avec son mari. Elle fit signe à Charlotte de sortir en amenant l'enfant avec elle.

— Charlotte, je m'occupe de servir le déjeuner à monsieur. Prends Melchior avec toi. J'irai te rejoindre plus tard. Aujourd'hui, nous devons terminer le repassage du linge, ordonna-t-elle avant de se retourner vers lui. Que diriez-vous d'une omelette et du pain avec de la confiture ?

— Bien volontiers, répondit Alexandre en se massant la nuque, préoccupé.

Il devinait que Marguerite ne le laisserait pas tranquille tant qu'il ne lui aurait pas raconté ce qui s'était passé chez les Ferrière. Inévitablement, les rumeurs les plus farfelues circuleraient au village pour mieux inquiéter Marguerite. Charlotte en serait terrifiée. Le docteur avait appris que mieux valait la vérité, ou une partie de la vérité sans révéler trop de détails, plutôt que le silence qui provoquait souvent les pires catastrophes.

Au début de leur mariage, il évitait de relater les événements de la journée à son épouse afin de lui épargner des récits parfois sordides ou répugnants. Mais c'était sans compter la curiosité de Marguerite. Intriguée par cette profession vouée aux soins des autres, elle avait pris l'habitude de le questionner le soir. Alexandre appréciait l'intérêt que lui portait sa « chère petite femme ». Il lui arrivait parfois de servir les patients de son mari. Rien d'extraordinaire. Mais il y avait les cas habituels, « les abonnements » comme disait Alexandre, qui se plaignaient invariablement des mêmes maux. Marguerite connaissait désormais les ingrédients et le dosage exact pour composer la potion destinée à soulager les rhumatismes des demoiselles de

Niverville. Ces dames pouvaient envoyer sans prévenir leur domestique quérir le « remède des demoiselles ». Pour ce faire, leur petite bonne parcourait une longue lieue à pied et le docteur préférait que Marguerite fabrique elle-même la potion pour la remettre à la jeune fille.

— Madame Ferrière est tirée d'affaire, pour l'instant, expliqua Alexandre avant de s'attaquer à son repas. Mais je crains qu'elle ne puisse remonter la pente. Son rétablissement sera très long.

— Alexandre, je veux la vérité, exigea Marguerite. Inutile de me la cacher, je le saurai de toute manière. Charlotte est incapable de se taire lorsque les langues se font aller dans la paroisse. Pensez-vous qu'elle va mourir ?

— Je ne sais pas, Marguerite. Les prochains jours seront décisifs. L'accouchement a duré trop longtemps pour une femme de cet âge et cette pauvre madame Ferrière n'avait plus de force pour expulser l'arrière-faix. Je crains les fièvres des accouchées.

Marguerite écoutait son mari, bouleversée. Talham savait bien ce qui la tourmentait. Rares étaient celles qui attrapaient ces fièvres et s'en sortaient vivantes.

Il lui tapota gentiment la main.

— Tu n'as rien à craindre. Tu es jeune et en bonne santé. Tes deux accouchements se sont très bien déroulés et ce sera la même chose pour celui-ci. Rappelle-toi ce que ta mère te disait hier.

— Je sais, Alexandre, mais bien des mères survivent à leur fille. Ma tante Élisabeth, la sœur aînée de ma mère, est morte bien avant grand-mère Sachet.

— Mais ta tante n'attendait pas d'enfant lorsqu'elle est morte. D'après ce qu'on m'a rapporté, c'était ce qu'on appelle de nos jours une péritonite. C'est cela qui a aussi emporté Julie Sabatté, il y a quelques années.

Marguerite savait. Alexandre le lui avait répété plusieurs fois. Mais ce qui se passait à l'intérieur du corps était si mystérieux. Même les médecins ne pouvaient voir ces blessures invisibles qui se formaient, sans qu'on en sache la cause, bien souvent. Des maux qu'aucune potion ne guérissait.

— Rien n'est plus naturel que la naissance, ma petite fleur. Tu verras. Ton enfant sera le plus beau jamais né dans la paroisse.

— Notre enfant, Alexandre, lui rappela tendrement Marguerite.

∽

Les trois hommes étaient réunis dans le cabinet de Monsieur Boileau. Ce dernier avait fait allumer le poêle pour chasser l'humidité et le froid. Il tendit un verre au docteur Talham avant de remplir le sien. René préférait fumer et bourrait sa pipe. Les deux Boileau attendaient que le docteur parle.

— J'ai reçu ceci, il y a deux jours, du docteur Philipp Mount, mon confrère de Belœil, expliqua Talham qui avait convoqué cette petite réunion en tendant un billet froissé à Monsieur Boileau qui, après l'avoir lu, le passa à son fils.

— Grand Dieu! s'exclama le notaire. Pourquoi avoir tant attendu avant de nous prévenir?

— Je suis désolé, mon cher, mais la pauvre madame Ferrière et mes autres malades passent avant tout, répondit le docteur.

Il avait les traits tirés d'un homme qui avait peu dormi.

Monsieur Boileau se redressa. Fidèle à son habitude, il se mit à tourner en rond dans la petite pièce.

— Mount affirme avoir recueilli les dernières paroles d'un mourant. Un dénommé Shank.

— Qui s'est présenté chez lui mortellement atteint d'un coup de poignard, ajouta Talham.

Le docteur Mount ajoutait dans son billet que l'homme, qui ne payait pas de mine, lui avait été amené à la suite d'une algarade dans un cabaret de la région. Il délirait.

— L'homme s'accusait d'avoir mis le feu à l'église Saint-Joseph-de-Chambly. Il faut immédiatement en parler au capitaine Ferrière, suggéra Monsieur Boileau.

Talham hocha la tête.

— Je ne pense pas que ce soit le bon moment pour embêter Ferrière avec ça. Ces jours-ci, il est malheureux comme les pierres. Sa femme est au plus mal. Je ne crois pas qu'elle survive.

— Je m'en occupe. Quelqu'un a certainement vu quelque chose.

❧

Le notaire Boileau retira son chapeau en poussant la porte du cabaret Bunker. Il faisait sombre dans la grande salle enfumée et plusieurs tables étaient déjà occupées par des soldats, des marins ou des voyageurs qui couchaient à l'hôtel, ainsi que par quelques villageois qui le saluèrent d'un signe de la main. René Boileau n'aimait guère cet endroit et y venait rarement, mais Jonathan Bunker lui inspirait confiance. Il choisit une table à l'écart et commanda un verre de rhum en s'informant :

— Monsieur Bunker est-il ici ?

— Oui, m'sieur le notaire, répondit l'homme qui le servait.

— J'aimerais lui parler.

— Pas de trouble. J'vais vous le chercher.

L'instant d'après, Jonathan Bunker s'assoyait devant lui. L'Américain avait retiré son tablier. Il était vêtu comme un bourgeois et s'exprimait parfaitement bien en français. S'il n'avait pas conservé un léger accent anglais, il aurait facilement passé pour un bon Canadien.

— Notaire Boileau, vous voir chez moi est un rare plaisir. Qu'est-ce que je peux faire pour votre service ?

René réfléchissait en croisant et décroisant les doigts, signe de grande préoccupation chez lui.

— Ce que je vais vous révéler doit rester entre nous, monsieur Bunker.

— Vous avez ma parole, notaire. Allez-y !

— Je viens d'apprendre qui est l'incendiaire de l'église.

— Oh *my God!*, s'exclama l'hôtelier, stupéfait. Mais, qu'attendez-vous de moi ?

René hésita. Il ne voulait pas insulter Bunker en suggérant que sa taverne n'était qu'un repaire de malfrats.

— Voilà. Je me demandais simplement, à tout hasard, si vous n'aviez pas remarqué quelque chose au mois de mai dernier ou au cours des premiers jours de juin. Un individu quelconque qui aurait attiré votre attention. J'avoue que j'ai peu d'espoir, monsieur Bunker, mais on ne sait jamais.

L'hôtelier sourit.

— Des gens bizarres, il en vient souvent ici. Tous les étrangers de passage à Chambly, pour dire vrai. Vous connaissez le nom, disiez-vous ? Savez-vous de quoi il avait l'air ?

Jonathan Bunker était vraiment intrigué par cette histoire.

Le notaire ne répondit pas tout de suite. Le médecin de Belœil avait évidemment décrit le personnage venu mourir chez lui. Il se décida à donner à Bunker tous les détails fournis par le docteur Mount.

Jonathan Bunker resta un moment silencieux. Il allait dire quelque chose, puis il s'arrêta.

— Quelque chose vous embête ? demanda le notaire.

— C'est un peu ça. Voyez-vous, je n'aimerais pas accuser des gens à tort. Surtout des gens de la haute, si vous me suivez.

— Vous voulez dire que vous croyez qu'un notable de la région serait impliqué dans une affaire ? suggéra le notaire, au comble de l'étonnement.

— Comme qui dirait, fit vaguement Bunker. Je ne peux pas en être certain.

Au même moment, la porte claqua bruyamment. Ovide de Rouville fit son entrée dans l'établissement et s'installa, ou plutôt, s'effondra sur une chaise.

— N'est-ce pas là un de vos habitués ? demanda Boileau d'un ton narquois.

— Un habitué, comme vous dites, notaire, un habitué qui parfois donne de curieux rendez-vous à des personnages peu recommandables, lança Bunker sur un ton étrange. Au début du mois de juin, notamment. Quelqu'un de la haute, comme je vous le disais tantôt.

Puis l'hôtelier se leva, laissant son client complètement ahuri assimiler ce qu'il venait d'apprendre.

René était estomaqué par les révélations de Bunker. Rouville ? Il le savait hâbleur et débauché. Mais il apparte-nait tout de même à la plus noble famille de la région. Il se leva. Il n'avait plus rien à faire là et il lui fallait du calme pour réfléchir. Bunker n'avait rien affirmé, il n'avait parlé que par sous-entendus. Mais Rouville quittait sa table et s'approcha en tirant une chaise, l'air déterminé de quel-qu'un qui cherchait noise.

— Notre tabellion de village au cabaret, c'est du jamais vu, fit Ovide, goguenard.

— Rouville, toujours aussi aimable, répondit le notaire sans relever l'insulte.

Traiter un notaire de tabellion mettait en doute son honnêteté. Il préféra ajouter ce mot sur le compte de la méchanceté habituelle de Rouville.

— Je m'en vais pour ne pas perturber davantage votre soirée, monsieur de Rouville, fit Boileau, calmement.

— Voyez Bunker, poursuivit cyniquement Ovide en hélant le tavernier. Sous ce masque impassible se cache le grand tombeur de ses dames. Même ma propre sœur, qui soupire en pensant à notre ténébreux notaire. Heureusement, dans notre famille, nous ne tolérons pas les mésalliances. Sa cousine, qui pourtant était folle de lui, disait-on, a épousé le docteur pour son argent. Dites-nous, notaire, comment se porte le petit bâtard de Cendrillon ?

Le visage de René Boileau se rembrunit.

— Suffit, Rouville. Gardez vos insultes, sinon je serai dans l'obligation de vous en demander raison.

— Messieurs, je vous en prie, intervint alors Bunker.

— Laissez, Bunker, siffla l'impertinent. J'ai rarement la chance de parler avec ce monsieur et j'ai justement un bon conseil à lui donner. Surveillez vos sœurs de près et tenez-les loin de la Talham ! Une belle ribaude, celle-là !

Boileau frémit sous l'injure et serra les poings. Il allait corriger ce freluquet qui outrageait en parole les femmes de sa famille.

— Monsieur de Rouville, je vous demande de vous taire ou de partir, l'intima aussitôt l'hôtelier. Sinon, je vous sors moi-même de mon établissement.

Il se tourna vers le notaire. « Venez avec moi, monsieur Boileau, fit-il de sa voix la plus aimable. Permettez que je vous reconduise ? Laissez, fit-il en interrompant le geste lorsque le notaire voulut déposer une pièce sur la table. Vous êtes mon invité. »

Boileau salua en silence et sortit. Le fils du colonel de Rouville faisait tout pour se faire détester. Hâbleur, paresseux et hargneux, il toisait tout le monde au village. Selon Bunker, il aurait peut-être été impliqué dans l'incendie. Boileau se demanda de quelle manière. Rouville n'était pas au village ce jour-là et il n'avait jamais prêté main-forte lorsqu'on avait déblayé les ruines et bâti l'abri temporaire, alors que le colonel ne s'était pas fait prier pour aider. Même le vieux chevalier de Niverville avait apporté son concours au villageois.

C'était peut-être lui qui avait payé l'homme de main? Et quel était le rôle de Pétrimoulx dans tout ça? René Boileau ne pouvait imaginer que ces gens aient ourdi pareil complot. Et même si ces suppositions s'avéraient fondées, comment accuser le fils de monsieur de Rouville sans preuve? Il aurait bien voulu confondre cet être ignoble qui avait osé comparer Marguerite à la dernière des filles de joie.

René décida de faire part de ses soupçons au curé Bédard, un homme qui disposait de suffisamment de sagesse pour ne pas se lancer dans des accusations improbables. Le notaire considérait qu'il ne devait pas garder pour lui-même ces renseignements révélateurs.

∾

Malgré tous les soins dont l'avait entourée le docteur Talham et la sage-femme Stébenne, Louise Ferrière se mourait. Le curé revenait du faubourg Saint-Jean-Baptiste. Il avait confessé et administré la femme du capitaine de milice de Chambly.

Toussaint tira une chaise près du lit qu'il partageait avec Louise depuis toujours.

Elle reposait, exsangue. La parenté avait défilé au chevet de la mourante. Les enfants étaient tous au rez-de-chaussée, avec les autres membres de la famille. Le capitaine de milice contemplait son épouse, le cœur étreint d'une rage sourde et d'un désespoir sans nom. Il était le responsable de ce malheur et sa femme se mourait par sa faute. Il avait demandé qu'on le laisse seul avec elle. Louise respirait faiblement et chacun de ses souffles exigeait un effort incommensurable.

Incapable même de pleurer, Toussaint tenait la main de sa femme, impuissant. Il lui caressa longuement les cheveux, épars, en songeant à la vie qui s'était écoulée, jour après jour, au milieu des difficultés, mais aussi des joies, innombrables. Il n'arrivait plus à se rappeler le temps d'avant, celui de sa jeunesse, avant qu'il n'épouse la jolie fille du marchand Pierre Brunet. Et maintenant, il voyait poindre le visage de la mort, surgissant des ombres profondes, à l'affût de son dernier souffle.

Il aurait voulu lui dire tant de choses. Lui dire à quel point il l'avait aimée ! Mais aussi combien il se sentait coupable et malheureux. Il réussit à murmurer : « Pardonne-moi, mon aimée. »

Louise eut un dernier sursaut, puis, plus rien.

Toussaint Ferrière resta longtemps près d'elle, immobile, la main de sa femme serrée dans la sienne, sans même se rendre compte que ses larmes coulaient en abondance. L'âme de Louise était encore là, il le sentait intimement, elle habitait encore cette petite pièce qu'ils avaient partagée tout ce temps et il voulait en profiter jusqu'au dernier moment avant de redescendre et d'aller faire les arrangements pour les funérailles.

ᘛ

La paroisse enterra Louise Ferrière dans le cimetière qui ceinturait les ruines de l'église. Le capitaine de milice présenta un visage de circonstance aux nombreuses personnes venues rendre un dernier hommage à son épouse. L'enfant était en nourrice, mais prenait peu de poids. Aux dernières nouvelles, il était malade. Le petit Pierre ne survivrait pas longtemps à sa mère. Aussi bien comme ça, se disait tristement le capitaine, qui ne tenait pas à se remarier pour lui trouver une mère adoptive.

Marguerite avait accueilli la nouvelle avec tristesse, caressant son ventre lourd avec angoisse. Dans quelques jours, elle accoucherait à son tour.

Le 21 novembre exactement, sans aucune complication, Marguerite mit au monde un garçon. Alexandre lui donna le prénom d'Eugène. Ce même jour, Napoléon, Empereur des Français – « l'Ogre corse » ou « l'Usurpateur », comme se plaisait à le surnommer la *Gazette de Québec* – décrétait un blocus continental pour isoler l'Angleterre. Le fils de l'impératrice Joséphine se prénommait Eugène. Ni le curé Bédard ni le parrain René Boileau ne remarquèrent ce détail. Mais Monsieur Boileau s'en réjouissait discrè-tement, reconnaissant l'hommage subtil de Talham à Bonaparte.

La marraine, Marie-Josèphe Bédard, qui avait tenu l'enfant sur les fonts baptismaux, nota l'originalité. C'était un prénom plutôt rare, on n'en avait jamais vu un pareil dans la paroisse, constata-t-elle un jour en feuilletant les immenses registres paroissiaux. Cela ressemblait bien au docteur d'aimer se différencier des autres sans en faire grand étalage. Après tout, c'était un Français de France !

Le notaire René Boileau, qui était le parrain, n'avait pu assister au baptême. Son père l'avait remplacé, puis régalé la compagnie toute la journée, chez les Talham, au nom de son fils. Seule Emmélie fut mortifiée par l'attitude de son frère qui se défilait, suivant sa bonne vieille habitude.

Les jours suivants, les habitants de la seigneurie de Chambly furent absorbés par les nombreux travaux d'automne afin de préparer l'hiver. En cette fin de l'année 1806, le village de Chambly restait sans nouvelles de monseigneur Plessis. La messe de Noël allait se célébrer dans un hangar gris et froid.

Chapitre 19

Ange et démon

Malgré l'hiver qu'on disait le pire jamais vu depuis cinquante ans, l'année 1807 avait commencé sous d'heureux auspices, et tout Chambly avait poussé un soupir de soulagement. Joseph Bresse et Alexandre Talham avaient incité messire Bédard à réunir l'assemblée des paroissiens, c'est-à-dire tous ceux convaincus du bien-fondé de reconstruire l'église « au bon emplacement », afin de s'accorder sur les termes d'une ultime requête à l'évêque.

Des termes modestes et un ton singulièrement radouci toucheraient le cœur de l'évêque de Québec, firent valoir les deux hommes, et lui rappelleraient simplement qu'une paroisse éplorée attendait sa décision : *ayant eu le malheur de perdre leur église ancienne par incendie, ainsi que leur sacristie, ils désireraient en construire d'autres. C'est à ces considérations que les suppliants ont l'honneur de s'adresser à Votre Grandeur pour la prier d'avoir la bonté de leur accorder la permission de construire une église et une sacristie à tels places, lieux, ou endroits qu'elle jugera bon et convenable et d'en ordonner les principales dimensions et s'engagent à les construire, après les formalités légales.*

Sauf qu'au printemps, la réponse n'était toujours pas venue. C'était vrai qu'il avait plu d'avril à juin, ce qui avait peut-être empêché les lettres de Monseigneur d'arriver jusqu'à Chambly. Pourtant, le courrier habituel ne semblait pas souffrir de retard.

Comme il fallait à tout prix empêcher la morosité de l'année précédente de s'installer, le chevalier de Niverville avait réuni les notables de la paroisse, les priant de venir au presbytère pour discuter d'une affaire pressante. Le frère des vieilles demoiselles frétillait comme un poisson dans l'eau fraîche. Les Boileau père et fils, Bresse, Talham et monsieur de Rouville, le marchand Lukin et même Toussaint Ferrière, qui se remettait difficilement de la mort de son épouse au point qu'il avait voulu démissionner de son poste de capitaine de milice, tous avaient répondu à l'appel du nobliau qui faisait de l'affaire de l'église une question personnelle. Il revenait à lui, fils de l'ancien seigneur de Niverville, de sortir Chambly de son épouvantable marasme.

— Messieurs, dit-il dans un mouvement d'excitation, j'ai eu l'idée qu'il fallait impérativement commander une cloche neuve pour la paroisse. Une cloche, c'est un nouveau souffle de vie à Chambly qui redonnera du courage aux habitants.

— Merveilleuse idée, approuva Bresse. Je n'en peux plus de ce silence mortel. Pas de cloche pour annoncer les heures, les offices, les morts ou les naissances.

— J'approuve, renchérit le docteur Talham.

— Allons-y pour une collecte, suggéra Monsieur Boileau devant le curé ébaudi : la générosité de ses paroissiens lui réchauffait le cœur.

Boileau et Bresse furent particulièrement généreux. Le docteur n'était pas aussi fortuné que ces messieurs, mais il

avait tout de même remis une petite bourse assez lourde à
Monsieur Boileau qui avait été désigné « maître d'œuvre de
la cloche ». Ce dernier avait pris tous les arrangements
nécessaires avec monsieur Cartier, du village Saint-Antoine
situé en aval de Chambly, pour faire venir la cloche de
l'espoir qui arriverait dans quelques mois.

Agir ! Tel semblait être le mot d'ordre.

Le chevalier de Niverville avait naturellement sollicité
Samuel Potts, le procureur de Napier Burton Christie, mais
n'avait reçu comme réponse qu'un visage fermé à toute
possibilité de contribution. Pour le seigneur Christie,
Chambly n'était rien d'autre qu'un investissement intéressant, un fief parmi la dizaine d'autres qu'il possédait. Depuis
un an que ses censitaires de Chambly vivaient une épreuve
imméritée, ce protestant n'avait manifesté aucune forme de
sympathie. Il passait son temps soit en Angleterre, soit à
Montréal, lorsqu'il séjournait au pays. Le curé Bédard lui
en voulait au point de ne pas saluer Potts, qui était son
représentant à Chambly, quand le rencontrait.

Les Niverville ayant peu de moyens pécuniaires, il
revenait donc à Melchior de Rouville de garder intact
l'honneur de la classe seigneuriale. Mais la souscription
pour l'achat de la nouvelle cloche tombait mal, les rentes
provenant de la seigneurie de Rouville, dues à la dernière
Saint-Martin, restaient impayées et les coffres du seigneur,
vides d'espèces sonnantes et trébuchantes. Puisqu'il était
hors de question que le descendant des seigneurs Hertel
passe outre cette mission, le chevaleresque colonel avait
donc été contraint à négocier avec la fille d'un marchand
de fourrure ; en l'occurrence, son épouse.

— Qu'est-ce qui vous prend de vouloir défendre subitement un honneur qui n'est même pas le vôtre ? railla madame de Rouville lorsque son époux lui présenta les motifs de son pressant besoin d'argent. Il y a longtemps que les Hertel se sont défaits de leur seigneurie. Ils ont été trop heureux de la laisser à leur beau-frère de Niverville, avant même que vous soyez au monde. Et nous savons ce qu'ils en ont fait. La seigneurie a été vendue à cet avide Écossais.

— Le don d'une cloche à la paroisse est un geste de seigneur, rétorqua Rouville. Et qui sont les plus éminents citoyens de Chambly ? Les Rouville ? Ou les Boileau et les Bresse ? Il nous faut souscrire, sinon nous perdrons la face devant cette bourgeoisie de village que vous exécrez. Même si vous êtes vous-même une de ces bourgeoises, ajouta *in petto* monsieur de Rouville.

Dans son for intérieur, madame de Rouville se délectait d'une situation où son grand seigneur de mari lui quémandait le prix de son honneur. Généralement, la Coutume de Paris, en vigueur au pays, faisait du mari le gestionnaire des affaires du ménage, mais madame de Rouville profitait des termes d'un contrat de mariage bien négocié qui préservait sa dot. Elle avait apporté en mariage plus de trente mille livres et personne ne puisait dans ce bel argent sans sa permission. L'ancienne demoiselle Hervieux tenait ses comptes serrés.

Marie-Anne de Rouville songeait aussi à l'avenir de sa fille. Le fils hériterait des terres, mais pour dénicher un époux convenable à Julie, il faudrait une dot substantielle. Sinon, comme trop de filles de la noblesse – à l'exemple des deux demoiselles de Niverville – elle resterait célibataire et à la charge de sa famille. Son époux disposait des revenus substantiels de la seigneurie de Rouville et de ses fiefs dans la seigneurie de Chambly, largement suffisants pour assurer un train de vie seigneurial, sans qu'il faille pour cela toucher au capital venant des Hervieux. Et comme le colonel, en piètre administrateur, ne veillait pas d'assez près à ses affaires, il dépendait souvent des largesses de sa femme.

— En quoi l'achat d'une simple cloche d'église de village concerne notre famille ? lança-t-elle à son mari désespéré de perdre une bataille devant ce général en jupon.

— Diantre ! Nous sommes Hertel de Rouville, répliqua vertement le colonel en utilisant le nom complet de sa famille. Nos cousins Niverville, qui n'ont même plus les moyens d'un attelage récent, sont incapables d'apporter leur écot. Mais le chevalier dépense temps et énergie sans compter. L'honneur des nobles familles de Chambly dépend de nous. Voilà qui est dit !

— Je suis lasse, Melchior, de ces batailles d'église et de cloche. Des campagnardises idiotes tout juste bonnes à alimenter les commérages des demoiselles de Niverville et de la femme Bresse !

Monsieur de Rouville soupira. Sa femme finirait par consentir à délier les cordons de sa bourse, mais il y aurait un prix à payer. Le séjour à Montréal chez son beau-frère, qu'il repoussait depuis des mois, fut finalement décidé.

∾

À Chambly, les habitants du chemin du Roi recherchaient désespérément un coin d'ombre lorsque le passage d'une élégante berline les fit sortir de chez eux, provoquant tout un émoi. On quittait les fraîches cuisines d'été pour la galerie afin d'admirer le bel attelage qui passait, suivi de deux calèches chargées de domestiques et de bagages. Certains reconnurent dans l'écu d'azur à trois roses d'or les armoiries de la famille de Longueuil. La baronne Grant fuyait la canicule de juillet pour la campagne. La noble dame se rendait chez monsieur et madame de Rouville, où elle allait séjourner quelque temps. Elle était accompagnée de sa fille, Élisabeth, et des deux demoiselles Baby, les filles du défunt François Baby, qui avait défrayé la chronique autrefois en épousant à cinquante-deux ans Marie-Anne Tarieu de Lanaudière, qui n'en avait que quinze.

À elle seule, la baronne Grant incarnait la fine fleur de la vieille noblesse canadienne. Marie-Charles-Joseph LeMoyne de Longueuil – qui se faisait simplement appeler Charlotte par ses intimes – était en effet la dernière héritière du titre des barons de Longueuil.

Son histoire relevait de la légende. À treize ans, sa mère, Catherine Fleury Deschambault, avait épousé Charles-Jacques LeMoyne, troisième baron de Longueuil, dont le grand-père avait été anobli par Louis XIV. Malheureusement, le beau capitaine de Longueuil était disparu dans une bataille, laissant une jeune épouse éplorée de quinze ans, enceinte de jumelles et refusant de croire à son veuvage. Catherine avait vécu dans l'attente du retour de son mari pendant des années avant de se faire déclarer veuve. Onze ans plus tard, Catherine Fleury Deschambault, veuve du capitaine Charles-Jacques LeMoyne de Longueuil, épousait finalement le trafiquant de fourrures William Grant.

Des jumelles du baron de Longueuil, seule Charlotte avait survécu, devenant par le fait même l'unique héritière de la baronnie. En 1781, elle épousait le neveu de son beau-père, David Alexandre Grant, provoquant ainsi un grand remous chez ses censitaires. Ce Grant, qui s'était affublé du titre de baron sans y avoir droit, ne fut pas aimé.

Mais ces scandales faisaient déjà partie de l'histoire ancienne. La baronne était devenue une vieille dame pieuse, une philanthrope qui songeait à donner prochainement les terrains où se trouvaient les ruines d'un vieux fort pour qu'on puisse construire une église digne de ce nom dans sa baronnie, à Longueuil.

Évidemment, ces anecdotes romanesques faisaient les délices de Monsieur Boileau, qui les relatait volontiers à qui voulait l'entendre.

— Décidément, la noblesse canadienne ne manque ni de couleur ni de verdeur, commenta une Emmélie malicieuse à sa sœur Sophie au moment où le splendide attelage passait devant l'allée d'ormes qui menait à la maison rouge des Boileau.

Les deux demoiselles Boileau s'étaient postées sur le chemin pour voir passer l'impressionnant cortège de la baronne, en compagnie de leur jeune sœur Zoé, qui agitait gaiement son mouchoir au bord de la route.

Monsieur Boileau ne tenait plus en place. Depuis le matin, il n'avait fait qu'entrer et sortir, guettant l'arrivée de l'importante visiteuse en arpentant l'allée d'ormes qui, fort heureusement, procuraient une agréable fraîcheur, empêchant sans doute le bourgeois d'attraper une insolation ou tout autre coup de chaleur qui aurait pu provoquer une crise d'apoplexie.

Dès que le convoi de la baronne eut dépassé ses terres, il entra en coup de vent chez lui.

— Ma chère Falaise, ces dames sont enfin arrivées, annonça-t-il fébrilement à sa femme.

Ajoutons, pour expliquer l'agitation de Monsieur Boileau, que le lendemain, après la messe, ces dames et leurs hôtes étaient les invités de la maison rouge, pour le dîner.

— Serons-nous prêts? Avez-vous reçu les vins commandés à Montréal? Les fromages sont-ils à point? Sacrelotte, ma femme, mais vous flânez?

— Ne jurez pas, mon ami, si vous souhaitez que je vous réponde, dit calmement madame Boileau tout en cherchant un prétexte pour éloigner son encombrant époux de la maison.

Emmélie et Sophie, qui entraient à leur tour pour aider leur mère, éclatèrent de rire. C'était toujours la même ritournelle de questions qui embrouillait tout le monde, lorsqu'il y avait une réception qui s'organisait à la maison! Sophie prit gentiment son père par le bras et lui désigna la sortie.

— Père, allez faire un tour au presbytère voir si le curé n'a pas besoin de vous pour son sermon de demain, ordonna-t-elle d'un ton mi-sérieux mi-moqueur.

— À moins que vous n'alliez rendre visite à Marguerite et au docteur, suggéra Emmélie en souriant. Demandez à voir les partitions des airs qu'il nous jouera demain. Un peu de violon vous calmera.

— Mais de grâce, père, disparaissez! supplia Sophie. Vous énervez les domestiques. Ursule finira par brûler nos plus belles nappes en les repassant avec un fer trop chaud si vous persistez à envahir sa cuisine.

— Écoutez donc vos filles, mon ami. Vous dérangez plus que vous aidez, renchérit son épouse. Allez, ouste!

Monsieur Boileau épousseta sa veste, attrapa son chapeau et sa belle canne et sortit de chez lui en maugréant.

— Puisqu'on me chasse de chez moi!

Les dames Boileau le virent partir avec soulagement. Il y avait tant à faire avant le lendemain: inventorier le contenu des armoires, du grand buffet et des coffres de la maison; vérifier l'état de la lingerie, de la vaisselle et de l'argenterie. Il fallait aussi déplacer des meubles pour faire de la place dans la grande chambre. On avait embauché de l'aide pour ces deux jours. Un journalier s'appliquait à fendre une corde de bois en bûchettes et petit bois qu'il plaçait en belles rangées sous le vaste appentis qui jouxtait la cuisine. Le four à pain, le vieil âtre de la cuisine et le poêle réclameraient bientôt une grande quantité de combustible. Dans la cuisine, deux filles du fermier Robert suaient à grosses gouttes sous leur coiffe, attendant en tremblant les ordres de la cuisinière que ce branle-bas transformait en véritable maréchal des logis. Ursule se plaignait sans cesse de leur maladresse et Emmélie commençait à se demander si on avait bien fait d'engager les filles de Charles Robert pour donner un coup de main.

— Des bonnes à rien, râla la cuisinière à Emmélie. Je vous jure, mademoiselle, que ça ne sait même pas pétrir convenablement le pain. Et qui va servir à table, demain ? Certainement pas ces péronnelles, fit-elle en tirant une des jeunes filles par l'oreille.

La pauvrette éclata en sanglots. Emmélie pressentit la catastrophe si Ursule persistait à chanter pouilles à ces fillettes sans défense.

— Ça suffit, Ursule, gronda-t-elle. Augustin s'occupera du service avec Perrine, que j'emprunterai à madame Bresse. Venez, dit-elle aux deux jeunes paysannes.

Emmélie les conduisit dans la grande chambre qu'on n'avait pas encore débarrassée. Les deux paysannes s'arrêtèrent à la porte, les yeux écarquillés : la pièce contenait à elle seule plus de meubles que toute leur maison. Ébahies, elles contemplaient le beau mobilier de bois sombre, les jolies chaises au siège fleuri alignées, les tapis jetés sur le plancher, la tapisserie de Bruxelles au mur et les fauteuils capitonnés ; elles n'osaient pénétrer dans un si bel endroit. La demoiselle Boileau sortit d'un grand buffet l'argenterie à polir.

— Asseyez-vous ici.

Elle désigna deux chaises près de la grande table recouverte de vieux draps. Les jeunes filles, dont la plus vieille n'avait pas quinze ans, s'assirent timidement du bout des fesses, après avoir vivement épousseté leur jupe pour ne pas salir les belles chaises.

— Vous frottez de toutes vos forces, expliqua Emmélie en faisant une démonstration avec un vieux torchon. Personne ne vous dérangera, sauf Augustin qui viendra vérifier votre travail plus tard. Et il est très exigeant !

En voyant leur air effarouché, elle se reprit vivement.

— Soyez sans crainte, Augustin est très doux. Il ne grogne pas et jamais ne se fâche.

Armées de chiffons, les jeunes paysannes se mirent à l'ouvrage, y allant de tout leur cœur pour faire briller les fourchettes, couteaux et cuillères, afin de plaire à la gentille demoiselle Boileau qui les avait sauvées des griffes de la dragonne. Et des réprimandes de leur mère, qui leur avait bien recommandé d'obéir sans rouspéter afin de se montrer dignes du privilège qui échouait à leur famille. Servir chez Monsieur Boileau ! C'était tout un honneur, et la mère Robert s'en vanterait longtemps.

Tout en astiquant les beaux ustensiles, elles contemplaient les portraits des maîtres de la maison. Une grande toile de François Malépart de Beaucourt représentait madame de Gannes de Falaise à l'âge de trente-deux ans. Madame Boileau semblait si vivante que les jeunes filles avaient l'impression que la dame les surveillait. L'autre était la réplique agrandie d'un portrait en miniature du maître de maison réalisé par le grand maître François Baillairgé, du temps où Monsieur Boileau était député à Québec.

— Bon, soupira Emmélie en sortant de la grande chambre. Il y a de quoi les occuper pendant plusieurs heures, se dit-elle tout en songeant qu'elle s'occuperait elle-même de la porcelaine et des verres fins avec l'aide de Perrine, plus tard.

Elle se mit à la recherche de sa mère, qu'elle trouva en compagnie de Sophie, en train de compter les serviettes et les essuie-mains devant la grande armoire en bois du pays, héritée de la famille de Gannes de Falaise.

— Mère, je cours chez les Bresse quérir Perrine. Elle aidera à la cuisine aujourd'hui et Ursule la fera servir à table demain.

— Seigneur ! Emmélie, je n'avais pas prévu inviter les Bresse pour ce dîner. Mais nous n'aurons guère le choix. Et que ferons-nous des petites ? s'enquit-elle en songeant aux deux jeunes sœurs Sabatté à qui Françoise servait de mère.

— Elles mangeront à la cuisine avec Zoé et les autres enfants. Ne vous en faites pas, mère, tout se passera bien. D'ailleurs, voulez-vous me dire comment vous auriez pu empêcher madame Bresse de venir ? Vous savez bien que père nous reviendra avec une dizaine d'invités imprévus. Ne vous inquiétez de rien, Sophie et moi, nous nous chargeons de tout.

Sophie approuva.

— Vous nous connaissez, mère. Des jupons en passant par les rubans, tout sera blanc et impeccablement repassé. Demain, il n'y aura plus une seule tache sur les tabliers, les vestes des messieurs seront bien brossées et même Zoé sera tirée à quatre épingles. La vaisselle et l'argenterie reluiront sur les tables recouvertes de nappes immaculées. Faites-nous confiance, ajouta-t-elle en souriant affectueusement à sa mère. Zoé aussi aura des tâches.

Les deux sœurs serrèrent à tour de rôle leur mère dans leur bras. Ce flot de tendresse réconforta la dame qui savait qu'elle pouvait se fier à ses deux grandes. Puis, Emmélie retira son tablier qu'elle accrocha à un clou du mur de la cuisine, se coiffa de sa capeline d'été et sortit.

❧

Monsieur Boileau avait choisi de se rendre en premier lieu au presbytère. Marie-Josèphe était assise à prendre l'air sur la galerie, une boîte à ouvrage posée près d'elle. Elle reprisait les aubes fraîchement lavées de son frère avant de les envoyer au repassage. En apercevant le bourgeois, son visage s'éclaira d'un sourire joyeux. Son large chapeau de paille orné de rubans bordeaux protégeait son teint de blonde des ardeurs du soleil. Elle portait une jolie robe d'indienne bleue qui s'harmonisait avec ses yeux et un tablier bien propre. Monsieur Boileau lui rendit son sourire. « Quelle jolie fille ! songea-t-il en la contemplant. La taille gracieuse et fine, le visage avenant et d'excellente famille, par-dessus le marché. Certes, elle ferait une parfaite épouse pour mon fils qui est un aveugle ou un sot ! »

— Quel plaisir, Monsieur Boileau, s'exclama la jeune fille à la vue du bourgeois. Je crois que mon frère a une excellente nouvelle à vous annoncer. Je cours le chercher.

Quelques minutes plus tard, le curé apparut à son tour sur la galerie du presbytère.

— Alors Boileau, que me vaut l'honneur d'être dérangé pendant que je termine mon sermon ? le bourassa le curé.

— Je viens vous rappeler que vous êtes notre hôte, demain midi, après la messe, avec mademoiselle votre sœur, bien entendu.

— Je suis au courant. C'est pour cela que vous venez m'importuner ?

Le curé lui tourna le dos pour rebrousser chemin si vite qu'il faillit s'empêtrer dans sa soutane.

— Jean-Baptiste, tu n'aurais pas une nouvelle à annoncer à ton meilleur paroissien ? dit Marie-Josèphe, qui devait parfois rappeler son frère à l'ordre.

— C'est vrai ! fit le curé. Acceptez mes excuses, Boileau, mais lorsque j'en suis à parfaire mes phrases et à vérifier mes effets de rhétorique, ma concentration est telle que j'ai de la difficulté à m'en extraire.

— C'est moi qui regrette, s'excusa à son tour le bourgeois. Mais on vient de me chasser de chez moi.

— Chasser ? l'interrompit dans un sourire la demoiselle Bédard, qui n'était pas dupe.

Elle savait combien un homme pouvait être de trop dans une maison lorsque les femmes s'affairaient.

— Oui, répondit Monsieur Boileau, piteux. Je gêne, m'a-t-on bien fait savoir. Alors, je viens gêner ailleurs. Mais dites-moi votre nouvelle, curé.

Tel le Christ transfiguré, le visage de messire Bédard s'illumina.

— Janot Lafleur apportera la nouvelle cloche de Montréal lundi, au plus tard mardi. Messire Robitaille de Pointe-Olivier viendra la bénir mercredi.

— Que ne le disiez-vous ! s'exclama le bourgeois en se frottant les mains. Mais c'est une nouvelle extraordinaire ! Certainement la meilleure à Chambly depuis plus d'un an.

— N'est-ce pas ? fit à son tour Marie-Josèphe, enthousiasmée. Vous verrez que cette cloche ravivera l'espoir au village.

— Puissiez-vous avoir raison, mademoiselle, fit Monsieur Boileau en brandissant sa canne au ciel. Celui-là nous a assez éprouvés.

— Boileau ! gronda le curé. Vous devrez vous confesser de ce blasphème.

— S'il le faut, messire Bédard, s'il le faut! se repentit joyeusement Boileau. Rappelez-le-moi en temps opportun. Je vous laisse, je cours chez Talham lui porter la bonne nouvelle.

Il remit son chapeau et repartit non sans avoir rappelé au curé et à sa sœur qu'ils étaient attendus demain, après la grand-messe.

Chez Françoise Bresse, Emmélie accepta une tasse de thé.

«À force d'en boire des tasses et des tasses, se dit-elle, je finirai par détester cette boisson.»

Françoise était très excitée. Sa famille, invitée à dîner avec la baronne! C'était un événement dont elle se rappellerait longtemps.

— Ma chère Emmélie, c'est trop d'honneur, j'en suis tout émue. Joseph, mon mari, me dit que madame de Longueuil est aussi la seigneuresse de Belœil. C'est une bien grande dame!

— Assurément, approuva Emmélie. Et elle est aussi celle de Pierreville. Son deuxième époux, David Alexander Grant, est mort l'année dernière, mais il l'aurait laissée avec une multitude de problèmes. J'ai appris que des censitaires la poursuivaient. On dit que monsieur Grant aurait vendu des terres à bois plutôt que de les concéder, ce qui est illégal.

— Il faudrait qu'elle se confie à mon mari, fit sérieusement Françoise. Vous savez à quel point monsieur Bresse est doué pour les affaires, il lui sera de bon conseil.

«Dans deux jours, madame Bresse soutiendra à qui veut l'entendre que madame Grant est venue à Chambly exprès pour consulter son cher époux», se dit Emmélie en admirant la faculté de Françoise à transformer le moindre événement à son avantage. Elle excellait à chanter les vertus de monsieur Bresse. Mais, après tout, n'était-ce pas le rôle d'une femme que d'être l'ambassadrice de son mari?

— Encore un peu de thé, ma chère?

— Non, merci, madame Bresse, répondit aimablement Emmélie, songeant que son frère pourrait lui aussi conseiller madame de Longueuil; cela lui ferait une belle réputation.

Elle s'excusa de devoir partir sans prendre le temps de saluer Clémence et Agathe.

— Il y a tant à faire chez nous avant demain. Je venais pour emprunter les services de votre Perrine jusqu'à demain. Elle est la seule qui peut travailler sous les ordres d'Ursule sans que celle-ci ne menace à tout bout de champ de rendre son tablier.

Une menace qui était sans grand danger. Où irait la cuisinière si elle quittait la maison des Boileau? Il y avait si longtemps qu'elle était à leur service qu'Emmélie ne lui connaissait aucune famille. Mais elle entrait toujours dans le jeu d'Ursule, sachant que cela lui conférait de l'importance. Et puis, dans le fond, malgré son caractère irascible, Ursule demeurait indispensable. «Je n'aimerais pas avoir à la remplacer», constata la jeune fille.

Françoise Bresse était ravie de rendre ce service à madame de Gannes de Falaise. Elle s'en voulait même de ne pas l'avoir proposé elle-même.

— Croyez-vous qu'elle puisse venir deux jours?

— Mais oui. Je lui dis de préparer tout de suite son paquet et d'aller rejoindre Ursule. Je m'arrangerai, vous verrez. Mes sœurs sont assez vieilles pour aider. À seize ans, Clémence est capable de s'occuper des repas avec moi. Vous savez qu'Agathe a déjà quatorze ans. Demain, elle étrennera sa première robe de jeune fille.

— Sauf qu'elle devra malheureusement dîner avec les enfants, fit Emmélie qui comptait mentalement le nombre d'invités. J'espère qu'elle ne sera pas trop déçue.

— Mais non, la rassura madame Bresse, qui entendait déjà les protestations de sa jeune sœur.

Emmélie comprit qu'Agathe ferait la vie dure à Françoise pour cette atteinte à son orgueil de fillette sortant de l'enfance qui arrivait au royaume des grands. Elle s'appliquait à devenir une jeune fille accomplie en essayant d'imiter les demoiselles Boileau. Ce qui ne se passait pas sans heurts pénibles pour la famille. Car cette petite peste d'Agathe était capricieuse et pouvait rendre la vie impossible à sa sœur en un tour de main. Sachant cela, Emmélie dit :

— Merci, chère madame Bresse, de nous rendre cet inestimable service. Nous installerons Agathe avec nous, rassurez-vous. N'oubliez pas, nous vous attendons demain midi, après la grand-messe.

❧

En quittant le presbytère, Monsieur Boileau se rendit chez les Talham, qu'il trouva installés dehors, prenant le frais en famille, au jardin, à l'ombre des pommiers. Melchior jouait avec l'oiseau en cage qu'on avait sorti de la maison. « C'est curieux comme cet enfant me fait penser à quelqu'un », se dit le bourgeois en observant le petit qui l'accueillait avec de grandes démonstrations.

— Mon oncle, mon oncle, est-ce que Zoé est avec vous ?

Boileau se pencha vers le garçonnet pour l'embrasser. Il fit mine de mettre sa main dans sa poche. Melchior, qui connaissait le jeu, tendit la main. Boileau lui remit solennellement un bâton de sucre d'orge, comme s'il était un grand personnage. Le gamin regarda le bonbon avec des yeux attendrissants, ce qui fit rire le bourgeois.

— Ah ! mon gaillard, tu sais ce que tu veux.

— Bonjour mon oncle, le salua Marguerite. Vous allez nous le gâter, protesta-t-elle tandis que Boileau lui plantait deux baisers sonores sur les joues, puis sur les lèvres.

— Ma belle nièce ! s'exclama-t-il en contemplant la jeune mère de famille. Cette nouvelle maternité te va si bien. Allons, Talham, avouez que vous êtes un homme heureux !

— Grâce à vous, Boileau, reconnut le docteur, grâce à vous. Vous avez ma reconnaissance éternelle et, pour cela, je vous offre un verre de limonade bien fraîche.

Il faisait si chaud que Marguerite avait sacrifié un peu de la glace de la glacière de pierres, à moitié enfouie sous terre, près de la maison, pour la concasser et l'ajouter au rafraîchissement. Le breuvage était divinement désaltérant.

— Bonne idée, fit le bourgeois en prenant la chaise que lui offrait le docteur. Et mon autre neveu, le filleul de mon fils, où est-il ? Est-il bien gras ?

— Je vous assure qu'il l'est, mon oncle, mais comme Eugène dort, nous en profitons pour prendre la fraîche. Que pensez-vous de notre potager ? Ce prunier ne donne pas de fruits. Et nos pommiers font pitié.

— Eh bien, ma nièce, pour ce qui est de ton prunier, je dirais qu'il t'en faut un deuxième pour obtenir une récolte. Quant aux pommiers… Hum !

Il s'approcha des arbres avec Marguerite et Talham.

— Je vous enverrai mon jardinier pour qu'il traite vos arbres. Mais vous aurez tout de même des fruits, fit-il en désignant les pommettes.

— Comme ça, votre femme vous a mis dehors ?

Marguerite riait. Monsieur Boileau prit un air renfrogné.

— Comment le savez-vous ? La rumeur est allée plus vite que moi ?

— C'est que nous vous connaissons bien, mon oncle.

— Que diriez-vous si nous examinions ensemble les partitions ? devina Talham.

— Par Jupiter ! Je n'ai même plus besoin d'ouvrir la bouche, mes désirs sont devancés. Au fait, Emmélie exige que vous apportiez cette charmante bourrée de Lully que vous nous avez jouée l'autre jour. Elle vous accompagnera à notre petit clavecin.

— J'en serai honoré. Vous savez que Jean-Baptiste Lully était un grand violoniste. C'est lui qui a popularisé cet instrument à la cour de France. Et surtout, rappelez-vous de demander à Bédard de toucher aussi le clavecin, sinon, il ne vous le pardonnera jamais. J'apporterai quelques partitions de Jean-Philippe Rameau. Il aime beaucoup ce compositeur.

— Et nous ferons chanter mademoiselle Bédard, approuva le bourgeois.

— Oh ! oui, il le faut ! Elle a une si jolie voix, dit Marguerite. J'espère que tout se passera bien. Mon oncle, ce sera une fête inoubliable. J'ai déjà hâte d'y être !

❧

Le lendemain, il faisait si beau qu'on se décida à dresser les tables dehors, sous les arbres du jardin, mais suffisamment près de la cuisine pour que le service ne soit pas perturbé outre mesure. Il y avait tant de monde à placer à table qu'il avait fallu plusieurs tréteaux sur lesquels on avait posé de grandes planches. Les longues nappes de lin dissimulaient l'installation. Les enfants mangeraient sur l'herbe, sur de vieilles courtepointes posées à même le sol.

Les deux demoiselles Boileau avaient fait le sacrifice de la grand-messe. Ce n'était pas une grosse pénitence d'assister à la messe basse au petit matin, puisqu'au retour, le soleil brillait magnifiquement dans un ciel parfaitement bleu. Qui avait envie d'aller s'enfermer au milieu de l'avant-midi dans un hangar-église? L'essentiel était de ne pas manquer l'office divin.

Une fois leur devoir religieux accompli, les jeunes filles avaient été libres de mettre la dernière main aux préparatifs pendant que leur mère accompagnait son mari à la grand-messe. Les heures de l'avant-midi avaient été employées à orner les arbres de lanternes et de rubans colorés. Des chaises et des petites tables décorées de nombreux bouquets et disposées aux meilleurs endroits complétaient ce bel arrangement qui ravissait le regard. Sophie avait dévalisé le voisinage et des charrettes chargées de chaises étaient arrivées la veille, pour aider à meubler le jardin.

Le dîner prenait les airs d'un pique-nique champêtre digne de celui des Boucher de la Brocquerie – des notables de Boucherville réputés pour leurs réceptions –, au grand plaisir de la cadette des Boileau, l'instigatrice de cette excellente idée.

Lorsque tout fut en place, les deux sœurs contemplèrent leur œuvre avec satisfaction.

— Bravo, mesdemoiselles!

Le compliment venait de leur frère, le notaire René Boileau, revenu de la grand-messe avec leurs parents et la petite Zoé. Les jeunes gens échangèrent des sourires complices. Arrivés à l'âge adulte, les trois Boileau avaient conservé intacte la tendre entente qui les liait depuis l'enfance et, à huit ans, Zoé avait droit à toute l'affection de ses aînés. Ils formaient ensemble une fraternité harmonieuse, et bien mal avisé celui qui aurait voulu s'en prendre à l'un deux. Vingt ans séparaient René de la benjamine. À vingt-huit ans, le notaire Boileau semblait avoir épousé le célibat, aucune jeune fille n'ayant retenu suffisamment son attention pour qu'il songe à en faire une épouse. C'était aussi vrai pour Emmélie, qui venait d'avoir vingt-trois ans. La sérieuse jeune fille ne songeait pas encore au mariage. Mais Sophie, avec ses vingt et un ans qui approchaient, attendait désormais que le prétendant de ses rêves se présente à sa porte. Ce qui ne saurait tarder, elle en était persuadée, même si elle n'avait pour l'instant aucun indice lui révélant le nom de l'heureux élu. La plus jolie des filles de Monsieur Boileau avait une réputation de beauté à l'égale de la luxuriante région de la rivière Chambly.

Avant que les invités ne fassent leur apparition, les filles filèrent vite dans la maison afin de revêtir leurs belles toilettes pendant que père et fils profitaient de l'accalmie pour fumer une pipe sous les arbres. Zoé fut prête la première.

— Regardez, père, s'écria-t-elle joyeusement en faisant tourner sa courte robe et ses deux nattes, j'ai un vrai bonnet de dame.

Sophie s'était en effet amusée à confectionner à sa sœur une coiffure de rubans de mousseline. Les deux hommes sourirent à l'enfant. Une onde bienfaisante envahit subitement Monsieur Boileau, comblé par la joie que lui apportait sa famille. Un sentiment de parfaite plénitude. Il n'en profita qu'un court moment, puisqu'un élégant défilé de calèches s'avançait sur l'allée d'ormes, annonçant l'arrivée des invités à la maison rouge.

Les deux hommes se levèrent pour aller accueillir les nouveaux venus, saluant les hommes et baisant la main des dames, toutes plus charmantes les unes que les autres, très coquettes dans leur toilette de teintes pastel et leurs ombrelles gracieuses. Tous saluèrent l'idée de ce dîner en plein air dans un décor pastoral.

On servit enfin les premiers rafraîchissements. Telle une nymphe, Sophie déambulait dans le jardin, ravissante comme toujours, jouant délicatement de son ombrelle assortie à une élégante robe couleur vert d'eau. Elle se laissait courtiser par Ovide de Rouville pendant qu'Emmélie, responsable du bon déroulement de la journée, veillait à ce que tout se passe bien en donnant les ordres nécessaires, libérant sa mère de cette contraignante obligation. À l'exemple de sa sœur, l'aînée des Boileau avait délaissé ses habituelles tenues foncées pour une robe de légère cotonnade jaune pâle ornée de fines broderies, qui mettait en valeur son teint de brune. Un châle de fine soie et une ombrelle empruntée à sa sœur complétaient l'ensemble. Les femmes agitaient leurs éventails et, malgré la fraîcheur que procuraient les arbres du jardin, la plupart avaient retiré leur chapeau, prétexte charmant pour que les messieurs admirent les jolies bouclettes qui agrémentaient leur chignon en encadrant mignonnement leur visage, comme le voulait la nouvelle mode. Même les demoiselles de Niverville se pavanaient, fières de leurs robes retaillées suivant les derniers critères en vigueur, une ligne droite, mais légèrement évasée. «Sacrelotte, se dit Monsieur Boileau en contemplant le charmant tableau de son jardin. Comme les femmes sont jolies aujourd'hui!» Les messieurs ne donnaient pas leur place, rivalisant d'élégance avec les dames.

Finalement, Ursule s'inclina cérémonieusement devant la maîtresse pour annoncer que madame était servie. Emmélie dirigea les invités en leur désignant une place.

D'un côté, assis au milieu de la grande tablée, le maître de maison, fier comme Artaban, présidait la joyeuse assemblée avec, à sa droite, l'invitée d'honneur, madame de Longueuil, la baronne Grant. Celle-ci conversait aimablement avec son voisin d'en face, monsieur de Rouville. À la gauche de l'hôte venait madame de Rouville qui, pour une fois, semblait d'excellente humeur. Puis venait madame Boileau qui faisait face à son époux, flanquée à sa droite de messire Bédard et, à sa gauche, du colonel de Rouville. Ce dernier était d'humeur guillerette, comme s'en rendit compte Marie-Josèphe Bédard, sa deuxième voisine de table. La jeune fille repoussa avec doigté les avances galantes du vieux monsieur, qui se le tint pour dit et exerça son charme décati auprès de son autre voisine, la fille de la baronne, qui se riait gentiment du colonel. Emmélie incita les autres invités à se placer à leur gré, sans égard au rang de chacun. Ce beau jour d'été les conviait aux plaisirs de la compagnie de leur choix.

L'atmosphère décontractée permit à Julie de Rouville de bien manœuvrer pour occuper la chaise à côté du notaire René Boileau. « Par quel hasard Marguerite se retrouve-t-elle voisine de René ? » se demanda Emmélie en s'assoyant face à son frère. Lorsque Ovide de Rouville et Sophie prirent place à ses côtés, elle vit le visage de Marguerite se décomposer.

Ovide de Rouville avait enfin délaissé son habituelle goujaterie et tenait des propos charmants à Sophie qui s'amusait, sans plus. René, qui n'aimait pas son voisin d'en face, tourna résolument le dos à Marguerite après l'avoir brièvement saluée. Pourtant, la jeune femme était tout simplement ravissante dans une robe d'un joli bleu clair, avec un amusant plumet dans ses cheveux. Mais René s'empressa de complimenter la demoiselle de Rouville sur sa ravissante tenue. Cette dernière n'avait jamais été aussi radieuse. René Boileau semblait enfin la remarquer.

Pour une fois, grâce à la complicité de Sophie qui avait donné des instructions précises à la couturière, Julie portait une robe seyante faite d'une légère mousseline blanche richement brodée et ornée de rubans jaunes. La ligne classique de la robe lui allait à merveille, mettant en valeur son gracieux cou de cygne et ses yeux foncés qui brillaient au soleil de ce midi de juillet. Une soyeuse écharpe à franges glissait sur ses épaules, et la présence de René Boileau à ses côtés faisait le reste. «Elle est même jolie», constata Emmélie au sourire lumineux de Julie.

La conduite de René consistait à tout faire pour éviter d'échanger un mot avec Marguerite. «Un parfait goujat! Dire qu'il est le parrain du petit Eugène. Faut-il qu'il soit épris pour agir ainsi?» pensa Emmélie.

Mais bientôt, tous furent assis et Monsieur Boileau se leva pour porter une première santé à la baronne pendant qu'on servait un potage de légumes aromatisé de sauge, de thym et de romarin. Il retrouva facilement le ton emphatique de l'ancien parlementaire.

— Madame la baronne, votre visite honore Chambly, mais laissez-nous croire qu'elle lui portera également bonheur. Nous avons eu le malheur de perdre notre église il y a plus d'un an. Mais, tel un bon ange, votre séjour coïncide avec l'arrivée, dans quelques jours, de la nouvelle cloche de notre future église. Même si nous ignorons toujours où et quand cette église sera construite.

Cette allocution fut vivement applaudie. Rouville se leva à son tour. On lui connaissait quelques talents pour la poésie, puisqu'il avait écrit autrefois une tirade célèbre sur l'amère défaite de fort Stanwix et la lâcheté du lieutenant-colonel Barry St. Leger. Cette fois-ci, ses muses furent charmantes.

— Cette cloche, chère madame, est pour nous un signe d'espoir. Elle est comme le premier cri du nouveau-né qui comble sa mère de bonheur. Elle est la colombe du patriarche Noé qui annonce le retour de la vie sur terre. Elle …

Les applaudissements reprirent de plus belle, interrompant le poète improvisé qui salua.

Puis, ce fut au tour du curé de s'extirper de son siège, dans un grand silence étonné. Ce n'était certes pas l'habitude de messire Bédard que de faire des santés pendant les banquets.

— Madame la baronne, puisque vous nous honorez de votre présence, je vous demande comme un insigne honneur d'être la marraine de notre cloche que mon confrère, messire Robitaille, de Pointe-Olivier, viendra bénir.

Cette dernière déclaration ne manquait pas d'audace. L'honneur d'être la marraine de la cloche revenait traditionnellement à la femme du seigneur. Mais en l'absence du seigneur – un protestant de surcroît – messire Bédard outrepassait le privilège pour l'offrir à la baronne Grant, plusieurs fois seigneuresse et bonne catholique, bien entendu.

Les applaudissements fusèrent à nouveau, approuvant la décision du curé. Puis, la maîtresse de maison enjoignit ses invités à entamer leur repas en plongeant sa cuillère dans le potage fumant. Les conversations reprirent jusqu'au service suivant, fait d'une poule bouillie et d'une oie rôtie, accompagnées de purée de pois vert et de carottes. Augustin remplissait les verres de vin rouge ou blanc, selon les préférences de chaque convive. Il y avait même de l'excellent cidre de pommes grises pour les amateurs, qu'il tenait au frais dans la laiterie de pierres.

Lorsqu'on débarrassa, la baronne profita de la pause avant l'arrivée du service suivant pour déclarer, debout, le verre à la main :

— Monsieur Boileau, madame de Gannes de Falaise, chers hôtes, merci et longue santé.

Puis, elle se retourna vers le curé.

— Messire Bédard, j'accepte avec plaisir votre proposition.

À ces mots, le curé bondit de sa chaise.

— À la marraine de notre future cloche, la très noble baronne de Longueuil, s'exclama-t-il pendant que les convives manifestaient bruyamment leur joie.

La baronne devenait la messagère de l'espoir. C'était comme un soleil radieux qui chassait les sombres nuages de ces mois d'affliction. Sans compter que la chaleur, la bonne chère et la douceur du vin commençaient à produire leurs effets. Avant de se rassoir, elle annonça au curé.

— À titre de marraine, je donne cent livres pour vos pauvres.

Et tous de l'acclamer à nouveau. La somme était énorme. Le curé était ému par tant de générosité.

— Madame de Longueuil, remercia-t-il en lui donnant son nom français, plus d'une fois on m'a vanté votre grande compassion envers les plus démunis d'entre nous. Mais on était encore sous la vérité. Comment vous remercier ?

— Faites dire quelques grands-messes pour le repos de mon âme lorsque je ne serai plus, répondit avec modestie cette grande dame qui avait dépassé la cinquantaine.

— Je le noterai dès ce soir dans le livre de la fabrique, fit le curé, en bafouillant. Les paroissiens de Chambly, reconnaissants, n'y manqueront pas, madame la baronne, lorsqu'il sera temps.

Françoise et Joseph Bresse, ainsi que le docteur Talham, étaient coincés entre les deux demoiselles Baby, jeunes filles silencieuses aux visages poupins encadrés de bouclettes serrées avec qui il était bien difficile de tenir une conversation. Joseph Bresse comptait sur l'aide de sa femme, assise devant lui, espérant que cette dernière puisse s'entretenir de quelques propos féminins avec les timides demoiselles. Mais Françoise observait plutôt le docteur Talham qui faisait de même avec son épouse, assise à l'autre bout de la table.

Alexandre avait en effet remarqué l'air étrange de Marguerite. En ce moment, elle ressemblait à la jeune fille effarouchée qu'il avait épousée. Elle qui se faisait une joie de cette fête ne s'amusait pas du tout. « Elle s'inquiète sans doute des enfants. »

Plus d'une fois, en effet, Marguerite s'était levée de table prétextant qu'il fallait nourrir Eugène qui réclamait son dû ou simplement voir si tout allait bien. L'enfant dormait calmement dans son couffin posé au pied d'un arbre, indifférent aux cris et aux rires joyeux. Mais sa mère n'avait pas d'appétit. Elle qui aimait tant la salade à la crème ne s'en était même pas servi. Elle avait goûté du bout des lèvres au bœuf en ragoût et à l'oie, puis avait chipoté quelques-uns des légumes qui s'étaient retrouvés dans son assiette.

Depuis qu'Ovide de Rouville était revenu vivre à Chambly, Marguerite avait usé de toutes les tactiques possibles pour l'éviter, ce qui n'était pas toujours facile. Monsieur de Rouville appréciait la compagnie du docteur Talham et l'invitait parfois, à son manoir, avec Marguerite. Celle-ci s'était bien rendu compte que sa présence déplaisait à madame de Rouville et se repliait sur ses obligations de mère pour s'excuser. Jamais elle ne révélerait à son mari la véritable raison de sa répugnance à se rendre chez les Rouville. Alexandre semblait comprendre. Il n'insistait pas, se disant sans doute que c'était à cet endroit qu'elle avait été violentée, ce qui expliquait sa réticence à y retourner. Ainsi, Marguerite ne s'était jamais retrouvée seule face à son agresseur.

Mais aujourd'hui, elle restait silencieuse, seule au milieu de convives emportés par la gaieté de l'après-midi, l'estomac noué par sa vieille peur. Ovide de Rouville était assis en face d'elle. Pendant tout le repas, elle imagina son regard méchant posé sur elle. L'espace d'un cillement, leurs yeux s'étaient croisés. Marguerite avait vite baissé les siens, mais cet échange furtif avait suffi pour qu'elle revoit la sinistre menace. Il s'était ensuite retourné, tout sourire, vers sa voisine de table, Sophie, qui était d'humeur à fleureter, tandis que Marguerite étouffait, cherchant une nouvelle raison pour s'excuser et quitter la table.

Au moment où on apportait confitures et pâtisseries, elle n'en pouvait plus et se leva pour aller rejoindre ses enfants. Ce faisant, elle attira l'attention du jeune de Rouville qui profita du fait que Sophie se servait du dessert pour suivre Marguerite.

Plus loin, depuis longtemps rassasiés, les enfants jouaient. En apercevant sa mère, Melchior se précipita pour lui sauter dans les bras. Zoé, croyant que cela faisait partie d'un jeu, fit de même. La poussée de cette marmaille bouscula Marguerite qui se retrouva dans les bras d'Ovide qui arrivait derrière elle. Un grand frisson d'effroi la parcourut lorsqu'elle se redressa et reconnut son agresseur d'autrefois. Elle cria.

— Non !

— La belle gueuse et son enfant bâtard, souffla méchamment Ovide à l'oreille de Marguerite qui vacilla. L'haleine déplaisante d'Ovide, chargée d'alcool, la ramena dans l'écurie des Rouville, cinq ans auparavant.

La jeune femme retrouva son équilibre et serra son fils contre elle. Il la darda d'un regard mauvais, libidineux. La garce, elle le tentait encore ! Avec sa longue natte, cette femme l'obsédait.

Intriguée, Emmélie, qui avait vu la scène déplaisante, accourut.

— Viens me faire un bécot, toi, fit-elle en tendant les bras à Melchior afin de délivrer Marguerite.

Elle sortit son mouchoir de sa poche pour essuyer le visage barbouillé de confitures.

— Tout va bien, Marguerite ?

— Oui. Un peu de fatigue, je crois, rien de plus. Je vais voir si Eugène dort bien dans son couffin.

Marguerite mentait mal. Ovide de Rouville terrorisait son amie, Emmélie en était sûre. Un voile d'effroi était passé à la vitesse de l'éclair sur le visage de sa cousine.

Quelqu'un d'autre n'avait rien perdu de la scène. Un besoin pressant avait obligé messire Bédard à quitter la table. Il s'était passablement éloigné pour se soulager loin de la vue des convives et revenait tranquillement, profitant de l'air frais du jardin de Monsieur Boileau. Il n'avait jamais oublié la confession de la jeune femme, la veille de son mariage. Depuis, il se méfiait du jeune Rouville, mais il savait que son père le surveillait de près. La proximité d'Ovide de Rouville et de Marguerite ne lui disait rien de bon et il s'approcha.

— Comment allez-vous, madame Talham ? Vos beaux enfants ont l'air en pleine santé, ajouta-t-il tout en jetant sur Ovide un regard sévère. « Éloigne-toi de cette femme », disaient les yeux du curé.

Rouville ne s'y trompa pas et déguerpit.

Mais Emmélie avait eu le temps de comprendre le désarroi de sa cousine. Ovide était l'agresseur de Marguerite et le petit Melchior était son fils. Elle en était certaine.

L'après-midi avait fait place à la brunante qui ramena la douce fraîcheur d'une belle soirée d'été. Sophie fit allumer les lanternes qu'elle avait fait placer un peu partout dans le jardin, puisque la température permettait qu'on danse dehors. À la demande de Monsieur Boileau, le docteur sortit son violon et l'accorda avant de jouer les premières mesures qui annonçaient la danse. Marguerite préféra rester assise près de son mari, le petit Eugène dans ses bras.

— Je vais jouer pour toi, murmura Alexandre à son épouse, croyant qu'elle sacrifiait son plaisir à ses obligations maternelles.

Elle aurait pu facilement confier l'enfant à une des douairières. Mais elle n'en fit rien et retrouva son courage pour sourire à son mari, soulagée de se savoir sous sa protection.

Des couples se formaient pour un menuet. Monsieur Boileau s'inclina bien entendu devant la baronne, qui accepta d'être sa partenaire. C'était fâcheux, mais il n'y avait pas un nombre égal d'hommes et de femmes à ce bal improvisé, et Sophie avait accepté d'accompagner monsieur de Rouville. La plupart des autres jeunes filles, n'ayant pas de cavalier, s'installèrent face à face en attendant la musique, se faisant des manières qui les faisaient frémir de plaisir. La jeune Agathe Sabatté, ravie, tournoyait dans sa nouvelle robe et sa natte brune semblait battre la mesure. Elle avait réussi à convaincre sa sœur, la très sérieuse Clémence, d'entrer aussi dans la danse. Les deux jeunes filles étaient inépuisables et Françoise eut bien du mal à les arrêter lorsqu'il fut temps de rentrer.

Agathe fit une scène atroce, hurlant et tapant du pied. Joseph Bresse était intervenu, excédé par les caprices de la jeune fille. « Nous rentrons, et ne m'oblige pas à sévir. »

Ovide avait invité une demoiselle Baby, pendant que sa sœur servait de cavalière à René Boileau. Madame de Rouville observait la scène du coin de l'œil. «Julie s'est amourachée de ce petit notaire», constata-t-elle, mi-figue, mi-raisin. Mais sachant que sa fille n'avait pas le caractère à imposer une mésalliance à sa famille, elle n'intervint pas. Le destin de la douce et obéissante Julie était tout tracé d'avance. Elle épouserait un homme qui satisferait les alliances de famille et la consolidation des fortunes.

La première danse terminée, la baronne se retira. Les divertissements de ce genre n'étaient plus de son âge. D'autres danses se succédèrent avant que les autres invités ne l'imitent, épuisés mais heureux de cette longue journée de réjouissances. Talham ne se fit pas prier pour remballer son violon. Comme Marguerite semblait pressée de partir, il alla chercher Melchior, endormi dans un coin avec Zoé, et le porta jusqu'à la calèche familiale où sa femme et le petit Eugène l'attendaient pour rentrer.

La charrette de Janot Lafleur, qui traversa le village le lundi suivant chargée de son lourd fardeau, connut un succès de popularité égal à celui qu'avait obtenu la baronne, quelques jours auparavant. On sortait des maisons pour voir la fameuse cloche en agitant vivement son mouchoir et des femmes pleuraient en se signant, laissant aller l'émotion. Chambly était en liesse et la nouvelle cloche, le symbole des débuts d'un temps nouveau.

Comme la bénédiction était prévue pour le mercredi – l'événement avait été annoncé par le curé au prône domi- nical – Lafleur s'arrêta devant les ruines de l'église. Une espèce d'échafaudage de bois avec un toit en forme de clocheton s'élevait assez haut devant le hangar-église, campanile provisoire qui servirait de clocher en attendant le véritable clocher. C'était donc là qu'on hisserait la nouvelle cloche sur un bélier de bois.

Inutile de préciser que depuis le matin, le curé Bédard attendait avec impatience l'arrivée de Janot Lafleur. Maintenant que cette cloche tant attendue était devant ses yeux, il tournait autour de la charrette, examinant attentivement l'objet. Elle pesait quatre quintaux, plus de quatre cent livres, et pour la sortir de là, il faudrait au moins six hommes. Le curé décida que Janot placerait immédiatement la charrette sous le bélier et la laisserait là, jusqu'au moment de la bénédiction. Il serait alors facile de la hisser ensuite pour la mettre en place.

— Tiens, mon Janot, voici pour ta peine, fit-il en donnant à Lafleur une petite bourse contenant la somme convenue, avec un petit surplus. Si tu veux bien m'attendre, j'ai un message à faire porter à messire Robitaille, de Pointe-Olivier. Dételle ton cheval pour l'harnacher à la charrette du presbytère. Je te rendrai la tienne dans deux jours.

La pipe au bec, Janot Lafleur s'exécuta. Son cheval avait soif. Il le mena à l'abreuvoir qu'il y avait près de l'église, puis se dirigea vers la grange du presbytère pour tirer à l'extérieur la charrette du curé.

Pendant ce temps, ce dernier rentra dans la maison pour écrire son courrier. Il prit un petit feuillet qu'il découpa pour en faire trois. Dans le premier, adressé à son confrère, il annonça l'heureuse nouvelle puis rappela qu'ils avaient convenu ensemble de faire la bénédiction pour onze heures, le matin.

Le deuxième message était destiné à madame la baronne Grant, chez monsieur de Rouville.

Chère madame et marraine de la nouvelle cloche paroissiale de Saint-Joseph-de-Chambly. Notre précieux trésor est arrivé à bon port. Je vous prie, madame la baronne, de bien vouloir accepter mes plus sincères salutations et vous rappeler que nous vous attendrons à onze heures, mercredi. Puis-je vous demander d'avoir l'extrême amabilité de transmettre cette bonne nouvelle à monsieur et madame de Rouville ?

Je demeure votre humble serviteur,

Jean-Baptiste Bédard, prêtre curé

Le troisième message, rédigé avec quelques modifications par rapport au précédent, était destiné à Monsieur Boileau. La bonne nouvelle aurait tôt fait de se répandre.

❧

Le jour dit, il n'y avait pas un souffle de vent. L'eau du bassin de Chambly s'étalait comme un grand miroir sous un soleil brillant, surface lisse que seules quelques embarcations troublaient.

Assis bien droit dans un canot traversant l'étendue d'eau vers le quai de l'église Saint-Joseph, un homme à l'allure élégante qu'on imaginait plus facilement en habit de soirée qu'en soutane, méditait en attendant que le rameur le mène à bon port.

Pour son plus grand malheur, le prêtre Pierre Robitaille possédait un joli visage qui plaisait aux femmes. Une tare, lorsqu'on choisissait de se consacrer à Dieu, qui lui avait déjà causé des ennuis et mérité des remontrances discrètes mais sévères, de l'évêque. Depuis, messire Robitaille évitait les paroissiennes trop jolies et empressées au service de la paroisse, leur préférant les douairières, sans danger pour sa vertu. Mais comme il avait un caractère affirmé et difficile

576

à manier, il donnait malgré tout du fil à retordre à ses supérieurs.

Pierre Robitaille avait embrassé le sacerdoce assez tard, à près de trente ans. Ce choix demeurait un mystère pour qui le connaissait. Il était doté d'une personnalité réfractaire à l'obéissance qu'on exigeait des prêtres et, en digne fils de marchand, il aimait brasser des affaires. Un peu trop, au goût de l'évêque. Un homme de Dieu pouvait s'intéresser aux biens de l'Église, mais son premier devoir allait à Dieu, uniquement.

Le curé Robitaille déplorait les difficultés sans nombre que subissait son collègue messire Bédard depuis un an. Avec la bonne nouvelle qu'il apportait aujourd'hui, Robitaille espérait que les tourments de son confrère curé prendraient bientôt fin.

Arrivé sur la rive de Chambly, il retroussa sa soutane avant de débarquer sur le quai de l'église, où il fut accueilli par les hourras et les bravos d'une foule venue l'attendre en grand nombre. Messire Bédard, au premier rang, contenait à peine sa joie. Il l'étreignit vigoureusement, risquant de lui faire prendre un bain forcé.

— Mon cher Robitaille ! Quel plaisir de vous avoir parmi nous pour partager ce grand moment.

— Je suis aussi heureux que vous pouvez l'être, répondit le prêtre en s'avançant au milieu du quai. Toute cette désolation chez vous nous brise le cœur, à Pointe-Olivier.

— Puissiez-vous dire vrai, fit René Boileau, dubitatif, qui accompagnait le curé de Chambly.

— Vous en doutez ? dit sévèrement le curé de Pointe-Olivier.

— Messire Robitaille, loin de moi l'intention de mettre en doute votre sincérité, mais j'ai de bonnes raisons de croire que certains de vos paroissiens ont cherché à nous nuire.

— C'est possible, maître Boileau, il y a de méchantes gens partout. Mais croyez-moi, ils ne vous feront plus de mal à partir de maintenant, ajouta-t-il d'un ton sans réplique.

À la vue de la foule qui l'attendait, il changea très vite de figure pour retrouver son sourire. Agglutinés en deux larges rangs malgré la canicule, les paroissiens saluaient joyeusement le curé de la paroisse voisine venu bénir leur cloche – on invitait toujours un autre prêtre pour ce faire, comme le voulait la coutume –, formant une haie humaine qui menait jusqu'au dais d'une estrade d'honneur construite exprès pour l'événement, devant le beffroi improvisé. Nobles et notables de l'endroit y attendaient fébrilement le grand moment, autour de la baronne, des Rouville et des Niverville et des messieurs Bresse et Boileau, les souscripteurs principaux.

— Mon cher monsieur de Rouville, tout est-il prêt ? s'informa la baronne.

— Tout est prêt, madame !

Les messieurs de Niverville et de Rouville jubilaient. L'arrivée de la cloche, la présence de son auguste invitée, tout ce décorum contribuait à redorer les blasons défraîchis de la paroisse. À titre de marraine, c'était la baronne qui régalait les villageois et la cuisine du manoir de Rouville avait été mise à contribution pour cuire pâtés et rôts qu'on servirait après la cérémonie, accompagnés de rafraîchissements. Il y avait même un baril de rhum que messire Bédard avait contemplé d'un œil désapprobateur.

— Comme s'il n'y avait pas suffisamment de cantines aux alentours, avait-il maugréé.

Monsieur de Rouville ne l'avait pas laissé grogner longtemps, lui assénant une vigoureuse tape sur l'épaule.

— Par Jupiter, Bédard, c'est une trop belle journée pour rouspéter.

578

Enfin, la cloche fut baptisée et bénite. On la nomma Marie-Anne et le curé Jean-Baptiste Bédard fut le compère de la marraine.

Avant que la foule ne se disperse, messire Robitaille s'adressa à la population avec sa voix de stentor.

— Gens de Chambly, fit-il avec un regard en coin vers le notaire Boileau qui l'avait houspillé, j'ai pour vous les meilleures nouvelles. Sachez que j'ai appris ce matin, par le curé de Boucherville, messire Conefroy, que votre église sera reconstruite à la même place que l'ancienne.

Les derniers mots se perdirent dans le brouhaha fracassant des applaudissements. «Vive le curé Robitaille! Vive le curé Bédard!» criait-on de toutes parts tandis que le curé de Chambly ne cachait pas ses larmes de joie. Le chevalier de Niverville réclama à ses sœurs des sels tant il était ému.

— Mes enfants! Mes enfants! Récitons un *Pater* pour remercier Dieu de cette excellente nouvelle. Et qu'Il bénisse le messager!

À ces paroles, la baronne s'agenouilla. Monsieur Boileau, en gentleman, s'empressa de retirer sa veste afin de protéger la toilette de la noble dame de la poussière, geste que tous les messieurs imitèrent, ce qui donna un drôle de ballet fait d'enchaînements de vestes enlevées et de courbettes pour que toutes les dames s'agenouillent proprement, à l'exemple de la baronne. Les habitants s'exécutèrent avec moins de manières, les hommes retirant leur chapeau. Comme c'était beau de voir cette foule recueillie sous le soleil ardent! Bien vite, la prière se conclut sur un *amen* et le baril de rhum fut assailli par les hommes, et même par plusieurs femmes qui, elles aussi, savaient lever le coude.

La cérémonie de la bénédiction terminée, Marguerite cherca Charlotte dans la foule tout en tenant fermement la main de Melchior. Ni Charlotte ni elle n'avaient voulu manquer l'événement et elles se partageaient la tâche de surveiller à tour de rôle les deux enfants.

La servante s'était probablement installée à l'écart, dans un endroit ombragé où elle pouvait s'asseoir, à moins qu'elle ne soit retournée à la maison. Elle avait insisté pour porter Eugène, mais à huit mois, le petit commençait à être lourd au bras. Marguerite tendit l'oreille. C'était bientôt l'heure où son fils, affamé, réclamerait son dû.

— Regarde, s'exclama Melchior à sa mère en désignant l'estrade toujours recouverte de son dais vert, c'est mon parrain. Allons-y, fit-il en entraînant Marguerite vers monsieur de Rouville. Et mes tantes Emmélie et Sophie sont là aussi ! Hou hou ! criait-il pour attirer l'attention des jeunes filles.

Melchior lâcha la main de sa mère et s'échappa vers l'estrade.

— Melchior ! fit celle-ci d'un ton sévère.

— Je suis ici, maman, cria de loin l'enfant en agitant la main.

Il avait déjà grimpé sur l'estrade et tirait les jupes d'Emmélie qui se pencha vers lui. Elle se releva pour chercher Marguerite dans la foule et lui fit signe de venir. Celle-ci se dirigea à son tour vers la plate-forme d'honneur, ignorant qu'elle était suivie d'Ovide de Rouville qui venait d'arriver, en retard comme toujours.

Ovide avait manqué la cérémonie, ce qui ne le dérangeait guère, mais il tenait à faire acte de présence pour ne pas subir, encore une fois, les sempiternelles remontrances de son père. De loin, il avait aperçu Marguerite Talham, facilement reconnaissable de dos grâce à sa large tresse qui descendait longuement jusqu'à sa taille. Peu de dames se coiffaient ainsi, mais l'opulente chevelure de Marguerite était une telle tignasse qu'elle arrivait difficilement à la ramasser en chignon. Comme il était d'humeur belliqueuse, il marcha vivement pour la rattraper au moment où elle allait grimper à son tour sur l'estrade.

— Madame Talham court après son bâtard, lui dit-il méchamment en s'approchant derrière elle subrepticement, assez pour qu'elle sache qu'il était là, tout près d'elle.

Marguerite étouffa un cri affolé. Rouville chercha à la coincer et la retint violemment par le bras. L'envie de faire mal à cette femme était irrépressible. Il la serra suffisamment fort pour la marquer d'une ecchymose. Il la haïssait et la désirait et à la fois. Elle fit un geste brusque pour se dégager et s'enfuit. Personne ne semblait avoir vu l'incident. Mais le notaire avait aperçu Marguerite et remarqué le mouvement brutal. Instinctivement, il voulut intervenir lorsque Julie de Rouville l'apostropha joyeusement.

— Enfin, je vous trouve, monsieur Boileau ! N'est-ce pas encore une journée splendide et une nouvelle merveilleuse ? dit-elle en lui tendant timidement sa main à baiser.

René, en galant homme, s'exécuta. Sa tentative de secourir Marguerite tomba à plat.

— Bonjour, mademoiselle de Rouville. Je vous approuve parfaitement.

— Allons rejoindre mon frère et votre sœur qui sont là-bas.

René n'eut d'autre choix que de lui offrir son bras. Ovide venait de gravir la marche qui menait à l'estrade et saluait Emmélie, qui tenait toujours Melchior par la main. En levant la tête, René fut saisi par le tableau qui s'offrait à ses yeux. L'espace d'un instant, Ovide de Rouville s'était trouvé côte à côte avec l'enfant. La ressemblance était frappante. Les yeux du petit Melchior étaient exactement les mêmes que ceux de Rouville : des petits yeux noirs, curieusement enfoncés, donnant l'impression d'un regard de fouine.

Bouleversé par cette révélation stupéfiante, René n'eut plus qu'une envie : disparaître. C'était donc vrai, toutes ces allusions que Rouville faisait à son sujet. Marguerite s'était offerte au jeune noble comme la dernière des gourgandines, avant de se faire épouser par le docteur Talham. Elle avait sans doute cru, sottement, que Rouville l'épouserait. Évidemment, il l'avait éconduite. Tout le reste n'avait été qu'invention, que manipulation pour arriver à sortir la tête haute de ce pétrin minable. Tant de duplicité le dégoûtait.

— Tout va bien, monsieur Boileau ? s'inquiéta Julie qui n'avait de yeux que pour le notaire.

René ne répondit pas. Il regardait toujours l'estrade où Marguerite et Ovide semblaient converser avec Emmélie. La scène lui faisait horreur, comme si, en parlant avec sa sœur au cœur noble, le couple répugnant l'éclaboussait de leurs salissures abjectes.

Intriguée par le silence de son compagnon, Julie dirigea son attention sous le dais. L'enfant s'amusait à faire des grands signes de main et à saluer à gauche et à droite dans une parfaite imitation de Monsieur Boileau prononçant un discours. Attendrie, Julie lui envoya la main.

— Regardez-moi ce petit bouffon, fit-elle à René. Melchior, hou hou !

Les appels de Julie firent que Marguerite se retourna pour croiser le regard de René qui la dardait. Le mépris qu'elle lut dans ses yeux la renversa. Qu'avait-elle fait pour mériter tant de détestation ? C'était trop dur à supporter. Elle chercha son mari dans la foule, pressée de se retrouver près de lui, loin de toute cette haine. «Alexandre, se dit-elle, mais où êtes-vous?» Elle voulait partir immédiatement, se retrouver chez elle, dans son refuge, la maison du docteur qui était aussi la sienne et celle de ses enfants.

Emmélie vit la peur dans les yeux de son amie.

— Marguerite, fit-elle en passant son bras sous le sien comme pour lui offrir implicitement son soutien. Où est ton mari?

— Je l'ignore. Je le cherche. J'en ai assez et j'aimerais bien rentrer.

— Maman, ma jolie maman, disait Melchior tout heureux, gambadant sur l'estrade en bousculant quelques-unes des grandes personnes présentes qui fuyaient l'endroit surélevé.

Plus loin, le curé de Pointe-Olivier causait avec madame de Rouville, l'informant de son avenir.

— Monseigneur Plessis songe à me confier la cure de La Prairie dès cet automne. Je quitterai la belle région de la rivière Chambly à regret. L'endroit est magnifique, tant par son paysage que par son développement.

— Monsieur le curé Boucher quitte La Prairie? Vous m'en voyez étonnée! Mais vous serez certainement heureux là-bas et bien plus près de Montréal et de notre beau et grand fleuve Saint-Laurent. J'avoue que la vue du fleuve me manquera toujours. Mais voici mon fils qui veut certainement vous saluer.

— Je l'aperçois. Mais j'ignorais qu'il était marié! fit le curé. Ma foi, son épouse est fort jolie. Il doit être fier d'avoir un fils qui lui ressemble à ce point. Quel enfant charmant!

— Vous vous trompez, le reprit madame de Rouville en s'étranglant. Il s'agit de la femme et du fils du docteur Talham.

Le curé se tut plutôt que de s'empêtrer plus avant dans ses explications. L'homme et l'enfant se ressemblaient à s'y méprendre. Riche de son expérience de curé de paroisse et des confidences du confessionnal, plusieurs explications possibles s'offraient à lui, allant de la simple séduction au viol. Cette jeune femme avait l'air si innocente. Il rangea l'homme instantanément dans la catégorie des paresseux et des fourbes. Madame de Rouville était assurément la grand-mère du petit bâtard et peut-être venait-il de lui révéler un fait qu'elle avait ignoré jusqu'à ce jour. Les fruits de l'adultère étaient courants dans la bonne société. Des secrets de famille qu'on taisait. À ce chapitre, la moralité de la classe paysanne était beaucoup plus stricte. Le curé de Pointe-Olivier se demanda si son collègue de Chambly était au courant. Un enfant bâtard était toujours une grande source de problèmes, soupira-t-il intérieurement.

Madame de Rouville ne devait jamais oublier ce moment. L'enfant venait souvent au manoir puisque son mari raffolait du garçonnet, qui était aussi son filleul. Elle n'avait prêté qu'une attention distraite à celui qu'elle croyait être le fils du docteur Talham. Pourtant, elle aurait dû comprendre depuis longtemps. Il était vrai que l'enfant tenait beaucoup de sa mère et qu'il fallait voir Ovide à côté de Melchior pour constater la ressemblance. L'enfant avait encore un joli visage rond et ses cheveux étaient blonds, même si on voyait que plus tard, inévitablement, ils tourneraient au brun. Mais c'étaient bien les mêmes yeux, ceux qu'Ovide de Rouville avait hérité de son grand-père de Rouville. Si elle avait besoin d'autres preuves, elle n'avait qu'à voir les cheveux plantés de l'enfant, exactement comme ceux de son propre fils. Et cette façon qu'il avait eue, en se retournant, le regard en coin. Ovide avait eu le même geste, petit, lorsqu'il mentait ou croyait qu'on le punirait.

De nombreuses questions sans réponse affluaient. Quand cela s'était-il produit ? Elle se rappelait vaguement les rumeurs qui avaient couru au moment du mariage du docteur avec Marguerite Lareau, comme quoi celle-ci s'était mariée grosse d'un enfant. Certains avaient laissé entendre que le docteur avait abusé de la jeune femme pour l'épouser. Elle découvrait que tout cela était faux. La rencontre à Montréal, le jour de cette stupide séance de théâtre où son époux les avait entraînées, elle et Julie. Les Talham venaient de se marier, avec la complicité de Melchior de Rouville. Et plus tard, il avait voulu être le parrain de l'enfant. Que savait son mari, sur cette affaire ? Avait-il agi ainsi pour couvrir leur fils ? Non, c'était impossible. Il ne lui aurait pas caché une chose pareille. Et Talham ? Que savait-il ? On l'avait peut-être abusé, lui aussi, en lui taisant l'état de la fille.

Ovide avait déjà forcé une servante qu'elle avait immédiatement mise à la porte. Son fils aurait fait de même avec cette fille d'habitant ? Elle songea à tous les problèmes que cet enfant pourrait causer, un jour, si jamais il découvrait ses origines. Elle pensa à tout ce qui séparait Ovide de son père. Leur haine mutuelle, qu'elle opposa immédiatement à l'engouement que son mari avait pour cet enfant qui était son petit-fils.

Et voilà que surgissait un enfant bâtard ! Les problèmes s'accumulaient. Devait-elle exiger des explications de son fils ? Connaissait-il la vérité, seulement ? Pour l'instant, elle préféra garder pour elle ce qu'elle venait d'apprendre. L'enfant était encore jeune. Tant qu'il n'avait pas quatre ou cinq ans, on pouvait encore espérer qu'il n'atteindrait peut-être jamais l'âge adulte. Tiens, ça, c'était une idée ! Si l'occasion se présentait, elle pouvait s'arranger pour mettre l'enfant en contact avec une maladie mortelle, la rougeole, par exemple, ou la variole. Enfin ! Il serait toujours temps de s'en occuper, si un jour il menaçait la quiétude de la famille. En attendant, elle veillerait au grain et, surtout, ferait tout pour éloigner son mari des Talham et des Boileau.

Si un jour Melchior de Rouville découvrait la vérité, Dieu seul savait ce qu'il en ferait. Son propre fils le décevait, il serait peut-être tenté de faire reconnaître l'enfant naturel. Cela s'était déjà vu.

Madame de Rouville espéra être la seule à s'être aperçue de la ressemblance. Bien des gens n'étaient pas nécessairement physionomistes.

Julie n'avait sans doute rien remarqué, subjuguée par le notaire qu'elle ne quittait pas des yeux. Ce notaire de campagne ne pensait quand même pas épouser une fille de la noblesse, à l'exemple de son père ? Les prétentions des bourgeois d'aujourd'hui étaient sans bornes. On pouvait s'attendre à tout d'un Boileau. Voilà où menaient les conséquences d'une déplorable mésalliance, songea entre autres choses Marie-Anne de Rouville. Il était temps de chercher rapidement un mari pour Julie.

∾

Madame de Rouville se trompait en pensant qu'elle avait été la seule à entendre la remarque de messire Robitaille. Le docteur Alexandre Talham venait d'apercevoir enfin son épouse et s'empressait d'aller la retrouver lorsqu'il surprit une bribe de conversation. Le commentaire du curé Robitaille lui arracha un sourire amusé. C'était bien naturel qu'on prête à Marguerite un homme jeune pour mari. Il la contempla en se répétant à quel point il avait eu de la chance, à quel point son mariage était un cadeau du ciel.

Avec sa première femme, Appoline, jolie brune, si vive et intelligente, il avait éprouvé cette passion que la jeunesse prête à l'amour. Le destin s'était chargé de lui arracher brutalement son épouse. Mais les sentiments qu'il avait pour Marguerite étaient différents. Il la chérissait profondément et souhaitait la protéger éternellement de tout mal pernicieux, elle et ses enfants. Cet amour inébranlable lui avait même redonné la foi en Dieu, cette confiance en la divine providence qu'il avait perdue à la mort d'Appoline.

Il s'approchait de Marguerite quand une joyeuse famille de chardonnerets surgit d'entre les branches du grand hêtre qui ombrageait les abords de l'église avant qu'elle ne soit brûlée pour s'envoler dans le bleu d'un ciel serein. Puis, Marguerite l'aperçut et lui sourit, soulagée qu'il fût enfin là.

Rien, se dit encore Alexandre avec toute la force de son amour, rien ne pourrait troubler son bonheur.

Chapitre 20

Bouleversements

La chambre exhalait l'odeur aigre de la mort et des miasmes putrides qui imbibaient les draps et la paillasse de la morte.

— C'est fini, fit simplement le curé Bédard au docteur Talham qui lui avait servi d'aide pour administrer la mourante.

D'un geste de la main, il ferma doucement les yeux de la vieille Pélagie, la veuve du cultivateur Vincelette, dernière victime à succomber aux fièvres épidémiques qui décimaient les paroisses de la rivière Chambly depuis Noël. La maladie avait atteint le bas de la paroisse Saint-Joseph en janvier, tuant systématiquement faibles vieillards et jeunes enfants. Janvier 1810 se révélait meurtrier. D'un jour à l'autre, craignait le curé, l'épidémie gagnerait le village de Chambly. Le temps maussade qui sévissait depuis des semaines contribuait à répandre les miasmes mortels. Gel et pluies glacées se succédaient. Par trois fois, la glace sur le bassin avait été emportée par des pluies diluviennes, empêchant la formation de l'habituel pont gelé qui permettait de passer de

589

l'autre côté, à Pointe-Olivier. Au milieu de la boue et de la pluie froide, inlassablement, le curé et le docteur joignaient leurs efforts pour contrer l'épidémie, une lutte perdue d'avance. Le docteur soignait les malades avant que le curé n'administre les derniers sacrements, puis les familles enterraient leurs morts à un rythme infernal.

— Sortons vite de cet endroit, murmura le docteur au prêtre, qui acquiesça d'un discret signe de tête.

Le curé s'adressa à l'homme au regard résigné qui se tenait appuyé sur le chambranle de la porte.

— Votre mère est morte après avoir fait la paix avec le Seigneur, dit-il en guise de consolation.

— Je suis désolé, mais il faut l'enterrer rapidement, recommanda Talham au cultivateur d'un ton qu'il aurait voulu moins brusque et plus empreint de compassion ; la fatigue des derniers jours et la crainte de la contagion ne lui permettaient plus de s'attendrir.

— Ces fièvres épidémiques sont extrêmement contagieuses. Faites-moi prévenir si un membre de votre famille présente le moindre signe de fièvre ou de diarrhée Et surtout, pas de purgation !

— C'est très bien, docteur, répondit le fils Vincelette. Demain, monsieur le curé ? s'enquit l'homme endeuillé auprès du prêtre.

— À onze heures, convint ce dernier d'un ton las, tant il était épuisé par l'ampleur de la tâche des derniers jours.

Le médecin et le curé laissèrent là la famille éplorée. La femme Vincelette ferait la toilette funèbre de sa belle-mère sans l'aide des voisines, car la maladie faisait peur. Son mari s'occuperait de clouer le modeste cercueil de bois pendant la nuit.

Dehors, le temps refusait de s'emmieuter. La pluie froide tombait toujours et les charrettes s'enfonçaient dans la boue qui recouvrait les ornières profondes des chemins. Et il ne se passait pas un jour sans que le curé ou le médecin, ou les deux à la fois, ne soient appelés d'un bout à l'autre de la paroisse. Monsieur Boileau avait eu pitié d'eux et offert sa vieille berline pour les transporter à l'abri des intempéries. Le forgeron avait ferré les roues à neuf, ce qui ne prévenait pas nécessairement l'embourbement. Et les deux hommes n'avaient pas toujours un cocher à leur disposition, comme c'était le cas ce soir-là.

— A-t-on jamais vu autant de pluie en plein hiver ? déplora Talham, à la fois découragé et trempé.

— C'est épouvantable, ajouta le curé. Les murs neufs de notre église résonnent de chants funèbres. J'ai chanté le service de madame Perrault ce matin ; en moins de dix jours, la pauvre a suivi son mari dans la tombe. Le glas qui sonne chaque jour jette l'effroi chez les habitants à tel point que les plus mécréants d'entre eux en sont rendus à faire dire des messes pour le salut de leur âme. Je pourrais en profiter pour leur lancer des cris du haut de la chaire, mais la tristesse des familles endeuillées m'arrête dans mon entreprise de prédication.

— Que les vieillards meurent est dans l'ordre des choses, mais ces fièvres attaquent aussi les jeunes enfants. Le petit des Picard, mort la semaine dernière, n'avait que cinq ans.

La berline approchait du presbytère. Il était temps, la soutane trempée du curé raidissait dans le froid du soir et le docteur rêvait d'une chemise propre et d'un bon feu.

— Entrez donc un moment, docteur, l'enjoignit le curé. Marie-Josèphe n'est sûrement pas couchée. Ma brave sœur a pris l'habitude de m'attendre. Elle entretient le feu et prépare une petite collation de bouillon chaud. Il n'y a rien de meilleur après une de ces sinistres journées.

Le docteur accepta l'invitation du curé. Il devait être vers les onze heures du soir et, chez lui, la maisonnée était endormie. Depuis que l'épidémie s'était déclarée, les deux hommes s'appréciaient de plus en plus, passant de longues heures ensemble, l'un soignant les corps et l'autre recommandant les âmes à Dieu.

— Bien volontiers, monsieur le curé. Chez moi, je dois ranimer le poêle si je veux prendre quelque chose de chaud. Marguerite dort beaucoup ces jours-ci. Elle est à nouveau embarrassée, comme dit Charlotte. C'est sa dernière trouvaille pour annoncer que sa maîtresse est enceinte.

Au regard furibond de son compagnon de misère, Talham répondit par un sourire fatigué, sachant à quel point Bédard était pudibond dans le choix de son vocabulaire. Mais cette petite plaisanterie permit d'oublier un moment les malheurs des dernières semaines.

Les deux hommes pénétrèrent dans la chaleur bienfaisante du presbytère.

Dès que son frère eut franchi le seuil du presbytère, Marie-Josèphe se précipita dans ses bras en sanglotant. Ce geste inhabituel de la part d'une jeune femme généralement très réservée dans l'expression de ses émotions cloua Jean-Baptiste Bédard sur place, empêchant Talham, qui était derrière lui, d'entrer, laissant la porte grande ouverte. Dehors, pieds glacés et vêtements trempés, le docteur grelottait pendant que la pluie tambourinait sur le toit de tôle dans un chant lugubre.

Marie-Josèphe se décida enfin à laisser entrer les deux hommes qui découvrirent, étonnés, qu'ils étaient attendus. Messieurs Boileau et Bresse, le visage dévasté, attendaient le retour du curé depuis plusieurs heures. Les yeux rougis de Bresse révélaient un drame terrible. Talham et Bédard restèrent figés, comme dans l'attente du choc d'une nouvelle de maladie ou de deuil. « Pas un autre ! » pensèrent-ils.

— Ma foi du bon Dieu ! s'exclama le curé, trop fourbu pour éprouver ne fût-ce qu'une bribe de sympathie. Permettez-nous d'entrer et de nous débourber, nous sommes éreintés.

Bresse et Boileau n'avaient pas encore prononcé un mot.

— Ne me dites pas que l'épidémie… demanda avec inquiétude le docteur qui ne pensait qu'en terme de maladie. Vos épouses ? Vos filles ?

— Il s'agit d'Agathe ! coupa brusquement Boileau.

— La jeune fille est malade ? interrogea Talham en se tournant vers Bresse.

— Non, répondit enfin ce dernier d'une voix étranglée.

Alarmé, le docteur risqua :

— Morte ?

— Pire.

— Pire ? Mais à la fin, Bresse, expliquez-nous, s'exaspéra le docteur à bout de nerfs.

L'épuisement lui faisait perdre patience.

— Elle a été enlevée, laissa tomber Boileau.

Cette révélation déclencha un nouveau signe de croix chez Marie-Josèphe.

— Enlevée ?

— Ma foi du bon Dieu ! s'exclama le curé en se signant à son tour.

— Mais comment ?

— C'est l'œuvre de ce satané lieutenant ! rugit Boileau.

— Et où est-elle ?

— Au fort.

— Mais que pouvons-nous faire ?

— Rien pour ce soir, répondit Bresse qui avait laissé Boileau répondre pour lui. Je me suis déjà présenté, mais on m'a ri au nez.

Le docteur, devinant que la suite du récit requerrait esprits clairs et réflexion, interrompit de suite la conversation.

— Puisque personne n'est encore mort, installons-nous d'abord plus confortablement. Comprenez, mes amis, que nous sommes épuisés. Messire Bédard, allez immédiatement vous changer avant d'attraper mal. Passez des vêtements secs, c'est un ordre formel de votre médecin. Nous vous attendrons dans votre petit cabinet. Pendant ce temps, je vais à la cuisine aider votre sœur à nous servir quelque chose de chaud. Quoi qu'il en soit et quoi qu'il advienne, paroissiens et malades ont besoin d'un curé et d'un docteur en santé. Ensuite, nous aviserons.

Harassé, le curé obéit sans rouspéter. Il réapparut quelques minutes plus tard vêtu d'un pantalon de ville, d'une chemise et d'une veste brodée avec art, cadeau de sa sœur attentionnée. Ses deux soutanes étaient ou sale ou trempée. C'était la première fois que les trois hommes le voyaient habillé ainsi, découvrant dans leur curé un assez bel homme d'âge moyen au physique harmonieux. Cette taille bien prise et ce corps bien bâti avaient peut-être fait frémir quelques jeunes filles, autrefois, se dit Talham en observant l'homme plutôt que le curé.

Lorsque tous furent assis autour du poêle dans le petit cabinet, un bol de bouillon chaud entre les mains, Bresse narra d'un ton funeste ce qui s'était passé en début de soirée.

— Lorsque j'y repense, tout cela était si prévisible, avoua-t-il en balbutiant. Nous avions pourtant pris toutes les mesures et précautions nécessaires pour éloigner cet homme de nos filles. Et malgré cela, en plein cœur de l'après-dîner, ce diable de lieutenant Mc Ghie a réussi à faire passer un message à Agathe par l'intermédiaire de l'homme engagé, que l'infâme avait soudoyé en lui offrant une forte somme. L'homme l'a remis à Clémence qui, au lieu de venir nous apporter le billet maudit, l'a remis à Agathe. Le libertin lui donnait rendez-vous et la sotte s'y est rendue. Inutile d'ajouter que l'engagé s'est enfui avant que je ne le congédie avec ma cravache.

La rage durcissait le visage pourtant affable de Bresse. Sa belle-sœur venait de plonger sa famille dans un drame dont il ignorait l'issue. Le négociant fit une longue pause, puis reprit courageusement le fil de son récit.

— Au souper, Clémence, invoqua un malaise, un de ces maux qu'ont souvent les femmes, pour expliquer l'absence d'Agathe au repas. Françoise ne s'est pas inquiétée immédiatement, Clémence lui ayant affirmé qu'elle venait à peine de voir sa sœur pour s'informer d'un quelconque besoin de nourriture ou autre. Cette dernière prétendait vouloir garder le lit jusqu'au lendemain. Nous l'avons crue, naturellement. Rien ne semblait indiquer qu'il se passait quelque chose d'anormal. En y repensant bien, Clémence était particulièrement nerveuse au repas, mangeant du bout des lèvres. Mais cette fille est si timide qu'elle a parfois des comportements bizarres.

— Et ensuite, que s'est-il passé?

— Après le souper, Françoise, toujours soucieuse du bien-être de sa sœur, a frappé à la porte de la chambre des filles. Comme elle n'obtenait pas de réponse, elle a ouvert pour découvrir Clémence en larmes, effondrée sur le lit des filles, et la place d'Agathe, vide. De mon cabinet de travail, j'ai entendu des hauts cris. J'accourus pour voir ce qui se passait. Imaginez ma stupéfaction lorsque j'ai découvert Françoise, frappée d'une attaque de nerfs et Clémence, la complice, qui pleurait en déchirant son linge. J'ai hurlé à Perrine d'apporter les sels de sa maîtresse.

Ces dernières paroles prononcées, Bresse fut incapable de continuer. Monsieur Boileau, qui connaissait toute l'histoire, reprit le récit.

— J'étais chez Bresse. Nous avions rendez-vous dans la soirée pour discuter de l'achat d'une terre commune. Nous avions un projet, enfin… je vous passe les détails. J'attendais Bresse lorsqu'on aurait dit que quelqu'un cherchait à assassiner les habitants de la maison tant il y avait du tumulte. Alerté, j'enfilai rapidement les marches quatre par quatre pour découvrir ce que Bresse vous raconte, lui-même agenouillé près de sa femme à lui faire respirer les sels, pendant que la domestique était hors d'elle.

— Je confiai ma femme à Perrine, poursuivit Bresse d'un voix blanche. Puis, j'ordonnai à Clémence de tout révéler. Ma pauvre femme ! Quelle terrible épreuve pour elle. Elle est maintenant alitée, souffrant terriblement de ses nerfs !

— Mais je ne comprends rien à votre récit d'enlève-ment et de lieutenant, fit Talham qui grattait une barbe vieille d'un jour en dénouant sa cravate. Qui donc est ce Mc Ghie ?

— Un lieutenant d'artillerie en garnison au fort depuis un an environ, expliqua Boileau. Beau garçon, selon la gent féminine. Ce libertin l'a enlevée et conduite au fort, avec la complicité de l'engagé et de la sœur, Clémence, qui, en remettant le billet du lieutenant à Agathe, a tout déclenché.

— Vous voulez dire que votre belle-sœur est actuelle-ment au fort en compagnie d'un officier de l'armée britannique ?

Le docteur suffoqua. L'outrecuidance de certains militaires dépassait les bornes.

— Mon Dieu! Mon Dieu! gémit le curé. Il eut mieux valu pour sa famille qu'elle fut morte!

— Euh! fit Talham en se redressant pour ajouter une bûche au feu qui menaçait de s'éteindre, vous n'exagérez pas un peu?

— Mais vous rendez-vous compte, Talham? La réputation de la jeune fille est à jamais compromise! Plus personne ne voudra d'Agathe pour l'épouser, pas plus que de la jeune Clémence, d'ailleurs. C'est terrible!

Le docteur soupira. Il avait déjà vécu cette scène. Il repensa à une conversation similaire qui s'était déroulée dans ce même cabinet, sept ans auparavant. Autrefois, c'était la réputation d'une jeune paysanne qu'il fallait sauver parce qu'elle était la cousine de Boileau. Aujourd'hui, il s'agissait d'une jeune fille de bonne famille – encore plus jeune que Marguerite, à l'époque où on l'avait poussée dans ses bras – dont il fallait sauver la réputation et toujours ce sacro-saint honneur de la famille et la sauvegarde de la moralité publique.

— Nous connaissons tous la seule issue possible: le mariage.

Mais à cette proposition, le curé sursauta.

— Le mariage? Mais vous n'y pensez pas sérieusement?

— Elle n'a que seize ans, renifla Bresse.

— Et il est protestant, bondit le curé. Il ne peut être question de mariage, voyons!

— C'est à moi que vous dites cela, Bédard? rétorqua le docteur d'un air narquois. Vous savez bien que c'est la seule solution.

— Il reste le couvent, suggéra Boileau. Et nous ignorons encore s'il y aura des conséquences, hum! comment dirais-je ? visibles, à l'enlèvement, fit remarquer le bourgeois qui parlait d'expérience. Mais sa vertu est inexorablement compromise !

— S'il refuse, je lui servirai, à ce gredin, une leçon de mon fouet dont il se souviendra ! s'écria Bresse qu'on avait rarement vu aussi furieux.

— Calmez-vous, monsieur Bresse, dit le docteur. La colère ne vous mènera à rien de bon. Songez plutôt à votre femme et à Clémence et cherchons remède à ce grave problème.

— Vous avez raison, enchaîna Boileau. Il y a certainement une solution honorable à tout ça.

Boileau se félicita que ses filles aient vite compris de quoi il en retournait avec ce satané lieutenant. Avant de s'en prendre à Agathe – ce qui était facile, la jeune fille était une de ces rebelles si facile à enjôler –, il avait tourné autour de la plus jolie fille du pays, sa Sophie. Celle-ci l'avait vite repoussé avec une moquerie à sa manière.

— Un enlèvement ! soupira le docteur, encore surpris. Qui aurait cru qu'une chose pareille puisse arriver à Chambly ?

Encore une fois, Talham s'étonnait de la turpitude des hommes. Quel besoin un lieutenant anglais avait-il d'enlever une jeune fille de bonne famille ?

— Je ne serais pas étonné d'apprendre que l'uniforme du bel officier est cousu de dettes, fit Bresse d'un ton rageur.

— Avec des soldats au village et quelques écervelées qui frémissent à la vue d'un uniforme, il faut s'attendre au pire, morigéna le curé.

— Allons, messieurs, gronda le docteur. Nous ne pouvons rien faire pour ce soir. Demain s'annonce éprouvant. Monsieur Bresse, votre épouse a besoin de votre réconfort. Bédard a un service à chanter demain et, pour ma part, je n'arrive plus à tenir l'œil ouvert

— Oh! s'exclama le curé. C'est vrai qu'avec tout ça, j'oubliais l'enterrement de la vieille madame Vincelette, à onze heures. Mon Dieu! Mon Dieu! fit-il en se prenant la tête entre les mains, atterré.

— Croyez-vous que Monseigneur accordera la dispense nécessaire? s'informa monsieur Bresse.

— Doux Jésus! Mais où avais-je la tête? C'est vrai qu'il faudra une dispense, s'exclama le curé. Misère! Il me faudra encore écrire à Monseigneur Plessis pour quémander une nouvelle faveur. Encore des réprimandes! Encore des reproches sur la moralité de mes paroissiens!

— Soyez sans crainte, le rassura Boileau en étouffant un bâillement, pressé de retrouver son lit. L'évêque ne laissera jamais une fille de bonne famille vivre dans le concubinage. Il l'accordera, cette dispense. Ce qui me tracasse, c'est le lieutenant. Acceptera-t-il de l'épouser?

Ces derniers mots plongèrent Joseph Bresse dans une profonde affliction. La situation d'Agathe était désespérante. Et ce qu'elle avait fait, en se laissant enlever délibérément, était odieux; un geste profondément égoïste. Il était vrai qu'Agathe était bien jeune, mais ce n'était pas vraiment une excuse.

Il fut convenu que le lendemain, messire Bédard et Monsieur Boileau se rendraient au fort pour faire entendre raison au lieutenant Mc Ghie. Joseph Bresse était trop éprouvé pour discuter calmement.

Marguerite était atterrée par ce que son mari venait de lui apprendre. Agathe Sabatté s'était laissé enlever par le beau lieutenant pour se faire épouser. À seize ans!

Ce fut le principal sujet de conversation lorsqu'Emmélie lui rendit visite. Les deux jeunes femmes brodaient une couverture pour la petite Appoline, filleule de Marguerite Penchées sur leur ouvrage, elles échangeaient leurs réflexions.

— Nous parlons toujours de mariage, remarqua Marguerite.

— Ce qui me frappe, dit Emmélie, songeuse, c'est que chaque fois qu'on demande l'opinion d'une jeune fille sur ce sujet, peu importe laquelle, elle dira qu'elle rêve d'un mari qui est comme ceci ou comme cela, suivant ses propres goûts et son inclination. Les jeunes filles ont toutes des rêves. Même moi.

Marguerite sourit à cette pensée. Sa chère Emmélie ne parlait jamais de se marier, contrairement à Sophie qui cherchait le bon candidat en fréquentant assidûment toutes les soirées de la région. Emmélie préférait le calme de la maison familiale, à l'exemple de son frère, mais se devait de suivre sa sœur dans ses pérégrinations mondaines.

— Et elles souhaitent choisir elles-mêmes leur futur mari! dit Marguerite. En cela, je les comprends, ajouta-t-elle.

— Mais je suis inquiète pour Agathe, reprit Emmélie. Elle a décidé d'imposer son futur époux à tous en acceptant de participer à ce soi-disant enlèvement. Mais de sa part, c'était surtout un geste de révolte, et j'ai bien peur qu'elle le regrette amèrement. Elle est beaucoup trop jeune pour mesurer la portée de son choix. Agathe n'est qu'une écervelée.

— J'avais à peu près le même âge lorsque je me suis mariée, fit Marguerite, pensive.

— Marguerite, tu ne peux pas comparer ton mariage à celui d'Agathe, s'exclama Emmélie. Toi, tu n'as eu aucun choix. Mais je crois que tu es beaucoup plus heureuse que ne le sera jamais Agathe Sabatté avec Jonathan Mc Ghie. Car ceux qui ont choisi pour toi ont fait un choix heureux, même si ce n'était pas le tien, je le sais. Et puis, je crois qu'il y a toujours une part de destinée dans ce qui nous arrive. Malgré la différence d'âge et les circonstances de ton mariage, ton mari est le meilleur qui soit.

— Je sais, Emmélie, répondit gravement Marguerite, les yeux brillants. C'est compliqué tout ça, tu ne trouves pas ? ajouta-t-elle en passant doucement une main sur son ventre, geste propre des femmes enceintes.

Car Marguerite attendait de nouveau un autre enfant. «Un autre fils pour Alexandre», songea-t-elle.

— Les sentiments, c'est toujours compliqué, admit Emmélie. Parfois, j'aimerais être comme Sophie qui sait toujours exactement ce qu'elle veut.

Elles reprirent leur ouvrage en silence, jusqu'au moment où les deux garçons commencèrent à se chamailler. Marguerite se leva pour punir Melchior qui frappait son petit frère. Mais ce n'était que des jeux d'enfant sans méchanceté.

Le lendemain, après ses visites, Alexandre était allé porter quelques remèdes au curé qui avait pris froid et commençait à souffrir d'un vilain rhume. Joseph Bresse avait réglé la pénible affaire de sa jeune belle-sœur Agathe, lui avait appris discrètement le curé Bédard, sans toutefois lui révéler les détails que le docteur finirait inévitablement pas apprendre. Messire Bédard s'apprêtait à rédiger la demande de dispense à l'évêque et cette pénible tâche requérait un esprit clair. Encore une fois, il lui fallait se montrer habile et présenter de solides arguments pour convaincre monseigneur Plessis du bien-fondé d'un mariage entre une catholique et un protestant.

Il était tard lorsqu'Alexandre était rentré du presbytère. Il était transis par le froid, affamé et épuisé par ces derniers jours à soigner les malades, et il avait gagné la cuisine pour raviver le feu. Il s'assit, seul, au milieu du silence de la maison où Marguerite, Melchior et Eugène dormaient.

Le docteur était profondément troublé. La sottise de la jeune Agathe Sabatté le plongeait dans la perplexité. La jeune fille avait trouvé le moyen de contraindre sa famille à lui faire épouser le parti de son choix. Il désapprouvait ce comportement fait de ruse et de duplicité, mais il ne pouvait s'empêcher de comparer la situation d'Agathe avec celle de Marguerite.

Elle était à peine plus âgée qu'Agathe le jour de leur mariage, mais elle n'avait jamais eu cet air insolent, ce ton impertinent et ces exigences d'impératrice. Son malheur n'avait jamais été de son fait. Il avait toujours cru qu'on l'avait forcée, et il le croyait encore. Après sept années de mariage, il connaissait la probité de sa femme et il l'aimait profondément.

Mais qu'aurait fait Marguerite si elle avait eu le choix ? Des rumeurs avaient longtemps couru sur le compte de sa femme. Françoise Bresse n'avait pas manqué de lui faire entendre qu'on la disait amoureuse de son cousin, le notaire René Boileau.

Aujourd'hui, madame Bresse se retrouvait avec un beau scandale sur les bras, pire que celui qu'aurait pu causer Marguerite autrefois, si lui, Alexandre, ne l'avait pas épousée. L'enfant aurait été élevé par les Lareau, mais il aurait été illégitime. Dans le registre de la paroisse, le curé n'aurait inscrit que son prénom, sans nom de famille, avec la mention : « parents inconnus ».

Alexandre avait toujours refusé de considérer les ragots, même si pendant longtemps, René avait conservé ses distances avec les Talham. Le docteur Talham lui avait même tendu la main en lui offrant d'être le parrain de son fils, Eugène, et René avait accepté, sans grand enthousiasme, toutefois.

Marguerite! Depuis sept ans, elle faisait de chaque jour un jour de bonheur. Absorbé par ses pensées, il ne l'entendit pas entrer dans la pièce. Elle était là, devant lui, vêtue simplement d'une chemise, les cheveux étalés, serrant un châle de laine sur ses épaules, son bonnet de nuit posé sur la tête, toujours aussi jolie.

— Que faites-vous là, Alexandre? Il est tard et vous ne venez pas dormir?

— Viens près de moi, lui dit-il d'une voix grave.

Elle s'avança, et il la fit asseoir sur ses genoux, comme si elle avait été une enfant, et l'enlaça. Marguerite laissa aller sa tête sur l'épaule de son mari.

— Il s'agit de la jeune Sabatté.

— Agathe?

Il lui narra les détails des derniers arrangements. Marguerite n'en revenait toujours pas de l'audace de la jeune fille, mais elle était bien contente d'apprendre que tout s'était réglé, pour le mieux, apparemment.

— En fait, ce n'est pas elle qui me trouble, mais c'est toi.

— Moi? Mais que vous ai-je fait? Que voulez-vous dire, Alexandre?

Le docteur Talham hésita à lui livrer le fond de sa pensée. Il lui dit plutôt:

— Que penses-tu du geste d'Agathe?

Elle repoussa nerveusement une mèche sous son bonnet.

— Je ne sais trop. Elle ne voulait sans doute pas qu'on lui impose un mari et s'est laissé entraîner par les belles paroles de cet homme. Mais je ne la crois pas très intelligente. Ce Mc Ghie est venu chez nous aussi. Il a conté fleurette à toutes les jeunes filles, à toutes les femmes qui étaient prêtes à l'écouter, et même à celles qui le repoussaient.

— Tu es sage, ma Marguerite. Si sage, répéta-t-il en caressant les cheveux qu'il aimait tant.

Alexandre resta un moment silencieux, plongé dans des pensées qui semblaient le tourmenter. Marguerite se troubla. Elle comprenait que le sort d'Agathe lui rappelait la jeune fille qu'il avait épousée. Jamais ils n'avaient reparlé du père de Melchior. Alexandre avait depuis longtemps accepté cet enfant comme le sien.

— Vous avez tenu parole et je vous en suis infiniment reconnaissante, dit-elle alors d'une voix étranglée.

Tout cela lui semblait si loin. Sauf en présence d'Ovide. Alors, sourdaient sa vieille peur et ses menaces, si réelles, que jamais elle n'avait avoué, sauf au curé qui était tenu par le secret de la confession.

— Mais tu étais si jeune. Peut-être avais-tu toi aussi un amour caché au fond de ton cœur, risqua-t-il en sachant à quel point sa réponse pouvait le blesser.

Marguerite se releva. Elle était bouleversée par cette simple question. Assurément, autrefois, la réponse aurait été oui. Mais aujourd'hui, qu'elle était-elle ? La connaissait-elle seulement ? René ? Alors qu'Alexandre était là et qu'il l'aimait au-delà de tout ? À tel point que, chaque jour, elle pouvait presque toucher du doigt l'amour d'Alexandre. Cet amour-là était aussi le sien. Car jamais Alexandre ne pourrait l'aimer autant si elle-même ne participait pas à cet amour. Marguerite réalisa qu'elle aimait profondément son mari. Elle tressaillit et rajusta vivement son bonnet sur ses cheveux.

— Alexandre, venez vous coucher. Il fait froid ici. Le feu s'éteint. Venez, montez à notre chambre, mon cher mari, l'invita-t-elle d'une voix tendre.

« Elle n'a pas répondu, constata Alexandre au même moment. Elle a sans doute raison. Inutile de ressasser le passé, seul le présent compte. » Il se leva. Il était tard et le sommeil se faisait insistant.

Mais Marguerite le regarda intensément et tendit la main vers son visage. Ses doigts glissèrent sur la joue rêche de son époux.

— Je t'aime, Alexandre, dit-elle doucement.

C'était la première fois qu'elle le tutoyait depuis les débuts de leur mariage. Éperdu de joie, il resta sans voix et ses yeux se mouillèrent. Jamais encore il n'avait ressenti une telle vague d'émotion.

— Marguerite, ma fleur, dit-il la voix étreinte. Jamais je n'aurais cru qu'il y avait autant de bonheur sur cette terre. Dieu que je t'aime !

Marguerite sourit. Alexandre ! Il lui avait déjà tant donné.

— Viens, dit-elle en lui prenant la main. Allons nous coucher.

Une fois là-haut, Alexandre refit le geste qui autrefois avait tant troublé Marguerite, la jeune mariée. Il prit son menton entre ses doigts, puis l'embrassa doucement. Cela ne dura pas longtemps, car Marguerite enlaça son mari et le baiser devint plus ardent.

Plus tard, juste avant d'éteindre le martinet qui brûlait sur la petite commode, ils échangèrent un sourire avant de s'abandonner au sommeil, l'un près de l'autre, comme ils le faisaient chaque soir.

Ils étaient mariés depuis sept ans et ils s'entendaient parfaitement.

∾

Généralement, une atmosphère joyeuse présidait la lecture et la signature d'un contrat de mariage. Les membres des familles des mariés s'entassaient en riant dans l'étude du notaire qui énumérait dans l'acte les principaux noms des personnes présentes. C'était toujours un honneur que d'y figurer. On avait vu des contrats de mariage dont la liste des parents et des amis entourant les futurs époux comportaient des dizaines de noms. Et une fois la lecture faite, tous apposaient solennellement leur paraphe ou leur croix sur le document.

Mais ce ne fut nullement le cas, ce dimanche soir 30 janvier 1810, cinq jours seulement après l'enlèvement fatidique de la jeune Agathe Sabatté. La lecture et la signature de l'acte, préparé rapidement par le notaire Boileau, eurent lieu dans la maison des Bresse, où, une fois ces formalités accomplies, Agathe serait consignée à sa chambre jusqu'au jour du mariage.

Françoise Bresse, maigre silhouette endeuillée, dissimulait un visage ravagé par les larmes et le désespoir sous d'épais voiles noirs. Depuis deux jours, elle devait supporter l'odieux d'un œil, infecté, qui la défigurait, malgré les soins du docteur Talham. Elle ne pardonnerait jamais à sa sœur l'ingratitude de son geste.

Au vu et au su de tous, Agathe, l'orpheline, s'était enfuie de la maison qui l'avait accueillie pour aller vivre publiquement avec un officier, au fort, dans l'espoir insensé de se faire épouser en dépit de tous. Impossible de dissimuler quoi que ce soit. Le rapt, Françoise Bresse préférait utiliser ce mot, même si ses propres sœurs avaient été les complices du militaire – Clémence, dans une moindre mesure, puisqu'elle n'avait servi que d'intermédiaire –, avait été organisé de main de maître. Aucun détail n'avait été négligés à tel point que lorsque Françoise y repensa, plus tard, elle en tira la conclusion que seul un esprit froid et calculateur avait pu ourdir un crime aussi sordide. Comment Agathe avait-elle traversé le village sans que personne ne la remarque ? C'était bien simple. Cette canaille lui avait fourni un uniforme de soldat. L'écervelée s'était cachée dans l'écurie à une heure convenue. Elle avait fébrilement revêtu l'uniforme tout en admirant naïvement son habileté à déjouer son beau-frère et sa sœur pendant qu'elle roulait en boule ses propres vêtements dans un baluchon et montait en selle derrière le beau cavalier.

Le temps maussade qui gardait les habitants à l'intérieur de leur demeure avait fait le reste. Mais le lendemain, dès la première heure, tout le village était au courant.

Engoncé dans un austère habit, Joseph Bresse, son mari, restait immobile sur sa chaise, attendant stoïquement la lecture des conventions de mariage, et Clémence pleurnichait dans un coin.

« J'ai déjà vu des lectures de testament plus gaies, » constata tristement le notaire Boileau, qui, toutefois, tenta d'offrir un sourire factice à l'assistance afin de dérider la funèbre réunion.

Exhibant son hausse-col et son épée d'apparat, le capitaine de milice Toussaint Ferrière assistait à la lecture de l'acte. Sa présence était rassurante dans les circonstances et, grâce à lui, tout se passerait bien. Il servait de témoin au futur époux, le lieutenant Jonathan Mc Ghie, du Régiment royal d'artillerie, sanglé dans son uniforme soigneusement brossé. Curieusement aucun de ses compagnons d'armes ne l'accompagnait, comme cela se faisait toujours pour les mariages de soldats, lorsque l'officier supérieur était absent.

Le fiancé présentait un visage grave qui dissimulait la satisfaction que lui procurait son insolente victoire. Les négociations avec Bresse n'avaient pas été de tout repos. Mais la jeune belle-sœur de l'opulent négociant était si compromise que ce dernier n'avait guère eu le choix que de céder aux exigences du lieutenant. Le mariage d'Agathe s'était conclu dans un odieux marchandage, le pire auquel avait jamais été confronté Joseph Bresse. Le ravisseur acceptait d'épouser Agathe à la condition que son futur beau-frère paye toutes ses dettes, plus de huit mille livres. Par contre, Bresse avait exigé un douaire de quatre mille livres pour Agathe. C'était à prendre ou à laisser. Si le lieutenant refusait, il pouvait renoncer à Agathe et celle-ci serait enfermée au couvent. Évidemment, il avait accepté.

Seule Agathe resplendissait de bonheur, belle innocente qu'on avait tenue dans l'ignorance de toutes les tractations qui avaient entouré son mariage.

Le 19 février, elle épousait son beau lieutenant dans la chapelle du fort. Le curé Bédard vint bénir leur union, le cœur remplit de tristesse, persuadé que la jeune fille regretterait un jour son geste.

Après la cérémonie, Agathe emménagea immédiatement avec son époux dans un petit logement que Joseph Bresse avait loué dans une vieille demeure du canton. Une charrette modestement chargée de quelques meubles et ustensiles partit de chez les Bresse en direction de la nouvelle maison d'Agathe, pour la trouver à faire du feu dans un vieil âtre décrépit. Malgré sa douleur, Françoise avait eu pitié de sa jeune sœur qui trouva dans le lot de vieilleries un poêle avec ses tuyaux pour chauffer son misérable logement.

Mais, de ce jour, Françoise Bresse refusa de recevoir celle qui l'avait outragée et prit le deuil, interdisant à Clémence de communiquer avec leur sœur. Elle déclara vouloir ne plus jamais entendre parler de madame Mc Ghie.

❧

Il régnait une certaine effervescence dans Chambly à l'approche de la Saint-Michel. Comme le voulait la coutume, le 29 septembre de chaque année signifiait la fin des récoltes, la fin des contrats d'engagement des ouvriers agricoles et le moment où de nombreux habitants revendaient ou échangeaient des terres entre eux. Certains, jouissant d'un pécule suffisant amassé à force de labeur incessant au cours des dernières années, pouvaient enfin acheter une terre convenable pour établir un de leurs enfants. C'était aussi à cette époque que les grands propriétaires terriens renouvelaient leurs baux avec les fermiers qui exploitaient leurs fermes.

René Boileau était débordé. Il avait beau travailler d'arrache-pied du matin au soir, et jusque tard dans la nuit, il n'y arrivait plus. Son clerc notaire était épuisé, les doigts tachés d'encre à force de copier le nombre nécessaire d'expéditions des actes des clients du notaire qui se pressaient tout le jour, venus faire rédiger leur contrat à son étude.

Considérant cette affluence, Emmélie avait offert son aide à son frère. Quelques jours de travail clérical apporteraient un bon dérivatif à ses occupations habituelles, et la jeune femme se livrait avec joie à l'humble tâche de copiste. Elle était installée à une table de travail près de son frère. Une écritoire appartenant à Monsieur Boileau, leur père, avait été réquisitionnée pour la clerc notaire improvisée.

Ces moments privilégiés, arrachés à la routine immuable, donnèrent lieu à un échange de confidences entre le frère et la sœur lorsqu'ils se permettaient une pause. Un soir où ils avaient été particulièrement occupés, ils venaient tous les deux de finalement poser leur plume. Ils s'effondrèrent avant d'entreprendre le petit ménage de l'étude, afin que tout soit en ordre pour le lendemain.

— Notre père semblait furieux en lisant *Le Canadien* aujourd'hui, fit remarquer René en rebouchant son encrier.

— Et pour cause ! rétorqua sa sœur. Le journal était rempli des hauts faits de la campagne électorale qui se déroule actuellement et des rumeurs les plus farfelues qui circulent sur l'animosité grandissante entre Anglais et Français.

— Ah oui ? Raconte un peu. Je n'ai guère eu le temps de lire les gazettes au cours des derniers jours.

— Figure-toi qu'il y aurait un complot dans le Bas-Canada, un genre de conspiration qui viserait à tuer tous les habitants anglais.

René s'esclaffa devant une telle absurdité.

— C'est parfaitement insensé ! Mais je me demande si le gouverneur Craig ne serait pas à l'origine de ces rumeurs.

— Je préfère ne pas y penser. On ne sait jamais quelle est la part de vérité dans une rumeur, même si celle-ci s'avère. Elles sont tout aussi bien faites de mensonges que de faits réels, mais on dirait qu'elles ont surtout pour but d'embrouiller les esprits, même parmi les plus avertis.

Les derniers propos de sa sœur provoquèrent chez René une bizarre sensation. Il se sentit visé, tout à coup, par les paroles sibyllines d'Emmélie.

— Tu veux dire que tant qu'on ne connaît pas la vérité, on ne fait que spéculer ?

— Exactement, répondit la jeune fille en nettoyant une plume pleine d'encre.

« Le moment est-il venu de parler enfin de Marguerite pour faire place nette dans le cœur de René ? » se demanda-t-elle. Mais avant qu'elle puisse se décider, son frère prit les devants.

— Alors, dis-moi pourquoi Melchior Talham a exactement les mêmes yeux que ceux d'Ovide de Rouville ? lança-t-il subitement, le cœur serré en anticipant la réponse de ce qu'il soupçonnait.

— C'était donc ça ! s'exclama Emmélie.

— Tu le savais ? s'écria-t-il, rageur. Tu le savais et tu ne m'en as jamais parlé ?

— Je savais quoi ?

À voir l'air ahuri de René, elle se calma.

— C'est ça qui te torture depuis toutes ces années ? Mon pauvre frère, nous aurions dû avoir cette conversation il y a longtemps.

Emmélie se leva, s'approcha de lui et l'entoura de ses bras, comme pour le bercer, le consoler de cet immense chagrin qui le rongeait.

— Que s'est-il passé, Emmélie ? demanda René, le ton singulièrement radouci. Lorsque je suis revenu d'Europe, Marguerite était mariée et mère de cet enfant. Tout ce que j'ai pu apprendre, c'est qu'elle avait eu un commerce illicite avec Talham, qui l'avait épousée enceinte de ses œuvres. Plusieurs en faisaient encore leurs gorges chaudes, au village.

— Oui, fit Emmélie, compréhensive. Je sais. Et surtout, tu étais tellement en colère contre Marguerite que tu ne voulais pas en savoir plus. Elle a tellement souffert du mépris qu'elle lisait dans tes yeux, chaque fois que tu te décidais à la regarder. Mais comment as-tu su ? Pour Ovide de Rouville, je veux dire ? Raconte-moi, et ensuite, je te dirai ce que je sais.

René lui rappela les événements qui avaient entouré la bénédiction de la cloche, en 1807.

— La ressemblance était frappante. Les yeux, surtout. Ce sont les mêmes. Mais cela n'a duré que l'espace de quelques secondes.

— Mon Dieu! s'effraya Emmélie, inquiète, imaginant les effets que pourraient avoir une telle révélation. J'espère que tu as été le seul à le remarquer.

— Je ne sais pas. Franchement, je l'ignore. Cette découverte m'a tellement bouleversé.

La jeune femme réfléchit un moment, tentant de rassembler ses souvenirs. Elle se rappela la terreur de Marguerite quand elle l'avait trouvée prostrée dans l'écurie. Elle l'entendait encore marmonner comme une litanie, «gueuse, gueuse». À cet effroyable souvenir, elle eut un frisson d'horreur. Emmélie raconta alors à son frère tout ce qu'elle savait du jour de la Saint-Martin 1802. Le jour du drame.

— En acceptant d'épouser Marguerite, le docteur Talham lui a offert une vie honnête. En réalité, je n'ai jamais su exactement ce qui s'est passé, avoua Emmélie. Ce ne sont que des suppositions, car Marguerite n'a jamais révélé le nom de son agresseur. À l'époque, notre père nous a tenus le plus loin possible de toute cette histoire, mais c'est lui qui a arrangé le mariage de Marguerite avec le docteur Talham.

René écoutait le récit de sa sœur, dégoûté par la bassesse de Rouville. Ainsi, Marguerite avait été victime d'un viol odieux, et lui, pendant toutes ces années, avait refusé d'entendre sa défense, se repliant dans sa dignité outrée d'homme trompé. Il n'était qu'un imbécile, qu'un pauvre sot aveuglé par son orgueil!

— Pourquoi ne m'as-tu jamais forcé à entendre la vérité?

— Je n'étais sûre de rien. Et ton attitude démontrait que tu ne voulais pas en entendre parler. Tu viens de confirmer mon hypothèse en me faisant remarquer la ressemblance entre Melchior et Ovide. J'avais cru le voir sortir de l'écurie, mais je n'ai jamais été persuadée que c'était bien lui. Lors de la réception donnée en l'honneur de la baronne, tu te rappelles, à l'été de 1807, j'ai compris qu'Ovide de Rouville était celui qui effrayait Marguerite. Plus d'une fois, j'avais surpris son regard apeuré en sa présence. Mais c'était difficile d'en avoir la certitude. Que de non-dits !

René s'effondra au creux de son fauteuil avant de s'exclamer :

— Quand je pense que dans mes pires cauchemars, j'ai haï Talham au point de le tuer. Alors qu'en réalité, il l'a sauvée. Mais, dis-moi, est-il au courant de l'identité du véritable père de Melchior ?

— Je crois qu'il l'ignore. Mais je me suis toujours demandée si père n'avait pas deviné. Et puis, à quoi cela lui servirait-il de révéler ce qui s'est réellement passé ? Talham serait blessé. Il a de l'estime pour le colonel de Rouville. S'il connaissait la vérité, il ne pourrait plus le considérer de la même manière, et ce serait infernal pour lui.

— Mais alors, fit René, Marguerite a vécu toutes ces années avec ce lourd secret ? Nous devrions peut-être lui avouer comment nous l'avons découvert, afin qu'elle sache qu'elle n'est plus seule.

— Non, je ne suis pas d'accord, dit Emmélie. Si après toutes ces années, Marguerite n'a rien dit, il nous faut respecter son silence.

René acquiesça. Puis, il ouvrit un petit tiroir de son bureau de travail et retira d'une pochette de cuir un petit objet, enveloppé d'un vieux mouchoir.

— J'avais rapporté ceci de France, dit-il à Emmélie en lui montrant un saphir bleu en cabochon*.

— Oh! s'exclama-t-elle en posant délicatement la pierre dans le creux de sa paume. Je n'ai encore jamais rien vu d'aussi beau! C'était… pour Marguerite?

— Je l'ai achetée à Paris, répondit-il. J'aimais cette pierre. Chaque fois que je la regardais, je pensais à elle, puis je me disais que j'étais un pauvre imbécile.

— Pauvre toi! Nous faisons une belle paire, toi et moi.

— Emmélie, ma chère sœur, si toi et Sophie n'aviez pas été là, je crois que je serais reparti au loin pour ne plus jamais revenir, avoua René.

❧

Le curé Bédard avait convoqué Ovide de Rouville au presbytère. En réalité, c'était une véritable intimation au tribunal de Dieu, dont il se faisait le procureur, et le curé avait bien fait comprendre qu'il ne pouvait se désister. Jean-Baptiste Bédard pouvait enfin confondre Ovide de Rouville. La dernière frasque de l'impudent, chez les demoiselles de Niverville, était le prétexte qu'il attendait depuis longtemps.

Ovide de Rouville avait tenté de séduire la servante des Niverville. Thérèse avait surpris le jeune homme dans la cuisine du manoir qui essayait de retrousser les jupes de la jeune femme. La pauvrette ne pouvait crier, il lui maintenait la tête avec une main sur la bouche, mais elle se débattait farouchement. Le hurlement de la demoiselle de Niverville avait sauvé la jeune fille du pire. Ovide avait brusquement relâché sa proie et était sorti en prétendant grossièrement que Marie-Desanges l'avait provoqué.

Mais la scène était sans équivoque, même pour une demoiselle de Niverville. Elle s'empressa de tout raconter à sa sœur qui fut si fortement secouée qu'il fallut deux fois les sels pour la ranimer. Les deux femmes décidèrent de ne rien rapporter à leur frère, qui avait maintenant de lourdes charges. Le fils de Rouville était impliqué, ce qui était bien embêtant.

Les demoiselles n'arrivaient plus à trouver le sommeil. Sans compter que leur petite servante, terrorisée, voulait rendre son tablier. Elle connaissait trop bien le sort des servantes qui se retrouvaient enceintes dans une bonne maison. Elles étaient jetées à la rue.

— Qu'allons-nous faire, ma sœur ? avait demandé Thérèse à Madeleine.

— Nous n'avons pas le choix d'en parler à monsieur le curé. Lui seul peut parler à ce jeune… mécréant ! avait fait la deuxième demoiselle en s'étranglant.

— Et convaincre Marie-Desanges de rester avec nous. Elle n'a rien fait de mal, mais menace de nous quitter. Elle ne se sent plus en sécurité chez nous !

Le fils du seigneur de Rouville qui avait osé l'attaquer chez elles, dans l'antique manoir des Niverville de Chambly ! C'était proprement honteux !

— Je t'en prie, ma sœur, passe-moi encore les sels, avait répondu Madeleine.

L'héritier Rouville se présenta au presbytère en affichant sa morgue habituelle. Le curé le toisa sans un mot, puis l'invita à passer dans son petit cabinet, celui dans lequel Monsieur Boileau et lui-même avaient supplié le docteur Talham d'épouser Marguerite Lareau, enceinte à la suite d'un viol, des années auparavant. Le curé avait appris le nom du coupable, lors de la confession de Marguerite. Pour lui, c'était le premier des crimes imputables à Ovide de

Rouville, sur une liste qui devait être beaucoup plus longue que ce qu'il en savait.

Le curé avait également appris qu'Ovide avait une part de responsabilité dans l'incendie criminel de l'église. Mais, comme le notaire Boileau lui avait fait remarquer, il n'y avait que des preuves circonstancielles, rien qui tiendrait devant un tribunal. Par contre, deux autres personnes étaient au courant : le capitaine Ferrière et Monsieur Boileau.

— Que puis-je faire pour le service de l'Église ? demanda hypocritement Rouville au curé.

— Vous confesser, monsieur de Rouville.

— Mais je me confesse régulièrement, répliqua Ovide.

— Ce n'est pas suffisant. Vous êtes un criminel, monsieur de Rouville, qui n'a jamais confessé ses crimes. L'auriez-vous fait ailleurs ? Si tel est le cas, vous devez avoir un billet de confession qui le prouve, comme c'est l'usage. Montrez-le-moi.

— Mais vous êtes fou ! C'est pour cela que vous m'avez mandé, pour m'accuser faussement ?

— Je ne vous accuse de rien, monsieur. Mais je reconnais en vous le pécheur. Je vous ai parlé de confession.

— Que voulez-vous dire ? cria son paroissien.

Le curé le gratifia d'un regard sévère. Le criminel ne lui faisait pas peur. Cet homme avait incendié son église, il allait en être puni.

— J'ai eu la visite des demoiselles de Niverville, hier, poursuivit le curé.

— Ces deux hystériques ? soupira Ovide, soulagé. Vous les connaissez suffisamment pour ne pas prêter foi à ce qu'elles racontent.

— Au contraire, monsieur de Rouville. Ce qu'elles m'ont dit est l'exacte répétition de d'autres récits qui courent sur votre compte.

— Des fables mesquines, persifla Rouville qui recommençait à avoir chaud.

— Une fable qui ressemble en tout point à ce que vous avez fait subir à madame Talham, il y a de cela sept ans ?

L'allusion l'ébranla. Que savait Bédard ?

— Cette femme est réputée pour la légèreté de ses mœurs. Vous ne pouvez pas la croire.

— Madame Talham est une honnête femme et je vous interdis dorénavant de prononcer une seule parole malveillante à son égard. Je l'ai crue lorsqu'elle s'est confessée à moi, la veille de son mariage. La pauvrette refusait d'avouer le nom de son agresseur qui l'avait menacée de mort. Mais elle a fini par tout me révéler. Je sais ce qui s'est passé dans l'écurie de votre père, il y a sept ans, monsieur de Rouville.

— Vous ne pouvez rien prouver, avança Rouville, d'une voix blanche.

C'était déjà un aveu. Le curé, qui était assis derrière sa table de travail, se leva brusquement. Les méfaits de cet homme qui n'avait pas trente ans étaient sans nombre.

Ovide de Rouville réprima un tremblement.

— Certes, je n'ai pas de preuves, admit le curé. Si je vous offre de vous confesser, c'est que j'ai confiance en la miséricorde du Seigneur. Le repentir peut soulager les âmes les plus noires et la vôtre est fort sombre, monsieur de Rouville.

Le curé fit une pause afin que ses paroles trouvent un chemin escarpé pour pénétrer dans ce cœur chargé de crimes.

— Autre chose. Le notaire Boileau a mené une enquête, à la suite de l'incendie de notre église. Je connais les résultats de cette enquête.

Le curé avait adopté un ton glacial qui fit frémir Ovide.

— Je n'étais même pas à Chambly, ce jour-là, protesta-t-il.

— Ovide de Rouville, vous avez allumé le feu dans le clocher aussi sûrement que si vous aviez dressé vous-même un bûcher dans notre église paroissiale ! lança froidement le curé. Vous étiez derrière la main criminelle de ce triste sire qu'on a retrouvé mort, et identifié par monsieur Bunker comme étant l'homme rencontré par vous dans son établissement au printemps de 1806. Avant de trépasser, ce Shank a tout avoué. Le capitaine Ferrière, le notaire Boileau et moi-même connaissons la vérité. Mais nous la taisons à votre père, lui épargnant cette honte.

— Encore une fois, vous n'avez aucune preuve, soutint Rouville en l'affrontant du regard.

— Une autre personne est aussi au courant.

Ovide devint blanc.

— Qui ?

— Je ne suis tout de même pas assez stupide pour vous révéler ce nom. C'est une précaution. S'il nous arrivait malheur, sachez que cette personne a ordre d'aller directement porter à votre père cette lettre, ajouta-t-il en brandissant une missive cachetée. Il y a aussi une copie dans le greffe du notaire et une troisième, à Montréal, chez une personne fiable. Avec vous, il ne faut prendre aucun risque.

— Maudit prêtre ! pesta Rouville.

— Voilà un autre péché que vous aurez à confesser, monsieur de Rouville, fit le curé, imperturbable. Injurier un serviteur de Dieu est une grave offense. Maintenant, écoutez bien ce que j'ai à vous dire. Je suis votre pasteur et à ce titre, je vous ordonne de vous tenir loin de la sainte table, aux offices religieux, tant que vous n'aurez pas fait une confession complète, sincère et repentie de tous vos péchés, sans en omettre aucun, à votre confesseur, c'est-à-dire moi, Jean-Baptiste Bédard, curé de Chambly. Ensuite, si jamais un autre incident de ce genre parvenait à mes oreilles, n'ayez aucun doute, je m'empresserais d'aller tout dévoiler à votre père. Je vais aussi écrire à mes confrères des paroisses de la rivière Chambly. Ils seront avertis que vous êtes interdit de communion.

Ovide pâlit. Ne pas s'approcher de la sainte table, c'était porter flanc à l'opprobre. Ne pas communier un dimanche ou deux, voire un mois entier, cela pouvait passer. Mais au bout d'un certain temps, les paroissiens remarqueraient cette absence systématique et finiraient par se dire qu'il ne pouvait communier pour cause de non-confession, indiquant par le fait même qu'il était coupable de fautes graves et connues du curé. Il devrait se justifier auprès de sa mère qui s'étonnerait de la sévérité du prêtre et son père ne manquerait pas d'exiger des explications. C'était insupportable. La sentence de Jean-Baptiste Bédard était la pire de toutes.

— Saleté de prêtre ! siffla-t-il rageusement.

Ignorant l'insulte, messire Bédard croisa les bras et resta un immobile moment, toisant sévèrement le fils du seigneur de Rouville. Puis il lui désigna la porte sans ajouter un mot.

— Vous ne m'aurez pas aussi facilement, Bédard. Je jure qu'un jour, vous allez me payer ça ! lança Ovide d'un ton menaçant en claquant la porte du cabinet.

« Ce maudit prêtre m'a piégé, mais il ne l'emportera pas au paradis » se dit-il en détachant son cheval.

Mais sur le chemin du retour, quelque chose lui revint. Il y avait une faille dans le raisonnement du curé. L'enfant de Marguerite Lareau, celui qu'elle avait eu après six mois de mariage… Le curé n'avait rien dit à ce propos. C'était curieux. Il se rappela que la fille était vierge. Alors, qui était le père du petit bâtard ? Le docteur que tous portaient aux nues ? Ovide ricana. Ils étaient bien tous pareils, ces maudits bourgeois : des hypocrites remplis de suffisance ! Car s'il avait été le père de l'enfant, la gueuse l'aurait avoué au curé qui aurait aussitôt exigé réparation. N'était-ce pas ce que ces maudits prêtres faisaient toujours lorsqu'une misérable souillon révélait le nom du père de son petit bâtard, sans même se soucier si l'homme était manant ou noble.

Pourtant, quelque chose le turlupinait. Pour la première fois, en toute logique, il comprit que le fils aîné de Marguerite Talham pouvait être le sien. Melchior ! Le petit bâtard portait le prénom de son parrain, Melchior de Rouville, qui était peut-être son grand-père. Quelle ironie !

Le docteur Talham connaissait-il la vérité ? Jamais, au cours des dernières années, ce dernier n'avait eu un geste, une parole, voire un regard qui aurait pu laisser penser qu'il connaissait le nom du véritable père de Melchior. Qui sait ? Il tenait peut-être là le moyen de se sortir de ce mauvais pas.

Ovide était arrivé devant chez Bunker. Il posa le pied à terre, attacha sa monture et s'enfonça dans la sombre salle de la taverne. Il fallait qu'il réfléchisse à tout cela.

Le curé Jean-Baptiste Bédard aspirait au repos. Agenouillé à son vieux prie-Dieu, il implorait la pitié du Seigneur. Ces dernières années, il avait lutté avec l'acharnement du désespoir pour obtenir la reconstruction de l'église « à la bonne place ». Maintenant qu'elle se tenait droite et fière, face au bassin de Chambly, « dans le plus bel endroit du Canada», comme il l'avait si bien écrit à Monseigneur, il entreprendrait la décoration de Sa Maison, avec l'aide des plus grands artisans du Bas-Canada, les sculpteurs Louis-Amable Quévillon, Joseph Pépin et René Beauvais Saint-James, de grands artistes pour les ornements les plus somptueux faits de belles colonnades à la toscan, de riches autels sculptés avec des murs ornés de peintures de la Sainte Famille, des saints du paradis accompagnés d'angelots peints en des couleurs harmonieuses, et sur-montés d'un ciel doré. Désormais, l'église de la paroisse Saint-Joseph-de-Chambly compterait parmi les plus belles du pays.

Mais comme il aurait aimé goûter à un moment d'ac-calmie, quitter sa paroisse quelque temps, méditer et prier à son aise avant de reprendre le difficile service du Seigneur. Il était épuisé.

Ces derniers mois, il avait pleuré et enterré plus de quarante de ses paroissiens au cours de la terrible épidémie qui avait duré jusqu'au printemps et dévasté les paroisses de la rivière Chambly. Il remercia le Seigneur d'avoir sur-vécu, comme par miracle, à ce fléau, et d'avoir été épargné de ces miasmes mortels. Mais la paroisse se remettait à peine de ses deuils que l'arrestation de son frère aîné, Pierre-Stanislas, ordonnée à Québec par le gouverneur Craig, l'avait à nouveau plongé dans la douleur. Son pauvre frère avait vu son journal fermé, ses presses confisquées, comme s'il avait été le dernier des malappris. S'il n'avait pas été emprisonné avec un homme aussi inestimable que le doc-teur François Blanchet, le curé n'aurait plus jamais été capable de marcher la tête haute.

«Je vous bénis, Seigneur, car ces pénibles incidents sont survenus bien après l'incendie maudit. Merci de nous avoir accordé notre église avant le grand malheur arrivé à mon frère, sinon, que serait-il advenu de mes paroissiens ? Nous l'avons tous échappé belle ! »

Jean-Baptiste Bédard se rappela les durs mots de l'évêque, dans une lettre pastorale qu'il avait envoyée à ses prêtres à la suite des événements qui avaient fait fermer *Le Canadien* et dans laquelle il soulignait les désirs du gouverneur Craig :

Il attend de vous que dans vos instructions publiques, ainsi que dans vos conversations particulières, vous ne laissiez échapper aucune occasion de faire prudemment entendre au peuple que son bonheur à venir repose sur l'affection, le respect et la confiance qu'il montrera au gouverneur.

Cette fidélité à prêcher en faveur du gouverneur Craig sous-entendait désavouer les propos du *Canadien*. Aussi bien dire renier son propre frère !

« De grâce, Seigneur, épargnez-moi ! » supplia le curé dans ses prières. « Ce n'est pas pour moi, car je ne vous demande rien. Mais mes forces s'amenuisent et je souhaite de tout cœur demeurer longtemps votre serviteur le plus fidèle. Il ne manquerait plus qu'une guerre pour que je m'effondre sous la charge. »

Malheureusement pour Jean-Baptiste Bédard, les turpitudes du ciel menaçaient encore sa tranquillité. D'autres drames allaient s'abattre sur Chambly. Le Seigneur, dans sa grande sagesse, éprouverait à nouveau le curé de Saint-Joseph. Il y aurait de grands bouleversements contre lesquels le bon curé devrait s'avouer impuissant. Et bientôt, très bientôt, le village de Chambly ne serait plus jamais le même.

Glossaire

ARPENT : ancienne mesure agraire qui a différente valeur selon les régions ou pays. Au Canada, 192 pieds ou 58,50 mètres.

AULNE : ou aune, mesure de longueur utilisée surtout pour mesurer le tissu, d'environ un mètre vingt.

BERLINE : voiture fermée.

BOMBAZETTE : sorte de tissu de lainage fin qui sert à faire des robes.

BOSTONNAIS : Américains rebelles à l'époque de la Révolution américaine (1774-1783). On se rappelle que Boston est le point de départ de la guerre d'Indépendance. Après avoir tenté de séduire les Canadiens en les invitant à se rebeller avec eux contre les Britanniques, les Bostonnais occupent le pays en 1775 et 1776. Ils sont à Chambly d'octobre 1775 à juin 1776.

CABOCHON : forme d'une pierre précieuse.

CÂLINE : coiffure de dame, bonnet qu'on attache sous le menton.

CROQUECIGNOLES : ou croquignoles, beignets au sucre. L'orthographe est celle d'Amédée Papineau, retenue dans la transcription de ses *Souvenirs de jeunesse* (Georges Aubin, Septentrion).

DISTRICT : le Bas-Canada est divisé en trois districts administratifs, soit Québec, Montréal et Trois-Rivières.

ENDÊVER : contrarier, rager. Faire endêver : faire enrager. Se faire endêver : se faire tourmenter.

ÉPINETTE : instrument à clavier et cordes pincées plus petit qu'un clavecin.

HARDES : mot ancien qui désignait les vêtements.

LIEUE : mesure itinéraire ancienne entre quatre et cinq kilomètres, selon qu'elle est française ou anglaise. Nos personnages utilisent la lieue anglaise, soit un peu moins de cinq kilomètres.

LIVRE : monnaie la plus courante à l'époque, soit la livre française, dite « livre cours ancien », ou la livre anglaise. Le manque de liquidité fait qu'on retrouve de nombreuses pièces de monnaie en circulation, et de diverses provenances : portugaise, louis, aigle américain, etc. Il est également très difficile d'établir des équivalences avec aujourd'hui.

LIT CABANE : lit haut sur pieds, fait de frêne, de sapin, de pin ou de merisier, dont les ouvertures se ferment par des rideaux coulissants pour protéger le dormeur du froid.

MESSIRE : titre donné aux prêtres tel qu'on le retrouve dans divers documents d'archives : correspondances et actes notariés.

MONTRÉALISTE : c'est ainsi qu'on désignait un habitant de Montréal.

NANKIN : coton uni de couleur jaune importé de Chine.

SOULIERS DE BŒUF ET SOULIERS FRANÇAIS : chaussures du pays que les habitants confectionnent eux-mêmes, en cuir de bœuf. À l'opposé, les « souliers français » sont manufacturés à l'étranger ou fabriqués par des cordonniers.

Le vocabulaire utilisé dans ce roman se veut respectueux du lexique en usage au début du XIXe siècle.

Repères et sources

Entre fiction et réalité, pour démêler le vrai du faux.

LA SEIGNEURIE DE CHAMBLY : En 1665, une compagnie du régiment de Carignan-Salières, dirigée par le capitaine Jacques de Chambly, érige un premier fort de pieux à la sortie des rapides de la rivière Richelieu qui se jettent dans le bassin de Chambly. En 1672, le roi concède une seigneurie à Jacques de Chambly. Ce territoire couvrait les actuelles villes de Carignan, Chambly, Richelieu, Saint-Basile-le-Grand et Saint-Mathias-sur-Richelieu, en Montérégie. C'est la seigneurie de Chambly.

Jacques de Chambly tente plusieurs fois de vendre sa seigneurie, mais il meurt en 1687 avant de pouvoir le faire. Dans son testament, il lègue sa seigneurie à Françoise Thavenet (qui aurait été sa fiancée, mais nous n'en avons aucune preuve). Françoise étant morte, l'héritage revient à Marguerite de Thavenet, épouse de François Hertel de La Fresnière.

À la mort de François Hertel, la seigneurie est partagée. À titre de fils aîné, Zacharie obtient la plus grande part, c'est-à-dire la moitié de la seigneurie, incluant le village de Chambly, qu'on appellera Chambly-Ouest. La seconde moitié est partagée entre les six autres héritiers. L'un d'entre eux est Jean-Baptiste Hertel de Rouville, l'ancêtre des Rouville du roman.

Conflits, échanges ou ventes, on se disputera jusqu'à la fin du XVIIIe siècle pour cet héritage. La branche des Hertel de Rouville finira par réunir presque tous les fiefs de Chambly-Est, au xixe siècle. Dans le roman, nous avons supprimé le nom Hertel pour ne garder que Rouville. Quant à la seigneurie de Chambly-Ouest, Zacharie Hertel de La Fresnière fait un échange avec son beau-frère, Jean-Baptiste Boucher de Niverville, l'époux de sa sœur, Marguerite-Thérèse. Les Niverville seront les *seigneurs primitifs* de Chambly pendant près de cent ans.

La seigneurie de Rouville : Petite seigneurie située sur la rive est de la rivière Richelieu. Concédée en 1694 à Jean-Baptiste Hertel de Rouville, elle reste dans cette famille jusqu'en 1844. Jean-Baptiste-René Hertel de Rouville (Ovide, dans le roman) la vend au major Thomas Campbell. Le dernier Rouville avait construit un manoir que Campbell agrandira et embellira. On l'appelle aujourd'hui le manoir Rouville-Campbell. La seigneurie de Rouville comprend une montagne appelée autrefois « Chambly » ou « Rouville ». Aujourd'hui, c'est le mont Saint-Hilaire. De même, la montagne de « Boucherville » est l'actuel mont Saint-Bruno.

La Petite Rivière : La rivière des Morales, ou de Moral, devient rivière de Montréal dans le parler populaire. Depuis les années 1970, elle porte le nom de rivière L'Acadie. Cette rivière traverse une bonne partie de la Montérégie, entre Laprairie et Chambly, et se jette dans le bassin de Chambly. Dans les documents, on la retrouve sous les noms de : la petite rivière, la petite rivière de Chambly ou, plus souvent, la petite rivière de Montréal. À la fin du xxe siècle, les vieux résidants de la région lui donnaient encore ce nom. Le chemin de la Petite Rivière du roman est l'actuelle rue De Salaberry qui traverse les municipalités de Chambly et de Carignan.

Rivière Chambly : Cette rivière n'est nulle autre que la rivière Richelieu.

Pointe-Olivier : Nous avons choisi d'utiliser ce toponyme pour désigner ce qui est aujourd'hui la municipalité de Saint-Mathias-sur-Richelieu. La paroisse de la Conception de la Pointe-Olivier aura plusieurs variantes avant d'être placée sous le patronage de saint Mathias, en 1809, mais l'appellation Pointe-Olivier a perduré longtemps au début du xixe siècle.

ALEXANDRE TALHAM, CHIRURGIEN, MÉDECIN OU DOCTEUR EN MÉDE-CINE? : À l'époque de Talham, les termes sont flottants. Les anciens chirurgiens militaires, qui parfois étaient des anciens chirurgiens barbiers ou chirurgiens navigants, pratiquent un métier qu'ils apprenent par apprentissage, mais possédent aussi une formation supérieure aux autres. Au début du XIXᵉ siècle, ces hommes de l'Art iront parfaire leur savoir à l'université. Le terme « chirurgien » glisse vers celui de « médecin ». Après l'ordonnance de 1788 qui oblige tous les praticiens de la médecine à obtenir une licence, dans tous les actes notariés et dans le registre parois-sial, Joseph-Alexandre Talham se désigne comme « docteur en médecine » et non plus comme « chirurgien », un comportement qui est typique de son époque.

HUMEURS : Médecine des humeurs. À l'époque où vivent nos personnages, la médecine des humeurs a toujours cours. L'équi-libre des quatre humeurs (sang, lymphe, bile noire, bile jaune), est gage de santé. Lorsqu'il y a déséquilibre, on pratique la saignée, on donne une purgation ou des vomitifs. Cette médecine est en pleine évolution au début du XIXᵉ siècle.

LE MARIAGE : Joseph-Alexandre Talham et Marguerite Lareau se sont mariés le 16 février 1803 à Saint-Joseph-de-Chambly. Marguerite allait avoir dix-huit ans en mars et elle était enceinte de trois mois. Le docteur Talham était veuf depuis 1796. Melchior Talham est né le 26 août 1803. Le docteur était-il le vrai père de cet enfant ? Personne ne peut répondre à cette question. Melchior Hertel de Rouville était témoin à ce mariage.

L'histoire de Marguerite Lareau et de Joseph-Alexandre Talham a été inspirée par des personnages qui ont vécu à Chambly à l'époque où se déroule le roman. Leur histoire, comme celle de leurs contemporains, dort dans les pages des vieux registres paroissiaux et les greffes des notaires du Québec ancien. Outre Melchior Talham, né le 26 août 1803, ce couple aura quatre autres enfants : Eugène (1806), Charles-Napoléon (1810), Marie-Anne (1812), Norbert (1814) et Agnès, dite Caroline (1822).

JEAN-BAPTISTE BÉDARD : Il est titulaire de la cure de Chambly de 1804 à 1817. Nous avons devancé son arrivée à Chambly en 1802, afin de nous assurer d'être en compagnie de ce curé si aimable tout au long de l'histoire.

MONSIEUR BOILEAU : René Boileau père (1754-1831), premier député du comté de Kent (Chambly), époux de Marie Josèphe Antoinette de Gannes de Falaise. À distinguer de son fils, le notaire René Boileau (1779-1842), futur patriote. René Boileau père peut être considéré comme le premier écrivain de Chambly. Il laisse des *Carnets* que son arrière-arrière-petit-fils, Gustave-Alfred Drolet a publié en partie dans *Zouaviana*.

MA CHÈRE FALAISE : *Décès de ma chère Falaise* note Boileau dans ses *Carnets* le 31 mai 1819. À remarquer que les femmes mariées de cette époque utilisent toujours leur nom de jeune fille dans les documents, auquel elles ajoutent parfois (mais pas toujours) celui de leur mari. Par contre, chez les anglophones, dès le mariage, le nom de jeune fille d'une femme disparaît définitivement.

OVIDE DE ROUVILLE : Les amateurs d'histoire savent que le fils de Melchior Hertel de Rouville et de Marie-Anne Hervieux se nomme Jean-Baptiste-René Hertel de Rouville, né à Montréal en 1789. Pour simplifier la compréhension du récit, nous avons choisi de nommer ce personnage Ovide, en utilisant un des prénoms de son grand-père, le détestable (ce sont ses contemporains qui nous le disent) juge René-Ovide Hertel de Rouville. Par ailleurs, Ovide a été vieilli de quelques années. La scène du viol par ce personnage n'est que pure fiction, du moins, espérons-le, puisqu'en 1802, le jeune Rouville n'a que treize ans. En réalité, Julie Hertel de Rouville est plus vieille que son frère. Elle est née en 1788.

FRANÇOISE BRESSE : Le véritable nom de l'épouse du négociant Joseph Bresse est Marguerite Sabatté.

LES DEMOISELLES DE NIVERVILLE : Le 19 août 1767, Marie-Anne Baby, l'épouse de Jean-Baptiste Boucher de Niverville, seigneur primitif de Chambly, donne naissance à des triplées : Marguerite, Thérèse et Marie-Renée (ou Marie-Reine). La petite Marie-

Renée ne survit pas. Le prénom de Marguerite devient Madeleine, dans le roman. En réalité, madame de Niverville mère est toujours vivante à l'époque du roman.

ROSALIE PAPINEAU : La fille du notaire Joseph Papineau et de Rosalie Cherrier est née à Montréal en 1788. En 1803, elle n'a que quinze ans, mais nous l'avons vieillie d'environ deux ans, afin qu'elle soit du même âge que Marguerite.

LE JOURNAL *LE CANADIEN* : Le premier numéro du *Canadien*, un journal de combat qui veut riposter au *The Quebec Mercury* et instruire les Canadiens est sorti le 22 novembre 1806. Un prospectus de souscription l'avait annoncé la semaine précédente, soit le 13 novembre. Le journal de Pierre-Stanislas Bédard, de François Blanchet et de quelques autres avait comme devise : *Fiat justitia, ruat caelum*, ce qui veut dire : « Que le ciel s'écroule, mais que justice soit faite. » *Le Canadien* représente la première prise de conscience collective des Canadiens français. Dans le roman, le journal sort quelques semaines avant la date réelle.

LA BARONNE GRANT, MARRAINE DE LA CLOCHE : Il s'agit ici de fiction. Par contre, la baronne Grant visite Chambly quelques jours avant l'événement. René Boileau père nous l'apprend dans ses notes :

> *Juillet, 26. Les demoiselles Baby sont arrivées avec madame la baronne Grant et sa fille, chez M. de Rouville hier. Elles sont toutes venues dîner chez moi aujourd'hui.*
>
> *Juillet, 29. La nouvelle cloche de notre paroisse apportée par Janot Lafleur, a été bénite par M. Robitaille.*

LA CLOCHE : Les paroissiens de Pointe-Olivier ont prêté leur plus petite cloche, *Charles*, aux paroissiens de Chambly, depuis le 25 décembre 1806. Chambly n'est privé de l'appel de la cloche que pendant six mois. La véritable marraine de la cloche, arrivée en 1807, est Marie-Anne Baby, veuve du seigneur de Niverville, la mère des demoiselles. Le parrain de la cloche est le curé Jean-Baptiste Bédard. L'incendie de l'église par une main criminelle fait partie de la fiction.

Aperçu bibliographique

Outre mes recherches personnelles dans divers fonds, soit les actes des notaires de Chambly et le registre paroissial de Saint-Joseph-de-Chambly, déposés au Centre d'archives de Montréal de Bibliothèque et archives nationales du Québec, ainsi que la correspondance de Jean-Baptiste Bédard déposée aux Archives du diocèse de Saint-Jean-Longueuil, je suis amplement redevable aux chercheurs Paul-Henri Hudon et Raymond Ostiguy, de la Société d'histoire de la seigneurie de Chambly.

Que soient également remerciés les historiens et auteurs suivants :

Sur le clergé de l'époque, l'œuvre de Serge Gagnon, et les précieux renseignements de Paul Racine, historien de l'art et grand spécialiste de l'histoire des églises québécoises.

Sur les mœurs de l'époque, l'ethnographie et l'histoire en général, mes principales sources proviennent des travaux de Georges Aubin et Renée Blanchet, Jean-Pierre Hardy, Jacques Lacoursière, Yvan Lamonde, John Lambert, Rénald Lessard, Jean Provencher, Marcel Rheault, Robert-Lionel Séguin et Marcel Trudel.

Remerciements

À Arnaud Foulon qui a cru à *Marguerite* et aux *Chroniques de Chambly*.

À Dominique Alexis, amie incomparable et lectrice critique.

Aux chercheurs français du Cercle de généalogie de la Haute-Normandie : Pierre Ancel et Eric Mardoc.

Merci également à la Fondation pour les arts et la culture du bassin de Chambly.

Et surtout, à Raymond Ostiguy, mon mari, pour son soutien indéfectible et sa confiance.

GARANT DES FORÊTS
INTACTES

RÉIMPRIMÉ EN AOÛT 2009
SUR LES PRESSES DE TRANSCONTINENTAL-GAGNÉ
À LOUISEVILLE, QUÉBEC